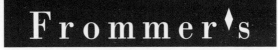

Frommer's

CARTES POSTALES

DE

LONDRES

D0533055

Rue de Londres. « Le plus étonnant à propos de Londres, c'est la parfaite symbiose entre l'ancien et le moderne, le tentaculaire et le compact, la constance britannique et l'invention perpétuelle d'une ville plus en plus multiculturelle. »
Voir chapitre 1. (Alanie/Life/Photodisc.)

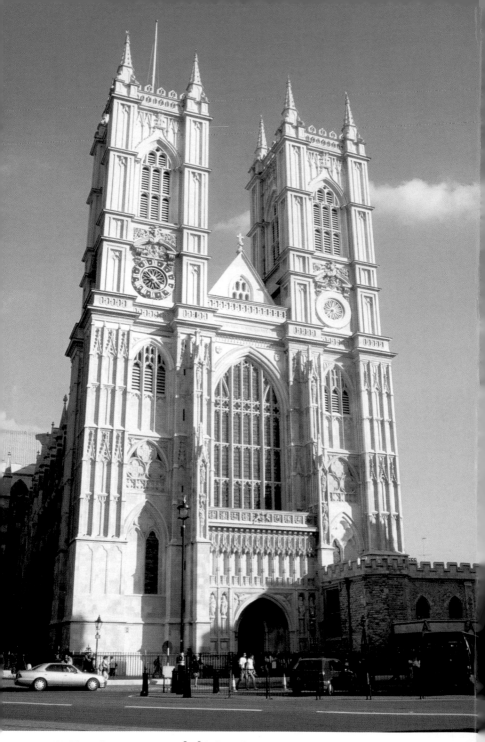

L'abbaye de Westminster. « [...] le haut lieu par excellence de la nation, le symbole de la Grande-Bretagne, l'endroit où la majorité de ses souverains ont été couronnés et où bon nombre d'entre eux reposent. » Voir chapitre 6. (David Toase/Photodisc.)

Piccadilly Circus. « *Munie de sa célèbre statue d'Éros, Piccadilly Circus représente le véritable cœur de Londres. Avec sa circulation, ses enseignes lumineuses et ses foules, le terme "cirque" semble correctement choisi.* » *Voir chapitre 3.*
(David Barnes/La Photothèque SDP.)

Le grand magasin Harrods. « [...] une institution aussi profondément ancrée dans la vie britannique que Buckingham Palace et les courses d'Ascot. » Voir chapitre 8. (Andrew Ward/Life File/Photodisc.)

La tourné des pubs. « L'un des passe-temps préférés des Londoniens [...] le plus dur restant de choisir parmi les 5000 existants, dont beaucoup ont conservé leur caractère traditionnel. » Voir chapitre 5 et 9. (Guy Marche/La Photothèque SDP.)

Pompes à bière dans un pub de Londres. (Paul Harris/Stone.)

Big Ben. « La tour de l'horloge des Houses of Parliament [...]. Comme la Tour Eiffel pour Paris, [elle] est le symbole international de Londres. » Voir chapitre 7.
(Benelux Press/La Photothèque SDP.)

Les célèbres cabines téléphoniques rouges,
un élément traditionnel du folklore londonien.
(Pictures/La Photothèque SDP.)

La Tour de Londres. « [...] le seul palais médiéval existant encore en Grande-Bretagne. Les guides sont habillés en costumes de l'époque. » Voir chapitre 6 (AGE Fotostock/La Photothèque SDP.)

Tower Bridge. « [...] l'un des monuments les plus célébrés de la ville et sans doute le plus photographié et le plus peint. » Voir chapitre 6 (PhotoLink/Photodisc.)

Le Dome du Millennium. « [...] une déclaration symbolique de toute la nation à l'aube du nouveau millénaire. [...] une fenêtre sur l'avenir. (Tony Blair) »
Voir chapitre 6. (Ed Pritchard/Stone.)

Guide de voyage
Frommer's

Londres

Darwin Porter

et Danforth Prince

traduit de l'anglais par
Nicky Baker
Anne Girardeau
Anne Carole Grillot
Delphine Nègre-Bouvet
Esther Pluna

mis en page par
JAD-Hersienne et Catherine Kédemos

Frommer's Londres

Titre de l'édition originale en langue anglaise : *Frommer's 2000 London*

Publié par :
Macmillan General Reference USA, Inc.
1633 Broadway
New York, NY 10019 - USA

Une division de :
IDG Books Worldwide, Inc.
919 E. Hillsdale Blvd., Suite 400
Foster City, CA 94404 - USA

Édition française publiée en accord avec IDG Books Worldwide, Inc. par :
ÉDITIONS GÉNÉRALES FIRST
13-15, rue Buffon
75005 Paris - France
Tél. 01 55 43 25 25
Fax. 01 55 43 25 20
Minitel : AC3*FIRST
E-mail : **firstinfo@efirst.com**
Web : **www.efirst.com**

© Éditions Générales First, 2000

ISBN 2-87691-570-7
Dépôt légal : 2e trimestre 2000

Sommaire

iii

5   Se restaurer   123

6   Explorer la ville 191

7   Se promener   249

8   Faire des achats   269

Liste des cartes

NOTE AU LECTEUR

Nous avons, au cours de nos voyages, découvert toutes sortes de lieux merveilleux — hôtels, restaurants, magasins, galeries d'art, boîtes de nuit... Nul doute qu'à votre tour vous en dénicherez de nombreux. N'hésitez pas à nous communiquer vos découvertes pour que nous puissions en faire profiter les utilisateurs des éditions à venir. De même, si vous êtes déçu par l'une des adresses recommandées, merci de nous le dire.

Nous nous efforçons par un travail systématique de vérification et d'actualisation de vous communiquer les informations les plus fiables possibles. Cependant, des changements peuvent advenir entre le moment où nous publions ce guide et votre voyage. Nous vous invitons donc à nous en faire part le cas échéant.

Merci de nous écrire à :

Guides de voyage Frommer's
Éditions First
13-15, rue Buffon
75005 Paris - France

firstinfo@efirst.com

SYMBOLES ET ABRÉVIATIONS

✪	Nos favoris	CB	Carte bancaire
Tél.	Téléphone	TV	Télévision
Clim.	Climatisation		

Le meilleur de Londres 1

La capitale britannique est plus éclectique, plus électrique que jamais. Elle semble frappée d'une espèce de frénésie, elle rivalise avec New York et se trouve en passe de devenir la ville la plus « vibrante » du monde. Sa vivacité, son délire artistique, ses restaurants à la mode, ses boîtes de nuit... Dans tous les domaines, Londres se veut inégalée. Le magazine *Newsweek* l'a décrite comme étant « un compromis entre le renouveau permanent propre à Los Angeles, la beauté classique de Paris et l'avant-gardisme de New York ». La revue des vins *Wine Spectator,* quant à elle, déclare simplement que « de nos jours, Londres est bien plus ensoleillée qu'autrefois ».

La musique pop et la techno animent les pubs victoriens, le théâtre expérimental vient s'exprimer sur des scènes initialement prévues pour des pièces de Shakespeare, de jeunes cuisiniers sont en train de raviver les plats traditionnels pour inventer une nouvelle cuisine à l'anglaise, tandis que pour la première fois, des Britanniques se sont vu nommer à la tête de maisons de haute couture telles Dior ou Givenchy. Dans des domaines très variés – gastronomie, mode, cinéma, musique, arts visuels, pour n'en citer que quelques-uns – Londres se place de nouveau en précurseur, comme dans les années 1960.

Si ces évolutions vous préoccupent ou vous inquiètent, rassurez-vous : quoique moins apparentes, toutes les valeurs traditionnelles qui lui donnent son charme unique demeurent intactes. Entre la conquête normande et le Blitz, la capitale de la Grande-Bretagne a su résister à une ribambelle d'invasions et ce n'est pas l'arrivée d'une flopée de « branchés » qui déstabilisera les coutumes British ! Le *high tea* chez *Brown's,* la relève de la garde à Buckingham Palace et tout ce qui symbolise Londres de par le monde restent en vigueur, tout comme il y a cinquante ans.

Partir à la découverte de Londres demande un peu de temps. C'était déjà vrai au XVIIIe siècle, quand l'écrivain anglais Daniel Defoe la décrivait comme « une ville tentaculaire, inégale et sans aucune forme apparente, qui s'étend de manière désordonnée, tout en longueur. » La City proprement dite ne représente que 2 km² autour de la Banque d'Angleterre. Et tout le reste n'est que villages, subdivisions administratives *(boroughs)* largement autonomes comme Westminster, Chelsea, Hampstead ou Kensington. Ensemble, ils forment une métropole gargantuesque, jadis la plus importante au monde.

Le centre de Londres

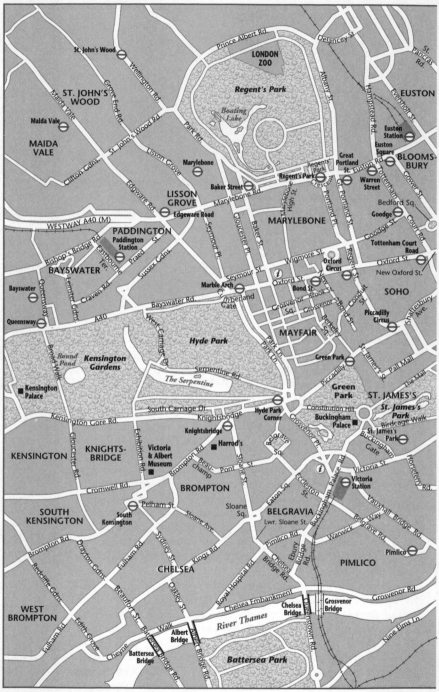

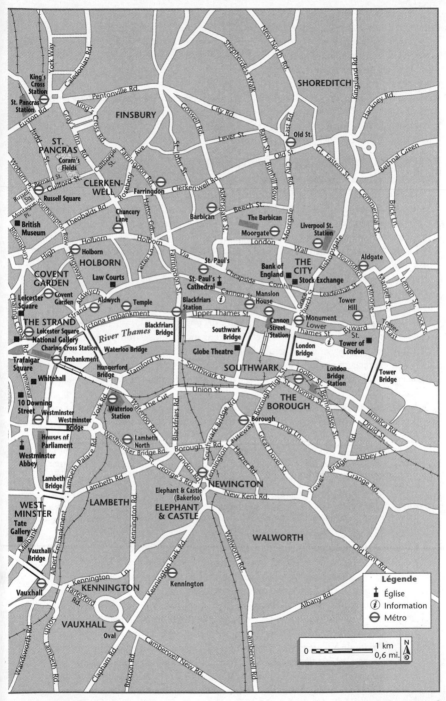

Par chance, la grande majorité de ce que les visiteurs voient et font à Londres se trouve concentrée dans le centre. Ce centre qui, plus que jamais, est l'un des endroits les plus fascinants sur Terre. Pendant près d'un siècle, un quart de la planète était sous son égide et l'on ressent encore à travers le monde l'incroyable influence de cette ville. Londres est truffée de contradictions. Elle exprime sa fierté monarchique sous forme de palais, de jardins royaux ou d'armoiries, tout en possédant le deuxième parlement démocratique le plus ancien du monde (l'Islande l'a en effet précédée). Le plus étonnant est sans doute la parfaite symbiose entre l'ancien et le moderne, le tentaculaire et le compact, la constance britannique et l'invention perpétuelle d'une ville de plus en plus multiculturelle. Venez voir par vous même !

1 Les coups de cœur Frommer's

- **Le coucher du soleil depuis Waterloo Bridge :** le pont de Waterloo est l'endroit idéal pour voir le soleil se coucher au-dessus de Westminster. Les derniers rayons se réfléchissent sur le dôme de la cathédrale Saint-Paul et les flèches des églises des quartiers de l'est… un moment magique.

- **Le thé « British » :** dans le salon de l'Hôtel Goring (1910), avec vue sur un petit jardin, vous goûterez aux sandwiches carrés au cresson ou au concombre, au thé ceylanais, aux scones agrémentés de crème fraîche, ainsi qu'au célèbre gâteau de la maison.

- **Les voies navigables :** en plus de la Tamise, Londres est dotée d'un réseau de canaux pourvu de chemins de halage, de ponts et de quais. Supplanté par les chemins de fer, ces voies ont été désertées pendant de nombreuses années, jusqu'à ce que la nouvelle génération les remette au goût du jour. L'ancien système a récemment été restauré, les ponts repeints et réparés, et les chemins de halage tondus. Pour en savoir plus, voir « Promenades sur la Tamise », page 231.

- **Le dimanche matin au « Speakers' Corner » :** l'angle nord-est de Hyde Park, près de Marble Arch, est réservé à une tradition britannique héritée du XIXᵉ siècle. Des orateurs venus des quatre coins du Royaume viennent ici haranguer la foule sur le thème de leur choix. On entend de tout : des dénonciations de la famille royale à la rhétorique anti-homosexuelle. N'importe qui a le droit de s'exprimer, à condition de ne se livrer ni au blasphème, ni à l'obscénité et de ne pas inciter à l'émeute. Cette tradition date de 1855 – bien avant que la liberté de réunion ne soit prononcée, en 1872 –, lorsqu'une foule de 150 000 personnes s'est retrouvée pour protester contre une proposition de loi concernant – déjà ! – le commerce dominical.

- **La magie des toiles de Turner à la Tate Britain :** À sa mort en 1851, le peintre J. M. W. Turner légua sa collection personnelle constituée de 19 000 aquarelles et de 300 peintures au peuple britannique, en précisant que ses œuvres achevées (une centaine de toiles) devaient être exposées en un seul et même lieu. Aujourd'hui, non contente d'offrir aux regards ces merveilleuses représentations des humeurs de la Tamise, la Tate Britain s'enorgueillit également de ses vues imprenables sur le fleuve.

- **Une promenade à Covent Garden :** George Bernard Shaw s'est inspiré de ce lieu pour écrire son célèbre *Pygmalion* : c'est ici qu'Eliza Doolittle vendait des violettes aux riches clients de l'opéra. Le vieux marché de fruits et légumes, avec ses marchands de choux-fleurs à l'accent *cockney* et ses bouchers aux tabliers sanglants a disparu depuis bien longtemps. Mais Covent Garden a d'autres charmes : quintessence du renouveau urbain, c'est l'un des quartiers marchands les plus branchés de la ville. Dans ce lieu se côtoient des étals bariolés, des magasins aux produits incroyables et des artistes de rue. La grande place héberge un marché d'antiquités tous les lundis et des artisans du mardi au samedi. Vous ne serez jamais à court de pubs pour étancher votre soif ; dans le cadre édouardien du *Nag's Head*, par exemple, vous pourrez déguster un verre de Guinness agrémenté d'une assiette de porc cuit au cidre.

• **La recherche d'antiquités :** quelque 2 000 antiquaires sont établis à Londres. Renseignez-vous auprès des offices de tourisme afin de savoir si des foires d'antiquités ont lieu pendant votre séjour ; celles du Dorchester et de Grosvenor House par exemple, se tiennent au mois de juin. Sinon, vous pouvez toujours découvrir les centres d'antiquités qui vendent de tout, de la pacotille (tasses ornées du portrait du Prince Philippe) aux perles rares. Les meilleures adresses en la matière sont **Gray's and Gray's** dans les *Mews*, 58 Davies St. (Métro : Bond Street), **Chelsea Antiques Market,** 245A-53 King's Rd. (Métro : Sloane Square) et **Alfie's Antique Market,** 13-25 Church St. (Métro : Edgware Road).

• **Le shopping chez Harrods :** difficile de résister à la tentation de visiter ce magasin ô combien célèbre. Étalée sur une superficie de 7 ha, la maison prend très au sérieux sa devise *Omnia Omnibus Ubique* – tout pour tout le monde, partout. Ainsi, lorsqu'en 1975, quelqu'un a téléphoné au magasin à minuit pour demander de livrer un bébé éléphant au foyer du gouverneur de Californie – autrement connu sous le nom de M. et Mme Reagan – le vœu a été exaucé (Nancy Reagan aurait d'ailleurs envoyé une petite lettre de remerciement…). Les rayons d'alimentation sont particulièrement impressionnants, avec, entre autres, 500 variétés de fromages et près de 165 marques de whisky. Chaque année à Noël, *Harrods* vend environ 100 tonnes de puddings. Le magasin peut même prendre en charge l'organisation d'un enterrement !

• **Le canotage sur le lac Serpentine :** ce lac artificiel de 20 ha est particulièrement agréable par beau temps. En 1730, les paysagistes de Hyde Park construisirent un barrage afin de créer une nouvelle étendue d'eau, dont le nom évoque la forme sinueuse. Il est possible de louer une barque à l'heure auprès de l'abri à bateaux *(Boathouse)*. Ce lac a inspiré à Auguste Renoir son tableau éponyme.

• **Découvrir la Tate Modern :** ce nouveau musée d'art moderne, riche d'une partie des œuvres de l'ancienne Tate Gallery, est une réussite. Situé sur la rive sud de la Tamise, en face de la cathédrale Saint-Paul, la Tate Modern habite une ancienne centrale électrique de briques rouges. Le lieu est splendide et l'exposition thématique, originale et pertinente. Vous y retrouverez tous les grands noms de l'art moderne. D'ores et déjà un passage obligé !

• **Le nord de Londres le dimanche :** pour commencer, allez fouiner dans les vêtements et les bijoux exposés à Camden Lock ; ce marché du dimanche se trouve dans la partie nord de Camden High Street. Ensuite, prenez Well Walk en direction de Hampstead Heath ; à la bifurcation, prenez à droite jusqu'à un espace vert offrant une vue panoramique de la ville. Si vous allez assez vite, vous pourrez prendre un déjeuner traditionnel au *Jack Straw's Castle*, North End Way ; puis vous aurez tout le temps pour faire un tour au Freud Museum (ouvert jusqu'à 17 h le dimanche).

• **Le dîner chez Rules :** situé au 35 Maiden Lane (WC2), *Rules* a ouvert en 1798 comme bar à huîtres, et il est bien possible qu'il soit le plus vieux restaurant de Londres. Longtemps fréquenté par l'élite théâtrale et littéraire, cet établissement sert encore les plats dont raffolaient Edouard VII et sa maîtresse, Lillie Langtry.

En toute intimité, les deux tourtereaux débutaient toujours leur repas par une coupe de champagne et un plateau d'huîtres. Charles Dickens aimait tellement ce lieu qu'une table lui était toujours réservée. Au fil des années, de nombreuses célébrités – parmi elles Clark Gable – y sont venues déguster faisans et grouses. Ne manquez pas non plus leur subtile purée de panais. Enfin, si vous souhaitez conclure votre repas par un dessert typiquement britannique, choisissez le *treacle sponge* (gâteau à la mélasse) ou l'*apple suet pudding* (pudding aux pommes à base de farine et de graisse de bœuf). Là, vous aurez compris toute la subtilité de la cuisine anglaise !

• **Théâtre à West End :** capitale mondiale du théâtre, Londres offre une diversité de pièces incomparable, pour toutes les envies et toutes les bourses.

• **Une tournée des pubs :** l'un des passe-temps préférés des Londoniens consiste à « faire » plusieurs pubs dans la même soirée. Le plus dur restant de choisir parmi les 5 000 existant, dont beaucoup ont conservé leur caractère traditionnel. Si vous décidez de participer à cette coutume, profitez-en pour tester le *pub grub*, des plats variés du genre *ploughman's* (fromage, *pickle* et salade, avec une tranche de pain) ou notre hachis Parmentier. La cuisine est parfois bien supérieure à celle servie dans certains restaurants – nous en reparlerons un peu plus loin.

La tournée des pubs que nous proposons permet de visiter plusieurs quartiers de Londres dans la même soirée : commencez par **Dickens Inn**, à côté de la Tour de Londres, St Katharine's Way (E1), puis dirigez-vous au **Ye Olde Cheshire Cheese,** Wine Office Court, 145 Fleet St. (EC4), avant de prendre un verre chez **Cittie of Yorke,** 22-23 High Holborn (WC1). Ensuite, repartez pour **Old Coffee House,** 49 Beak St. (W1) dans Soho, puis allez voir le **Red Lion,** 2 Duke of York St. (SW1). Si vous arrivez encore à marcher, dirigez-vous vers **Shepherd's Tavern,** 50 Hertford St. (W1) dans le quartier de Mayfair.

2 Le hit-parade des hôtels

• **Le meilleur hôtel historique :** l'élégant **Brown's Hotel,** 29-34 Albemarle St., W1 (☎ **020/7493-6020**), a été fondé par l'ancien majordome de Lord Byron, à l'époque victorienne. Avec son goûter légendaire et son horloge centenaire dans le hall, c'est l'un des plus distingués de Londres.

• **Le meilleur hôtel pour les voyages d'affaires :** si vous avez un marché à conclure, optez pour **Langham Hilton,** 1 Portland Place, W1 (☎ **020/7636-1000**), la plus importante succursale européenne de la chaîne. On a souvent l'impression que les affaires du monde entier se traitent ici !

• **Le meilleur hôtel pour les amoureux : The Gore,** 189 Queen's Gate, SW7 (☎ **800/ 637-7200**), abrite les amants officiels ou officieux depuis 1892. Dans cet endroit excentrique, le personnel fait très attention à ne jamais déranger les clients ! Si vous désirez vraiment vous faire plaisir, réservez la *Venus Room* , dont le lit appartenait autrefois à Judy Garland.

• **Le plus branché :** délicieusement somptueux, **The Lanesborough,** 1 Lanesborough Place, Hyde Park Corner, SW1 (☎ **800/999-1828**) attire tous les branchés qui en ont les moyens.

• **Le meilleur hall pour feindre la richesse :** la longue promenade du **Dorchester,** 53 Park Lane, W1 (☎ **800/727-9820**), abrite la plus grande exposition florale de la capitale ainsi que des colonnes en faux marbre aux chapiteaux dorés. Même si votre budget ne vous permet pas de séjourner dans cet hôtel, offrez-vous une halte pour le goûter.

• **Le meilleur endroit pour apercevoir des stars :** si vous avez la patience d'attendre dans le hall du **Halcyon Hotel,** 81 Holland Park Ave., W11 (☎ **800/595-5416**), vous verrez à coup sûr quelqu'un de célèbre. Parmi les vedettes qui descendent ici régulièrement : Faye Dunaway, RuPaul, Snoop Doggy Dogg, Sting et Brad Pitt. Sans doute se sentent-ils plus à l'aise dans les chambres décorées comme un plateau de cinéma...

• **Le meilleur hôtel récent : The Rookery,** 12 Peter's Lane, Cowcross St., EC1 (☎ **020/7336-0931**), est en train de s'imposer comme l'un des choix les plus judicieux de la ville. Original et amusant, voici un lieu à l'ambiance gaie et chaleureuse, aux chambres charmantes et confortables, toutes décorées différemment – et les éléments en fonte des salle de bains sont d'origine victorienne ! Les propriétaires ont en effet décoré la maison d'objets chinés dans des brocantes et des magasins d'antiquités.

• **La « Grande Dame » la plus remarquable : Park Lane Hotel,** Piccadilly, W1 (☎ **800/325-3535**), anglais jusqu'à la moelle, évoque l'époque magnifique des « bals des débutantes » ; les suites ont conservé leur architecture des années 1920 et leurs salles de bains Art déco.

• **La désuétude la plus distinguée : Wilbraham Hotel,** 1-5 Wilbraham Place, SW1 (☎ **020/7730-8296**), ne craint pas d'être démodé. Fidèle à lui-même, il a conservé son papier mural fleuri, sa politesse surannée et son style majestueusement victorien.

• **Le meilleur hôtel pour frimer :** luxueux, **Blake's Hotel,** 33 Roland Gardens, SW7 (☎ **800/926-3173**), est à la fois personnalisé, élégant et amusant. Ses somptueuses salles de bains sont couvertes de marbre et le restaurant accueille le Tout-Londres. Profitez de votre visite pour faire des folies – vous aurez tout le temps qu'il faut après pour les regretter...

• **L'ambiance la plus typiquement « British » :** situé dans une cour éclairée au gaz, derrière St James's Palace, **Dukes Hotel,** 35 St James's Place, SW1 (☎ **800/381-4702**), affiche une dignité devenue rare. Avec son pudding servi dans un salon intime et son service impeccable, cet établissement est à l'image de la Grande-Bretagne d'antan.

• **Le plus « campagne à l'Anglaise » :** Tim et Kit Kemp font preuve de charme, de bon goût et de chic. En combinant deux maisons de style georgien pour former **Dorset Square Hotel,** 39-40 Dorset Sq., NW1 (☎ **020/7723-7874**), ils ont créé une maison de campagne en plein cœur de la ville. Cadres dorés, antiquités, coussins brodés, salles de bains en acajou... tous les ingrédients sont bons pour rendre votre séjour chaleureux, douillet et raffiné.

• **Le meilleur service : 22 Jermyn Street,** SW1 (☎ **800/682-7808**). Le propriétaire, un amateur de haute technologie, se met en quatre pour ses clients et propose un service Internet. Il se fera également un plaisir de vous indiquer les nouveaux restaurants qui valent le coup, les meilleurs endroits pour faire des affaires, et même les bonnes pièces de théâtre.

• **La meilleure situation géographique : Fielding Hotel,** 4 Broad Court, Bow Street, WC2 (☎ **020/7836-8305**) ; loin d'être l'hôtel le plus chic de Londres, il se rattrape grâce à son emplacement : un passage en plein centre de Covent Garden ! Si vous séjournez ici, quasiment face à la Royal Opera House, vous serez au cœur de la vie londonienne ; à peine sorti, un choix inouï de pubs, boutiques, marchés et restaurants s'offre à vous, sans compter les artistes de rue qui défilent sous votre nez !

• **Le meilleur pour se refaire une santé : The Savoy,** The Strand, WC2 (☎ 800/263-SAVOY), propose la meilleure gym et le meilleur centre de relaxation de la capitale, le tout agrémenté de vues panoramiques. Une grande piscine, une salle de massage et un centre de beauté et de remise en forme vous sont proposés.

• **Le meilleur restaurant d'hôtel : Connaught Restaurant,** à l'intérieur du Connaught Hotel, Carlos Place, W1 (☎ 020/7499-7070). Le nec plus ultra en termes de restauration hôtelière : une élégance discrète, des plats délicieux et une ambiance traditionnelle. En dehors des modes, on y goûtera du turbot, des truffes, du foie gras et du homard, avec une distinction digne de l'époque impériale ! Son agneau gallois est un pur délice... Le chapitre 5 vous donne des renseignements plus détaillés à son sujet.

• **La plus belle vue :** le **Sandringham Hotel,** 3 Holford Rd., NW3 (☎ 020/7435-1569), excellent petit hôtel au nord de Londres – près de Hampstead Heath –, permet de découvrir l'espace vert qu'aimait tant le poète John Keats, avec une vue extraordinaire sur la capitale.

• **Le meilleur hôtel de charme : Franklin Hotel,** 28 Egerton Gardens, SW3 (☎ 020/7584-5533). Grâce à son service personnalisé et à sa tranquillité, cet établissement chic sans être snob, entre *Harrods* et le centre de South Kensington, vaut le détour. À tel point que certains clients de longue date du *Claridge's* et du *Dorchester* préfèrent désormais cette adresse.

• **Le plus « raisonnable » :** occupant trois maisons historiques à Soho Square, **Hazlitt's 1718,** 6 Frith St., W1 (☎ 020/7434-1771), était déjà l'hôtel à la mode il y a deux siècles. Parmi les meilleurs hôtels londoniens de petite taille, le voici de nouveau en vogue, particulièrement apprécié des artistes, mais aussi des professionnels des médias et des mannequins. Plusieurs chambres sont équipées de lits à baldaquin.

• **Le meilleur hôtel bon marché :** réputé pour ses chambres aux décors cocasses, **The Pavilion,** 34-36 Sussex Gardens, W2 (☎ 020/7262-0905), est théâtral et provocateur. Ses clients – dont une majorité de mannequins et de professionnels de l'industrie musicale – louent des chambres évoquant un lupanar oriental ou une boîte de nuit africaine ! Ses tarifs raisonnables ne l'empêchent guère de conserver un certain chic.

• **Le meilleur pour les familles aux budgets serrés :** décrit par certains comme l'un des meilleurs petits hôtels de Londres, **James House/Cartref House,** 108 and 129 Ebury St. (☎ 020/7730-6176), est constitué de deux maisons charmantes qui se font face, non loin de la gare Victoria. Quelques-unes des plus grandes chambres proposent des lits superposés.

• **Le meilleur Bed & Breakfast : Vicarage Private Hotel,** 10 Vicarage Gate, W8 (☎ 020/7229-4030), fera parfaitement l'affaire si vous recherchez le charme britannique à l'ancienne et un accueil chaleureux, à un prix abordable. Près de Kensington High Street, cette pension familiale offre un nid douillet au cœur de Kensington pour un prix modeste (seul inconvénient : les chambres n'ont pas de baignoire).

• **Le meilleur rapport qualité/prix : Aston's Budget Studios,** 39 Rosary Gardens, SW7 (☎ 020/7590-6000) propose une palette de prix très large, en fonction du type de chambre désiré.

3 Le hit-parade des restaurants

- **Le restaurant le plus romantique : Mirabelle,** 56 Cruzon St., W1 (☎ 020/7 499-4636), sera votre meilleur choix, notamment grâce à la discrétion du personnel. C'est là que Jeremy Irons invita la Princesse Diana à dîner en tête à tête. Le plus grand chef londonien du moment, Marco Pierre White, dirige actuellement cet établissement élégant, pour le plus grand bonheur du palais !

- **Le meilleur endroit pour un déjeuner d'affaires :** si vous n'avez pas envie d'inviter vos clients potentiels dans une taverne houleuse, impressionnez-les en les emmenant chez **Poons in the City,** 2 Minster Pavement, Minster Court, Mincing Lane, EC3 (☎ 020/7626-0126). Ce célèbre restaurant chinois est décoré avec des meubles et des objets du royaume mandarin ; quant au menu, il est suffisamment varié pour que tout le monde y trouve son compte. Une fois goûtés les viandes séchées au vent ou le croustillant de canard, les affaires seront en très bonne voie...

- **Le meilleur endroit pour fêter un événement :** sous la houlette de Sir Terence Conran, **Quaglino's,** 16 Bury St., SW1 (☎ 020/7930-6767) est le restaurant le plus amusant de Londres. Cet énorme café-restau à Mayfair peut accueillir jusqu'à 800 personnes. On y sert des plats superbes et l'ambiance est toujours à la fête ; les vendredi et samedi soirs, soirées jazz avec des musiciens en *live*.

- **La meilleure carte des vins :** celle du **Tate Gallery Restaurant,** au sein du célèbre musée, Millbank, SW1 (☎ 020/7887-8877), fera plaisir aux plus fins connaisseurs. On pourrait la comparer à la carte du *Gavroche* – mis à part le prix des bouteilles, qui n'est majoré ici que de 40 % à 65 %, par rapport à 100 % (voire 200 %) ailleurs.

- **Le « nouveau restaurant de l'année » :** l'un des restaurants les plus en vogue actuellement, **Rhodes in the Square,** Dolphin Square, Chichester St., SW1 (☎ 020/7798-6767), est tenu par le célèbre chef Gary Rhodes. Installé dans un quartier résidentiel très discret, la coqueluche des médias séduit de plus en plus de gens grâce à ses repas raffinés et savoureux s'inspirant de recettes britanniques traditionnelles.

- **Le meilleur rapport qualité/prix : Simply Nico,** 48A Rochester Row, SW1 (☎ 020/7630-8061), l'un des fiefs du grand chef Nico Ladenis, propose quelques-uns des meilleurs repas de Londres dans sa catégorie. Moins raffiné que le restaurant « haute cuisine » du même chef à Park Lane, Nico a le mérite de proposer d'exquis plats français à partir d'ingrédients de qualité. Aucune papille ne saurait résister à son blanc de pintade aux lentilles...

- **La meilleure cuisine britannique traditionnelle :** le plus « British » des restaurants londoniens est indubitablement **Wiltons,** 55 Jermyn St., SW1 (☎ 020/7629-9955). Il n'y a rien à faire : pour *Wiltons*, le modernisme est comme de l'eau sur le dos d'un canard ! Cet établissement n'a guère changé son menu depuis le XVIIIe siècle, époque à laquelle il recevait la haute société du quartier St James. On y mange de la plie grillée, du bifteck, des côtelettes, des rognons, de la blanchaille (l'un des plats préférés de l'époque victorienne), mais aussi du gibier et de la volaille comme le « canard siffleur ».

- **La meilleure nouvelle cuisine britannique :** installé dans un ancien fumoir, au nord de Smithfield Market, **St John,** 26 St John St., EC1 (☎ 020/7251-0848), prépare ses plats de façon unique. Ici, toutes les recettes sont à base d'abats. Après une certaine réticence, la plupart des clients sont « accros » dès la première bouchée. Réservez votre table à l'avance.

• **Les meilleurs « pubs-restaurants »** : Tom Conran, fils du célèbre décorateur Terence Conran, fait concurrence aux restaurants de papa. Son pub, **The Cow,** 89 Westbourne Park Rd., W2 (☎ **020/7221-0021**) est l'un des principaux protagonistes de la « révolution » du *pub grub*. On y propose les huîtres les plus grosses et les plus délicieuses de la capitale. Et si l'idée de manger de la langue de bœuf pochée au lait vous fait fuir, essayez tout de même par curiosité : vous serez agréablement surpris ! Si vous n'êtes toujours pas convaincu que la nourriture de pub a fait peau neuve, les rince-doigts déposés sur les tables devant les jeunes clients branchés devraient emporter votre conviction…

• **La meilleure cuisine européenne** : **Le Gavroche**, 43 Upper Brook St., W1 (☎ **020/7408-0881**), a été le premier à introduire la nouvelle cuisine française à Londres. Si vous souhaitez comprendre pourquoi ce restaurant se trouve encore sur le devant de la scène gastronomique, commandez le pigeonneau de Bresse en vessie aux deux céleris : on vous apportera l'oiseau entier, enveloppé d'une vessie de truie. Retiré avec soin, le jeune pigeon est alors découpé et servi sur un lit de fenouil et de céleri braisés. Le résultat est tout simplement sublime.

• **Le meilleur restaurant indien** : les meilleures spécialités indiennes de Londres se trouvent au **Café Spice Namaste**, dans un local victorien près de Tower Bridge, 16 Prescot St., E1 (☎ **020/7488-9242**). Le choix est époustouflant. Mais ce qui distingue cet endroit des autres restaurants indiens, c'est son influence portugaise ! Le cuisinier en chef, Cyrus Todiwala, est en effet originaire de Goa, ancienne colonie du Portugal aux Indes.

• **Le meilleur restaurant italien** : **The River Café**, Thames Wharf, Rainville Rd., W6 (☎ **020/7381-6217**), est d'un chic extrême. Les gastronomes affluent vers cet établissement situé au bord de la Tamise et conçu par Sir Richard Rogers, l'un des deux architectes du Centre Pompidou à Paris. On y déguste des plats dignes des résidences privées les plus huppée d'Italie. Ici, les cuisiniers transforment des ingrédients venus des quatre coins du monde en véritables œuvres d'art.

• **Le meilleur restaurant américain** : tel un club de gentlemen typiquement « British », l'entrée du **Joe Allen,** 13 Exeter St., WC2 (☎ **020/7836-0651**), est très discrète, embellie d'une petite plaque en cuivre. Les plats, eux, sont typiquement américains : galettes de crabe, salade aux épinards, soupe aux haricots noirs, *Caesar salad*, sans oublier l'éternelle tarte aux noix de pécan. Lauren Bacall a été aperçue ici.

• **Le meilleur restaurant japonais** : Robert de Niro, entre autres, a chanté les louanges de **Nobu,** qui se trouve au Metropolitan Hotel, 19 Old Park Lane, W1 (☎ **020/7447-4747**). Et pour cause : les chefs sont aussi brillants et innovants que leurs confrères new-yorkais. Les *sushi* sont de véritables bijoux gastronomiques ; les autres plats sont tout aussi délicieux.

• **Le meilleur restaurant chinois** : si vous êtes tenté par des plats aux noms évocateurs (« les caprices de l'impératrice », « Bouddha saute par-dessus le mur »…), dirigez-vous vers le **Kay Mayfair,** 65 S. Audley St., W1 (☎ **020/7493-8988**). À quelques pas de l'Ambassade américaine, voici l'un des restaurants chinois les plus tape-à-l'œil de Londres. Les cuisiniers voyagent à travers l'Orient, à la recherche de nouvelles idées culinaires. Le résultat : quelques-uns des plats chinois les plus savoureux de la capitale anglaise, comme, par exemple, le poulet « bang-bang » servi dans une sauce aux noix.

• **Les meilleurs desserts : Nico Central,** 35 Great Portland St., W1 (☎ 020/7436-8846), ravira les personnes friandes de sucreries. Quoique un peu courte, la carte des puddings est sublime : tarte au citron caramélisée, glace au nougat dans un coulis aux mûres, parfait aux noix et à l'Armagnac… Citons également la mousse au chocolat délicieusement veloutée et accompagnée d'un sorbet aux poires, ainsi que le sablé aux poires sauce gingembre et caramel…

• **Le meilleur restaurant pour dîner tard le soir :** la plupart des bons restaurants londoniens ferment vers 22 h 30. À une exception près : **Bombay Brasserie,** qui jouxte le *Bailey's Hotel,* Courtfield Rd., SW7 (☎ 020/7370-4040). Les plats de ce restaurant indien (l'un des meilleurs de Londres) sont tout aussi bons à minuit (l'heure des dernières commandes) qu'à 19 h 30.

• **Le meilleur endroit pour observer les gens :** situé dans l'ancien immeuble d'habitation de Karl Marx, **Quo Vadis,** 26-29 Dean St., W1 (☎ 020/7437-9585), est la vitrine du chef Marco Pierre White et de Damien Hirst, l'artiste qui secoua la scène artistique londonienne il y a quelques années, en exposant des cadavres bovins dans des caisses de formaldéhyde. Avec un tel parrainage, l'endroit attire une clientèle particulièrement branchée… la cuisine n'est pas mal non plus !

• **Le meilleur endroit pour goûter :** si l'idée de prendre un « quatre-heures » au Ritz avec le Tout-Londres n'est pas votre tasse de thé, préférez le **Palm Court at the Waldorf Meridien,** Aldwych, WC2 (☎ 020/7836-2400), dans le magnifique Waldorf Hotel construit en 1908. Les thés dansants du dimanche sont légendaires, et ce depuis les célèbres *Tango Teas* des années 1920 et 1930.

• **Le meilleur menu avant le théâtre :** en face de l'Ambassador Theatre, **The Ivy,** 1-5 West St., WC2 (☎ 020/7836-4751), est très apprécié des spectateurs, que ce soit en début ou en fin de soirée. La brasserie associe les cuisines anglaise traditionnelle et européenne. Si les crevettes en conserve ou les tripes aux oignons ne vous tentent guère, choisissez des plats plus imaginatifs comme la salade au potiron ou le risotto aux champignons.

• **Le plus beau cadre :** l'**Oak Room/Marco Pierre White,** au sein du Méridien Piccadilly, 21 Piccadilly, W1 (☎ 020/7734-8000) reste la plus belle salle de restaurant de la ville. Dans un décor fin-de-siècle, mariage somptueux de lambris, de glaces dorées, d'énormes lustres en cristal, de moulures et de vases chinois débordant de fleurs, la cuisine à la française de Marco Pierre White se déguste avec un plaisir rare.

• **La plus belle vue : Ship Hispaniola,** River Thames, Victoria Embankment, Charing Cross, WC2 (☎ 020/7839-3011), est un bateau amarré converti en restaurant. Les tables sont installées sur deux étages afin de permettre à la clientèle de profiter du magnifique point de vue. Le menu de saison est accompagné de musique – harpe ou piano.

• **Le meilleur restaurant pour les enfants :** après la visite de la Tour de Londres, les charmantes têtes blondes apprécieront un repas chez **Dickens Inn by the Tower,** St Katharine's Way, E1 (☎ 020/7488-2208). Installé dans un entrepôt d'épices, ce restaurant offre sur trois niveaux une vue imprenable sur la Tamise et Tower Bridge. En dehors des copieux – et délicieux – sandwiches, *Dickens Inn* propose des lasagnes et du chili con carne. L'espace pizza occupe à lui seul un étage entier.

• **Le meilleur fast-food :** au lieu de grignoter du poisson frit et des frites ou d'avaler encore un hamburger, allez chez **Poons in the City,** 2 Minster Pavement, Minster Court, Mincing Lane, EC3 (☎ 020/7626-0126). Le bar de ce célèbre restaurant chinois propose de délicieux plats chinois « express ». Originaux et faits maison, les menus incluent la spécialité de chez *Poons*, les viandes séchées au vent.

• **La meilleure pizzeria : Pizzeria Condotti,** 4 Mill St., W1 (☎ **020/7499-1308**), sert les meilleures tartes salées de la ville, aux garnitures chaudes et exquises. Dans ce cadre opulent, vous dégusterez des pizzas fines, croustillantes, personnalisées et copieuses.

• **Les meilleurs ingrédients pour faire un pique-nique :** si vous désirez préparer un pique-nique royal, rendez-vous chez **Fortnum & Mason, Ltd.**, 181 Piccadilly, W1 (☎ **020/7734-8040**), l'épicerie la plus célèbre au monde. (Pour en savoir plus, voir « Les grands magasins » au chapitre 8).

• **Le pub le plus animé :** lorsqu'ils n'étaient pas en train de se battre contre Napoléon, les officiers du Duc de Wellington venaient siroter de la bière au **Grenadier,** 18 Wilton Row, SW1 (☎ **020/7235-3074**). Cet établissement possède un restaurant très « British » et abrite le fantôme d'un officier qui aurait été flagellé à mort pour avoir triché aux cartes ! Les « Bloody Marys » font partie de la tradition dominicale.

• **Le meilleur petit déjeuner anglais : The Fox and Anchor,** 115 Charterhouse St., EC1 (☎ **020/7253-4838**), est depuis longtemps l'adresse préférée des gens qui, après une folle nuit passée en boîte, veulent manger quelque chose avant de rentrer chez eux. On y trouve de tout, du célèbre *black pudding* (boudin) au pain grillé nappé de *baked beans* (haricots blancs à la sauce tomate). Après un petit déjeuner complet dans ce pub de Smithfield Market, vous serez rassasié jusqu'au lendemain matin !

• **Le meilleur « fish and chips » :** Pour vous initier à cette tradition purement britannique, allez au **North Sea Fish Restaurant,** 7-8 Leigh St., WC1 (☎ **020/7387-5892**). À l'inverse des établissements du même genre aux alentours de Leicester Square, le cabillaud de chez *North Sea*, enrobé d'une pâte à frire croustillante, est succulent, tout comme l'églefin, très copieux.

Préparer son voyage 2

Ce chapitre est là pour vous aider dans l'organisation de votre séjour à Londres. Vous y trouverez toutes les informations utiles à la préparation de votre voyage : météo et dates des événements londoniens, compagnies aériennes et aéroports, formalités d'entrée en Grande-Bretagne et renseignements généraux.

1 Quand partir ?

LE TEMPS

Charles Dudley Warner (dans une remarque trop souvent attribuée à Mark Twain) déclare que le problème avec le temps, c'est que tout le monde en parle mais que personne ne fait rien pour lui. Les Londoniens parlent de la pluie et du beau temps plus que n'importe qui, mais ils ont le mérite d'avoir pris des mesures ! Grâce à leurs efforts concernant le contrôle de la pollution de l'air, le fameux *smog* londonien appartient définitivement au passé.

La prévision météo typique d'un jour d'été est quelque chose du genre : « quelques nuages qui laisseront la possibilité d'éclaircies, même si des averses ponctuelles ne sont pas à exclure ». Il est rare que les températures estivales montent au-dessus de 24 °C et qu'en hiver il fasse moins de 2 °C. Particulièrement tempérée par rapport au reste du pays, la capitale est très agréable au printemps et en automne. Bien que fréquente, la pluie est rarement torrentielle (en novembre, le mois le plus pluvieux de l'année, la hauteur des précipitations atteint 6 cm en moyenne).

Moyennes des températures et des précipitations londoniennes

	Jan	Fév	Mar	Avr	Mai	Juin
Temp. (° C)	5	5	7	10	13	16
Pluie (cm)	5,3	4,0	3,8	3,8	4,5	4,5

	Juil	Août	Sept	Oct	Nov	Déc
Temp. (° C)	18	17	15	11	8	6
Pluie (cm)	5,5	5,8	4,8	5,5	6,3	4,8

Pour la plupart des citoyens britanniques, la fraîcheur a un caractère salutaire. Par conséquent, ils ont tendance à chauffer modérément leurs logements et leurs espaces publics. Si vous désirez connaître les prévisions météo en ligne, consultez le guide des bonnes adresses du Web à la fin de cet ouvrage.

LES JOURS FÉRIÉS

Banques, administrations, services publics, bureaux de poste et nombre de magasins, restaurants et musées sont fermés à l'occasion des jours fériés dont la liste suit : le jour de l'an, le vendredi saint, le lundi de Pâques, le premier lundi du mois de mai (la fête du travail), le dernier lundi de mai et du mois d'août, Noël et le lendemain de Noël.

Calendrier des événements londoniens

Janvier

- **London Parade** (le défilé de Londres), au départ de Parliament Square jusqu'à Berkeley Square (Mayfair). Orchestres, chars et carrioles. Départ vers 14 h 45, le 1er janvier.
- **Les soldes de janvier**. On trouve de bonnes affaires pratiquement partout. Mais attention, ils démarrent de plus en plus tôt, souvent fin décembre. Les acheteurs les plus fanatiques campent même devant *Harrods* la veille du premier jour des soldes !
- **London International Boat Show** (foire navale internationale), Earl's Court Exhibition Centre, Warwick Road. La plus grande foire navale d'Europe. ☎ **01784/473377**. Début janvier.
- **London Contemporary Art Fair** (foire de l'art contemporain) au Business Design Centre, Islington Green. ☎ **020/7359-3535**. Mi-janvier.
- **Charles Ier Commemoration**. L'anniversaire de l'exécution du roi Charles Ier, qui a marqué le début de la démocratie en Angleterre. À cette occasion, des centaines de cavaliers vêtus d'habits du XVIIe siècle défilent dans les rues de Londres et un office est dit au Banqueting House, Whitehall. Gratuit. Dernier dimanche de janvier.

Février

- **Chinese New Year** (nouvel an chinois). Les fameux danseurs déguisés en lion se donnent en spectacle dans le quartier de Soho. Gratuit. Fin janvier ou début février (en fonction du calendrier lunaire).
- **Great Spitalfields Pancake Race**. Des équipes de quatre personnes qui courent en se relayant tout en faisant sauter des crêpes. Adresse : Old Spitalfields Market, Brushfield Street, E1. Si vous souhaitez y participer, téléphonez au ☎ **020/7375-0441**. Le mardi gras, à midi.

Mars

- **St. David's Day** (la Saint-David). En règle générale, au cours de cette célébration, un membre de la famille royale présente aux gardes gallois un poireau, l'emblème du pays de Galles. ☎ **020/7414-3291**. Le 1er mars (ou le dimanche le plus proche du 1er mars).
- **Chelsea Antiques Fair** (foire aux antiquités). Deux fois par an, les meilleurs marchands d'antiquités se retrouvent au Old Town Hall, King's Road, SW3. ☎ **01444/482-514**. Mi-mars (et mi-septembre).

- **Oranges and Lemons Service** (service religieux), au St. Clement Danes, Strand, WC2. Au cours du service religieux, des fruits sont distribués aux enfants tandis qu'à 9 h, midi, 15 h et 18 h, les cloches font retentir la comptine *Oranges and Lemons*. ☎ 020/7242-8282. Le 3 mars.
- **Abbey Choir** (chorale abbatiale) en concert à l'abbaye de Westminster le mardi de la semaine sainte. ☎ 020/7222-5152.

Avril

- **Easter Parade.** Des chars bariolés et des orchestres ambulants défilent autour de Battersea Park : une journée d'activités bien remplie. Gratuit. Le dimanche de Pâques.
- **Harness Horse Parade.** Un défilé matinal de chevaux de labour équipés de superbes harnais en cuivre et de panaches, à Battersea Park. ☎ 01733/234-451. Le 5 avril.
- **Boat Race Putney to Mortlake** (course d'aviron). Les équipes des universités d'Oxford et de Cambridge remontent le fleuve avec force. Les pubs situés sur les rives de la Tamise offrent un point de vue privilégié sur la course. Le magazine *Time Out* publie la date et l'heure exactes de l'événement. Début avril.
- **London Marathon.** 30 000 coureurs font le trajet entre Greenwich Park et Buckingham Palace. ☎ 0161/703-8161. La seconde quinzaine d'avril.
- **L'anniversaire de la reine.** À midi, des troupes en tenue de parade tirent 21 coups de feu à Hyde Park et du haut de Tower Hill. Le 21 avril.
- **National Gardens Scheme.** Certains jours et jusqu'en octobre, plus de 100 jardins privés de Greater London ouvrent leurs portes au public, et le thé y est même parfois servi. Pour connaître le programme, achetez le *NGS guidebook* dans une librairie (guide du National Gardens Scheme) à 4,50 £, ou contactez National Gardens Scheme Charitable Trust, Hatchlands Park, East Clandon, Guildford, Surrey GU4 7RT. ☎ 01483/211-535. Fin avril/début mai.

Mai

- **Shakespeare Under the Stars.** Équipez-vous d'une couverture et d'une bouteille de vin et venez voir l'une des pièces du célèbre dramaturge dans ce théâtre en plein air. Open Air Theatre, Inner Circle, Regent's Park, NW1. Métro jusqu'à Regent's Park ou Baker Street. Les interprétations, qui durent tout l'été à partir du mois de mai, ont lieu du lundi au samedi à 20 h, et le mercredi, le jeudi et le samedi à 14 h 30 et à 20 h. ☎ 020/7935-5756.
- **May Fayre and Puppet Festival**, Covent Garden. Défilé à 10 h, suivi d'un service religieux à St. Paul's Cathedral à 11 h 30, puis de plusieurs spectacles de guignols jusqu'à 18 h (c'est ici même que le mémorialiste britannique, Samuel Pepys, a assisté au premier spectacle de guignols, en 1662). ☎ 020/7375-0441. Deuxième dimanche de mai.
- **FA Cup Final** (la finale de la coupe nationale de football). Wembley Stadium, à la mi-mai. Pour connaître la date exacte et pour obtenir d'autres informations, renseignez-vous au ☎ 020/8902-8833.
- **The Royal Windsor Horse Show** (carrousel) se déroule à Home Park, Windsor Castle. ☎ 01753-860633. Ouvrez l'œil : vous apercevrez peut-être un membre de la famille royale. Mi-mai.
- **Chelsea Flower Show**, Chelsea Royal Hospital. Une magnifique exposition de plantes et de fleurs diverses. Pour obtenir des billets, appelez au ☎ 020/7344-4343. Le 20 mai de 8 h à 20 h, £ 25, et le 28 mai, de 8 h à 17 h 30, £ 24. ☎ 020/7630-7422. Les billets doivent obligatoirement être achetés à l'avance.

- **Glyndebourne Festival Opera Season**, Sussex. Des concerts lyriques sublimes sont donnés dans un cadre magnifique et des pique-niques au champagne sont servis aux interludes. Depuis l'achèvement de l'opéra de Glyndebourne, l'un des plus beaux au monde, les tickets sont un peu plus faciles à trouver. ☎ **01273/813813**. De mi-mai à fin-août.

Juin

- **Vodafone Derby Stakes**, au Epsom Racecourse, Epsom, Surrey. Plus qu'une célèbre course de chevaux, le « derby » permet aux hommes de porter un chapeau haut-de-forme et aux femmes – dont la reine Élisabeth – d'arborer des chapeaux extravagants. Le prix des places varie de 18 £ à 22 £. ☎ **01372/470047**. Du 4 au 6 juin.

- **Grosvenor House Art and Antique Fair**, Grosvenor House. Cette foire aux antiquités est particulièrement prestigieuse. ☎ **020/7495-8743**. La deuxième semaine de juin.

- **Royal Academy's Summer Exhibition**, Burlington House, Piccadilly Circus, W1. L'Académie royale, fondée en 1768 avec Joshua Reynolds comme président et Thomas Gainsborough comme membre, sponsorise des expositions de peintres contemporains. Les visiteurs peuvent, s'ils le souhaitent, acheter des toiles à des prix souvent raisonnables. ☎ **020/7439-7438**. Tous les jours, du début juin à la mi-août.

- **Royal Ascot Week**. Toute l'année, le champ de courses d'Ascot organise des visites guidées, des événements, des expositions et des conférences. Il y a 24 jours de courses par an, dont les principaux sont en juin *(Royal Meeting)*, fin juillet *(Diamond Day)* et fin septembre *(Festival at Ascot)*. **Ascot Racecourse**, Ascot, Berkshire SL5 7JN. ☎ **01344/622211**.

- ✪ **Trooping the Colour** (le salut au drapeau), Horse Guards Parade, Whitehall. L'anniversaire officiel de la reine d'Angleterre. Installée dans un attelage (la reine ne monte plus à cheval à cette occasion), le monarque inspecte ses régiments et reçoit leur salut. Ce moment de grande pompe typiquement « British » passe en direct à la télévision. Les billets pour la cérémonie et pour deux revues, qui ont lieu les deux samedis précédant l'événement, sont tirés au sort. Si vous souhaitez y assister, faites votre demande entre le 1ᵉʳ janvier et fin février, joignez une enveloppe timbrée pour la réponse, ou un coupon-réponse international. La date exacte ainsi que le prix du billet vous seront communiqués ultérieurement. Le tirage au sort a lieu à la mi-mars et les gagnants sont prévenus au courant du mois d'avril. Pour recevoir davantage d'informations, écrivez au **HQ Household Division**, Horse Guards, Whitehall, London SW1X 6AA.

- ✪ **Championnat de tennis sur gazon**, Wimbledon, au sud-ouest de Londres. Depuis que les joueurs habillés de flanelle ont foulé pour la première fois l'herbe des courts de Wimbledon en 1877, ce tournoi du grand chelem a attiré les visiteurs les plus éminents. Si, aujourd'hui, le public est beaucoup plus hétéroclite, le court central dégage encore une certaine magie. Les légendaires barquettes de fraises à la crème font partie de l'expérience. Les places pour le court central et le court n° 1 sont tirées à la loterie. Écrivez au **All England Lawn Tennis Club**, P.O. Box 98, Church Road, Wimbledon, London SW19 5AE, entre le mois d'août et le mois de décembre. Un certain nombre de billets sont réservés pour les touristes étrangers ; il est parfois possible d'en acheter durant le printemps qui précède le tournoi (renseignez-vous par téléphone au ☎ **020/8946-2244**).

Si vous êtes prêt à faire la queue, vous pouvez acheter le jour même des places pour les courts extérieurs. Fin-juin début-juillet.
- **City of London Festival** (festival de la ville de Londres). Festival artistique qui se déroule chaque année, dans divers quartiers. ☎ **020/7377-0540**. Juin et juillet.

Juillet
- **City of London Festival**. Des concerts classiques organisés dans divers lieux, dont la cathédrale Saint-Paul. ☎ **020/7377-0540**. Début juillet.
- **Hampton Court Palace Flower Show** (floralies), East Molesey, Surrey. D'une durée de cinq jours, ce célèbre événement international est en train de faire pâlir l'exposition florale de Chelsea. Ici, les fleurs exposées sont en vente. ☎ **020/7834-4333**. Début juillet.
- **Kenwood Lakeside Concerts**. Les concerts, qui se déroulent chaque année du côté nord de Hampstead Heath, sont accompagnés de feux d'artifices et de spectacles laser. Chaque samedi, de début juillet à début septembre, des gens viennent s'installer au bord du lac pour se laisser bercer par la musique. ☎ **020/8348-1286**.
- **Royal Tournament** (tournoi royal), Earl's Court Exhibition Centre, Warwick Road. C'est l'occasion pour les forces armées britanniques de faire étalage de leurs talents athlétiques et militaires. Certains n'apprécient pas le côté chauvin et ampoulé de ce spectacle. ☎ **020/7244-0244**. Le prix du billet varie entre 6 £ et 26 £. Du 21 juillet au 2 août.
- **The Proms**. Ces concerts-promenades au Royal Albert Hall attirent chaque année des amateurs de musique du monde entier. Lancés en 1895, ces spectacles interprétés par l'orchestre symphonique de la BBC se déroulent presque tous les jours (à l'exception de quelques dimanches). L'ambiance générale est à la fête : applaudissements, drapeaux britanniques *(Union Jack)*, étendards, ballons… De mi-juillet à mi-septembre.

Août
- **Notting Hill Carnival**, Notting Hill. Avec un public de plus de 500 000 personnes par an, il s'agit de l'un des festivals de rue les plus importants d'Europe. Pendant qu'on écoute la musique reggae et soul, pourquoi ne pas déguster quelques-uns des délicieux mets antillais ? Événement gratuit. ☎ **020/8964-0544**. Deux jours fin août (d'habitude, le dernier dimanche et le dernier lundi du mois).

Septembre
- **Chelsea Antiques Fair**, Chelsea Old Town Hall, King's Road, SW3. Mi-septembre (voir au mois de mars).
- **Open House** (journée portes ouvertes). Pendant une journée, des monuments remarquables sur le plan architectural et habituellement inaccessibles ouvrent leurs portes au grand public. ☎ **020/8341-1371**. Mi-septembre.
- **Horse of the Year Show**. Organisé au Wembley Arena, au nord de Londres, il s'agit du spectacle équestre le plus important d'Angleterre. Des chevaliers des quatre coins du monde affluent afin de participer à cet événement spectaculaire (même la reine Élisabeth y assiste). ☎ **020/8902-8833**. Fin-septembre début-octobre.
- **Raising of the Thames Barrier** (lever du barrage de la Tamise), Unity Way, SE18. Une fois par an, on vérifie les performances de ce chef-d'œuvre technique en soulevant à marée haute les gigantesques vannes métalliques. ☎ **020/8854-1373**.

Octobre

- ✪ **Opening of Parliament** (l'ouverture du Parlement), House of Lords, Westminster. Depuis que les Anglais ont coupé la tête du roi Charles Ier, au XVIIe siècle, le monarque n'a pas le droit d'entrer dans la Chambre des communes. C'est donc à la Chambre des lords qu'il doit déclarer ouvert le parlement, en lisant un discours officiel élaboré par le gouvernement du moment. À cette occasion, accompagné de l'hallebardier et de la Cavalerie de la Garde royale, le monarque emprunte un carrosse afin de faire le trajet entre Buckingham Palace et Westminster. Des places dans la tribune réservée au public *(Strangers' Gallery)* sont distribuées par ordre d'arrivée. Le premier lundi d'octobre.
- **Judges Service**, Westminster Abbey. À l'occasion de l'ouverture de la session juridique, la magistrature assiste à un service religieux à l'abbaye de Westminster. Puis les juges défilent dans les rues – en tenue – jusqu'à la Chambre des lords, où ils prennent le petit déjeuner. Installez-vous derrière l'église où la vue est bien meilleure. Le premier lundi d'octobre.
- **Quit Rents Ceremony**, Royal Courts of Justice, WC2. Au cours de cette cérémonie, un fonctionnaire du palais de justice accepte un loyer fictif de la part de la reine. L'argent est remplacé par des bâtons et des fers à cheval. ☎ 020/7936-6131. Entrée gratuite. Fin octobre.

Novembre

- **Guy Fawkes Night**. La commémoration de la conspiration des Poudres, une tentative d'assassinat contre le roi James Ier. Chaque année, à divers endroits de la ville, on brûle dans des grands feux des effigies du conspirateur le plus célèbre, Guy Fawkes. Gratuit. Consultez le magazine *Time Out* pour obtenir une liste des adresses. Le 5 novembre.
- ✪ **Lord Mayor's Procession and Show** (défilé du maire de la ville de Londres), entre Guildhall et les Royal Courts of Justice (Palais de justice), dans la City. Cette cérémonie annuelle marque l'inauguration du nouveau maire. La reine doit demander l'autorisation d'accéder à la City, un territoire jalousement gardé depuis le XVIIe siècle par les négociants londoniens. Après le défilé, le banquet n'est accessible que sur invitation. La deuxième semaine de novembre.

Décembre

- **Caroling Under the Norwegian Christmas Tree** (chants sous l'arbre de Noël). Les chants de Noël résonnent dans Trafalgar Square presque tous les soirs. Début décembre.
- **Harrods After-Christmas Sale** (les soldes chez *Harrods*), Knightsbridge. ☎ 020/7730-1234. Fin décembre (après Noël).
- **Watch Night**, St. Paul's Cathedral. Un magnifique service religieux, le soir du nouvel an. Le 31 décembre à 23 h 30. ☎ 020/7236-4128.

2 Voyager

EN AVION

Le mieux est d'atterrir à l'aéroport principal de Londres : Heathrow. Depuis l'aéroport de Gatwick (là où atterrissent la plupart des vols charters), il faut prendre le train avant de se retrouver dans Londres.

Pour vous envoler vers Londres, l'importante concurrence entre les organismes de

Avis aux fumeurs

Attention, il est interdit de fumer dans la majorité des compagnies aériennes pendant toute la durée du vol.

voyages et entre les compagnies aériennes vous sera bénéfique. Cependant, les prix dépendent des caractéristiques du billet.

La réservation et le prix du billet d'avion pour Londres se font sur plusieurs critères : le choix du vol (charter ou régulier, direct ou avec correspondance), la compagnie, le montant des taxes, la possibilité de modifications des dates, la période de validité des billets, les conditions d'annulation, l'aéroport, les horaires de départ et d'arrivée ou encore votre âge.

Les organismes de voyages prennent des frais d'agence, mais il est souvent profitable de passer par eux. Chaque agence a le pouvoir de comparer les prix des différentes compagnies aériennes et proposent régulièrement des promotions. Renseignez-vous surtout sur les tarifs réduits, les promotions et les forfaits du moment. Vous pouvez aussi joindre directement les compagnies aériennes qui peuvent avoir des invendus ou des promotions de dernier instant.

Arrivez relativement à l'avance à l'aéroport car certaines compagnies pratiquent le « sur-booking » et vendent plus de places que l'avion n'en contient, pour être sûres qu'il parte au complet. Les victimes du « sur-booking » seront, bien entendu, indemnisées. Le plus souvent, vous devrez confirmer votre réservation 72 h avant votre départ, par téléphone ou par fax.

COMMENT OBTENIR LES MEILLEURS PRIX ? Il existe plusieurs classes de billets. Les personnes qui voyagent en classe affaires ou qui doivent pouvoir acheter leur billet à la dernière minute, modifier leur itinéraire sur le champ ou rentrer chez eux avant le week-end, paient le tarif maximal. Ceux, en revanche, qui ont la possibilité de réserver leur billet longtemps à l'avance ou qui sont prêts à rester sur place le samedi soir ou à voyager le mardi, le mercredi ou le jeudi après 19 h, ne paient qu'un pourcentage du tarif maximal.

Les compagnies aériennes offrent périodiquement des réductions sur les itinéraires les plus populaires. Consultez leurs sites Web ou téléphonez directement à la compagnie afin de savoir si de telles réductions sont disponibles. Il va de soi que les billets soldés sont extrêmement rares en juillet, en août et pendant la période de Noël. Si vous pouvez vous le permettre, demandez si vous payeriez moins cher en restant sur place un jour de plus ou en voyageant en milieu de semaine.

Vous constaterez néanmoins que la plupart des billets les moins chers ne sont pas remboursables, doivent être achetés 1 à 3 semaines à l'avance et exigent de l'acheteur de rester sur place un certain nombre de jours. En cas de modification, ils sont sujets à des taxes supplémentaires.

Certaines agences de voyages sont spécialisées dans la vente de billets d'avion à prix réduit. Elles achètent un grand nombre de billets puis les revendent au public à des prix inférieurs à ceux proposés en solde par les compagnies aériennes. Avant de leur régler quoi que ce soit, demandez un numéro de référence et confirmez votre place directement auprès de la compagnie aérienne. Si celle-ci est incapable de confirmer votre réservation, changez d'agence. Sachez également qu'en règle générale, les billets à prix réduit ne sont pas remboursables et imposent de lourdes pénalités en cas d'annulation (allant souvent jusqu'à 50 ou 75 % du prix du billet).

La plupart des organismes spécialisés dans les **vols charters** vendent leurs places par l'intermédiaire des agences de voyages. Avant d'acheter un billet sur un vol de ce type, lisez bien les conditions stipulées sur le billet (achat de « package » imposé, paiement anticipé, disponibilité au cas où la date de départ est modifiée, paiement de taxes supplémentaires, lourdes pénalités en cas d'annulation...) ; si le charter ne se remplit pas, il risque d'être annulé quelques jours avant le départ. Les charters d'été sont plus populaires que les autres ; par conséquent, à cette époque de l'année, les annulations de vols sont très rares. Cependant, si vous choisissez ce type de billet, n'oubliez pas de prendre une assurance bagages et une couverture en cas d'annulation.

La plupart des voyagistes cités dans ce guide possèdent plusieurs agences. Nous n'indiquons que l'une d'entre elles. N'hésitez pas à téléphoner au numéro indiqué pour connaître les coordonnées de l'agence la plus proche de chez vous, dans votre ville.

• DE FRANCE

En dehors de toute promotion, vous pouvez trouver un billet aller-retour au départ de Paris aux environs de 800 F (prix minimum à titre indicatif) et jusqu'à 2 500 F. La durée du vol Paris-Londres est de 1 h 10.

LES COMPAGNIES AÉRIENNES

Air France. 119, avenue des Champs-Élysées 75008 Paris. ☎ **0 802 802 802**, de 6 h 30 à 22 h. Minitel 3615/3616 code AF. www.airfrance.fr

British Airways. 13-15, boulevard de la Madeleine 75008 Paris. ☎ **0 802 802 902**. Minitel 3616 BRITISH AIRWAYS. www.britishairways.com

British Midland. Roissy Terminal 1. ☎ **01 48 62 55 65**. Minitel 3615 BMA. www.bri tishmidland.com

Crossair-Swissair. Agence AOM, comptoir Swissair (1ᵉʳ étage), 45 avenue de l'Opéra 75009 Paris. ☎ **0 802 300 400**. Minitel 3615 Swissair. www.crossair.com et www.swis sair.fr

KLM-Buzz. Roissy Terminal 1, porte 22. ☎ **01 55 17 42 42**. Minitel 3615 KLM. www.klm.com

Lufthansa. Agence Star alliance-Comptoir Lufthansa, 106, boulevard Haussmann 75008 Paris. ☎ **0 802 020 030**. Minitel 3615 LH. www.lufthansa.fr

LES VOYAGISTES

LES SPÉCIALISTES DE LA GRANDE-BRETAGNE

All Ways. 90, rue d'Hauteville 75010 Paris. ☎ **01 56 03 95 00**.

Benett Voyages. 47, rue Émile-Roux 94120 Fontenay-sous-Bois . ☎ **01 53 99 50 00**, fax 01 53 99 50 35.

Big Ben Tours (P&O Stena Line). Maison de la Grande-Bretagne, 19, rue des Mathurins 75009 Paris. ☎ **01 44 51 00 51**. www.posl.com

Blakes France. 4 bis, rue de Chateaudun 75009 Paris. ☎ **01 48 78 70 00**. www.blakes -france.com

Eurolines BSA. 55, rue St-Jacques 75005 Paris. ☎ **01 43 54 11 99**. www.eurolines.fr

Gaeland. 4, quai des Célestins 75004 Paris. ☎ **01 42 71 44 44**. www.resa@gaeland ashling.com

LES GÉNÉRALISTES

Nouvelles Frontières. 87, boulevard de Grenelle 75015 Paris. ☎ **0 803 333 333**, fax 0 810 20 10 20. Minitel 3615 NF. www.nouvelles-frontieres.fr

Pauli Voyages. 8, rue Daunou 75002 Paris. ☎ **01 42 86 97 04**. paris@pauli.fr

Républic Tours. 1 bis, avenue de la République 75011 Paris. ☎ **01 53 36 55 55.**
www.republictours.com

POUR LES ÉTUDIANTS

Jeunes sans frontières-Wasteels. 8, boulevard de l'Hôpital 75005 Paris. ☎ **08 03 88 70 02.** Minitel 3615 Wasteels. www.voyage-wasteels.fr
OTU Voyage. 39, avenue Georges-Bernanos 75005 Paris. ☎ **01 40 29 12 12,** fax 01 40 29 12 25. www.otu.fr
USIT Connect. 14, rue Vivienne 75002 Paris. ☎ **01 44 55 32 60,** fax 01 44 55 32 61. www.usitconnect.fr

• DE BELGIQUE

En dehors de toute promotion, vous pouvez trouver un billet aller-retour au départ de Bruxelles aux environs de 4 150 FB (prix minimum à titre indicatif). La durée du vol Bruxelles-Londres est de 1 h 10.

LES COMPAGNIES AÉRIENNES

Air France. Aéroport national de Bruxelles 1930 Zaventem. ☎ **(02) 70 22 24 66.** www.airfrance.be
British Airways. 98, rue du Trône 1050 Bruxelles. ☎ **(02) 548 21 22.** www.britishair ways.com
British Midland. 15, avenue des Pléiades 1200 Bruxelles. ☎ **(02) 713 12 84.** www.britishmidland.com
Sabena. Hôtel Carrefour de l'Europe, 110, rue du Marché-aux-herbes, 1000 Bruxelles. ☎ **(02) 723 23 23.** www.sabena.com

LES VOYAGISTES

Connections. 19, rue du Midi 1000 Bruxelles. ☎ **(02) 550 01 00.** www.connec tions.be
Joker. 37, boulevard Lemonnier 1000 Bruxelles. ☎ **(02) 502 19 37,** fax (02)502 29 23. www.joker.be
Nouvelles Frontières. 2, boulevard Lemonnier 1000 Bruxelles. ☎ **(02) 547 44 44.** www.connections.be

POUR LES ÉTUDIANTS

Acotra world (filiale de la Sabena). Hôtel Carrefour de l'Europe 1000 Bruxelles, rue du Marché-aux-Herbes, 110. ☎ **(02) 289 78 00,** fax (02) 512 39 74.
Services Voyages ULB. Campus ULB, 22, avenue Paul Héger 1000 Bruxelles. ☎ **(02) 650 37 72,** fax (02) 649 40 64.

• DE SUISSE

En dehors de toute promotion, vous pouvez trouver un billet aller-retour au départ de Genève aux environs de 250 FS (prix minimum à titre indicatif). La durée du vol Genève-Londres est de 1 h 45.

LES COMPAGNIES AÉRIENNES

Air France. 2, rue du Mont-Blanc 1201 Genève. ☎ **(022) 827 87 87.** www.airfran ce.fr
British Airways. 13, rue Chantepoulet, 1001 Genève. ☎ **0 848 80 10 10.** www tishair ways.com
Swissair. 15, rue de Lausanne 1201 Genève. ☎ **0 848 800 700.** www.swissai

Les voyagistes

Artou. 8, rue de Rive 1204 Genève. ☎ **(022) 818 02 00** ou (022) 818 02 10. www.ssr.ch

Nouvelles Frontières. 10, rue Chantepoulet 1201 Genève. ☎ **(022) 906 80 80,** fax (022) 906 80 90. www.nouvelles-frontieres.fr

Kuoni. 8, rue Chantepoulet 1201 Genève. ☎ (022) 738 48 44, fax **(022) 738 48 96.** www.kuoni@ch

Pour les étudiants

S.S.R. Voyages. 3, rue Vignier 1205 Genève. ☎ **(022) 329 97 34,** fax (022) 329 50 62. www.ssr.ch

• DU CANADA

En dehors de toute promotion, vous pouvez trouver un billet aller-retour aux environs de 899 $C en haute saison et de 799 $C en basse saison au départ de Montréal ; comptez 1015 $C en haute saison et 915 $C en basse saison au départ de la ville de Québec (prix minimum à titre indicatif). La durée du vol Montréal-Londres est de 6 h 30, celle de Québec-Londres de 7 h 20. Pour vous renseigner sur les offres des différents voyagistes, achetez le *Toronto Globe & Mail* et le *Vancouver Province*.

Les compagnies aériennes

Air Canada. Manu Life Building 979-2, Maison-Neuve Ouest, Montréal, Québec, H3A1M4. ☎ **(514) 393 3333,** fax (514) 393 67 68. www.aircanada.ca

Air Transat. 1600 Cargo A1, Aéroport International de Montréal, Mirabel Québec J7N 1G9. ☎ **(450) 476 10 11.** www.transat.com

Les voyagistes

Nouvelles-Frontières. Comptoir Service d'Accueil, 1180, rue Drummond, Montréal. ☎ **(514) 871 30 60,** fax (514) 871 30 70. www.nf-tmr.com

Vacances Tourbec. 3419, rue Saint-Denis, H2X-3L2 Montréal. ☎ **(514) 288 44 55,** fax (514) 288 16 11.

Pour les étudiants

Campus Voyages. 1613, rue Saint-Denis, Montréal, Québec H2X 3K. ☎ **(514) 843 85 11.** Internet : stdenis@voyagescampus.com

Vacances Tourbec. 3419, rue Saint-Denis, H2X-3L2, Montréal, Québec. ☎ **(514) 288 44 55,** fax (514) 288 16 11.

EN EUROSTAR

Suite à l'inauguration du **Tunnel sous la Manche** en 1994 par la reine Élisabeth et le président François Mitterrand, l'Eurostar Express fournit plusieurs fois par jour un service de trains de voyageurs entre Londres et Paris et Londres et Bruxelles. Véritable prouesse technique, ce tunnel relie la Grande-Bretagne et le continent européen pour la première fois depuis la période glacière !

DE FRANCE L'**Eurostar** (réservé aux passagers-piétons) relie Paris-Gare du Nord à Londres-Waterloo International, au cœur de la ville, en trois heures. Pour ceux que la perspective de voyager sous la Manche inquiète, sachez que la traversée ne dure que ·0 minutes. Un train Eurostar part quasiment toutes les heures de Paris, à raison de trains par jour (☎ 08 36 35 35 39. Minitel 3615 ou 3616 SNCF*EUROSTAR. v.sncf.fr). Vous pouvez aussi réserver vos billets dans les gares SNCF et dans les es de voyages, ou chez BritRail, 19, rue des Mathurins, 75009 Paris, ☎ 01 44 00. Le billet coûte entre 500 F et 1 500 F, selon les promotions auxquelles vous avez droit. Pour le retour, Eurostar propose environ 20 départs par jour entre Londres et Paris-Gare du Nord.

DE BELGIQUE Des trains Eurostar relient Bruxelles-Midi à Londres-Waterloo International en 2 h 40 – 10 allers-retours par jour. (SNCB, 85, rue de France, 1060 Saint-Gilles. ☎ **(02) 525 94 94**). Le billet coûte entre 3000 FB et 13000 FB selon les promotions auxquelles vous avez droit.

L'Eurostar qui part de Bruxelles relie aussi Lille à Londres en 2 h, à raison de 10 allers-retours par jour, Lille à Ashford en 1 h à raison de 5 allers-retours par jour et Calais-Frethun à Londres en 1 h 40 à raison de 3 allers-retours par jour.

EN VOITURE

PAR L'EUROTUNNEL Pour traverser la Manche en voiture, vous devrez emprunter la navette d'Eurotunnel (anciennement Shuttle). Le terminal français est connecté aux autoroutes A16, A26 et A1, à Coquelles (3 km de Calais). Le terminal anglais est relié à l'autoroute M20, à Folkestone. La distance qui sépare les deux terminaux est d'environ 50 km.

Si vous comptez prendre l'Eurotunnel, renseignez-vous auprès de l'Ambassade britannique afin de connaître les conditions requises concernant le permis de conduire et l'assurance auto.

Si vous prenez vos billets à Paris (☎ **01 43 18 62 22**) ou à Calais (☎ **03 21 00 61 00**), vous pouvez profiter des promotions en réservant un peu à l'avance. Vous pouvez aussi composer le numéro azur ☎ **08 01 63 03 04**, consulter le Minitel (3615 EUROTUNNEL), vous renseigner dans les agences de voyages ou vous connecter sur le site internet **www.eurotunnel.com**.

L'Eurotunnel accueille des voitures, des cars, des taxis, des motos, et depuis peu des animaux. Opérant 24/24 h, tous les jours de l'année, la navette fonctionne toutes les 15 minutes pendant les heures d'affluence, puis au moins une fois par heure durant la nuit (période verte avec réduction des prix). Grâce à ce service, on ne se soucie plus des retards dus aux intempéries, du mal de mer ou des réservations anticipées : les conducteurs montent avec leur véhicule dans un train d'un kilomètre de long, qui emprunte alors un tunnel situé sous le fond marin.

Avant de monter dans la navette, vous devrez vous arrêter au poste de péage puis au service douanier desservant les deux pays. Pendant la traversée, installés dans des wagons éclairés et climatisés, les conducteurs peuvent rester dans leur véhicule ou se dégourdir les jambes. Le trajet dure à peu près 1 h. À l'arrivée, aucune vérification douanière n'est effectuée.

Le prix du service de navette varie en fonction de la saison, du jour de départ et de la provenance. Les voyageurs qui comptent revenir en France dans les 5 jours bénéficient d'une réduction ; autrement, le tarif aller-retour équivaut à deux fois le prix du billet simple.

Des deux côtés de la Manche, vous avez accès à des restaurants et à des stations-service. Le personnel bilingue est à votre disposition dans les terminaux britannique et français.

Sur le Web

Sur Internet, vous pouvez trouver des billets d'avion, des chambres d'hôtel services de location à prix avantageux. Consultez le guide des bonnes adr Web situé à la fin de l'ouvrage.

La société Hertz offre aux clients de la navette un service spécial intitulé **Le Swap** (l'échange). Il vous donne la possibilité de changer votre voiture de location à Calais, afin de bénéficier d'un volant à gauche ou à droite, en fonction du sens dans lequel vous voyagez.

PAR BATEAU Reportez-vous ci-dessous, car les ferries et les aéroglisseurs transportent les voitures ainsi que les motos.

EN BATEAU

Il existe divers types de bateaux pour traverser la Manche. Des ferries et des aéroglisseurs font le trajet entre Boulogne ou Calais et Douvres ou Folkestone. D'autres compagnies telles que SeaFrance, ou P&O North sea Ferries (voir ci-dessous) proposent des traversées à partir de la Belgique.

LE FERRY Depuis des siècles, des navires et des ferries transportent des marchandises et des passagers d'un côté de la Manche à l'autre. Une fois arrivé à Douvres, vous pouvez prendre le train en direction de Londres. **Stena Lines** (☎ **03 21 46 04 40**, en France) offre un service de ferry entre Douvres (Angleterre) et Calais (France), pour les voyageurs en voiture ou à pied. La traversée dure 75 minutes. Comptez à partir de 250 F (prix minimum à titre indicatif) l'aller-retour Calais-Douvres pour un simple passager, et entre 1 250 F et 2 150 F pour la traversée d'une voiture contenant au maximum neuf passagers. **P&O European Ferry** (☎ **0870/242-4999**), quant à lui, dessert Portsmouth (Angleterre) et Cherbourg (France). Selon le ferry emprunté, ce trajet dure entre 2 h 45 et 5 h.

L'AÉROGLISSEUR & LE *SEACAT* Le trajet est plus rapide par aéroglisseur ou par *Seacat*. **HoverSpeed** propose au moins six traversées de 35 minutes en aéroglisseur par jour ainsi que des trajets légèrement plus longs, par le biais du *Seacat*, un catamaran propulsé par des moteurs à réaction. Avec ce moyen de transport, on peut traverser la Manche en 50 minutes (le trajet de Boulogne à Folkestone se fait quatre fois par jour). La traversée en aéroglisseur est une expérience assez divertissante : le vaisseau « vole » au-dessus de l'eau. Le *Seacat* fonctionne également entre la Grande-Bretagne et l'île de Wight, Belfast et l'île de Man. En général, comptez à partir de 240 F l'aller-retour pour un passager et à partir de 1 100 F pour une voiture et ses passagers.

DE FRANCE
Hoverspeed Fast Ferries. ☎ **08 20 00 35 55**. Minitel 3615 HOVERSPEED. www.hoverspeed.fr
P&O Stena Line. Maison de la Grande-Bretagne, 19, rue des Mathurins 75009 Paris. ☎ **01 44 51 00 51**. Minitel 3615 POSTENA. www.posl.com
SeaFrance. 23, rue Louis-Le-Grand 75002 Paris. ☎ **08 36 68 88 89**. Minitel 3615 SEA FRANCE. www.seafrance.net/sommaire_fr.asp

DE BELGIQUE
Hoverspeed. 28, avenue Marnix 1000 Bruxelles. ☎ **(02) 59 55 99 11**, fax (02) 59 55 99 17. www.hoverspeed.be
SeaFrance. 52, rue de la Montagne 1000 Bruxelles. ☎ **(322) 549 08 82**. www.sea france.net
&O North sea Ferries. 13, Léopold II Dam, Quai 106-108, 8380 Zeebrugge. ☎ **050 34 30**, fax 050 54 71 12. www.ponsf.com

AR

générale, les services de car entre l'Angleterre et la France ne sont pas très pra-
pendant, la compagnie **Euroways Eurolines**, Ltd., 52 Grosvenor Gardens,

London SW1W OAU (☎ 020/7730-8235) jouit d'une réputation correcte. Elle propose un service de car deux fois par jour entre Londres et Paris (9 h de voyage) ; trois fois par jour entre Amsterdam et Londres (12 h de voyage) ; trois fois par semaine de Munich à Londres (24 h de voyage) et trois fois par semaine de Stockholm à Londres (44 h de voyage). Les voyages les plus longs se déroulent quasiment sans interruption : on s'arrête de temps à autre pour faire une pause ou pour manger.

DE FRANCE
Club Alliance. 99, boulevard Raspail 75006 Paris. ☎ **01 45 48 89 53**.

Eurolines. Gare routière internationale de Paris-Gallieni, 28, avenue du Général-de-Gaulle, BP 313 93541 Bagnolet Cedex. ☎ **08 36 69 52 52**, fax 01 49 72 51 61. Minitel 3615 EUROLINES. www.eurolines.fr.
Cette compagnie assure tous les jours plusieurs départs à destination de Londres (bus-bateau ou bus-Eurotunnel, au choix). Elle possède des agences dans toute la France, alors n'hésitez pas à téléphoner pour connaître l'agence la plus proche de chez vous. Attention, il vous faut réserver une semaine à l'avance.

Infos bus. Place Saint-Epvre 54000 Nancy. ☎ **03 83 37 66 66**. **www.voyages4a. com** : ventes de billets et organisations de voyages à thème au départ des grandes villes de France.

DE BELGIQUE
Eurolines. 13, avenue Fonsny 1060 Bruxelles . ☎ **(02) 538 85 61**. fax (02) 538 20 49. www.eurolines.be

DE SUISSE
Société d'exploitation de la gare routière de Genève. Place Dorcière. CP 2149, 1211 Genève 1. ☎ **(02) 27 32 02 30**, fax (02) 27 31 85 47. www.gare-routiere.ch

3 Formalités

ENTRÉE SUR LE TERRITOIRE BRITANNIQUE
Les Français, les Belges et les Luxembourgeois n'ont besoin que d'un passeport ou d'une carte d'identité en cours de validité. Les Suisses doivent posséder, en outre, une carte de visiteur.
Pour les membres de l'Union européenne, une carte d'identité suffit.
Les Canadiens doivent présenter un passeport en cours de validité. La demande de passeport se fait dans un des 28 bureaux des passeports régionaux ou dans la plupart des agences de voyages. Le passeport est valide pendant 5 ans et coûte 60 $C. Une personne de moins de 16 ans peut être inclue sur le passeport de l'un de ses parents mais, si elle voyage seule, elle doit posséder son propre passeport. Les demandes doivent être accompagnées de deux photos d'identité identiques. Il faut également pouvoir prouver son identité canadienne. Ces formulaires sont disponibles dans les agences de voyages partout au Canada ou au bureau central des passeports, département des affaires étrangères et du commerce international, Ottawa K1A 0G3 (☎ 800/567-6868. www.dfait-maeci.gc.ca/passport). Le traitement de la demande prend entre 5 à 10 jours si vous allez sur place, ou 3 semaines par courrier. Gardez-le en lieu sûr – si vous le perdez, rendez-vous au consulat de votre pays afin de le faire remplacer. Des demandes de renouvellement de passeport peuvent être téléchargées à partir du site Internet cité ci-dessus.
Si vous désirez louer une voiture ou conduire le véhicule d'un résident britanni vous devez emmener votre permis de conduire et avoir au moins une

d'expérience en tant que conducteur. La carte verte d'assurance internationale signée est obligatoire.

Les étudiants de l'Union européenne peuvent suivre des cours en Grande-Bretagne sans formalités spécifiques, mais les autres ressortissants devront s'inscrire dans un établissement et prouver d'au moins 15 h de cours hebdomadaires s'ils veulent obtenir un visa étudiant.

Tous les étrangers désirant travailler sur le sol anglais, excepté les ressortissants de l'Union européenne, doivent demander une autorisation de travail.

DOUANES

CE QUE VOUS AVEZ LE DROIT D'IMPORTER ET D'EXPORTER Si vous arrivez en Grande-Bretagne **depuis un pays appartenant à l'Union européenne**, vous avez le droit d'apporter les produits imposés suivants : 800 cigarettes, 200 cigares et 1 kilo de tabac, 90 litres de vin, 10 litres de spiritueux de plus de 22 %, 110 litres de bière, ainsi qu'un volume illimité de parfum.

En ce qui concerne les visiteurs (de 17 ans ou plus) arrivant d'**un pays qui n'appartient pas à l'Union européenne** ou qui ont en leur possession des objets exempts d'impôts, les quantités autorisées sont limitées à 200 cigarettes (ou 50 cigares ou 250 grammes de tabac ou 100 cigarillos), 2 litres de vin de table, 1 litre de spiritueux (plus de 22 % de teneur en alcool) ou 2 litres de spiritueux de moins de 22 %, ainsi que 50 cl de parfum.

Le livret intitulé « *I declare* » s'adresse aux **voyageurs canadiens**. Vous pouvez l'obtenir auprès de *Revenue Canada*, 2265 St. Laurent Blvd., Ottawa K1G 4KE (☎ 613/993-0534). Le Canada accorde à ses citoyens une exemption de taxes d'une valeur de 500 $C : vous pouvez rapporter 200 cigarettes, 1 kilo de tabac, 1 litre d'alcool et 50 cigares. Pendant votre séjour à l'étranger, vous avez également le droit d'envoyer au Canada des cadeaux d'une valeur de 60 $C à condition qu'ils ne soient pas sollicités et qu'ils ne contiennent ni alcool ni tabac (inscrivez sur le colis « Cadeau non sollicité, d'une valeur inférieure à 60 $C »). Tout objet de valeur doit être déclaré sur un formulaire Y-38 avant votre départ du Canada ; doivent également y figurer les numéros de série des objets de valeur que vous possédez déjà, tels que des appareils photos étrangers. Attention : l'exemption de taxes de 500 $C n'est valable qu'une fois par an et pour une absence de 7 jours minimum.

La quarantaine de six mois pour les animaux domestiques arrivant en provenance d'autres pays a récemment été abolie. Pour en savoir davantage, contactez l'Ambassade britannique de votre pays (voir adresses dans la section « Où se renseigner » de ce chapitre).

4 L'arrivée à Londres

AVION

on Heathrow Airport Situé à l'ouest de Londres, à Hounslow, London

Heathrow Airport est l'un des aéroports internationaux les plus fréquentés au monde (renseignements concernant les vols au ☎ **020/8759-4321**). Il est composé de quatre terminaux, distincts les uns des autres. Les terminaux 1 et 2 gèrent les vols européens. Pour gagner le centre de Londres (trajet de 10 km environ) par l'**Underground** (métro), comptez 50 minutes et 3,40 £. Un autre moyen, l'**Airbus**, emmène les voyageurs jusqu'au centre-ville en 1 h et coûte environ 6 £ pour les adultes et 3 £ pour les enfants. Si vous prenez le **taxi,** vous aurez à payer environ 45 £. Si vous souhaitez obtenir davantage d'informations concernant les services de train et d'autobus, appelez au ☎ **020/7222-1234.**

Le service des aéroports britanniques offre désormais un service express, le **London-Heathrow Express** (☎ **0845/600-1515**), un train rapide entre Heathrow et Paddington Station, au centre de Londres. Ce service fonctionne toutes les 15 minutes, tous les jours, de 5 h 10 à 23 h 40. Le trajet aller simple coûte 10 £ en classe économique, ou 20 £ en première. Les enfants de 5 à 15 ans payent demi-tarif (gratuit pour les enfants de moins de 5 ans). Le trajet dure 15 minutes entre Paddington et les Terminaux 1, 2 et 3 de Heathrow (20 minutes pour le Terminal 4). Ces trains sont équipés de zones spécialement adaptées aux fauteuils roulants. Une fois arrivé à Paddington, vous pouvez prendre un autre train ou attraper un taxi. Les billets du London-Heathrow Express peuvent être achetés dans le train par le biais de machines automatiques, à l'intérieur de l'aéroport, ou auprès d'une agence de voyages. À Paddington, un service de bus, Hotel Express, dessert un certain nombre d'hôtels du centre de Londres ; le prix du ticket est de 2,05 £ pour un adulte et de 1,05 £ pour un enfant entre 5 et 15 ans (service gratuit pour les enfants de moins de 5 ans).

Gatwick Airport Si Heathrow demeure l'aéroport principal de Londres, de plus en plus d'avions atterrissent aujourd'hui à Gatwick (renseignements concernant les vols au ☎ **01293/535353**), situé à 15 km au sud de Londres, dans le West Sussex. Tous les quarts d'heures pendant la journée et toutes les heures durant la nuit, des **trains express** desservent la gare de Victoria Station, au centre de Londres. Le tarif est de 9,50 £ par adulte, demi-tarif pour les enfants de 5 à 15 ans, gratuit pour les enfants de moins de 5 ans. Le **Flightline Bus 777,** un bus express entre Gatwick et Victoria, fonctionne toutes les heures de 5 h à 23 h au prix de 7,50 £ par personne. En règle générale, le trajet en taxi entre l'aéroport de Gatwick et le centre de Londres coûte dans les 60 £ : n'oubliez pas de négocier avant de monter (le compteur ne fonctionne pas, vu que Gatwick se trouve en dehors de la région londonienne). Pour obtenir davantage d'informations concernant les transports, appelez le ☎ **0345/ 484950** (numéro disponible à partir de Londres uniquement).

London Stansted Airport Situé à une trentaine de kilomètres au nord-est du quartier du West End, au centre de Londres, Stansted, dans l'Essex, gère principalement des vols européens (☎ **01279/680500**). La meilleure solution pour gagner Londres consiste à emprunter le **Stansted Express** jusqu'à Liverpool Street Station au prix de 10,40 £ pour les adultes et de 5,20 £ pour les enfants de moins de 15 ans. Ce service fonctionne toutes les 30 minutes, tous les jours de 5 h 30 à 23 h. Le trajet dure 45 minutes.

London City Airport London City Airport (☎ **020/7646-0000**) accueille de nombreux vols de l'intérieur du Royaume-Uni et du nord de l'Europe, d'où sa popularité auprès des hommes et des femmes d'affaires.

Depuis London City Airport, il existe trois manières de gagner le centre de Londres. Tout d'abord, le ***blue-and-white bus*** (bus bleu et blanc) qui coûte pour un aller simple entre l'aéroport et Liverpool Street Station, d'où vous emprunter le métro ou des trains desservant la majorité de la Grande-Bretagne. Le bus fonctionne tous les jours, à raison d'un toutes les 10 minutes, pendant les heures d'ouverture de l'aéroport, donc, en moyenne, de 6 h 50 à 21 h 20 (le samedi, l'aéroport ferme ses portes à 13 h). En deuxième lieu, vous avez la possibilité de prendre une **navette jusqu'à Canary Wharf** *(shuttle bus)*. De là, vous pouvez prendre un train Docklands Light Railway, qui dessert fréquemment le quartier financier de Londres – la City – en 10 minutes. Puis vous empruntez le métro à la station Bank. Enfin, le **bus n° 473** relie London City Airport aux quartiers est de Londres, où vous trouverez la station de métro Plaistow.

EN TRAIN

Chacune des gares de Londres est reliée aux vastes réseaux d'autobus et de métro ; elles sont toutes équipées de téléphones, de restaurants, de pubs, de consignes automatiques, ainsi que de centres d'informations concernant les transports publics de la région londonienne.

Si vous prenez le ferry ou l'aéroglisseur entre Calais et Douvres (voir la rubrique « En bateau » de la section « Voyager » de ce chapitre), vous pouvez alors prendre le train à Douvres jusqu'au centre de Londres. Si vous préférez ne pas avoir à emprunter plusieurs moyens de transport, vous pouvez prendre l'Eurostar, qui relie la Gare du Nord (Paris) ou la gare de Bruxelles-Midi (Bruxelles) à Waterloo Station (se reporter à la rubrique « En Eurostar » de la section « Voyager » de ce chapitre).

EN VOITURE

Une fois de l'autre côté de la Manche, vous pouvez emprunter l'autoroute M20 jusqu'à la capitale. **N'oubliez pas de conduire à gauche !** Londres est entourée de deux routes périphériques : l'une constituée de la A406 et de la A205, et une autre, un peu plus éloignée, qui s'appelle la M25. Identifiez la partie de la ville qui vous intéresse puis suivez les panneaux.

À Londres, il vous est conseillé de ne prendre votre voiture qu'en cas de nécessité absolue. Non seulement la circulation est très dense mais, de surcroît, le nombre de places de stationnement est très réduit. Sur place, laissez votre véhicule dans un garage puis empruntez les transports en commun ou les taxis. Avant de réserver votre hôtel, demandez s'il est équipé d'un garage (et le coût de ce service) ; si la réponse est négative, demandez les coordonnées d'un garage situé près de l'hôtel.

5 Voyager à l'intérieur de la Grande-Bretagne

PAR L'INTERMÉDIAIRE DE BRITRAIL, À PARTIR D'AUTRES VILLES BRITANNIQUES Si vous allez à Londres depuis une autre ville du Royaume-Uni, pensez à acheter une carte d'abonnement **BritRail Classic Pass**, qui vous permet de prendre le train autant de fois que vous le désirez, pendant une période prédéfinie de 8 jours, 15 jours, 22 jours ou 1 mois (autorisé en Irlande, l'Eurailpass ne fonctionne pas en Grande-Bretagne). Pour une période de 8 jours, la carte d'abonnement coûte 2 400 F en première classe et 1 600 F environ en seconde ; pour 15 jours, comptez approximativement 3 600 F en première et 2 400 F en seconde. La carte de 22 jours te environ 4 600 F en première, et un peu plus de 3 000 F en seconde ; enfin, une période d'un mois, vous payerez à peu près 5 400 F en première et 3 600 F nde. Un enfant de 5 à 15 ans qui voyage avec un adulte détenant un billet if paie demi-tarif. Les enfants de moins de 5 ans voyagent gratuitement à par-ment où ils n'occupent pas une place.

Les personnes âgées (60 ans ou plus) ont droit à une réduction, à condition qu'elles voyagent en première classe. Les tarifs approximatifs sont de 2 000 F la carte d'abonnement de 8 jours, 3 000 F la carte de 15 jours, 3 900 F pour une période de 22 jours, et 4 600 F pour la carte d'un mois.

Si vous avez entre 16 et 25 ans, vous pouvez acheter une carte **BritRail Classic Youth Pass** qui vous donne droit à un nombre illimité de voyages en seconde classe : elle coûte environ 1 300 F pour 8 jours, 1 700 F pour 15 jours, 2 200 F pour 22 jours et 2 500 F pour une période d'un mois.

Attention ! La carte d'abonnement BritRail doit être achetée avant votre arrivée en Angleterre. Le site Web **www.raileurope.com** fournit des informations sur les conditions de réservation.

Si vous comptez prendre le ferry ou l'aéroglisseur (voir la rubrique « En bateau » de ce chapitre) et que vous prenez le train à Douvres, vous arriverez à la gare de Victoria, au centre de Londres. Si vous allez à Londres depuis Édimbourg, vous arriverez à la gare de King's Cross.

EN CAR   Si vous vous dirigez vers Londres depuis une autre ville du Royaume-Uni, vous pouvez acheter une **Britexpress Card** qui vous permettra de bénéficier d'une réduction de 30 % sur les cars National Express (Angleterre et pays de Galles) et Caledonian Express (Écosse). Renseignez-vous auprès d'une agence de voyages.

6 Où se renseigner ?

Avant de partir, vous pouvez obtenir des renseignements auprès de l'office de tourisme britannique sur **www.visitbritain.com**.

Pour recevoir un dossier d'information complet en anglais, écrivez au **London Tourist Board,** Glenn House, Stag Place, London SN1E 5LT (☎ **020/7932-2000**). *Time Out,* qui contient toutes les informations les plus récentes concernant les événements qui se déroulent à Londres est désormais sur Internet, sur **www.timeout. co.uk**. Le magazine est disponible auprès de certains marchands de journaux internationaux.

London Guide (**www.cs.ucl.ac.uk/misc/uk**), une publication de l'université de Londres, fournit des informations pratiques concernant les restaurants et les hôtels bon marché près de l'établissement universitaire, à Bloomsbury. À cet adresse Internet, vous trouverez également des récits de voyages et des conseils concernant les théâtres londoniens.

Si vous désirez réserver un hôtel par carte de crédit (MasterCard ou Visa), appelez l'office de tourisme londonien (*London Tourist Board Booking Office*) au ☎ **020/7932-2020**, ou envoyez un fax au 020/7932-2021. Le service des réservations est ouvert du lundi au vendredi, de 9 h 30 à 17 h 30 (attention au décalage horaire). Les frais de réservation sont de 5 £.

EN FRANCE
INFORMATIONS OFFICIELLES

Ambassade de Grande-Bretagne. 35, rue du Faubourg-Saint-Honoré 75008 Paris. ☎ **01 44 51 31 00.** www.amb-grandebretagne.fr

Consulat de Grande-Bretagne. 18 bis, rue d'Anjou 75008 Paris. ☎ **01 44 51 3˙ 02.** Minitel 3615 GBRETAGNE.

Office de tourisme. Maison de la Grande-Bretagne, 19, rue des Mathurins 75 Paris. ☎ **01 44 51 56 20,** fax 01 44 51 56 21. Minitel 3615 BRITISH. **www.gr bretagne.net**

CENTRE D'INFORMATIONS

British Council. 9, rue de Constantine 75007 Paris. ☎ **01 49 55 73 00**. Minitel 3615 BRITISH. www.britcoun.org/fr

LIBRAIRIES

Albion. 13, rue Charles-V 75004 Paris. ☎ **01 42 72 50 71**.
L'Astrolabe. 46, rue de Provence 75009 Paris. ☎ **01 42 85 42 95**.
Brentano's. 37, avenue de l'Opéra 75002 Paris. ☎ **01 42 61 52 50**. Minitel 3615 Brentano's. www.brentanos.fr
Itinéraires. 60, rue Saint-Honoré 75001 Paris. ☎ **01 42 36 12 63**. Minitel 3615 Itinéraires. www.itineraires.com
Librairie des Voyageurs. 55, rue Sainte-Anne 75002 Paris. ☎ **01 42 86 17 38**. www.vdm.com
Ulysse. 26, rue Saint-Louis-en-l'Île 75004 Paris (14 h-20 h). ☎ **01 43 25 17 35**. www.ulysse.fr
WH Smith. 248, rue de Rivoli 75001 Paris. ☎ **01 44 77 88 99**. Internet : whsmith.france@wanadoo.fr

EN BELGIQUE

INFORMATIONS OFFICIELLES

Ambassade et consulat de Grande-Bretagne. 85, rue d'Arlon, 1040 Bruxelles. ☎ **(02) 287 62 11/18**. www.british-embassy.be
Office de Tourisme de Grande-Bretagne. British Tourist Authority. 140, avenue Louise, 1050 Bruxelles. ☎ **(02) 646 35 10**. www.visitbritain.com

CENTRE D'INFORMATIONS

British Council. **Brittania House**. 15, rue de la Charité 1210 Bruxelles. ☎ **(02) 227 08 40**. www.britishcouncil.org/belgium

LIBRAIRIES

La Route de Jade. 116, rue de Stassart, 1050 Bruxelles. ☎ **(02) 512 96 54**. www.laroutedejade.com
Peuples et continents. 11, rue Ravenstein, 1000 Bruxelles. ☎ **(02) 511 27 75**.

EN SUISSE

INFORMATIONS OFFICIELLES

Ambassade de Grande-Bretagne. Thunstrasse, 50, 3005 Berne. ☎ **(031) 359 77 00**. www.british-embassy-berne.ch
Consulat de Grande-Bretagne. 37-39 rue de Vermont, 1211 Genève 20. ☎ **(022) 918 24 00**.
Office de Tourisme de Grande-Bretagne. British Tourist Authority. Limmatquai 78, 8001 Zurich. ☎ **(01) 261 42 77**. www.visitbritain.com

CENTRE D'INFORMATIONS

British Council. 2, Sennveg, 3012 Berne. ☎ **(031) 301 41 01**. www.britishcouncil.org/switzerland

LIBRAIRIES

Librairie du Voyageur Artou. 8, rue de Rive, 1204 Genève. ☎ **(022) 818 02 40**, (022) 818 02 41.
Travel Bookshop. Rindermarkte 20, 8000 Zurich. ☎ **(01) 252 38 83**. www.info@travelbookshop.ch

AU CANADA
INFORMATIONS OFFICIELLES
Ambassade et consulat de Grande-Bretagne. 80 Elgin St., Ottawa, Ont KIP 5K7.
☎ **(613) 237 15 30.** www.britain-in-Canada.org
Office de Tourisme de Grande-Bretagne. British Tourist Authority. 111, avenue
Road, suite 450, M5R3N3 Toronto, Ontario. ☎ **(905) 405 17 20.**

CENTRE D'INFORMATIONS
British Council. c/o Ambassade britannique, 80, Elgin St., Ottawa, K1P 5K7 Ontario.
☎ **(613) 237 15 30.** www.britain-in-canada.org

LIBRAIRIES
Bidonlivre. 3428, rue Saint-Denis, Montréal. ☎ **(514) 844 08 92.**
Raffin. 6722, rue Saint-Hubert, Montréal. ☎ **(514) 274 28 70.**
Ulysse. Place de la cité. Québec. ☎ **(418) 654 97 79.**

À LONDRES
INFORMATIONS OFFICIELLES
Ambassade de France. 58 Knightsbridge, SW1. ☎ **020/7201-1000.** www.amba
france.org.uk
Ambassade de Belgique. 103 Eaton Square, SW1. ☎ **020/7470-3700.** www.bel
gium-embassy.co.uk
Ambassade de Suisse. 16-18 Montagu Place, W1. ☎ **020/7616-6000.** www.swis
sembassady.org.uk
Canada High Commission. Haut Commissariat du Canada, Macdonald House,
1 Grosvenor Square W1. ☎ **020/7258-6600.** www.canada.org.uk/visa-info

CENTRES D'INFORMATIONS
British Travel Centre (centre d'informations aux voyageurs), Rex House, 4-12 Lower
Regent St., Londres SW1 4PQ (Métro : Piccadilly Circus), accueille sans rendez-vous
les visiteurs à la recherche d'informations sur n'importe quelle zone du Royaume-Uni.
Le service téléphonique du centre a été supprimé ; par conséquent, vous êtes obligé
de vous y présenter en personne (la file d'attente devant les guichets est parfois importante). Vous y trouverez également un guichet British Rail (l'équivalent de la SNCF),
ainsi que des agences de voyages, une billetterie pour les théâtres, un service de réservation d'hôtels, une librairie et une boutique de souvenirs. Le Travel Centre est ouvert
du lundi au vendredi, de 9 h à 18 h 30, le samedi et le dimanche de 10 h à 16 h (nocturne le samedi, de juin en septembre).

Tourist Information Centre (centre d'information touristique), Victoria Station
Forecourt, SW1 (Métro : Victoria Station), fournit un service exhaustif. Spécialisé
dans la réservation de chambres d'hôtels (pour toutes les bourses), ce centre répond à
toutes les questions imaginables au sujet des voyages. Il vend également des billets
pour les excursions et des places de théâtre, et offre une sélection importante de livres
et de souvenirs. De Pâques au mois d'octobre, le centre est ouvert tous les jours, de
8 h à 19 h ; du mois de novembre à Pâques, il est ouvert du lundi au samedi de 8 h
à 18 h, et le dimanche de 9 h à 16 h.

D'autres bureaux attachés au *London Tourist Board* (service de tourisme) se trouvent à l'aéroport de **Heathrow** (Terminaux 1, 2 et 3), et dans le hall du métro de
gare de **Liverpool Street**. Tous les LTB ont un service de réservation d'hôtels.

Sur le Web

L'Internet constitue maintenant une mine d'informations. Notre « Guide des bonnes adresses du Web » à la fin de l'ouvrage vous oriente vers les meilleurs sites.

LIBRAIRIES

Daunts Books. 83, Marylebone High St W1. ☎ **017/7224-2295**, fax 020/7224-6893.
Foyle's. 119 Charing Cross Road W1. ☎ **020/7437-5660**, fax 020/7434-1574.
Travel Bookshop. 13 Bleinheim Crescent W11. ☎ **020/7229-5260**, fax 020/7243-1552.
Waterstones. 121-131 Charing Cross Road. ☎ **020/7434-4291**, fax 020/7437-3319.

7 Littérature et cinéma

Le choix de livres et de films sur Londres est vaste et la liste que nous vous proposons est évidemment lacunaire. N'hésitez pas à passer un petit moment dans une bonne librairie, une bibliothèque ou une vidéothèque pour découvrir les ouvrages et les films qui font référence à la ville. Reportez-vous pour cela à la section « Où se renseigner ? » plus haut dans ce chapitre.

LIVRES

SOCIÉTÉ ET HISTOIRE

Histoire de l'Angleterre, de A. Maurois (Fayard, 1978)
Londres, de C. Cullen (« Points Planète », Le Seuil, 1989)
Londres, le roman, de E. Rutherford (Presses de la Cité, 1998)

ROMANS ET POÉSIE

L'Agent secret, de Joseph Conrad (10/18, 1995)
Amardillo, de William Boyd (Points Seuil, 1999)
Les Aventures d'Oliver Twist, de Charles Dickens (Folio, 1973)
Les Aventures de Sherlock Holmes, de Conan Doyle (« Bouquins », Robert Laffont)
Black Album, de Hanif Kureishi (10/18, 1997)
Le Bouddha de banlieue, de Hanif Kureishi (1993)
Les Confessions d'un mangeur d'opium, de Thomas de Quincey (Gallimard, 1975)
England, England, de Julian Barnes (Mercure de France, 2000)
Guignol's Band I et II, de L.-F. Céline (Folio, 1964)
Il importe d'être constant, de Oscar Wilde (Pocket, 1992)
Journal d'un écrivain, de Virginia Woolf (Christian Bourgois, 1953)
Lettres de Londres, de Julian Barnes (Folio, 1998)
London Fields, de Martin Amis (10/18, 1997)
Mémoires d'outre-tombe, de F.R. de Chateaubriand (Le Livre de Poche, 1998)
Mrs. Dalloway, de Virginia Woolf (Le Livre de Poche, 1982)
Poèmes et poésies, de John Keats (Gallimard, 1996)
Pygmalion, de George Bernard Shaw (L'Arche, 1993)
Soho à la dérive, de Colin Wilson (Folio, 1961)

Thérapie, de David Lodge (Rivages, 1996)
Trois Hommes dans un bateau, de Jerome K. Jerome (GF, 1990)
Une vie à Londres, de Henry James (Librio, 1997)

FILMS

Blow up, de Michelangelo Antonioni (1967). Un photographe à la mode, qui prépare un album sur Londres, est témoin d'un crime. Ce film d'une grande beauté plastique utilise les codes du polar pour offrir une œuvre plus ambitieuse.

Frenzy, d'Alfred Hitchcock (1972). Retour de « Hitch » à Londres pour son avant-dernier film, où il aborde tous ses thèmes favoris.

Passeport pour Pimlico, *(Passport to Pimlico)* de Henry Cornelius (1949). Les habitants du faubourg de Londres Pimlico décident de se proclamer indépendants de la couronne britannique. Chef-d'œuvre absolu de l'humour anglais.

Les Forbans de la nuit, *(Night and the city)* de Jules Dassin (1950). L'errance d'un raté poursuivi par la pègre dans les rues d'une Londres bizarre et inquiétante. Sommet du film noir.

Jack l'éventreur, *(Jack the ripper)* de Robert S. Baker (1960). L'une des versions les plus effrayantes de l'histoire du célèbre criminel, avec une reconstitution soignée de Londres à l'époque victorienne.

Le Knack... et comment l'avoir, *(The Knack... and how to get it)* de Richard Lester (1965). Comédie décalée dans le « *crazy London* » des sixties.

Elephant man, de David Lynch (1980). Superbe photo noir et blanc pour ce chef-d'œuvre humaniste dont l'histoire, inspirée de faits authentiques, se déroule à Londres à la fin du XIXe siècle.

Naked, de Mike Leigh (1993). Un film d'un grand désespoir, teinté d'un humour typiquement britannique ; la balade d'un philosophe paumé dans les rues de Londres de l'époque post-Thatchérienne.

Coup de foudre à Notting Hill, *(Notting Hill)* de Mike Newell (1998). Comédie romantique et légère dans le quartier de Londres Notting Hill, désormais célèbre dans le monde entier.

Londres mode d'emploi 3

La plus grande ville d'Europe évoque une grande roue. Autour de son centre – Piccadilly Circus – gravitent des dizaines de communautés. Constituée de quartiers très variés ayant chacun leur âme et leur personnalité, la ville de Londres peut intimider ceux qui la visitent pour la première fois. Ce chapitre répond à la plupart des questions pratiques qui peuvent se poser à vous. Au-delà des informations sur l'argent, la santé, le téléphone ou l'électricité, vous trouverez ici une aide pour vous repérer dans la ville, en découvrir les principaux quartiers et vous y déplacer, à pied ou en transports en commun.

1 L'argent

MONNAIE

L'unité principale du système monétaire britannique est la livre sterling (£) (*pound* en anglais), qui équivaut à 100 pence (**p**) (*pence* est le pluriel de « *penny* »). Il existe des pièces de 1 £ (dorée), de 50 p, 20 p, 10 p et 5 p (en métal argenté), de 2 p et de 1 p (en cuivre). Quoique officiellement abolie, la pièce de 0,5 p continue encore de circuler. La nouvelle pièce de 2 £ (dorée et argentée) est apparue en 1998. Des billets de banque de 5 £, 10 £, 20 £ et 50 £ sont aussi disponibles et se distinguent par leur couleur et leur taille.

LES DISTRIBUTEURS AUTOMATIQUES

Si vous n'êtes pas Européen, vérifiez auprès de votre banque si un autre code est nécessaire pour retirer de l'argent en Grande-Bretagne. D'autre part, si vous avez le choix, si cela vous rassure et selon la carte de crédit que vous utilisez (européenne ou non), vous pouvez aussi retirer de l'argent au guichet de la banque.

Les distributeurs automatiques les plus populaires sont **Cirrus** (☎ 800/424-7787. www.mastercard.com/atm/) et **Plus** (☎ 800/843-7587. www.visa.com/atms). Les numéros de téléphone ci-dessus vous permettent d'obtenir l'adresse des distributeurs automatiques. Vous pouvez également vous renseigner auprès de votre propre banque.

Remarque : de nombreuses banques britanniques prennent une commission pour des retraits d'argent effectués avec des cartes étrangères.

CARTES BANCAIRES

Les cartes de crédit permettent de ne pas transporter de grosses sommes d'argent et de pouvoir vérifier à tout moment les dépenses effectuées. Il est possible de retirer de l'argent en espèces, auprès de n'importe quelle banque, à l'aide d'une carte et moyennant une commission relativement importante. La plupart du temps, vous n'avez pas besoin de vous présenter à la caisse : vous pouvez vous servir d'un distributeur automatique. Les cartes de crédit **Master Card** (distributeurs de la NatWest, de la Lloyyds TBS et de la Barclays), **Visa** (distributeurs de la HSBC et de la Barclays), **American Express** (agences American Express) et **Diners Club** fonctionnent à Londres. Attention, ayez toujours du liquide sur vous car certains établissements n'acceptent d'être payés qu'en espèces.

En cas de vol, vous pouvez appeler un numéro central afin de faire opposition sur votre carte de crédit. Dans certains cas, vous recevrez immédiatement une avance par câble et, dans d'autres, une carte temporaire vous sera adressée sous 24 à 48 h.

American Express. ☎ 012/7368-9955
Diners Club. ☎ 012/5251-6261
Eurocard/MasterCard. ☎ 017/0236-2988
Visa. ☎ 0800/891-725

Il est rare de récupérer un porte-monnaie volé ou perdu. Il faut toutefois se rendre au commissariat le plus proche afin de déclarer la perte car votre banque, société de cartes bancaires ou compagnie d'assurances est susceptible de vous demander un récépissé de perte.

Combien ça coûte ?

Francs français

Taxi de l'aéroport de Heathrow au centre de Londres	508 F
Métro de l'aéroport de Heathrow au centre de Londres	113 F
Coup de fil local	1 F-2 F
Chambre double au Dorchester (hôtel très cher)	3 330 F
Chambre double au Sanctuary House (moyennement cher)	818 F
Chambre double au Edward Lear (peu cher)	677 F
Déjeuner pour une personne à The Ivy (restaurant cher)	240 F
Déjeuner pour une personne au Ye Olde Cheshire Cheese (pas cher)	137 F
Dîner pour une personne (sans vin) chez Bibendum/The Oyster Bar (cher)	547 F
Dîner pour une personne (sans vin) chez Odin's (moyennement cher)	267 F
Dîner pour une personne (sans vin) chez Porter's English restaurant (peu cher)	178 F
Une bière	23 F
Un Coca dans un café	13 F
Un café	15 F
Une pellicule couleur 100 ASA, 36 poses	55 F
Accès au British Museum	Gratuit
Une place de cinéma	55 F-96 F
Une place de théâtre	164 F-657 F

CHÈQUES DE VOYAGE

Depuis l'avènement des distributeurs automatiques, cette forme monétaire se fait de plus en plus rare.

Cependant, les chèques de voyage, qui fonctionnent comme des espèces et qui peuvent être remplacés en cas de perte ou de vol, sont très pratiques si votre carte est avalée par un distributeur. Il est préférable de les changer en argent liquide car les hôtels et les restaurants acceptent rarement d'être réglés en chèques de voyage.

Ils sont disponibles auprès de bon nombre de banques (nous vous conseillons de prendre des chèques émis par American Express ou Thomas Cook et libellés en livres, afin d'éviter les commissions trop importantes). En règle générale, les commissions varient de 1 % à 1,5 % avec un minimum de 3 £ à 4 £.

Notez à part les numéros de série de vos chèques afin de pouvoir vous faire rembourser en cas de perte ou de vol. Votre déclaration doit se faire auprès de la banque émettrice des chèques. Cette dernière sera en mesure de les remplacer dans les 24 heures.

Un conseil, utilisez des chèques de voyage en grosses coupures et calculez à peu près ce que vous comptez dépenser, cela vous évitera de revenir avec des chèques non utilisés.

American Express. ☎ **029/2066-6111**
Thomas Cook. ☎ **017/3331-8950**

Dollars canadiens	Francs suisses	Francs belges	Euros
109 $C	122 FS	3145,3 FB	77,97 €
24 $C	27 FS	698,95 FB	17,326 €
0,2 $C-0,4 $C	0,25 FS-0,5 FS	6,35 FB-12,71 FB	0,157 €-0,315 €
712,5 $C	801 FS	20619 FB	511,13 €
175 $C	197 FS	5068,4 FB	125,64 €
145 $C	163 FS	4193,7 FB	104 €
51 $C	57,5 FS	1482,62 FB	36,75 €
29 $C	33 FS	847,21 FB	21 €
117 $C	131,5 FS	3388,84 FB	84 €
57 $C	64 FS	1652 FB	41 €
38 £C	42,8 FS	1101,4 FB	27,3 €
5 $C	5,5 FS	141,9 FB	3,52 €
2,7 $C	3,1 FS	80,48 FB	2 €
3 $C	3,5 FS	91,07 FB	2,25 €
11,7 $C	13 FS	338,9 FB	8,4 €
11,7 $C-20,5 $C	13 FS-23 FS	338,9 FB-593 FB	8,4 €-14,7 €
35 $C-140,5 $C	39,5 FS–158 FS	1016,65 FB-4066,6 FB	25,2 €-100,8 €

TAUX DE CHANGE ET COMMISSION

À l'heure où nous écrivons ce guide, les taux de change sont les suivants :
France   1 £ = 10,912 F (= 1,663 €)
Belgique 1£ = 67,1097 FB (= 1,663 €)
Suisse   1 £ = 2,6089 FS
Canada   1 £ = 2,3506 $C

Échangez un peu d'argent avant de partir pour payer le trajet entre l'aéroport et l'hôtel. Non seulement vous gagnerez du temps, mais vous payerez également moins de commission.

En règle générale, les chèques de voyage offrent un meilleur taux de change que les espèces. De même, les banques londoniennes ont tendance à proposer les meilleurs taux. Leurs horaires habituels sont du lundi au vendredi de 9 h 30 à 15 h 30, mais les agences principales restent souvent ouvertes jusqu'à 17 h. Quelques guichets situés au centre de Londres restent ouverts jusqu'à midi le samedi (c'est le cas de **Barclays,** 208 Kensington High St., W8. ☎ **020/7441-3200**). Un service de change intéressant est désormais proposé par les principaux bureaux de poste (commission de 1 %). En dehors des horaires d'ouverture des banques et des bureaux de poste, il est possible de changer de l'argent dans les divers bureaux de change de la ville, situés dans des magasins, des hôtels, des gares (notamment à Waterloo International), des agences de voyages et des aéroports. Un seul inconvénient : ces endroits offrent des taux de change peu avantageux et imposent des commissions élevées. Aucun contrôle n'est exercé sur les activités des bureaux de change privés : il faut donc bien étudier les taux et les commissions proposés avant de faire appel à leurs services.

Selon une étude récente effectuée par *Time Out* auprès des divers bureaux de change, **American Express** semblerait proposer l'offre la plus intéressante. La principale agence se trouve au 6 Haymarket, SW1 (☎ **800/221-7282** ou 020/7930-4411). Cet établissement ne prend pas de commission sur les chèques de voyage : il prélève un forfait de 2 £ (20 F environ) sur toute transaction (ouvert du lun. au ven. de 9 h à 17 h 30, le sam. de 9 h à 16 h et le dim. de 10 h à 13 h et de 14 h à 16 h). La plupart des autres organismes appliquent un pourcentage (de 2 % en général) en plus d'un forfait de 2 £ à 3 £ (20 à 30 F). Les autres sociétés de bonne réputation sont **Thomas Cook**, 45 Berkeley St., W1A 1EB (☎ **800/223-7373** ou 020/7408-4218), gare de Victoria et Marble Arch (ouverte du lun. au ven. de 7 h 30 à 20 h et le sam. de 8 h à 18 h); et **Chequepoint**, 548 Oxford St., W1N 9HJ (☎ **020/7723-1005**), ouverte 24/24 h (ses autres guichets sont soumis à des horaires variables). Essayez, dans la mesure du possible, de ne pas changer votre argent à l'hôtel où les taux proposés laissent souvent à désirer...

VIREMENTS BANCAIRES INTERNATIONAUX

Pour recevoir de l'argent directement de votre pays par mandat télégraphique, comptez environ une semaine, et pour un mandat envoyé par courrier, comptez deux semaines. La conversion en livres ou en chèques de voyage se fait à Londres et cela vous coûtera environ 20 £.

2 Santé, assurance et sécurité

Aucun vaccin n'est exigé pour entrer à Londres.

SANTÉ

'l'Angleterre ne pose pas de problème particulier en ce qui concerne la santé. L'eau du robinet est potable, le lait est pasteurisé et le service médical est de bonne qualité. La crise de la Vache Folle connaît des rebondissements et il semble qu'il existe une troisième voie de contamination, encore inconnue. Nous n'avons donc aucun conseil à vous donner à ce sujet, si ce n'est de faire comme bon vous semble : l'épidémie d'encéphalite bovine spongiforme reste un mystère.

Précautions   Si vous avez une maladie chronique, consultez votre médecin avant de partir. Insérez dans votre portefeuille tout document permettant aux médecins d'urgence d'identifier votre maladie (épilepsie, diabète, maladie de cœur...).

Mettez vos médicaments dans vos bagages à main. Toute prescription écrite devrait porter une description générique des produits et non les noms de marque ; ne transférez pas les médicaments de leur emballage original. Vous devriez également emmener une copie supplémentaire de vos prescriptions au cas où vous perdriez ou manqueriez de médicaments pendant votre voyage. Si vous portez des lentilles de contact, apportez une deuxième paire avec vous.

Appeler un médecin   Si vous avez besoin d'un médecin à Londres, demandez à votre hôtel de vous en conseiller un ou contactez l'ambassade ou le consulat français. Si vous vous retrouvez en dehors de Londres, composez le 100 (numéro gratuit) et demandez à l'opérateur de vous passer le commissariat le plus proche ; il pourra vous communiquer le nom et les coordonnées d'un médecin près de votre logement.

Si vous ne trouvez pas immédiatement un médecin, essayez les urgences de l'hôpital le plus proche. Vous trouverez une liste d'hôpitaux, de pharmacies et de numéros de services d'urgence à Londres dans la section « Questions pratiques » de ce chapitre, ainsi que des numéros spécifiques à consulter (problèmes dentaires, incendies, accidents etc...).

En cas d'urgence et pour être soignés gratuitement, les ressortissants de l'Union européenne peuvent présenter le formulaire E111 fourni par leur pays.

Demander conseil dans une pharmacie   Vous pouvez trouver 24/24 h une pharmacie de garde dans chaque quartier de Londres. Son adresse est indiquée sur la vitrine de chaque pharmacie et dans le journal local. Pour en savoir plus, se reporter à la section « Questions pratiques », plus loin dans ce chapitre.

ASSURANCES

Si le fait de tomber malade en voyage vous préoccupe beaucoup, vous pouvez souscrire une assurance médicale spéciale. Toutefois, dans la majorité des cas, les polices d'assurance maladie prévoient ce genre de problème.

Il est recommandé de souscrire à une **assurance voyage** qui assure le rapatriement et couvre les coûts liés aux accidents. Avant de contracter un contrat d'assurance de voyage, assurez-vous qu'il possède bien une clause de garantie minimale et une permanence d'assistance téléphonique.

Il existe trois types d'assurances de voyage : celle qui traite des annulations de billets, l'assurance médicale et celle qui prévoit la perte des bagages. La première solution est utile si vous avez effectué une avance importante sur les frais de voyage. Les deux autres types d'assurances, en revanche, ne servent pas à grand-chose pour la plupart des voyageurs.

Quoi que vous fassiez, **vérifiez les polices d'assurances en cours** avant d'acheter la moindre couverture supplémentaire. Presque toujours en effet, l'assurance santé que vous détenez déjà vous assure à l'étranger. La plupart des polices d'assurances couvrent, au moins dans une certaine mesure, l'hospitalisation dans un pays étranger. Toutefois, il faut souvent payer les soins soi-même sur place avant d'être remboursé.

Conseil de voyage

N'oubliez pas de faire un jeu de photocopies de tous vos documents de voyage, et de le conserver ailleurs que dans votre portefeuille ou votre sac. Laissez-en également un à une personne de confiance au cas où vous auriez besoin qu'on vous l'envoie.

En ce qui concerne le vol, vous êtes probablement couvert par votre assurance maison. Si la compagnie aérienne est responsable de la perte de vos bagages, elle est censée vous rembourser à hauteur de 3 600 F environ par sac. Si la valeur du contenu dépasse cette somme, mettez les objets de valeur dans vos bagages à main.

La différence entre l'**assistance de voyage** et l'**assurance de voyage** est assez floue. En général, la première offre une aide immédiate, sur place, et un service téléphonique 24/24 h (notamment pour les questions d'ordre médical). La deuxième solution vous rembourse suite à des difficultés rencontrées pendant le voyage (soins, déplacements...). Choisissez la couverture en fonction de la protection dont vous bénéficiez déjà, par le biais de votre assurance maladie, par exemple. Certains fournisseurs de cartes de crédit offrent une assurance en cas d'accident, à condition que vous ayez utilisé ce moyen de paiement pour acheter le billet d'avion, de train ou de car. Lisez attentivement les contrats avant de payer une couverture d'assurance supplémentaire. Si vous avez des questions, n'hésitez pas à appeler votre assureur ou votre banquier.

Si vous décidez que vous avez effectivement besoin de compléter votre assurance, n'achetez pas au-delà de vos besoins. L'assurance qui vous protège lors de l'annulation d'un voyage coûte environ 6 à 8 % de la valeur totale des vacances.

À L'ATTENTION DES RESSORTISSANTS CANADIENS Vérifiez les dispositions de votre assurance maladie auprès des régies régionales de la santé ou appelez **HealthCanada** (☎ 613/957-2991) pour connaître l'étendue de votre couverture et savoir quels documents, factures et reçus il faut rapporter au Canada afin d'être remboursé si vous êtes malade à Londres.

SÉCURITÉ

Les zones touristiques de Londres sont assez sûres, et la ville n'est pas réputée pour être dangereuse. Vous devez seulement respecter certaines règles de sécurité relative à tout étranger dans une grande ville.

Si vous pratiquez l'auto-stop (ce que nous vous déconseillons fortement), ne le faites pas tout(e) seul(e).

Nos conseils pour les femmes qui voyagent seules sont de ne pas se promener seule dans certains quartiers non touristiques de la ville et de prendre un taxi le soir pour rentrer.

3 Questions pratiques

ALCOOL La vente d'alcool est interdite aux personnes de moins de 18 ans. Les mineurs de moins de 16 ans ne sont admis dans les pubs que s'ils sont accompagnés d'un parent ou d'un tuteur. Ne conduisez pas en état d'ivresse ! Même avec beaucoup de chance, vous écoperez d'une pénalité extrêmement dure. Les pubs sont ouverts du lundi au samedi de 11 h à 23 h, et le dimanche de midi à 22 h 30. En ce qui concerne la vente d'alcool, les restaurants doivent respecter les mêmes horaires que les pubs de plus, seules les personnes qui mangent un repas sur place peuvent en consommer. Un repas est défini comme un « met substantiel » ; on doit être assis pour boire et pour manger. Les hôtels peuvent servir de l'alcool aux résidents et au grand public de 11 h à 23 h ; après 23 h, seuls les résidents ont le droit d'être servis.

AMBASSADES & HAUTS-COMMISSARIATS Espérons que vous n'aurez nullement besoin de ce genre de service ; si toutefois vous perdez votre passeport ou que vous vous retrouvez confronté à une urgence, vous trouverez les adresses utiles au chapitre 2, à la section « Où se renseigner ? ».

AMERICAN EXPRESS Le bureau principal d'Amex se trouve 6 Haymarket, SW1 (☎ 020/7930-4411. Métro : Piccadilly Circus). Tous les services sont disponibles du lundi au vendredi de 9 h à 17 h 30, et le samedi de 9 h à 16 h. Pendant les heures de fermeture des bureaux principaux, seul le bureau de change d'Amex reste ouvert – le samedi de 16 h à 18 h et le dimanche de 10 h à 16 h.

ARGENT Voir la section « L'argent » au début de ce chapitre.

BIBLIOTHÈQUES Westminster Reference Library, 35 St. Martin's St., WC2 (☎ 020/7641-2036 ; MÉTRO : Leicester Sq.), est l'une des meilleures bibliothèques publiques de Londres ; elle est particulièrement bien équipée dans les domaines des affaires, de l'art et du dessin, des publications officielles et du spectacle. Elle a également un stock important de périodiques. Ouverte du lundi au vendredi de 10 h à 20 h, et le samedi de 10 h à 17 h.

CHANGE Voir la section « L'argent » au début de ce chapitre.

CLIMAT Voir la section « Quand partir ? » au chapitre 2.

CONDUITE AUTOMOBILE Voir la section « Se déplacer dans la ville » dans ce chapitre.

CONSIGNES Dans chaque gare et chaque aéroport, vous trouverez des consignes pour déposer vos bagages, le temps que vous voudrez ; comptez entre 2 £ et 6 £ par jour suivant la taille du casier choisi.

COURRIER Le prix d'un timbre pour une simple lettre (entre 10 et 20 g) varie de 19 p à 64 p selon la destination. Pour envoyer en France une lettre de moins de 10 g ou une carte postale, comptez 34 p. Le courrier envoyé vers le Canada met environ une semaine à parvenir à destination. La poste restante (Trafalgar Square Post Office, 24-28 William IV St., Londres WC2N 4DL, Métro : Charing Cross) est ouverte du lundi au vendredi de 8 h à 20 h et le samedi de 9 h à 20 h.

CUISINE La cuisine anglaise a beaucoup de mal à perdre sa mauvaise réputation. Cependant, elle peut s'avérer très bonne, il suffit souvent d'y mettre le prix. Le choix de restaurants se fait entre les pubs, les fameux *Fish & Chips*, les délicieux restaurants pakistanais ou indiens et les restaurants végétariens. Se reporter au chapitre 5.

DENTISTES En cas d'urgence, appelez **Eastman Dental Hospital** (256 Gray's Inn Road WC1. ☎ 020/7915-1000, Métro : King's Cross).

DOCUMENTS REQUIS Voir la section « Formalités » au chapitre 2.

ÉLECTRICITÉ En Grande-Bretagne, le voltage est de 240 Volts et la fréquence de 50 Hz. Il vous faudra un adaptateur pour des appareils européens (certains hôtels en fournissent) car les prises sont à trois fiches. Si votre hôtel ne peut pas vous fournir un adaptateur, rendez-vous à un magasin spécialisé en produits électriques. Faites très attention à ne pas brancher un appareil du continent européen directement dans une fiche murale, sans adaptateur : vous risquez de brûler votre machine, voire de déclencher un incendie !

ESSENCE En Grande-Bretagne, le litre d'essence est à 72 p environ.

HEURE L'Angleterre suit l'heure du méridien de Greenwich (1 h de moins par rapport à la France). De fin octobre à fin mars, elle est à l'heure GMT, c'est-à-dire l'heure 0 de tous les fuseaux horaires du monde. De fin mars à fin octobre, elle avance d'1 h.

HEURES OUVRABLES En général, les banques sont ouvertes du lundi au vendredi de 9 h 30 à 15 h 30. Les entreprises sont ouvertes du lundi au vendredi de 9 h à 17 h. La pause-déjeuner dure une heure mais la plupart des entreprises ont une permanence pendant cette période. Les pubs et les bars sont autorisés à rester ouverts de 11 h à 23 h, du lundi au samedi, et de midi à 22 h 30 le dimanche. En règle générale, les magasins sont ouverts de 9 h à 17 h 30, avec une nocturne jusqu'à 19 h le mercredi ou le jeudi. Certaines boutiques du centre-ville ferment vers 13 h le samedi. Selon la loi, la plupart des magasins sont fermés le dimanche, mais certaines petites épiceries restent ouvertes et il y a beaucoup d'exceptions.

HÔPITAUX Les centres hospitaliers suivants offrent un service d'urgences 24/24 h (le premier traitement est gratuit) : **Royal Free Hospital,** Pond Street, NW3 (☎ **020/7794-0500.** Métro : Belsize Park), et **University College Hospital**, Grafton Way, WC1 (☎ **020/7387-9300**. Métro : Warren St. ou Euston Sq.).

IMPÔTS & TAXES Dans le but d'encourager la conservation de l'énergie naturelle, le gouvernement britannique prélève 25 % de taxes sur l'essence. La VAT (à hauteur de 17,5 %) est ajoutée aux factures d'hôtel et de restaurant et intégrée dans le prix de la plupart des achats que vous effectuez (excepté les livres et la nourriture). Vous pouvez récupérer la VAT en achetant vos produits dans un magasin qui fait partie du plan *Retail Export Scheme* (annoncé en vitrine).

En octobre 1994, la Grande-Bretagne a mis en place une taxe spéciale : 10 £ (100 F environ) pour les vols internes ou vers l'Union européenne, et 20 £ (200 F) pour les passagers prenant un avion vers n'importe quelle autre destination. Si vous repartez en avion, renseignez-vous auprès de votre compagnie aérienne : il est possible que le prix de votre billet incorpore déjà cette taxe.

INDICATIFS Voir la rubrique « Téléphone » ci-dessous.

INFORMATIONS AUX VOYAGEURS Voir la section « Où se renseigner ? », au chapitre 2, et « Se repérer », plus loin dans ce chapitre.

JOURNAUX & MAGAZINES Les Anglais sont des gros consommateurs de journaux. La presse quotidienne, avec le *Times* (conservateur), le *Daily Telegraph*, le *Daily Mail*, le *Guardian* (marqué « à gauche ») et *The Independant*, pour ne citer que les journaux les plus importants, reflète la diversité des opinions politiques du pays. Le *Financial Times*, imprimé sur papier saumon, est l'outil privilégié des hommes d'affaires de la City. Le *Mirror* et le *Sun*, traditionnellement conservateurs, sont les principaux titres de la presse populaire londonienne (les fameux tabloïds). Les magazines *Time Out, City Limits* et *Where* fournissent de nombreuses et précieuses informations sur les manifestations culturelles du moment.

JOURS FÉRIÉS Se reporter à la section « Quand partir ? » au chapitre 2.

LIBRAIRIES Se reporter à la section « Le shopping de A à Z » au chapitre 8 pour trouver des adresses de librairies, spécialisées ou générales.

LOCATION DE VÉHICULES Voir la section « Se déplacer dans la ville » plus loin dans ce chapitre.

MÉDECINS En cas d'urgence, contactez **Doctor's Call** (☎ **07000/372255**).

Certains hôtels offrent également un service de médecins de garde. **Medical Express,** 117A Harley St., W1 (☎ 020/7499-1991. Métro : Regent's Park), est une clinique privée. Parfois, il faut payer un supplément pour la prescription, en plus du prix des médicaments. Cette clinique est ouverte du lundi au vendredi de 9 h à 18 h, et le samedi de 9 h 30 à 14 h 30. Voir aussi plus haut « Hôpitaux ».

MÉTÉO Pour des informations d'ordre météorologique, composez le ☎ 020/7922-8844 (ce service est souvent occupé). Vous pouvez aussi consulter les sites **www.wea ther.com** ou **www.meteomedia.com.**

CHANGE Pour connaître les taux de change, visitez le site anglais **www.cnn. com/travel/currency** ou le site français **www.lesechos.fr** à la rubrique « changes ».

PHARMACIES En Grande-Bretagne, on les appelle des « *chemist shops* » ou des « *chemists* » Chaque commissariat possède une liste des pharmacies de garde (composez le « 0 » puis demandez à l'opérateur de vous passer le commissariat le plus proche). L'une des plus centrales et qui reste ouverte tard est **Bliss the Chemist,** 5 Marble Arch, W1 (☎ 020/7723-6116. Métro : Marble Arch) ; elle est ouverte tous les jours de 9 h à minuit. Chaque quartier de Londres est nanti d'une succursale de **Boots,** la plus grande pharmacie britannique.

POIDS & MESURES Vous ne devriez pas avoir de conversion à faire puisque le système de mesure est officiellement le système métrique. Cependant, les distances sont indiquées en *miles*, en *yards*, en *foot* et en *inch*. Le lait et la bière se mesurent en pintes, mais les autres liquides s'évaluent en litres.

1 *miles* = 1,609 km ; 1 *yard* = 91,4 cm ; 1 *foot* = 30,5 cm ; 1 *inch* = 2,54 cm

1 *pint* = 0,473 l

Pour toute conversion, reportez-vous à la 3ᵉ de couverture de cet ouvrage.

POLICE En cas d'urgence, appelez le ☎ 999 (appel gratuit). Vous pouvez également, si vous le souhaitez, vous rendre à un commissariat du centre-ville, dont New Scotland Yard, Broadway, SW1 (☎ 020/7230-1212. Métro : St. James's Park).

POSTE Le bureau de poste principal se trouve 24 William IV St. (☎ 020/7484-9307. Métro : Charing Cross). Il est divisé en trois services : services nationaux, internationaux et bancaires (ouvert du lundi au vendredi de 8 h à 20 h, et le samedi de 9 h à 20 h) ; vente de timbres philatéliques (ouvert du lundi au samedi de 8 h à 20 h) ; la boutique de la Poste, qui vend des cartes de vœux et de la papeterie (ouverte du lundi au samedi de 8 h à 20 h). Ce bureau de poste fait aussi office de poste restante, aux mêmes horaires. Les autres bureaux sont ouverts du lundi au vendredi de 9 h à 17 h 30, et le samedi de 9 h à 12 h 30. De nombreux bureaux de poste ferment le midi pendant une heure. Si vous avez besoin d'une information, composez le ☎ 0845/722-3344.

POURBOIRES Le plus souvent, le service dans les restaurants (de 15% à 20 %) est inclus dans la facture. Si ce n'est pas clairement indiqué, renseignez-vous. Si le service n'est pas compris, l'usage veut que l'on rajoute 15 % au prix de la facture. Le pourboire des sommeliers est d'environ 1 £ par bouteille de vin servie. On ne donne pas de pourboire dans les pubs. Dans les bars, le pourboire des serveurs est d'environ 75 p par tournée.

À l'instar des restaurants, les hôtels majorent souvent la facture de 10 à 15 % pour le service. Dans les petites pensions, il est probable que le service ne soit pas incorporé. Dans ce cas, donnez un pourboire à la personne qui s'occupe personnellement de vous (celle qui vous a servi le petit déjeuner, par exemple) ; si, plusieurs personnes se sont occupées de vous, vous pouvez demander à ce que l'on majore la facture de 10 à 15 % pour que le service soit partagé entre les divers membres du personnel.

En taxi, il est coutumier de donner 10 à 15 % du prix (même pour un petit trajet, on ne donne jamais moins de 30 p de pourboire au chauffeur). Les coiffeurs s'attendent, eux aussi, à ce que l'on leur donne un pourboire de 10 à 15 %. Les guides touristiques réclament tacitement 2 £, mais le pourboire n'est pas obligatoire. Aujourd'hui, les employés des stations-service et les placeurs ne s'attendent pas forcément à en recevoir un.

RADIO Partout au Royaume-Uni, on trouve des chaînes de radio qui émettent 24/24 h. La nuit, elles passent essentiellement de la musique pop et des émissions de « causerie ». Certaines stations « pirates » ont un côté plus exotique. Les stations FM légales sont BBC1 (104.8), BBC2 (89.1), BBC3 (entre 90 et 92) et la chaîne classique, BBC4 (95). Par ailleurs, BBC Greater London Radio (94.9) passe beaucoup de musique rock, tandis que LBC Crown (97.3) donne régulièrement des informations sur les événements à Londres. Sur Capital FM (95.8), vous entendrez de la musique pop/rock, mais si vous préférez le jazz, le reggae ou la salsa, réglez-vous sur Choice FM (96.9) ; Jazz FM (102.2) passe du blues et du jazz traditionnel.

RENSEIGNEMENTS TÉLÉPHONIQUES Pour accéder aux renseignements téléphoniques, faites le ☎ 192 ; pour les renseignements internationaux, composez le ☎ 153 ; pour appeler en PCV vers un pays étranger, faites le ☎ 155.

SERVICES DE GARDE D'ENFANTS Des sociétés de garde d'enfants proposent les services de gouvernantes agréées et de mères « triées sur le volet », ainsi que de nourrices formées et de baby-sitters. Citons, par exemple, **Child-minders** (☎ 020/7935-3000** ou 020/7935-2049. Métro : Baker Street). Vous payerez 5,50 £ de l'heure le jour et 4 £ à 5 £ de l'heure la nuit. Vous devez prendre un forfait de 4 h minimum et 8 £ de frais de dossier chaque fois que vous faites appel aux services d'une baby-sitter. Les frais de transport sont à votre charge aussi, dans la limite du raisonnable.

SERVICES D'URGENCE PAR TÉLÉPHONE Pour contacter en urgence la police ou les services médicaux, composez le ☎ 999 (numéro gratuit) Si vous êtes confronté à une urgence de nature juridique, appelez **Release** au ☎ 020/7729-9904, 24/24 h. Les victimes de viol peuvent appeler le ☎ 020/7837-1600, à partir de 18 h. **Samaritans**, 46 Marshall St., W1 (☎ 020/7734-2800. Métro : Oxford Circus ou Piccadilly Circus), fournit un service de conseil pour toute personne connaissant des moments difficiles, voire suicidaires. On peut se rendre sur place, tous les jours, entre 9 h et 21 h, ou appeler 24/24 h. **Alcoholics Anonymous** (Alcooliques Anonymes) au ☎ 020/7833-0022 fournit un service téléphonique quotidien, de 10 h à 22 h. Enfin, toute aide concernant le sida est assurée par le service téléphonique de la **National AIDS Helpline**, qui fonctionne 24/24 h : ☎ 0800/567-123.

TABAC Toutes les grandes marques de cigarettes sont disponibles à Londres. Les lois antitabac sont très strictes : il est interdit de fumer dans l'enceinte du métro (dans les wagons ou sur les quais) et dans les bus. Le tabagisme devient de plus en plus impopulaire dans divers autres endroits publics. Toutefois, comme à Paris, les non-fumeurs de la capitale anglaise ne sont pas particulièrement protégés : si la plupart des restaurants intègrent une zone non-fumeur, celle-ci n'est jamais suffisamment éloignée de la zone fumeur pour être efficace. Certains hôtels offrent des chambres non-fumeurs.

TAXIS Voir la section « Se déplacer dans la ville », plus loin dans ce chapitre.

Attention

Certains numéros de téléphone cités dans ce guide commencent par le 800 : ce sont des numéros verts (gratuits en Grande-Bretagne). La grande majorité d'entre eux ne peuvent être joints depuis l'étranger.

TÉLÉPHONE **Pour appeler Londres depuis l'étranger**, composez le préfixe international propre à votre pays (le 00 pour la France, la Suisse et la Belgique, et le 011 pour le Canada), le code pays du Royaume-Uni (le 44), l'indicatif de Londres sans le zéro initial (le 20), suivis des huit chiffres du numéro de téléphone.

Pour appeler Londres depuis le Royaume-Uni, composez l'indicatif de Londres (le 020), puis le numéro à huit chiffres

Si vous appelez de Londres à Londres, ne composez que les huit chiffres du numéro de téléphone de votre correspondant.

Pour appeler l'étranger depuis Londres, composez l'indicatif international (00), puis le code du pays, suivis de l'indicatif local et enfin du numéro de téléphone. Voici certains codes pays : France 33, Belgique 32, Suisse 41, Canada 1.

Les cabines téléphoniques contiennent des affiches contenant la plupart des indicatifs nationaux. Si la région que vous recherchez n'y figure pas, appelez l'opérateur en composant le 100.

Cabines téléphoniques

Il existe trois sortes de cabines : celles qui n'acceptent que les pièces, celles qui ne fonctionnent qu'avec des cartes téléphoniques (*Cardphones*) et celles qui acceptent aussi bien les cartes téléphoniques que les cartes de crédit. Si vous vous servez d'une cabine à pièces, insérez l'argent *avant* de commencer à composer le numéro. Le tarif minimal est de 10 p.

Les tarifs des cartes téléphoniques sont au nombre de quatre – 2 £, 4 £, 10 £ et 20 £. Ces cartes jetables sont disponibles auprès des kiosques à journaux et des bureaux de poste. Enfin, les téléphones fonctionnant avec des cartes de crédit – Access (MasterCard), Visa, American Express et Diners Club – se trouvent essentiellement dans les aéroports et les principales gares.

TOILETTES PUBLIQUES Indiquées par le signe « *Public Toilets* », elles sont situées dans la rue, dans les jardins publics et dans les stations de métro. Beaucoup d'entre elles fonctionnent automatiquement, ce qui signifie qu'elles sont stérilisées après chaque passage. Les Anglais utilisent souvent le terme « *loo* » pour les désigner. En règle générale, les toilettes situées à l'intérieur des immeubles publics (musées, grandes galeries d'art, grandes surfaces, gares..) sont accessibles au public. Si possible, évitez de vous servir des toilettes d'un hôtel, d'un restaurant ou d'un pub dont vous n'êtes pas client. En général, les toilettes publiques sont gratuites mais il peut arriver que vous ayez besoin de donner une petite pièce afin d'y avoir accès.

URGENCES Pour contacter la police, les sapeurs-pompiers ou les urgences médicales, composez le ☎ 999. Voir aussi « Services d'urgence par téléphone » ci-dessus.

VACANCES Voir la section « Quand partir ? » au chapitre 2.

VOITURE Se reporter à la section « Se déplacer dans la ville» plus loin dans ce chapitre.

4 Se repérer

VUE D'ENSEMBLE

Si **Central London** (le centre de Londres) est difficile à délimiter, on pourrait considérer que la ligne de métro Circle Line en constitue une frontière logique. À l'intérieur de ce centre, 2 zones peuvent encore être schématiquement distinguées : la **City** et **West End.**

La City est le plus vieux quartier de Londres. Il correspond aux 2 km^2 que les Romains avaient baptisés « Londinium » et qui existent encore en tant qu'entité autonome. Riche sur le plan historique et architectural, la City constitue désormais l'un des centres financiers les plus importants au monde.

La City et West End sont entourés par **Inner London** (l'intérieur de la ville, l'East End inclus), puis par la zone tentaculaire que l'on appelle **Outer London** (les quartiers extérieurs). La plupart des hôtels sont situés à l'ouest, dans les quartiers intérieurs comme **Kensington, Chelsea** et **Victoria**, ainsi qu'à West End. Bien que nantie de monuments historiques, la City est déserte le soir et le week-end.

Il existe une différence considérable entre Greater London (le Grand Londres) et la petite zone située au nord de la Tamise, qui est le plus souvent la seule partie visitée par les touristes. Cette dernière commence sur la rive nord, au niveau de **Chelsea**, et s'étend vers le nord, sur 9 km environ, jusqu'à **Hampstead**. À l'ouest, sa frontière traverse **Kensington** et à l'est, la délimitation est située au niveau de Tower Bridge. La grande majorité des hôtels et restaurants, et presque toutes les attractions touristiques, se trouvent rassemblés dans cette zone de 40 km^2 environ.

Bien que concentrée sur une petite superficie, le Londres que l'on visite ne peut être découvert en un jour ! Il a néanmoins l'avantage d'être plat et doté de l'un des meilleurs réseaux de transports en commun jamais construits.

Le centre stratégique de cette zone est **Trafalgar Square** (voir le plan « Les quartiers de Londres », pp. 48-49). Si l'on se tient face aux marches de l'imposante National Gallery, on est tourné vers le nord-ouest, en direction de **Piccadilly Circus** – la partie la plus vivante du centre de Londres – et du quartier labyrinthique, **Soho.** Un peu plus au nord se trouve **Oxford Street,** le quartier commerçant par excellence. Vers le nord-ouest, vous trouverez **Regent's Park**, qui abrite le zoo de Londres.

Derrière vous – au sud – se trouve **Whitehall**, le coin où se situent la plupart des bâtiments d'État, du ministère de la Défense à la résidence officielle du premier Ministre au 10 Downing Street. Encore un peu plus au sud, vous trouverez le Parlement et Westminster Abbey.

Au sud-ouest de Trafalgar Square démarre **The Mall**, une avenue bordée de magnifiques jardins et d'hôtels particuliers, qui mène à Buckingham Palace, la résidence de la Reine. Un peu plus loin, dans le même sens, se trouvent **Belgravia** et **Knightsbridge,** les quartiers résidentiels les plus luxueux de la capitale. Plus loin au sud, vous tomberez sur le très chic **Chelsea** et **King's Road**, la célèbre rue commerçante.

Au plein ouest de Trafalgar Square se trouve une zone commerçante très chère, délimitée par **Regent Street** et la rue **Piccadilly** (et non la place Piccadilly Circus). Un peu plus à l'ouest, on tombe sur les boutiques élégantes et les résidences luxueuses de **Mayfair** puis, juste après, sur la très chic avenue **Park Lane**. De l'autre côté de Park Lane se trouve **Hyde Park,** le plus grand espace vert de Londres (et l'un des plus grands jardins publics au monde).

Charing Cross Road quitte Trafalgar Square vers le nord pour passer à côté de **Leicester Square** et traverser **Shaftesbury Avenue.** C'est ici qu'est situé le quartier des théâtres. Un peu plus haut, Charing Cross Road est dotée de nombreuses librairies proposant des ouvrages neufs ou d'occasion.

Enfin, Charing Cross Road mène à **St. Giles Circus** et au début de **Bloomsbury,** berceau de l'Université de Londres, du British Museum et de quelques-uns des hôtels les moins chers de Londres. Autrefois, c'était également le fief du célèbre Bloomsbury Group, un cercle d'intellectuels constitué notamment de Virginia Woolf, d'E. M. Forster et de John Maynard Keynes.

Au nord-est de Trafalgar Square s'étend **Covent Garden,** un quartier réputé pour son Opéra (Royal Opera House). Aujourd'hui, Covent Garden représente également une zone commerçante très branchée, dotée de restaurants et de cafés.

Si vous suivez le **Strand** vers l'est, au départ de Trafalgar Square, vous arriverez à **Fleet Street.** Né au XIXᵉ siècle, ce coin de Londres est le « quartier journalistique » le plus concentré au monde (même si depuis une dizaine d'années, nombre de journaux quittent Fleet Street pour le quartier récent des Docklands). Là où le Strand croise Fleet Street se trouve Temple Bar : c'est ici le véritable commencement de la City. Son cœur est la Bank of England (Banque d'Angleterre), Threadneedle Street, qui se trouve tout près de la Bourse de Londres. En plein milieu de la City se tient la belle cathédrale de St. Paul. À l'extrémité orientale de la City se dresse la Tour de Londres, un monument historique légendaire qui attire encore aujourd'hui une foule de visiteurs.

COMMENT S'Y RETROUVER

Les rues de Londres ne suivent aucune logique particulière, tant au niveau des noms qu'au niveau des numéros des maisons. Certains bâtiments n'ont carrément pas de numéro. Les rues sont souvent coupées ou chevauchées par des places, des ruelles ou des impasses.

Tout le long de cet ouvrage, vous remarquerez des codes postaux londoniens, tels que SW1 ou EC1. La première Poste se trouvait à St. Martin-le-Grand dans la City ; ce quartier est donc considéré comme le point central du système postal. Par exemple : Victoria se trouve en SW1 (South West 1) car il s'agit de la première zone située au sud-ouest de St. Martin-le-Grand ; Covent Garden est à l'ouest (ouest central), par conséquent, son code postal est WC1 (West Central 1) ou WC2 ; Liverpool Street se trouve à l'est : la zone postale correspondante est donc EC1 (East Central 1).

Si vous désirez connaître parfaitement Londres, vous aurez besoin d'un plan détaillé, avec index (ne vous contentez pas des plans superficiels disponibles auprès de divers hôtels ou des syndicats d'initiative). Les meilleurs plans sont publiés par Falk : vous pouvez vous en procurer auprès d'un grand nombre de kiosques à journaux ou de librairies, dont **W. & G. Foyle Ltd.,** 113-119 Charing Cross Rd., WC2 (☎ 020/7439-8501. Métro : Leicester Square). Le plan détaillé des rues *Londres A to Z,* qui est vendu dans les librairies et dans les kiosques à journaux de la ville, est très populaire auprès des citoyens londoniens. Peut-être estimerez-vous, toutefois, que la carte indexée jointe à cet ouvrage est largement suffisante.

Les quartiers de Londres

WEST END ET LE CENTRE DE LONDRES

Mayfair Limité par Piccadilly, Hyde Park, Oxford Street et Regent Street, Mayfair est le quartier le plus élégant de Londres (hôtels somptueux, hôtels particuliers de style géorgien, boutiques chic...). Grosvenor Square est surnommée « Little America » car

Les quartiers de Londres

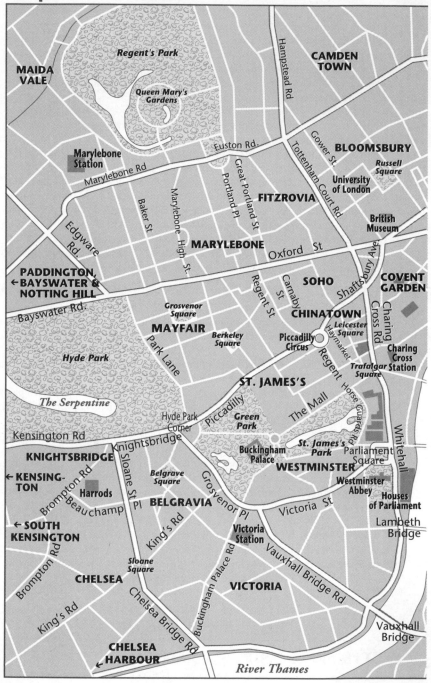

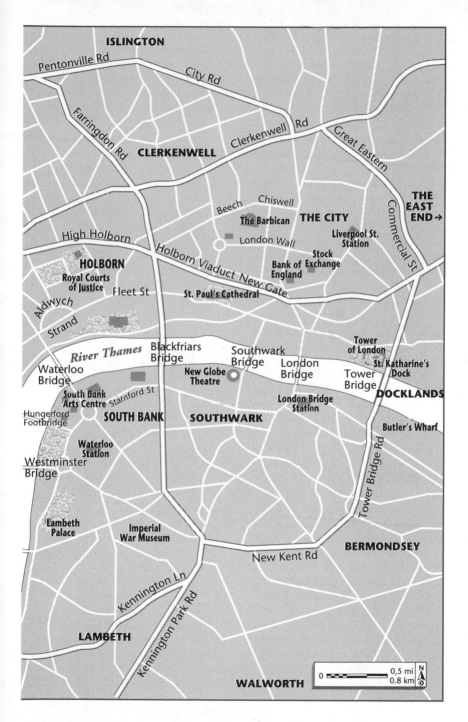

cette place abrite l'Ambassade américaine et une statue de Franklin D. Roosevelt. Venez au moins jeter un coup d'œil à ce majestueux quartier. L'une des curiosités de Mayfair est **Shepherd Market,** un minuscule village peuplé de pubs, d'auberges à deux étages, de restaurants, de librairies et de marchands de gourmandises. Si votre budget n'a aucune limite, vous adorerez Mayfair ! Ici, aux alentours de Bond Street, les boutiques et les superbes galeries d'art sont entourées de délicieuses petites places arborées.

Marylebone   Ce quartier est populaire auprès des touristes visitant Londres pour la première fois car il héberge le célèbre musée de cire, Madame Tussaud's, ainsi que Baker Street, l'adresse imaginaire de Sherlock Holmes. Les rues en quadrillé relient Regent's Park (au nord) à Oxford Street (au sud). Entre 1776 et 1780, l'architecte Robert Adam a conçu l'une des places les plus caractéristiques de cette zone de Londres, Portland Place ; c'est à Cavendish Square que Mme Horatio Nelson attendait – souvent en vain – le retour de son mari, l'Amiral. Marylebone Lane et High Street ont su, dans une certaine mesure, conserver leur caractère villageois d'antan. Charles Dickens (qui a habité plusieurs quartiers) a écrit une douzaine de livres pendant qu'il résidait ici. Au sein de Regent's Park, vous pouvez visiter les jardins Queen Mary's Gardens dans lesquels, en été, un théâtre en plein air met en scène des pièces de Shakespeare. Marylebone offre un certain nombre de pensions peu chères, installées dans de vieilles maisons.

St. James   Souvent appelé « Royal London » (le quartier royal de Londres), St. James est, dans l'esprit des gens, intimement lié à la monarchie du fait qu'il abrite, entre autres, le palais de la reine d'Angleterre, Buckingham Palace. Débutant à Piccadilly Circus, cette zone s'étend vers le sud-ouest, incorporant Pall Mall, The Mall, St. James's Park et Green Park. Bien placé, St. James's englobe les bureaux de l'American Express, à Haymarket, ainsi que plusieurs grandes surfaces renommées. Ce bastion d'aristocratie a su préserver une certaine pompe – c'est ici que survivent les « gentlemen's clubs », havres traditionnels des messieurs très « British ». Faites sans faute une escale chez **Fortnum & Mason**, 181 Piccadilly, l'épicerie la plus élégante au monde. Établie en 1788, ce magasin a envoyé du jambon à l'armée du Duc de Wellington, ainsi que des conserves destinées à Florence Nightingale, pendant la guerre de Crimée. Pour ceux qui désirent un royal voisinage, ce quartier offre quelques hôtels de grande classe. Les clients plus économes préféreront séjourner ailleurs.

Piccadilly Circus & Leicester Square   Munie de sa célèbre statue d'Éros, Piccadilly Circus représente le véritable cœur de Londres. Avec sa circulation, ses enseignes lumineuses et ses foules, le terme « cirque » semble correctement choisi. Autrefois frontière occidentale de Londres, Piccadilly a été baptisée d'après le « picadil », un col ruché créé par un tailleur du XVIIe siècle nommé Robert Baker. Si vous êtes à la recherche d'une certaine splendeur, **Burlington Arcade,** une promenade de style Régence conçue en 1819, offre une sélection de boutiques exclusives. Autrefois, la petite noblesse anglaise venait faire ses emplettes ici, loin de la saleté des rues de Piccadilly. Les 35 boutiques offrent chacune des trésors uniques et chers. Plus commercial, **Leicester Square** regroupe des théâtres, des restaurants, des cinémas et des boîtes de nuit. La place a perdu son élégance d'antan ; elle a été transformée à l'époque victorienne, lors de l'inauguration de quatre énormes salles de concert (même la Reine Victoria venait ici voir un cirque, de temps en temps). Au fil des années, les vieux théâtres ont été convertis en cinémas (trois d'entre eux fonctionnent encore). Anciennement un cabaret très chic, le *Café de Paris* est désormais une discothèque.

Soho Fief des noctambules, en particulier gays, Soho est un dédale de rues et de restaurants – seul inconvénient : il n'y a qu'un seul hôtel dans ce quartier. Ces rues denses, en plein cœur du West End, sont réputées pour leur mélange cosmopolite de résidents et de métiers. Il y a dix ans seulement, Soho était le quartier chaud le plus développé de Londres ; même le pub où l'écrivain britannique Dylan Thomas venait noyer ses chagrins a été transformé en cinéma porno ! Fort heureusement, cette destruction culturelle est aujourd'hui freinée. Des entreprises de bonne réputation s'y sont installées et des boutiques et des restaurants à la mode sont en train d'y prospérer ; Soho est devenu le centre gay de Londres, en pleine expansion.

Soho commence à Piccadilly Circus, s'étendant à peu près jusqu'à Regent Street, Oxford Street, Charing Cross Road et jusqu'aux théâtres bordant Shaftesbury Avenue. Située à un pâté de maisons de Regent Street, Carnaby Street a perdu ses lettres de noblesse gagnées dans les années 1960. De l'autre côté de Shaftesbury Avenue, **Chinatown** – centré autour de Gerrard Street – est authentique, de petite taille et bondé d'excellents restaurants. Cependant, le cœur véritable de Soho – qui offre de magnifiques traiteurs européens, des charcuteries, des poissonneries et des caves à vins – est situé plus au nord, dans les rues Brewer, Old Compton, et Berwick ; Berwick Street est également l'adresse d'un superbe marché de produits frais en plein air. Tout de suite au nord d'Old Compton Street, Dean Street, Frith Street et Greek Street proposent de charmants petits restaurants, pubs et clubs (dont la célèbre boîte de jazz, *Ronnie Scott's*). L'industrie du cinéma britannique gravite autour de Wardour Street.

Bloomsbury Ce quartier est un monde à part, situé au nord-est de Piccadilly Circus, au-delà de Soho. Il s'agit notamment du centre académique de Londres car il abrite l'University of London, de nombreux autres établissements d'enseignement et plusieurs librairies. Malgré le nombre de ses étudiants, ce quartier n'évolue pas beaucoup. Par le passé, sa réputation a bénéficié de la présence de divers écrivains, dont Virginia Woolf, qui habitait ici (elle décrit ce quartier dans son roman *Jacob's Room*). La romancière et son mari, Leonard, étaient à la tête d'un groupe d'intellectuels – « the Bloomsbury Group », surnommé « Bloomsberries ».

Au cœur de Bloomsbury se trouve Russell Square, dont les rues environnantes sont truffées d'hôtels aux prix modestes et de pensions. Bien que bruyant, ce quartier est plutôt central. L'attraction principale de Bloomsbury demeure le British Museum, qui abrite quelques-uns des trésors les plus fascinants au monde. La tour British Telecom (1964), sur Cleveland Street, représente, elle aussi, un monument populaire.

À l'ouest, **Fitzrovia**, accessible par la station de métro Goodge Street, est limité par Great Portland Street, Oxford Street et Gower Street. Dotée de boutiques et de pubs, Goodge Street constitue le cœur du « village ». Ancien lieu favori d'artistes et d'écrivains – dont notamment Ezra Pound, Wyndham Lewis et George Orwell – l'extrémité sud de Fitzrovia, qui abrite tout un tas de restaurants grecs, pourrait être considérée comme la suite de Soho.

Clerkenwell C'était autrefois le site du premier hôpital londonien et de nombreuses églises. Au XVIIIe siècle, ce n'était plus qu'un insalubre enclos à bétail entouré de distilleries de gin bon marché. Dans les années 1870, c'est là que le mouvement socialiste de Londres a élu domicile. En effet, Clerkenwell hébergeait en 1872 le John Stuart Mill's London Patriotic Club et, dans les années 1890, l'imprimerie du journal socialiste de William Morris. Même Lénine a vécu ici pendant la publication d'Iskra. Par la suite, le quartier s'est retrouvé en déclin. Mais tout dernièrement, il a été sauvé par quelques individus riches et branchés : grâce à eux, Clerkenwell a récemment vu apparaître quelques nouveaux restaurants et boîtes de nuit, ainsi que des galeries d'art qui embellissent St. John's Square et la zone autour de Clerkenwell Green. Mais encore aujourd'hui, des camions affluent chaque nuit vers Smithfield Market afin de décharger des milliers de carcasses de bœuf. L'église St. Bartholomew-the-Great, construite en 1123, est parfaitement intacte. C'est la plus vieille église de Londres, un spécimen parfait d'architecture anglo-normande. La station de métro la plus centrale est Farringdon.

Holborn Le vieux « *borough* » de Holborn pourrait être considéré comme le centre juridique de Londres. Cette zone est truffée de souvenirs relatifs à l'auteur victorien Charles Dickens. Les lieux Inns of Court et Bleeding Heart Yard figurent dans son ouvrage *Little Dorrit*. À 14 ans, Dickens a travaillé comme clerc dans un bureau d'avocat à Lincoln's Inn Fields. Et dans *Oliver Twist*, la Cour d'Assises de Londres (The Old Bailey) envoie le vieux Fagin au gibet... De manière générale, tout Holborn semble être imprégné d'histoire : **Viaduct Tavern,** par exemple, au 126 Newgate St. (Métro : St. Paul's), construit sur le site de la célèbre prison de Newgate, a été baptisée en hommage au viaduc de Holborn, le tout premier au monde...

Covent Garden & the Strand Le célèbre marché aux fruits et aux légumes a disparu en 1970, mais son esprit continue de hanter les lieux. Aujourd'hui, **Covent Garden** est un ensemble de restaurants, de pubs et de cafés vivants, et abrite aussi quelques-unes des boutiques les plus branchées de la ville (dont le seul *Doc. Marten's Super Store* au monde). Sa place de marché a été particulièrement bien restaurée, avec sa toiture de verre et de fer. Autrefois, Covent Garden était le quartier des théâtres. En effet, St. Paul's Covent Garden est souvent surnommée « l'église des comédiens » car elle a toujours attiré des acteurs et autres artistes (dont Ellen Terry ou Vivien Leigh). Le Theatre Royal Drury Lane a permis à Nell Gwynne, la maîtresse de Charles II, de faire ses débuts sur les planches, en 1665. C'est également ici que l'actrice irlandaise Dorothea Jordan a « tapé dans l'œil » du Duc de Clarence, qui s'appela par la suite William IV (plus qu'une simple maîtresse, elle a donné au roi 10 enfants). Les hôtels sont peu nombreux mais de très bonne qualité. Si vous recherchez un quartier à la mode moins cher que Mayfair, choisissez Covent Garden.

Partant de Trafalgar Square, **the Strand** rencontre Fleet Street à l'est, et est limitée par Covent Garden au sud. Cette célèbre rue est bordée de théâtres, de magasins, de restaurants et d'excellents hôtels. *Ye Olde Cheshire Cheese pub, Dr. Johnson's House*, des salons de thé exquis sont autant de témoins du passé luxueux de ce quartier. De nombreux personnages illustres, dont Charles Lamb, Mark Twain, Henry Fielding, James Boswell, William Thackeray et Sir Walter Raleigh, se sont promenés le long du Strand, parallèle à la Tamise. Et c'est aussi ici, au Savoy Theatre, que Gilbert et Sullivan ont établi leur popularité de compositeurs.

Westminster C'est le siège du gouvernement britannique depuis le règne d'Édouard le Confesseur, au XIe siècle. Dominée par le Parlement et par Westminster Abbey, cette zone borde la Tamise jusqu'au coin est de St. James's Park. **Trafalgar Square,** l'une des plus grandes attractions de la capitale, située à l'extrémité nord de Westminster, est une célébration de la victoire de l'Angleterre sur Napoléon, en 1805. Quant à la National Gallery, elle héberge une collection de toiles tout simplement incontournable. La rue principale, Whitehall, relie Trafalgar Square à Parliament Square. Il est possible de visiter les bureaux de Winston Churchill pendant la guerre (Cabinet War Rooms) et de se promener le long de Downing Street, dont le très célèbre numéro 10 est la résidence du premier ministre britannique. Pendant que vous êtes à Londres, n'oubliez surtout pas de faire une petite visite à **Westminster Abbey,** l'une des églises gothiques les plus belles au monde. Ce lieu a connu bien des événements historiques, à commencer par le couronnement de Guillaume le Conquérant, le jour de Noël 1066.

Westminster comprend également **Victoria,** le quartier de la gare de Victoria, qui gère un trafic important vers l'Europe continentale. La proximité de Westminster a attiré ici de nombreux hôtels et pensions. Loin d'être branchée, cette zone fort passagère et bruyante a l'avantage d'offrir des logements peu chers.

LA CITY ET SES ALENTOURS

La City (EC2, EC3) Elle correspond aux 2 km² du Vieux Londres, qui abritent aujourd'hui la Bourse. Les immeubles de ce quartier sont connus dans le monde entier : Bank of England (la Banque d'Angleterre), Stock Exchange (la Bourse) et la banque Lloyd's of London. C'est ici que les Romains avaient installé Londinium. Malgré son âge, la City paraît étonnamment moderne. En effet, elle a été largement reconstruite au fil des années, suite à divers événements (l'incendie de 1666, les bombardements de 1940, les attentats de l'IRA au début des années 1990, sans oublier les nombreuses opérations des promoteurs). La City a néanmoins su conserver un aspect médiéval, grâce notamment à certains monuments, dont la célèbre St. Paul's Cathedral – le chef-d'œuvre de Sir Christopher Wren, qui n'a quasiment pas été touchée pendant le Blitz. Deux millénaires d'histoire sont présentés dans le Museum of London et le Barbican Centre, inauguré par la Reine en 1982. C'est à Guildhall que le premier lord-maire de Londres a été nommé en 1192.

Fleet Street est devenue le centre journalistique de la capitale suite à l'impression du premier livre en anglais sur ce site. **The Daily Consort,** le premier quotidien jamais imprimé en Angleterre, a été lancé à Ludgate Circus en 1702. Cependant, la plupart des tabloïds londoniens ont récemment quitté Fleet Street pour élire domicile de l'autre côté du fleuve, dans les Docklands.

La City fonctionne encore de manière très autonome par rapport au reste de la ville. Elle possède d'ailleurs son propre **Information Centre** (bureau d'informations), à St. Paul's Churchyard, EC4 (☎ **020/7332-1456**).

Docklands En 1981, un consortium (London Docklands Development Corporation [LDDC]) a été formé afin d'étudier le développement de Wapping, de l'Isle of Dogs, des Royal Docks et des Surrey Docks. Il s'agit du projet le plus ambitieux jamais entrepris en Europe. Cette zone est limitée à l'ouest par Tower Bridge, et à l'est par London City Airport et les Royal Docks (port royal). De nombreuses entreprises s'y sont implantées, des ateliers au bord de l'eau ont été transformés en appartements luxueux, et des musées, des centres culturels, des boutiques et tout un tas de restaurants se sont installés dans cette ville fluviale du XXIᵉ siècle.

Canary Wharf, sur l'Isle of Dogs, constitue le cœur des Docklands. Cet énorme site de 35 ha est dominé par une tour de 270 m – le plus grand édifice du Royaume-Uni – conçu par Cesar Pelli. La Piazza est bordée de boutiques et de restaurants. Sur la rive sud du fleuve, à Surrey Docks, les vieux entrepôts de l'époque victorienne de **Butler's Wharf** ont été transformés en bureaux, ateliers, maisons, boutiques et restaurants par Sir Terence Conran. Butler's Wharf abrite également le Design Museum.

Pour accéder aux Docklands, prenez le métro jusqu'à Tower Hill puis empruntez le petit train local, **Docklands Light Railway** (☎ **020/7363-9696**), qui fonctionne du lundi au vendredi de 5 h 30 à 12 h 30 (un service restreint fonctionne désormais le samedi de 6 h à 12 h 30 et le dimanche de 7 h 30 à 11 h 30).

The East End Traditionnellement l'une des zones les plus pauvres de Londres, l'East End a failli ne pas survivre aux bombardements de la seconde guerre mondiale ; les dégâts provoqués par Hitler et ses armées ont obligé les quartiers de l'est à se renouveler entièrement. L'East End englobe plusieurs quartiers, dont Stepney, Bow, Poplar, West Ham et Canning Town. Cette partie de Londres est entourée de légendes et de coutumes. C'est notamment le fief des *Cockneys*, les personnages londoniens les plus typés. Pour bénéficier du titre de *Cockney*, il faut naître dans la périphérie de l'église St. Mary-le-Bow, reconstruite par Sir Christopher Wren en 1670. De nombreux immigrés ont élu domicile dans ces quartiers.

South Bank Aujourd'hui, South Bank abrite le **South Bank Arts Centre,** le plus grand centre artistique de l'Europe occidentale. Accessible par Waterloo Bridge ou à pied, par le pont de Hungerford, il se trouve au bord de la Tamise, en face du Victoria Embankment. Les amateurs d'art affluent vers les nombreuses galeries et salles, qui incluent le National Theatre, la Queen Elizabeth Hall, la Royal Festival Hall et la Hayward Gallery. Ici se trouvent également le National Film Theatre et le Museum of the Moving Image (MOMI ; « le musée de l'image animée »). Vous trouverez un peu plus loin les quartiers d'Elephant and Castle et de Southwark (la Southwark Cathedral vaut le détour). Pour accéder à South Bank, prenez le métro jusqu'à Waterloo Station.

Knightsbridge L'une des zones les plus visitées de Londres, située au sud de Hyde Park, Knightsbridge est un quartier résidentiel et marchand très important. **Harrods**, qui se trouve sur Brompton Road, est l'attraction principale. Fondé en 1901, ce grand magasin, qui se vante de vendre tout ce qu'il est légal de vendre, est une référence mondiale – il organise même des enterrements ! Tout près, Beauchamp Place est l'une des rues marchandes les plus populaires de la capitale, avec ses ruelles de style Régence bordées de boutiques et de restaurants. *Bruce Oldfield*, au 27 Beauchamp Place, est l'un des fournisseurs préférés de l'actrice Joan Collins pour ses robes du soir. Si vous avez réussi à résister à la tentation de visiter les cinq restaurants et les cinq bars de *Harrods*, essayez *Bill Bentley's*, au 31 Beauchamp Place : le plateau de douze huîtres accompagné d'un petit verre de muscadet est un vrai délice. En dépit de son caractère commercial, Knightsbridge demeure un quartier chic. La plupart de ses hôtels sont somptueux et chers, mais il est possible d'en trouver quelques-uns à des prix plus abordables.

Belgravia Au sud de Knightsbridge, Belgravia peut prétendre (au risque de contrarier les résidents de Mayfair) être le quartier le plus aristocratique de Londres. À son apogée pendant le règne de Victoria, ce quartier a su conserver toute sa noblesse ; le Duc et la Duchesse de Westminster, qui font partie de l'une des familles les plus riches d'Angleterre, habitent toujours Eaton Square. Le point central est Belgrave Square (1825-1835). Les noms des propriétaires qui, au fil des années, ont élu domicile dans ces hôtels particuliers en disent long : le Duc de Connaught, le Comte d'Essex, la mère de la Reine Victoria, la Duchesse de Kent. Chopin, en vacances dans le quartier en 1837, en a gardé un très bon souvenir : « Quel peuple ! Quelles maisons ! Quels palais ! Tout est faste – tout, jusqu'au savon ! »

Chelsea Cet élégant quartier situé au bord de la Tamise se trouve au sud de Belgravia. Il démarre à Sloane Square, autour d'une fontaine. Depuis toujours, c'est un lieu apprécié des artistes, notamment Oscar Wilde (qui y a été arrêté), George Eliot, James Whistler, J. M. W. Turner, Henry James, Augustus John et Thomas Carlyle (dont on peut visiter la maison). Plus récemment, Mick Jagger et Margaret Thatcher y ont habité (séparément, bien entendu !). Dans les années 1980, toute une classe BCBG à l'image de feu la Princesse Diana a été identifiée à ce quartier. Quelques hôtels de catégorie moyenne côtoient des établissements plus chic. Cependant, Chelsea n'est pas forcément un choix de prédilection pour les visiteurs en raison de son accès peu commode. À l'exception de Sloane Square, les stations de métro font défaut ; si vous séjournez ici, vous serez contraint de prendre des bus ou des taxis chaque fois que vous désirerez vous déplacer.

La rue principale de Chelsea est la célèbre **King's Road.** C'est ici que Mary Quant a lancé le concept de la minijupe, dans les années 1960, et que les premiers punks anglais ont apparu. Particulièrement vivante le samedi, King's Road traverse tout Chelsea. Le côté branché de cette rue est toutefois absent dans les rues environnantes : les superbes petites maisons en brique de cet élégant village ont comme principaux résidents des agents de change et des notaires fortunés.

À la frontière de Chelsea et de Fulham se trouve **Chelsea Harbour,** un ensemble luxueux d'appartements et de restaurants doté de sa propre marina. Ce petit « port » est visible de loin : la boule dorée tout en haut du complexe indique en permanence le niveau de la marée en se déplaçant verticalement. Si vous étiez passé devant le Chelsea Harbour Club au milieu des années 1990, vous auriez pu apercevoir des paparazzi juchés en haut de leurs échelles, s'évertuant à prendre en photo la Princesse Diana lors de ses visites au gymnase.

Kensington Ce « quartier royal », situé à l'ouest de Kensington Gardens et de Hyde Park, compte deux des principales rues marchandes de Londres : Kensington High Street et Kensington Church Street. Depuis 1689, lorsque Guillaume III d'Angleterre a abandonné Whitehall Palace afin de s'installer à Nottingham House (où il respirait un air plus pur), ce quartier est béni d'une présence royale. Plus tard, Nottingham House était rebaptisée Kensington Palace et s'appropriait une portion de Hyde Park afin d'agrandir son propre parc. C'est ici qu'est née la Reine Victoria. Aujourd'hui, le palais héberge la sœur de la Reine Élisabeth, la Princesse Margaret, le Prince et la Princesse de Kent, ainsi que le duc et la duchesse de Gloucester. C'était également la résidence de la Princesse de Galles, jusqu'à sa mort. Les jardins du palais, Kensington Gardens, sont ouverts au public depuis que George II a déclaré que des personnes « convenablement habillées » – à l'exception des domestiques, des soldats et des marins – y seraient admises le samedi. Sous le règne de William III, Kensington Square s'est développé, attirant ainsi des artistes et des écrivains. William Thackeray a écrit *La Foire aux Vanités* pendant qu'il résidait dans ce quartier. Kensington est un lieu populaire parmi les touristes aisés. Si vous n'avez pas envie de dépenser une fortune en hébergement mais que vous êtes tenté par ce quartier de Londres, choisissez plutôt South Kensington, où vous trouverez des hôtels à des prix raisonnables ainsi qu'un grand choix de pensions.

Au sud-est de Kensington Gardens et d'Earl's Court se trouve **South Kensington,** un quartier essentiellement résidentiel mais pourvu d'un grand nombre de musées et de facultés. Les Natural History Museum, Victoria and Albert Museum et Science Museum sont installés sur un terrain acheté avec les bénéfices de la grande exposition, Prince Albert's Great Exhibition, qui s'est déroulée à Hyde Park en 1851. La grande salle de spectacles du Royal Albert Hall se trouve à quelques pas de là. South Kensington propose également des restaurants branchés et des hôtels, dont un certain nombre ont été transformés en pensions. L'une des principales curiosités du quartier est l'Albert Memorial, un monument victorien tout à fait original, achevé en 1872 par Sir George Gilbert Scott.

Earl's Court Au sud de Kensington, Earl's Court touche la partie occidentale de Chelsea. Pendant de nombreuses années, ce fut un quartier résidentiel très sobre ; entre

les deux guerres, on y apercevait des dames distinguées portant des pince-nez !
Aujourd'hui, Earl's Court a tendance à attirer des gens plus jeunes (notamment des gays) : la nuit, les pubs, les bars à vins et les cafés sont particulièrement animés. Grâce à un choix énorme de pensions et d'hôtels peu chers, ce coin de Londres est depuis longtemps très populaire auprès des touristes dont les moyens financiers sont limités. Il présente également l'avantage de se trouver à 15 minutes de Piccadilly (le centre de Londres) en métro.

Autrefois considéré comme la « cambrousse », **West Brompton** jouxte aujourd'hui le centre de Londres. Ce quartier se trouve directement au sud d'Earl's Court (Métro : West Brompton) et au sud-est de West Kensington. Son point de convergence est son cimetière tentaculaire, Brompton Cemetery, un espace fleuri où reposent diverses célébrités, dont Frederick Leyland, mécène préraphaélite, mort en 1892. Vous y trouverez également de nombreux restaurants de bonne qualité, des pubs et des tavernes, ainsi que quelques hôtels peu chers.

Notting Hill De plus en plus à la mode, Notting Hill est limité à l'est par Bayswater et au sud par Kensington. Encerclé au nord par West Way et à l'ouest par la bretelle menant à l'autoroute M40, ce quartier est caractérisé par ses hôtels particuliers du début du XXe siècle et par de petites maisons situées dans des rues calmes et bordées d'arbres ; il contient également un nombre croissant de restaurants et de boîtes très branchés. Devenu chic depuis quelques années, Notting Hill devient une extension du centre-ville. Si vous choisissez de descendre dans l'un des rares hôtels de ce quartier, vous serez un touriste branché !

Au nord, de l'autre côté de Notting Hill Gate et à l'ouest de Bayswater, se trouve le quartier ultra-branché, **Notting Hill Gate.** Portobello Road est célèbre pour son immanquable marché en plein air. Les stations de métro desservant ce coin sont Notting Hill Gate, Holland Park et Ladbroke Grove.

Non loin de là, **Holland Park** est un quartier résidentiel on ne peut plus chic, fréquenté notamment par les clients très élégants du Halcyon Hotel, l'un des hôtels londoniens de petite taille les plus luxueux.

Paddington & Bayswater **Paddington** gravite autour de Paddington Station, au nord de Kensington Gardens et de Hyde Park. Les touristes aux budgets limités affluent vers les pensions situées à Sussex Gardens et à Norfolk Square. Lorsque les premiers chemins de fer ont été introduits à Londres, en 1836, quelques gares ont commencé à s'ériger : la construction de Paddington Station, en 1838, a largement contribué au développement de cette zone relativement modeste. De nos jours, certaines parties du quartier ont perdu leur charme originel.

Au sud de Paddington, au-dessus de Hyde Park et jouxtant Notting Hill à l'ouest se trouve **Bayswater,** une sorte de quartier non officiel qui offre un grand nombre de pensions pour les touristes à la recherche de solutions économes. Inspirés par Marylebone et par l'élégant quartier de Mayfair, quelques négociants prospères se sont installés ici à l'époque victorienne. Ils ont fait construire des maisons alignées autour d'un certain nombre de places spacieuses.

Non loin de là se trouve **Maida Vale,** un village qui, à l'instar de St. John's Wood et de Camden, a été intégré dans Londres même. Maida Vale est situé à l'ouest de Regent's Park et au nord de Paddington, près du quartier prestigieux de **St. John's Wood** (où se trouvent les studios d'enregistrement Abbey Road Studios, rendus célèbres par les Beatles). Ce coin est largement orienté vers les sports : près du métro Maida Vale, vous trouverez le terrain de jeux Paddington Recreation Ground, ainsi que le plus petit Paddington Bowling and Sports Club. Quelques-uns des studios de la BBC sont également installés ici.

AUX ALENTOURS

Greenwich Située au sud-est de Londres, cette banlieue – le point de départ pour les calculs des longitudes terrestres – a connu son heure de gloire pendant le règne des Tudors. Henri VIII ainsi que ses deux filles Marie Ire et Élisabeth Ire sont nés ici. Greenwich Palace, la résidence favorite du roi Henri, a disparu il y a bien longtemps ; aujourd'hui, ce charmant village portuaire attire des visiteurs grâce à ses attractions nautiques, le long de la Tamise. On peut visiter le clipper de 1869, **Cutty Sark,** le minuscule **Gipsy Moth IV,** un ketch de 18 m à bord duquel Sir Francis Chichester fit le tour du monde en solo en 1966-1967 ou encore le National Maritime Museum. Greenwich reçoit plus de visiteurs que jamais, grâce au dôme du millénaire (Millennium Dome), qui a été inauguré lors des fêtes de l'an 2000.

Hampstead Cette banlieue résidentielle du nord de Londres, tant aimée de Keats et Hogarth, a l'habitude d'accueillir des Londoniens à la recherche de tranquillité. De nombreux personnages connus ont habité dans ce quartier très coté (citons, par exemple, Sigmund Freud, D.H. Lawrence, Anna Pavlova ou John Le Carré). Hampstead a très peu d'hôtels et se trouve relativement loin du centre-ville. Par conséquent, choisir de séjourner ici oblige à passer un certain temps dans les transports en commun. Son attraction principale est Hampstead Heath, un espace vert et boisé de près de 330 ha qui offre une vue panoramique de Londres ; en dépit de la présence urbaine tout autour, ce lieu a su conserver une certaine atmosphère bucolique. Le village en hauteur est truffé de cafés, de salons de thé, de restaurants et de pubs, dont certains ont une histoire intéressante. Pour y accéder, prenez la Northern Line du métro jusqu'à la station Hampstead Heath.

Highgate À l'instar de Hampstead, Highgate – également situé au nord de Londres – est un quartier résidentiel très élégant, surtout autour de Pond Square et le long de Hampstead High Street. Autrefois réputé pour son air pur, Highgate est depuis longtemps un endroit très agréable à habiter. Si ses pubs et ses tavernes ont toujours joui d'une grande popularité parmi les citoyens de Londres, c'est Highgate Cemetery – le cimetière le plus connu de la ville – qui attire aujourd'hui la plupart des visiteurs (ici reposent notamment Karl Marx et la romancière anglaise, George Eliot).

Hammersmith Posé sur la rive nord de la Tamise, à l'ouest de Kensington, Hammersmith ressemble à première vue à une zone industrielle ; en effet, de nombreuses usines sont établies entre les ponts de Putney et de Hammersmith. En réalité, ce quartier est essentiellement résidentiel. Sa pièce de résistance est son quai, un bel espace doté d'abris à bateaux, de petites entreprises, de quelques très bons restaurants et d'ateliers d'artistes. Au-delà de Hammersmith Bridge se trouvent des maisons du XVIIIe siècle, cachées derrière des rangées de tilleuls et de catalpas, ainsi que des abris à bateaux et des pubs au bord de l'eau.

Non loin de là, on verra le vieux et charmant village de **Barnes**, avec sa Barnes Terrace riche en ferronnerie. Lieu favori d'artistes, Hammersmith Terrace rehausse considérablement le quartier ; une rangée de maisons gracieuses longe Chiswick Mall jusqu'à Church Street. L'ambiance villageoise de ce quartier s'éteint dès que l'on aborde la Great West Road.

5 Se déplacer dans la ville

LES TRANSPORTS EN COMMUN

Le voyageur bien informé peut se déplacer à Londres de manière aisée et peu chère. Le métro (appelé « *Tube* » ou « *Underground* ») et les réseaux d'autobus sont gérés par London Transport.

Des **Travel Information Centres** (centres d'informations aux voyageurs) sont situés dans les stations de métro de Hammersmith, de King's Cross, d'Oxford Circus, de St. James's Park, de Liverpool Street Station et de Piccadilly Circus, ainsi qu'au sein des gares d'Euston et de Victoria, et dans chacun des terminaux de Heathrow Airport. Vous pouvez vous adresser à ces divers centres pour réserver une visite guidée organisée par London Transport ou pour obtenir gratuitement des plans de métro ou de bus ainsi que divers autres dépliants. Un **service de renseignements 24/24 h** est disponible (☎ 020/7222-1234). Vous pouvez obtenir des informations avant d'arriver à Londres en écrivant à **London Transport**, Travel Information Service, 55 Broadway, Londres SW1H 0BD.

CARTES D'ABONNEMENT London Transport propose des cartes d'abonnement (**Travelcards**), qui sont utilisables dans les bus, le métro et les trains de la région londonienne. Vendues par combinaisons de zones, ces cartes sont valables pendant 7 jours, 1 mois, plusieurs mois ou 1 an. La Travelcard couvrant deux zones pour une période de 7 jours coûte 17,60 £ pour les adultes et 6,50 £ pour les enfants. Ces cartes d'abonnement ne sont valables que si elles sont accompagnées d'une photo d'identité, collée à une Photocard. Une Photocard gratuite vous sera remise en même temps que votre Travelcard lorsque vous achetez celle-ci auprès de l'un des principaux bureaux de Poste de la région londonienne, d'un guichet de métro ou d'un centre d'informations aux voyageurs (voir la liste ci-dessus). N'oubliez donc pas d'apporter une photo d'identité (des photomatons sont à votre disposition dans les gares).

Si vous restez moins d'une semaine à Londres, pensez à acquérir la **One-Day Off-Peak Travelcard** (carte d'abonnement d'un jour, utilisable pendant les heures creuses). Cette carte est acceptée par la plupart des services de bus, de métro et de train, à travers la région londonienne, du lundi au vendredi après 9 h 30 et à n'importe quelle heure le week-end et les jours fériés. La carte est disponible auprès des guichets de métro, des Travel Information Centres et de certains kiosques à journaux. Pour deux zones, comptez 3,80 £ pour les adultes, et 1,90 £ pour les enfants âgés de 5 ans à 15 ans. Les enfants de moins de 5 ans voyagent gratuitement.

Visitor Travelcard (carte d'abonnement de visiteur) est utile si vous comptez voyager beaucoup dans le Grand Londres (Greater London). Grâce à cette carte, vous pouvez prendre le métro et le bus autant que vous le désirez et dans toutes les zones.

Il existe une autre carte : la **Family Travelcard** (carte familiale), valable un jour. Elle vous permet d'effectuer autant de trajets que vous le souhaitez, en métro, en bus (à l'exception des bus de nuit et à condition que l'enseigne London Transport soit affichée dans le véhicule), et en train dans les zones désignées sur la carte (y compris celui du Docklands Light Railway). Cette carte est utilisable du lundi au vendredi à partir de 9 h 30, et toute la journée pendant le week-end et les jours fériés. Elle est valable pour des familles allant de deux personnes (un adulte et un enfant) à six personnes (deux adultes et quatre enfants). Elle coûte entre 3 £ et 3,20 £ par adulte, et 60 p par enfant. Une autre carte d'abonnement, la **Weekend Travelcard,** vous permet de voyager moins cher pendant le week-end, dans le métro ou dans le bus. Les tarifs varient entre 5,70 £ et 6 £ pour les adultes ; 2,80 £ pour les enfants. Ces cartes sont vendues dans toutes les stations de métro.

Il est désormais possible d'acheter un **carnet** de tickets de métro (10 tickets) qui restent valables pendant 12 mois à compter de la date d'achat. Utilisable uniquement dans la Zone 1 (le centre de Londres), le carnet coûte 10 £ pour les adultes et 5 £ pour les enfants de moins de 15 ans. Avec le carnet, vous économisez 2 £ sur le prix de 10 tickets unitaires.

EN MÉTRO

Le métro constitue le moyen de déplacement le plus facile et le plus rapide. Toutes les stations sont clairement identifiées grâce à leur enseigne (un cercle rouge traversé par une bande bleue horizontale). En fonction de la profondeur de la station, on descend par des escaliers, des escalators ou des ascenseurs. Certaines de ces stations sont dotées de galeries marchandes souterraines ; plusieurs d'entre elles sont munies de machines d'informations interactives.

Un grand plan sur le mur, doté d'un index alphabétique, vous permet de déterminer la station vers laquelle vous souhaitez vous diriger. Notez la couleur de la ligne de métro (la ligne Bakerloo est marron, la Central est rouge, et ainsi de suite). Ensuite, en suivant la bande colorée, vous verrez immédiatement si vous aurez besoin d'effectuer un changement et vous apprécierez également la distance à parcourir pour atteindre votre destination.

Si vous avez de la monnaie, vous pouvez acheter votre ticket à l'aide d'une machine automatique ; dans le cas inverse, vous devrez passer au guichet. Vous pouvez changer de rame autant de fois que vous le désirez, à condition de rester dans le réseau Underground. Le prix d'un trajet à l'intérieur de la zone centrale est de 1,40 £. Si vous souhaitez quitter cette zone pour vous diriger vers des stations situées en banlieue, vous aurez à payer entre 1,40 £ et 4,70 £.

N'oubliez pas de récupérer votre ticket lorsqu'il sort de l'autre côté du composteur, puis conservez-le tout le long du trajet – on vous demandera de le montrer lorsque vous quitterez le réseau, une fois arrivé à votre destination. Toute personne qui voyage sans tickct valable est sujette à une amende de 10 £, payable sur place. Si votre ticket est d'une valeur insuffisante par rapport au trajet effectué, on vous demandera de régler la différence à la sortie. Le métro fonctionne entre 5 h et 23 h 30 environ. Au-delà de cette heure, vous êtes contraint de prendre un taxi ou un bus de nuit. Si vous souhaitez obtenir de plus amples informations concernant le métro londonien, appelez **London Underground** au ☎ 020/7222-1234 (l'attente peut être très longue...).

Suite à une extension récente, la ligne de métro **Jubilee** dessert désormais la rive sud de la Tamise ainsi que les quartiers du East End. Ainsi, Greenwich (le site du Millennium Dome) et les Docklands sont beaucoup plus facilement accessibles qu'autrefois.

EN AUTOBUS

Lorsqu'on prend le bus à Londres, une partie du « plaisir » consiste à faire la queue devant l'abri !

Offrant des tarifs similaires à ceux du métro, le bus fournit un service très correct, avec en prime de belles vues sur la ville. Pour vous renseigner sur les parcours, procurez-vous un plan de bus gratuit auprès de l'un des centres d'informations du London Transport (voir plus haut). Ce plan ne peut être obtenu par courrier.

On voit encore de temps en temps de vieux autobus, avec un contrôleur qui vient voir les passagers un par un afin de leur vendre un titre de transport. Ce type de bus

Les bus en centre-ville

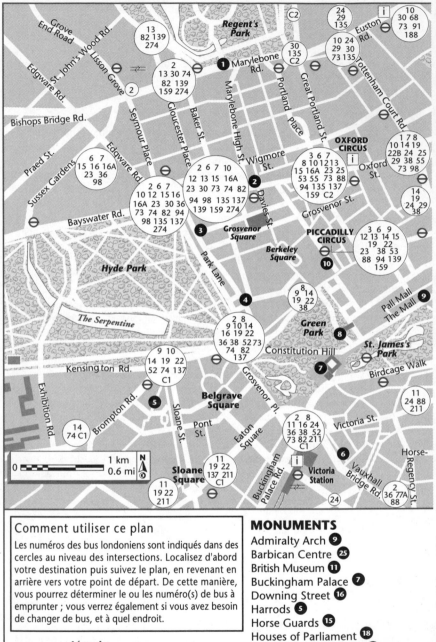

Comment utiliser ce plan

Les numéros des bus londoniens sont indiqués dans des cercles au niveau des intersections. Localisez d'abord votre destination puis suivez le plan, en revenant en arrière vers votre point de départ. De cette manière, vous pourrez déterminer le ou les numéro(s) de bus à emprunter ; vous verrez également si vous avez besoin de changer de bus, et à quel endroit.

Légende

⊖ Métro   ⇌ Gare (British Rail)

MONUMENTS

Admiralty Arch **9**
Barbican Centre **25**
British Museum **11**
Buckingham Palace **7**
Downing Street **16**
Harrods **5**
Horse Guards **15**
Houses of Parliament **18**
Imperial War Museum **20**

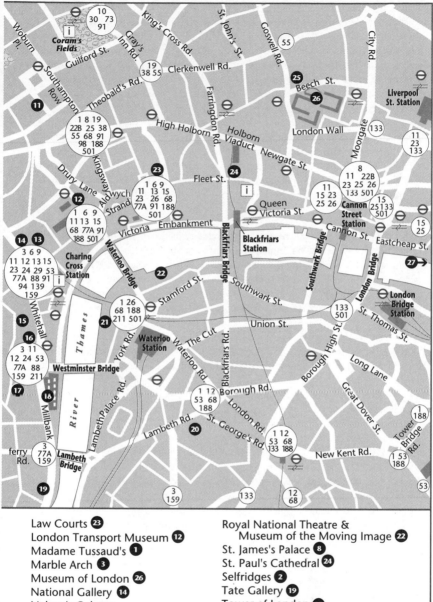

Law Courts **23**
London Transport Museum **12**
Madame Tussaud's **1**
Marble Arch **3**
Museum of London **26**
National Gallery **14**
Nelson's Column,
   Trafalgar Square **13**
Royal Academy of Arts **10**
Royal Festival Hall **21**

Royal National Theatre &
   Museum of the Moving Image **22**
St. James's Palace **8**
St. Paul's Cathedral **24**
Selfridges **2**
Tate Gallery **19**
Tower of London **27**
Wellington Arch **4**
Westminster Abbey **17**
Westminster Cathedral **6**

devient néanmoins de plus en plus rare, laissant la place à ceux qui n'ont qu'un conducteur qui se charge de la vente des titres de transport. À l'instar du métro, les tarifs varient en fonction de la distance à parcourir. En règle générale, ils sont compris entre 50 p et 1,20 £ – moins que le prix d'un ticket de métro. Si vous ne parcourez que deux ou trois arrêts, vous payerez 60 p ; un trajet plus long, qui reste à l'intérieur de la Zone 1, coûte 1 £ (10 F environ). Si vous désirez que l'on vous signale l'endroit où vous souhaitez descendre, il suffit de le demander au chauffeur ou au contrôleur. D'habitude, les autobus fonctionnent entre 5 h et 23 h 30 environ. Il existe également quelques bus de nuit, sur certains itinéraires, qui passent aux arrêts une fois par heure à peu près ; la plupart d'entre eux passent par Trafalgar Square. N'oubliez pas que les bus de nuit sont souvent pleins (surtout le week-end), auquel cas, ils peuvent être dans l'impossibilité de prendre des passagers. Si vous ne désirez pas prendre le risque d'attendre longtemps, pensez à appeler un taxi : la **hot line** (☎ **020/7222-1234**) fournit des informations sur les horaires et les tarifs, 24/24 h.

EN TAXI

Le taxi londonien est particulièrement confortable et bien conçu. On peut s'adresser aux diverses stations de taxi ou en héler un dans la rue (comme en France, un voyant jaune sur le toit du véhicule signifie qu'il est libre). Une fois le taxi arrêté, il est obligé de vous emmener à la destination de votre choix, à condition qu'elle se trouve dans un périmètre de 6 miles (4 km environ), à l'intérieur la région londonienne. Pour appeler une compagnie de taxis (**radio cab**) faites le ☎ **020/7272-0272** ou 020/7253-5000.

Le tarif minimal est de 5 £ ; le compteur démarre à 3,80 £, et augmente par paliers de 20 p jusqu'à la fin du trajet. Tout passager supplémentaire doit payer 40 p. Il faut également payer 10 p par bagage conservé à l'intérieur de la voiture et pour tout autre objet mesurant plus de 2 pieds (environ 65 cm) de long. Un supplément est imposé après 20 h ainsi que le week-end et les jours fériés. Tous ces tarifs sont exprimés TTC. Ils augmentent généralement une fois par an. Il vous est conseillé de donner un pourboire représentant 10 à 15 % du prix de base.

Si vous appelez un taxi par téléphone, le compteur commence à tourner dès que le taxi reçoit la commande en provenance de son bureau central. Par conséquent, il peut afficher déjà 1,40 £ ou plus au moment où vous montez dans le véhicule.

Il existe également des **minicabs**, qui peuvent s'avérer utiles lorsqu'il y a une pénurie de taxis ordinaires ou que le métro ne fonctionne plus. Ces voitures n'ont pas de compteur, par conséquent, il faut négocier le tarif avant de démarrer. À l'inverse des taxis ordinaires, les minicabs n'ont pas le droit de solliciter la clientèle. Ils opèrent à partir de bureaux situés sur le trottoir dans des endroits bien fréquentés, tels que Leicester Square, par exemple. Voici quelques numéros de compagnies de minicabs : **Brunswick Chauffeurs/Abbey Cars** (☎ **020/8969-2555**) à l'ouest de Londres ; **Greater London Hire** (☎ **020/8340-2450**), au nord de Londres ; **London Cabs, Ltd.** (☎ **020/8778-3000**), à l'est de la ville ; **Newname Minicars** (☎ **020/8472-1400**), au sud de Londres. Plus nombreux en banlieue, les bureaux des minicabs se trouvent en général près des stations de métro ou des gares.

Si vous souhaitez formuler une plainte à propos d'un service de taxi ou si vous avez oublié un objet dans le véhicule, contactez le **Public Carriage Office,** 15 Penton St., N1 9PU (Métro : Angel Station). S'il s'agit d'une plainte, vous devez citer le numéro du taxi, qui est affiché à l'intérieur du véhicule, à l'arrière. Pour les plaintes : ☎ **020/7230-1631.**

Selon la loi britannique, un taxi a le droit de prendre de deux à cinq personnes. Les véhicules qui acceptent de prendre jusqu'à cinq personnes affichent une notice jaune portant les mots « *Shared Taxi* ». Dans ce cas, deux passagers qui partagent le véhicule doivent payer chacun 65 % du tarif applicable à un passager seul. Si trois personnes montent dans le même taxi, elles doivent payer chacune 55 % du prix unitaire ; quatre personnes payent 45 % ; cinq personnes (le maximum) payent chacune 40 % du tarif unitaire.

EN VOITURE

Ne conduisez à Londres que si vous ne pouvez pas faire autrement ! La circulation et la pénurie de places de stationnement (sans parler du fait que le volant se trouve à droite) rendent cette activité extrêmement pénible. La bonne nouvelle, c'est qu'il est très facile de se déplacer sans voiture dans cette ville.

LOCATION DE VOITURES Londres offre un grand choix de compagnies de location mais les tarifs sont relativement élevés. Vous n'êtes pas obligé de présenter un permis britannique pour louer une voiture – on vous demandera votre passeport, votre permis en cours de validité et un an d'expérience au volant. Il faut également avoir au moins 23 ans si vous louez chez Avis, ou 25 ans si vous passez par Budget Rent-a-Car, British Airways ou Hertz.

De nombreuses compagnies de location accordent une réduction aux clients qui réservent leur véhicule à l'avance (à savoir au moins 2 jours de semaine avant la location) et qui louent pour une période d'une semaine minimum. Pour réserver, on passe par un service gratuit dans son pays d'origine. Au moment de passer commande, n'oubliez pas de vérifier que le prix donné incorpore les 17,5 % de TVA (VAT en anglais), ainsi que l'assurance personnelle en cas d'accident (*personal accident insurance* ou PAI), l'assurance tous risques (*collision damage waiver* ou CDW), et d'autres options au niveau des assurances. Si la réponse est négative, demandez combien coûtent ces divers suppléments.

Certaines cartes de crédit utilisées pour payer la location d'un véhicule couvrent automatiquement les frais du CDW et de certaines assurances supplémentaires. Vérifiez afin d'éviter de payer plus cher que nécessaire.

Parmi les agences principales figurent **Avis**, dont le siège social se trouve dans le quartier de Mayfair, au 8 Balderton St., Londres W1 (☎ **020/7917-6700**. Métro : Bond Street), **Budget Rent-a-Car** (☎ **800/ 472-3325**, www.budgetrentacar.com), dont le bureau principal est situé au 89 Wigmore St., Londres W1 (☎ **020/7538-2228**. Métro : Marble Arch), et **Hertz** (☎ **800/654-3001**, www.hertz.com), dont l'agence principale se trouve au 35 Edgware Rd., Marble Arch, Londres W1 (☎ **020/7402-4242**. Métro : Marble Arch).

British Airways (☎ 0 802 802 902, www.british-airways.com) offre un service de location de véhicules relativement bon marché. Étant donné le chiffre d'affaires apporté par British Airways, Hertz offre des réductions aux clients de cette compagnie aérienne. Passez votre commande au moins sept jours avant d'arriver en Grande-Bretagne.

CONDUITE AUTOMOBILE Comme vous le savez, les Britanniques conduisent à gauche et cèdent la priorité à gauche. Les panneaux routiers et les symboles internationaux sont clairs. Par sécurité, procurez-vous un exemplaire du code britannique **British Highway Code**, disponible auprès de la plupart des papeteries ou kiosques à journaux. En Grande-Bretagne, chacun des occupants du véhicule doit porter la ceinture de sécurité.

Attention : Les signaux clignotants de part et d'autre des passages pour piétons signalent aux conducteurs qu'il faut céder le passage aux piétons.

STATIONNEMENT Conduire à Londres n'est pas une partie de plaisir ! Cette ville est un labyrinthe de rues à sens unique et les places de stationnement font défaut. Outre des garages coûteux stratégiquement placés, le centre-ville met à disposition des places de parking payantes – sachez tout de même que si vous dépassez le temps alloué, vous risquez de payer une lourde amende. La durée et le prix sont indiqués sur l'horodateur lui-même. Les zones portant la mention « *Permit Holders Only* » sont réservées aux riverains. Si vous ne respectez pas ces règles, vous risquez de vous faire enlever votre véhicule. Un trait jaune tout le long du trottoir signifie que le stationnement est interdit ; un double trait jaune, que l'on n'a même pas le droit de s'y arrêter. Toutefois, la nuit (les horodateurs indiquent les horaires exacts) et le dimanche, vous avez le droit de stationner à côté d'un trait jaune simple.

ESSENCE En règle générale, comme en France, l'essence est vendue au litre et on se sert soi-même. Beaucoup de stations sont fermées le dimanche.

PANNES Il peut être utile de s'abonner à l'un des deux principaux clubs automobiles britanniques : **Automobile Association (AA),** Norfolk House, Priestly Rd., Basingstoke, Hampshire RG24 9NY (☎ 0990/448866 pour les informations, 0800/887766 pour un service de dépannage 24/24 h, www.theaa.com), et **Royal Automobile Club,** P.O. Box 700, Spectrum, Bond St., Bristol, Somerset BS99 1RB (☎ **01454/208000** pour les informations, 0800/828-282 pour un service de dépannage 24/24 h, www.rac.co.uk). En général, les agents de location de véhicules gèrent les abonnements auprès de ces clubs automobiles, renseignez-vous au moment de faire votre réservation. Les membres des deux clubs ont droit à des conseils juridiques et techniques gratuits ainsi que des réductions sur des produits et des services automobiles.

Toutes les autoroutes sont munies de téléphones spéciaux reliés à la police routière locale. Les officiers de police peuvent également contacter un club automobile de votre part.

À VÉLO

Vu l'importante circulation au centre de Londres, il n'est pas forcément conseillé de se déplacer à vélo. Plusieurs sociétés sont spécialisées dans la location de bicyclettes (pour une période d'un jour ou d'une semaine). Citons : **On Your Bike,** 52-54 Tooley St., SE1 (☎ 020/7378-6669. Métro : London Bridge), ouverte du lundi au vendredi de 9 h à 18 h, et le samedi de 9 h 30 à 17 h 30. Prix : 15 £ par jour ; on peut se servir d'une MasterCard ou de la carte Visa pour payer la caution.

À PIED

Londres est bien trop vaste et tentaculaire pour être entièrement explorée à pied : vous avez intérêt à emprunter les transports en commun pour parcourir les plus grandes distances puis de continuer à pied. **N'oubliez pas que les voitures roulent à gauche !** Regardez à **droite** puis à gauche avant de traverser. À l'inverse de certains pays, les véhicules ont la priorité par rapport aux piétons, sauf au niveau des passages cloutés.

6 Pour ceux qui ont des besoins particuliers

FAMILLES

Si vous désirez un menu spécial enfants dans l'avion, prévenez la compagnie aérienne au moins 24 h à l'avance. Si vous avez un bébé, apportez vos propres petits pots : une hôtesse de l'air pourra vous les faire chauffer.

Organisez-vous à l'avance si vous avez besoin d'un lit d'enfant, d'un chauffe-bibe-rons ou d'un siège de voiture (en Grande-Bretagne, les petits enfants n'ont pas le droit de voyager à l'avant). Si vous dormez chez des amis, vous pouvez louer du matériel auprès de **Chelsea Baby Hire,** 83 Burntwood Lane, SW17 OAJ (☎ **020/8540-8830**). Le taxi londonien est extrêmement pratique : très spacieux à l'intérieur, il vous permet de monter et de descendre une poussette sans détacher l'enfant.

Si vous avez envie de passer une soirée sans les enfants, vous avez tout ce qu'il faut. **Pippa Popins,** 430 Fulham Rd., SW6 1DU (☎ **020/7385-2458**), est une sorte d'« hôtel pour les petits » : cette magnifique crèche munie de jouets et de nounous bien intentionnées loge des enfants pour la nuit. Parmi les autres services de garde de bonne qualité, citons **Baby-sitters Unlimited** (☎ **020/8892-8888**) et **Childminders** (☎ **020/7935-2049** ou 020/7935-3000). La plupart des hôtels peuvent également recommander une baby-sitter.

Le dépliant ***Where to Take Children*** (Où emmener les enfants), publié par l'office de tourisme de Londres, est un bon guide pratique. Si vous avez des questions spéci-fiques, appelez **Kidsline** (☎ **020/7222-8070**), du lundi au vendredi de 16 h à 18 h, et pendant les vacances d'été de 9 h à 16 h. Le service téléphonique spécial enfants de l'office de tourisme (☎ **0839/123-425**) fournit une liste des événements et des lieux qui leur sont adaptés. Ce numéro de téléphone est accessible à Londres même, au prix de 50 p la minute.

HANDICAPÉS

Aujourd'hui, les voyageurs handicapés disposent d'une aide sans précédent. À Londres, de nombreux hôtels, musées, restaurants et attractions touristiques sont munis de rampes pour les fauteuils roulants. Plusieurs attractions et certaines boîtes de nuit accordent aux handicapés une réduction sur l'entrée : n'oubliez pas de poser la ques-tion (en Grande-Bretagne, ces réductions s'appellent des « *concessions* »). Pour obtenir des renseignements gratuits, contactez **Holiday Care Service,** Imperial Building, 2nd Floor, Victoria Road, Horley, Surrey RH6 7PZ (☎ **01293/774535,** fax 01293/784647).

De nombreuses librairies londoniennes vendent ***Access in London***, au prix de 8 £, une publication contenant une liste de lieux et de moyens de transport équipés pour les handicapés.

Les transports, les cinémas et les théâtres sont encore difficiles d'accès. Toutefois, un dépliant intitulé *Access to the Underground* fournit des informations sur les ascenseurs et les rampes dans les diverses stations de métro (réclamez-le en écrivant au London Transport Unit for Disabled Passengers, 172 Buckingham Palace Rd SW1 W9TN. ☎ **020/7918-3312**). Très spacieux, le taxi londonien est parfaitement adapté aux voyageurs en chaise roulante.

Si vous recherchez des informations sur l'accès aux théâtres, aux cinémas, aux gale-ries d'art, aux musées et aux restaurants, contactez **Artsline**, 54 Chalton St., London NW1 1HS (☎ **020/7388-2227,** fax 020/7383-2653). Ce service gratuit fournit des renseignements concernant l'accès en fauteuil roulant, les théâtres adaptés aux malen-tendants, et ainsi de suite. Artsline vous enverra des informations, chez vous, avant le départ. Toutefois, vous avez plutôt intérêt à les contacter dès votre arrivée à Londres : le service téléphonique fonctionne du lundi au vendredi de 9 h 30 à 17 h 30.

Tripscope, The Courtyard, 4 Evelyn Rd., London W4 5JL (☎ **020/8994-9294,** fax 020/8994-3618), fournit des conseils aux handicapés souhaitant voyager en Grande-Bretagne ou ailleurs.

Un livre de 658 pages intitulé *A World of Options* couvre absolument tout – même les randonnées à vélo. Au prix d'environ 210 F (180 F environ pour les abonnés), cet ouvrage est disponible auprès de **Mobility International**. L'abonnement annuel de 210 F comprend une lettre d'information trimestrielle *Over the Rainbow*.

Depuis des années, **The Moss Rehab Hospital** (☎ 215/456-9600) fournit aux voyageurs handicapés un bon service de conseils par téléphone : **Travel Information Service** (☎ 215/456-9603, www.mossresourcenet.org).

Vous pouvez aussi contacter, en France, le CNRH (Comité national pour la réadaptation des handicapés), 236 bis, rue de Tolbiac, 75013 Paris (☎ 01 53 80 66 66. www.handitel.org), pour des informations sur les voyages des personnes handicapées.

GAYS ET LESBIENNES

La ville de Londres est particulièrement active sur le plan homosexuel. Au chapitre 9 de cet ouvrage, vous trouverez une liste des meilleures boîtes de nuit. Pour recevoir les toutes dernières informations concernant les diverses activités, consultez le mensuel *Gay Times* (uniquement disponible à Londres) au prix de 2,50 £. Le magazine *Diva* est destiné aux lesbiennes et coûte 2 £. Le *Time Out* propose quatre pages intéressantes destinées aux gays.

À Londres, **Lesbian and Gay Switchboard** (service téléphonique destiné aux gays et aux lesbiennes), ☎ 020/7837-7324, fournit 24/24 h des informations concernant des activités spéciales gays à Londres, ainsi que des conseils divers. **Bisexual Helpline** (☎ 020/8569-7500) offre des informations pratiques mais ce service n'est ouvert que le mardi et le mercredi, de 19 h 30 à 21 h 30, et le samedi, de 9 h 30 à midi. La meilleure librairie gay de Londres – la plus grande du Royaume-Uni – est **Gay's the Word**, 66 Marchmont St., WC1 (☎ 020/7278-7654. Métro : Russell Square). Particulièrement aimable, le personnel est toujours prêt à donner des conseils concernant les meilleurs plans de la capitale. Ouvert du lundi au mercredi, le vendredi et le samedi de 10 h à 18 h, le jeudi de 10 h à 19 h, et le dimanche de 14 h à 18 h. À l'instar d'autres adresses gays, *Gay's the Word* fournit des magazines spécialisés, dont la plupart sont gratuits (citons notamment la revue la plus populaire, *Boyz*). Une autre publication gratuite appréciée est *Pink Paper* – la rubrique lesbienne est particulièrement bien faite. Quant au magazine *9X*, il contient toutes sortes de données concernant les nouvelles boîtes de nuit et les meilleurs « cavaliers » (à Londres, on emploie le terme « *rent boys* » pour ces garçons dont on loue les services).

SENIORS

En Grande-Bretagne, les réductions destinées aux personnes âgées sont légion. Malheureusement, il faut souvent être membre d'une association pour en bénéficier. À titre d'exemple, les réductions dans les transports publics ne sont disponibles qu'aux personnes détenant un livret de retraite britannique. Heureusement, de nombreuses attractions touristiques offrent des réductions aux seniors (les femmes de plus de 60 ans et les hommes de plus de 65 ans). Si de telles réductions ne sont pas affichées au guichet, n'oubliez pas de poser la question.

Si vous avez plus de 60 ans, vous avez droit à une réduction de 10 % auprès de **British Airways**, par l'intermédiaire de son plan Privileged Traveler (voyageur privilégié). Vous subirez également moins de pénalité en cas d'annulation de billet.

British Rail (l'équivalent de la SNCF) propose des tarifs spéciaux pour les retraités sur les cartes d'abonnement de train en première classe.

N'hésitez pas à réclamer une réduction, à condition de pouvoir présenter une forme d'identification (passeport, permis de conduire...) sur laquelle figure votre date de naissance. N'oubliez pas non plus de dire que vous êtes retraité au moment de faire les réservations pour votre voyage. De nombreux hôtels, par exemple, offrent des réductions. Dans la plupart des villes, les personnes de plus de 60 ans ont droit à une réduction dans les théâtres, les musées et diverses autres attractions, ainsi que sur les billets de transport en commun.

ÉTUDIANTS

Campus Travel, 52 Grosvenor Gardens, London SW1W 0AG (☎ **020/7730-3402,** www.campustravel.co.uk), en face de la gare Victoria, est le plus grand spécialiste britannique dans le domaine des voyages pour jeunes et étudiants.

STA Travel, 86 Old Brompton Rd., SW7 3LQ (☎ **020/7361-6161.** Métro : South Kensington), est la seule entreprise internationale qui soit spécialisée dans les réductions de billets d'avion pour jeunes et étudiants. Ouvert du lundi au vendredi de 8 h 30 à 19 h, le samedi de 10 h à 17 h, et le dimanche de 10 h à 14 h.

The International Student House, 229 Great Portland St., W1 (☎ **020/7631-3223**), se trouve au pied de Regent's Park, en face du métro Great Portland Street. Véritable ruche, cet organisme destiné aux étudiants organise des soirées et des séances de projection cinématographique et loue des chambres à des prix très raisonnables : 29,50 £ pour une chambre simple, 21 £ par personne pour une chambre double, 17,50 £ par personne pour une chambre à trois lits, ou 9,99 £ par personne dans une chambre commune. Il y a également une blanchisserie interne. Vous devrez verser une caution de 10 £ pour recevoir la clé. Réservez bien à l'avance.

University of London Student Union (syndicat des étudiants de l'Université de Londres), 1 Malet St., WC1E 7HY (☎ **020/7664-2000.** Métro : Goodge Street ou Russell Square), est la meilleure source d'informations concernant les activités destinées aux étudiants dans la région londonienne. Les locaux du syndicat contiennent une piscine, un centre de remise en forme, un gymnase, une épicerie, un magasin d'articles de sport, une billetterie, des guichets de banque, des bars, des restaurants bon marché, des salles de concert, une agence de voyages STA (voir ci-dessus) et divers autres équipements. Ouvert du lundi au jeudi de 8 h 30 à 23 h, le vendredi de 8 h 30 à 13 h, le samedi de 9 h à 14 h, et le dimanche de 9 h 30 à 22 h 30.

Des tableaux d'affichage fournissent une liste d'événements sponsorisés par le syndicat, dont certains sont accessibles aux étrangers.

7 La langue

Voici, pour vous aider, quelques mots usuels.

S'adresser à
Monsieur : Sir
Madame : Madam
Mademoiselle : Miss

Formules générales
Salut : Hi !
Bonjour : Good morning (le matin) ; Good afternoon (l'après-midi)
Bonsoir : Good evening
Bonne nuit : Good night

Au revoir : Goodbye
Merci : Thank you
Comment allez vous ? : How are you doing ?
S'il vous plait : Please
Excusez-moi : Excuse me
Pardon : Sorry
Ravi de vous connaître : Nice to meet you
Arrêtez : Stop
Faites attention : Be careful

Comprenez-vous ? : Do you understand ?
Je ne comprends pas : I don't understand
Pourquoi ? : Why ?
Où ? : Where ?
Comment ? : How ?
Qui ? : Who ?
Parce que : Because
Parlez lentement : Speak slowly
Répétez : Repeat
Parlez-vous français ? : Do you speak French ?

Chiffres et nombres
Un : One
Deux : Two
Trois : Three
Quatre : Four
Cinq : Five
Six : Six
Sept : Seven
Huit : Eight
Neuf : Nine
Dix : Ten
Onze : Eleven
Douze : Twelve
Treize : Thirteen
Quatorze : Fourteen
Quinze : Fifteen
Seize : Sixteen
Dix-sept : Seventeen
Dix-huit : Eighteen
Dix-neuf : Nineteen
Vingt : Twenty
Vingt et un : Twenty one (vingt-deux : twenty two)
Trente : Thirty
Quarante : Forty
Cinquante : Fifty
Soixante : Sixty
Soixante-dix : Seventy
Quatre-vingts : Eighty
Quatre-vingt-dix : Ninety
Cent : One hundred (deux cents : two hundred)
Mille : One thousand (deux milles : two thousand)

Se restaurer
Petit déjeuner : Breakfast
Déjeuner : Lunch
Dîner : Diner
Restaurant : Restaurant *ou* dining room *(salle de restaurant)*
Vestiaire : Checkroom
Commander : To order
Addition : Bill
Entrée : Appetizer
Plat principal : Main course
Fromage : Cheese
Dessert : Dessert
Menu : Menu
Plat du jour : Special
Poisson : Fish
Viande : Meat
À point : Medium
Cuit : Well done
Saignant : Rare
Eau : Water
Vin : Wine
J'ai faim : I am hungry
J'ai soif : I am thirsty

Se loger
Réservation : Booking
Chambre : Room
Chambre avec lit à une place : Single room
Chambre avec lit à deux places : Double room
Chambre avec deux lits : Twin room
Avec salle de bains : With private bathroom
Bagages : Luggage
Avez-vous des chambres ? : Do you have any accomodation available ?

En temps et en heure
Lundi : Monday
Mardi : Tuesday
Mercredi : Wednesday
Jeudi : Thursday
Vendredi : Friday
Samedi : Saturday
Dimanche : Sunday
Aujourd'hui : Today
Hier : Yesterday

Demain : Tomorrow
Printemps : Spring
Été : Summer
Automne : Fall
Hiver : Winter
Heure : Hour
Quelle heure est-il ? : What time is it ?
Il est 5 heures : It is five o'clock
Dépêchez-vous ! : Hurry up !

Urgences

Au secours ! : Help !
Je suis malade : I am ill
Hôpital : Hospital
Pharmacie : Drugstore
Urgences : Urgency
Je voudrais voir un médecin qui parle français : I would like to see a doctor who speaks french
Médicaments : Medicine *ou* drug
Appeler les pompier : To call the fire brigade
Commissariat : Police station

Acheter un billet

Je voudrais un billet pour : I would like a ticket for
À quelle heure part le train ? : When does the train leave ?
À quelle heure arrive le train ? : When does the train get there ?
Première classe : First class
Seconde classe : Second class
Aller simple : Single ticket
Aller-retour : Return ticket
Location : Reservation
Supplément : Supplement

Demi-tarif : Half fare
Changement : Connection
Bagages : Luggage
Valise : Suitcase
Consigne : Left luggage office
Wagon-restaurant : Dining-car
Contrôleur : Ticket collector

Se balader

À droite : On the right
À gauche : On the left
Avenue : Avenue
Rue : Street
Trottoir : Sidewalk
Autobus : Bus
Taxi : Taxi
Métro : Underground

Lieux

Église : Church
Cinéma : Movie
Théâtre : Theatre
Marché : Market
Magasin : Store
Parc : Park

Téléphone et poste

Bureau de poste : Post office
Courrier : Mail
Code postal : Zip code
Boîte aux lettres : Mail box
Timbre : Stamp
Appel longue distance : Long distance call
Appel local : Local call
Appel en PCV : Collect call

Se loger 4

Pour les hôteliers de Londres, les années à venir représentent un véritable défi. Y aura-t-il suffisamment de chambres pour loger les quelque 30 millions de visiteurs attendus chaque année ?

Une campagne acharnée de l'office de tourisme de Londres a permis récemment l'ouverture de 10 000 chambres d'hôtels supplémentaires. Mais, à quelques exceptions près, elles sont pour la plupart très modestes et loin du centre.

Certains hôteliers ont pris la sage décision de recycler d'anciens bâtiments publics. Ainsi le County Hall, dans le district S1, abrite-t-il désormais deux chaînes : Marriott, assez luxueuse, et Travel Inn, plus abordable. Par ailleurs, le West End n'est plus le secteur privilégié des hôtels. Certains se sont en effet installés dans des quartiers plus chic, comme Greenwich (devenu un véritable faubourg de Londres), les Docklands, et même La City (le quartier des affaires, très huppé).

Avec toutes les rénovations et les aménagements effectués dans les années 1990, votre chambre vous plaira certainement. Ce qui risque de vous contrarier, en revanche, c'est son prix : le marché étant très favorable, les hôteliers n'ont aucun scrupule à faire grimper les tarifs – même pour une chambre miteuse. En règle générale, toutes catégories confondues, les hôtels sont très chers, comme dans toutes les capitales européennes.

Comme l'a bien dit le Londonien Christopher Reynolds : « Vous cherchez une chambre d'hôtel pas chère ? Essayez l'Arizona en août, l'Alaska en février, ou New York en 1962. Mais si c'est Londres que vous voulez voir, c'est sans espoir ! » Mieux vaut donc se faire une raison, se loger à Londres revient définitivement très cher.

La ville possède certains des hôtels les plus célèbres du monde – de véritables temples du luxe, comme le *Claridge's* ou le *Dorchester*, et quelques nouveaux concurrents, comme le *Four Seasons*. Ils sont somptueux mais trop nombreux par rapport aux hôtels de catégorie moyenne typiques des autres capitales européennes.

De plus, le haut de gamme risque de vous surprendre. La plupart de ces merveilles victoriennes sont si enracinées dans le passé et la tradition que le confort moderne (les commodités que l'on trouve habituellement dans les hôtels de luxe) leur fait cruellement défaut. Certains établissements ont fait un effort, mais beaucoup en sont restés à l'époque de la guerre des Boers ! Le manque de modernité est généralement compensé par l'espace et la qualité du service. Tout dépend de ce que vous attendez.

Dans les années 1990, de nombreux hôtels axés sur les services, tous plus éblouissants les uns que les autres, ont fait leur apparition. Leur charme, leur confort et l'attention donnée aux moindres détails a éclipsé certains grandes noms de l'hôtellerie, aujourd'hui un peu désuets. Ces hôtels privés, plus personnels, se multiplient. Nous les avons testés pour vous, et sélectionné dans ce guide ceux qui offrent le meilleur rapport qualité-prix.

Si vous avez un petit budget, ne désespérez pas. On peut tout de même se loger à prix abordables, notamment dans les **Bed and Breakfast** – les meilleurs sont confortables, propres et accueillants. Toutefois, les bons B & B se font de plus en plus rares. Renseignez-vous avant de réserver une chambre. Si vous le souhaitez, vous pouvez faire appel à des services spécialisés, qui se chargeront de votre réservation : **Bed & Breakfast** (☎ 800/367-4668 ou 423/690-8484), **Worldwide Bed & Breakfast Association** (☎ 0181/742-9123 ; fax 0181/749-7084), et **The London Bed and Breakfast Agency Limited** (☎ 020/7586-2768 ; fax 020/7586-6567), agence réputée qui propose également des solutions avantageuses chez des particuliers. Les tarifs s'échelonnent généralement entre 18 et 40 £ par personne pour une chambre double, mais ils peuvent grimper bien plus haut.

En haute saison (d'avril à octobre environ) et lors de certaines manifestations, notamment celles qui concernent la famille royale, les hôtels de toutes catégories sont pris d'assaut ; commencez vos recherches le plus tôt possible et réservez largement à l'avance. Si vous arrivez à Londres tard dans la nuit et sans réservation, vous serez obligé de prendre ce que vous trouverez et de payer très cher.

TARIF DES CHAMBRES   Sauf indication contraire, ils comprennent une chambre avec salle de bains, le petit déjeuner (continental, en général) et 10 % à 15 % de frais de service. À votre note, il faudra ajouter la TVA, qui s'élève à 17,5 % (et n'est pas prise en compte dans les tarifs indiqués). Essayez toujours de négocier, surtout dans les hôtels de luxe (dans les B & B, ce n'est pas possible). Le prix indiqué pour le parking est le tarif à la nuit.

Nous rappelons que tous les prix mentionnés ici n'ont qu'une valeur indicative. Ils peuvent être modifiés après notre passage, d'autant qu'ils ne cessent d'augmenter en raison de la demande, de plus en plus importante. Renseignez-vous toujours avant de réserver.

RÉGLEMENTATION SUR LES TARIFS   Tous les hôtels, motels, auberges et maisons d'hôte disposant d'au moins quatre chambres sont tenus d'afficher les tarifs minimums et maximums. Ceux-ci doivent être mis en évidence à l'accueil ou à l'entrée. Le service doit être compris et la TVA peut l'être – son inclusion ou non dans le tarif doit être indiquée clairement. Si elle n'est pas comprise, elle doit toutefois être mentionnée séparément. Si les repas sont compris, une note doit être ajoutée à ce sujet ; enfin, si les prix ne sont pas les mêmes pour toutes les chambres, l'hôtelier a le droit de n'indiquer que le tarif le plus bas et le tarif le plus élevé.

INFORMATIONS DIVERSES

- Ne partez pas du principe que votre chambre sera climatisée, même si vous avez réservé dans un hôtel de luxe. Elle ne l'est peut-être que partiellement, voire pas du tout. Renseignez-vous.
- Certains ascenseurs datent des années 1900, et ça se voit ! Toutefois, ils sont régulièrement révisés et ne présentent aucun danger.
- Le **petit déjeuner continental** comprend café ou thé avec du pain ou des viennoiseries. Le **petit déjeuner anglais** traditionnel est un véritable repas, très copieux : thé ou café avec céréales, œufs, bacon, jambon ou saucisse, toasts et confiture.
- Si vous ne voulez pas être dérangé, n'oubliez pas d'accrocher le panneau « *Do Not*

Disturb » à la poignée de votre porte. En Angleterre, le personnel des hôtels a une fâcheuse tendance à entrer en même temps qu'il frappe.

COMMENT ÉCONOMISER SUR VOTRE CHAMBRE D'HÔTEL ?

Les tarifs mentionnés dans les listes d'hôtels sont les prix officiels. Ce sont ceux que l'on va vous facturer si vous ne discutez pas. Mais presque personne ne paie le prix fort ; il y a toujours moyen d'obtenir des réductions.

• **N'hésitez pas à négocier.** Mettez toutes les chances de votre côté pour faire baisser le prix de votre chambre. Ce n'est pas toujours possible, notamment en été ou lors de certaines manifestations où les hôtels sont bondés. Mais en hiver, vous pouvez espérer bénéficier d'une réduction de 20 à 30 %. Demandez poliment si une chambre moins chère est disponible ou si vous avez droit à un tarif spécial. Peut-être aurez-vous une réduction en tant qu'étudiant, militaire, personne âgée ou membre d'une société. Donnez toutes les informations vous concernant susceptibles de faire baisser le prix. Renseignez-vous également sur l'éventuelle formule *spot specials*, qui peut être très intéressante.

• **Si vous faites appel à un professionnel.** La plupart des hôtels accordent des réductions aux agences de voyages en échange de la clientèle qu'elles leur apportent. Les prix seront plus bas que ceux affichés dans les hôtels, mais non négociables. À noter, ceux-ci sont souvent bien moins chers que les tarifs d'origine.

• **Si vous téléphonez directement à l'hôtel.** Vous pourrez comparer les prix et éventuellement négocier. Mais les tarifs de départ seront de toute façon plus élevés que ceux consentis aux tours-opérateurs et aux agences.

• **Choisissez le bon moment.** Les hôtels fréquentés par les personnes en voyage d'affaires se vident à la fin de la semaine, et l'on peut obtenir une réduction le week-end. Évitez la haute saison ; si votre séjour a lieu juste une semaine avant ou après les vacances, vous ferez de grandes économies.

• **Voyagez en groupe/effectuez un long séjour.** Si vous partez en groupe, l'hôtel remplira plusieurs chambres et vous accordera probablement une remise. De même si vous restez plusieurs jours (entre cinq jours et une semaine), l'hôtel en tiendra compte. En règle générale, vous aurez droit à une nuit gratuite après un séjour de sept nuits.

• **Évitez les frais supplémentaires.** Lors de votre réservation, demandez si le parking est gratuit. C'est généralement le cas, sauf dans les hôtels situés en pleine ville. Renseignez-vous également en ce qui concerne le téléphone. Certains établissements appliquent une surtaxe sur les appels locaux ou longue distance. Un téléphone public, même s'il s'avère moins pratique, vous reviendra souvent moins cher.

• **Lisez les journaux.** Dans les pages « Voyages » du *Sunday*, vous trouverez des encarts publicitaires concernant les dernières offres des hôtels.

• **Réservez une suite.** Si vous voyagez en famille ou avec un autre couple, choisissez cette solution. Les suites sont généralement pourvues d'un canapé-lit ; vous pouvez donc y loger à plusieurs et réduire ainsi le prix par personne. Certains hôtels font payer les invités au-delà de deux, d'autres non.

• **Réservez un studio.** Les studios sont équipés d'une kitchenette. Si vous voyagez en famille et comptez rester plusieurs jours, vous ferez ainsi des économies en préparant vous-même vos repas.

• **Contactez un service de réservation.** Ces services achètent ou réservent des chambres en gros et les redistribuent à profit aux clients. Ils offrent des réductions de 10 à 50 % mais n'oubliez pas que celles-ci s'appliquent aux tarifs officiels. Vous avez probablement intérêt à traiter directement avec l'hôtel mais si vous n'aimez pas marchander, cette option n'est pas négligeable. Outre les agences de voyage classiques, nous recommandons aux internautes les services suivants : **Travelprice** (www.travelprice.com ; ☎ 0 825 026 028, 0,99 F TTC/mn) et **Any Way Voyages** (www.anyway.com ; ☎ 0 803 008 008).

COMMENT AVOIR LA MEILLEURE CHAMBRE ?

Il faut bien que la meilleure chambre revienne à quelqu'un... Pourquoi pas vous ?

Préférez les chambres situées dans un angle. Elles sont en général plus grandes, plus tranquilles et plus lumineuses – elles ont souvent davantage de fenêtres. De plus, elles ne coûtent pas nécessairement plus cher.

Lors de votre réservation, demandez si l'hôtel est en rénovation. Si c'est le cas, prenez une chambre située loin des travaux. Aujourd'hui, de nombreux hôtels proposent des chambres non-fumeurs ; si la fumée vous dérange, renseignez-vous. Demandez également où se trouvent le restaurant, le bar ou la discothèque de l'hôtel pour ne pas être dérangé par le bruit éventuel. Si vous vous rendez compte à votre arrivée que votre chambre ne vous convient pas, parlez-en au personnel d'accueil. Il fera tout son possible pour vous satisfaire – à condition que vos exigences soient raisonnables.

1 West End

Pour localiser les hôtels de ce secteur, consultez la carte « Se loger à West End », p. 76-77.

MAYFAIR

PRIX TRÈS ÉLEVÉS

✪ **Brown's Hotel.** 29-34 Albemarle St., London W1X 4BP. ☎ **020/7493-6020.** Fax 020/7493-9381. www.brownshotel.com. E-mail : brownshotel@ukbusiness.com. 118 chambres. Clim. Minibar. TV. Tél. Double 265 £-285 £ ; suite à partir de 415 £. CB. Parking à proximité 32 £. Métro : Green Park.

Presque chaque année, un nouvel hôtel au décor rustique s'ouvre dans le quartier. Le *Brown's*, imperturbable, regarde ses concurrents arriver et repartir, et reste toujours au-dessus du lot. Cet hôtel a été fondé par James Brown en 1837, l'année où la reine Victoria accéda au trône. Ancien valet de chambre de Lord Byron, Brown connaissait les goûts des gentlemen et a voulu créer un endroit susceptible de leur plaire.

Fidèle à la vision de son fondateur, le *Brown's* occupe pas moins de 14 maisons historiques le long de Berkeley Square. Les chambres peuvent varier du tout au tout : certaines sont petites, d'autres très spacieuses. Empreintes de l'histoire de l'Angleterre, elles sont décorées de façon très sobre. Chacune d'elles est équipée d'une bonne literie (même si le lit est ancien) et d'une double-ligne téléphonique avec boîte vocale. Les salles de bains sont elles aussi plus ou moins grandes ; vous y trouverez des peignoirs douillets, des articles de toilette de luxe et un sèche-cheveux ; quant aux lavabos, ce sont de véritables objets d'art. Respectueux de l'atmosphère générale, les salons rendent hommage au passé. L'hôtel en compte trois : la *Roosevelt Room* (Theodore Roosevelt passa sa lune de miel au *Brown's* en 1886), la *Rudyard Kipling Room* (le célèbre écrivain était un client fidèle) et le *St. George's Bar*, bar lambrissé servant des boissons alcoolisées.

Restauration : La salle à manger est d'une beauté discrète et le service, inégalable. Le thé est servi dans l'**Albemarle Room** (voir la section « Teatime » au chapitre 5).

Services : *Room service* 24/24 h, blanchisserie et pressing, baby-sitting, secrétariat, valet de chambre, coiffeur pour homme, bureau de voyages, centre d'affaires ; club de sport à proximité.

Claridge's. Brook St., London W1A 2JQ. ☎ **800/223-6800** ou 020/7629-8860. Fax 020/7409-6335. E-mail : info@claridges.co.uk. 190 chambres. Clim. Minibar. TV. Tél. Double 320 £-335 £ ; suite à partir de 450 £. CB. Métro : Bond St.

La plupart des hôtels de grand luxe évoquent l'Empire, mais le *Claridge's* est le plus impressionnant de tous. Il accueille des personnalités de tous les pays dans une atmosphère d'une élégance feutrée depuis l'époque de la bataille de Waterloo. Ici, le flegme britannique apparaît dans toute sa splendeur. Un critique a souligné un jour : « le personnel n'essaiera jamais d'avoir une relation amicale avec vous » – comme cela peut être le cas dans des hôtels comme le *Dorchester*.

La modeste façade date de 1898 ; l'intérieur a été réaménagé façon Arts déco dans les années 1930. Les chambres et les salles de bains sont spacieuses et pourvues de dressing et autres commodités. Environ la moitié d'entre elles ont conservé le style Arts déco, les autres sont plus classiques. Elles disposent toutes d'une literie confortable, de fenêtres à double-vitrage, d'un coffre-fort individuel, d'une sonnerie, d'une armoire à glace et d'une double-ligne téléphonique. La plupart sont climatisées. Les salles de bains sont qualifiées de « sybaritiques ». Les baignoires sont immenses et la pression de l'eau comparable à celle d'une bouche d'incendie ! Tout est somptueux : serviettes épaisses, articles de toilette de luxe, sèche-cheveux et grands peignoirs. Le *Claridge's* met davantage l'accent sur le style suranné que sur le confort moderne. À vous de voir si cela vous convient.

Restauration : Une excellente cuisine est servie avec doigté dans l'intimité de la **Causerie**, renommée pour ses buffets scandinaves et ses soupers. Le **Restaurant**, plus chic, propose des spécialités anglaises et françaises. Le Quartet hongrois, véritable institution du *Claridge's* depuis 1902, se produit dans la pièce d'à côté pendant le déjeuner et le dîner.

Services : *Room service* 24/24 h, valet de chambre, blanchisserie, baby-sitting, médecin sur demande, concierge, bureaux de change et de voyages, secrétariat, salon, billetterie, club de sport.

The Connaught. Carlos Place, W1Y 6AL. ☎ **020/7499-7070.** Fax 020/7495-3262. www.savoy_group.co.uk. E-mail : info@the_connaught.co.uk. 90 chambres. Clim. TV. Tél. Double 335 £-395 £ ; suite à partir de 630 £. CB. Parking 32 £. Métro : Green Park.

Au cœur de Mayfair, cet hôtel à l'élégance rustique est l'un des plus prestigieux d'Europe. Ce n'est peut-être pas le plus beau ni le plus à la mode, mais vous y serez choyé dans le luxe et le confort, avec un maximum de discrétion – même si vous êtes une star de cinéma. Proche de Grosvenor Square, cet établissement en brique s'apparente à un club : de nombreux habitués y ont leur chambre favorite. Fleurs fraîches, chandeliers de cristal et meubles anciens, l'endroit a quelque chose d'irrésistiblement aristocratique.

Les chambres, plus ou moins grandes, sont décorées d'objets d'art et recèlent des détails de très bon goût : rideaux de chintz, murs blancs ornés de dorures, grands lits parés de couvre-lits somptueux… Cheminées en marbre, plâtres décoratifs et lambris de chêne ajoutent encore à leur charme. Les salles de bains à l'ancienne sont très grandes.

Restauration/Divertissements : Le **Grill Connaught Restaurant**, lambrissé d'acajou, et le **Grill Room**, plus petit, de style classique, font partie des restaurants les plus fréquentés de Londres. Sous la direction du chef Michel Bourdin, ils proposent la même carte mais les plats du jour peuvent différer. Les classiques français se mêlent à la cuisine anglaise traditionnelle pour envoûter le Tout Londres. Le mardi est le jour

Se loger à West End

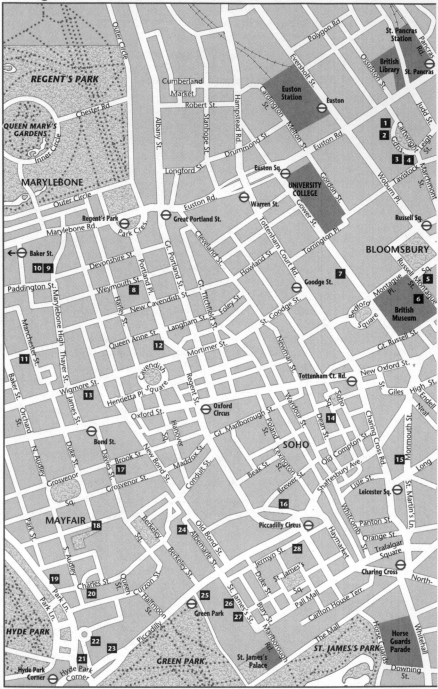

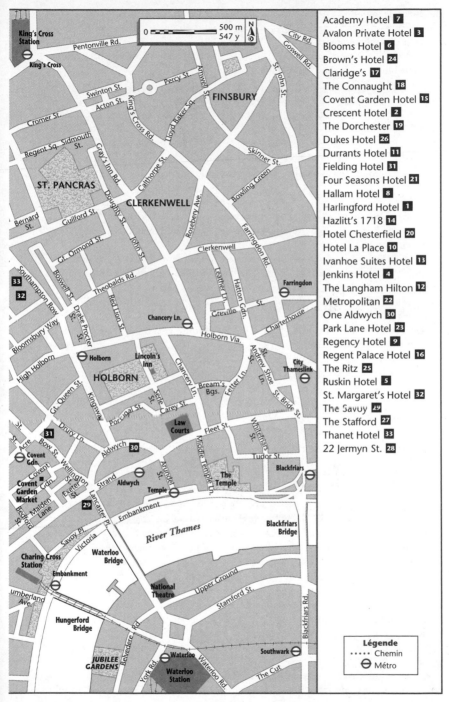

Academy Hotel **7**
Avalon Private Hotel **3**
Blooms Hotel **6**
Brown's Hotel **24**
Claridge's **17**
The Connaught **18**
Covent Garden Hotel **15**
Crescent Hotel **2**
The Dorchester **19**
Dukes Hotel **26**
Durrants Hotel **11**
Fielding Hotel **31**
Four Seasons Hotel **21**
Hallam Hotel **8**
Harlingford Hotel **1**
Hazlitt's 1718 **14**
Hotel Chesterfield **20**
Hotel La Place **10**
Ivanhoe Suites Hotel **13**
Jenkins Hotel **4**
The Langham Hilton **12**
Metropolitan **22**
One Aldwych **30**
Park Lane Hotel **23**
Regency Hotel **9**
Regent Palace Hotel **16**
The Ritz **25**
Ruskin Hotel **5**
St. Margaret's Hotel **32**
The Savoy **29**
The Stafford **27**
Thanet Hotel **33**
22 Jermyn St. **28**

du ragoût de mouton à l'irlandaise, mais n'hésitez pas à vous laisser éblouir par les plats plus raffinés de la carte. Le bar et les salons semblent être prêts pour accueillir à tout moment un ambassadeur.

Services : Concierge, *room service* 24/24 h, blanchisserie et pressing, baby-sitting, accès au club de sport situé à proximité.

✪ **The Dorchester.** 53 Park Lane, London W1A 2HJ. ☎ **800/727-9820** ou 020/7629-8888. Fax 020/7409-0114. E-mail : info@dorchesterhotel.com. 248 chambres. Clim. Minibar. TV. Tél. Double 295 £-325 £ ; suite à partir de 415 £. CB. Parking 27 £. Métro : Hyde Park Corner ou Marble Arch.

Le *Dorchester* est l'un des meilleurs hôtels de la ville. Il a toute l'élégance du *Claridge's* sans le côté « vieux jeu » qui frôle parfois le snobisme. Peu d'établissements ont son expérience ; réputé pour son confort et sa cuisine depuis 1931, il n'a jamais démenti sa renommée.

Rompant avec la tradition néo-classique, les architectes les plus ambitieux de l'époque ont conçu un bâtiment en béton armé avec un sol de mosaïque. À l'intérieur, le décor style Régence – compositions florales et galerie ornée de dorures – est luxueux mais tout le monde s'y sent à l'aise.

Les chambres sont pourvues d'une excellente literie, de toutes sortes de dispositifs électroniques, de fenêtres à triple vitrage, de fauteuils bien rembourrés, de meubles en cerisier et, pour la plupart, de lits à baldaquin. Les salles de bains sont tout aussi belles : lavabos en marbre, miroirs, articles de toilette de luxe… Les meilleures chambres donnent sur Hyde Park.

Restauration : le restaurant de l'hôtel, le **Grill Room**, est l'un des plus raffinés de Londres et le **Dorchester Bar**, un lieu de rencontre légendaire. La galerie, où trônent de superbes sofas, est idéale pour prendre le thé. Le *Dorchester* propose également une cuisine cantonaise à l'**Oriental**, le restaurant chinois le plus sélect – et le plus cher – de la ville.

Services : *Room service* 24/24 h, blanchisserie et pressing, coiffeur pour hommes avec boutique, bureau de voyages, secrétariat, baby-sitting et l'un des clubs de sport les mieux équipés de Londres, le *Dorchester Spa*.

Four Seasons Hotel. Hamilton Place, Park Lane, London W1A 1AZ. ☎ **800/332-3442** ou 020/7499-0888. Fax 020/7493-1895. www.fshr.com. E-mail : fshl@4seasons.com 247 chambres. Clim. Minibar. TV. Tél. Double 305 £-315 £ ; double de luxe 440 £ ; suite à partir de 550 £. CB. Parking 15 £. Métro : Hyde Park Corner.

Cet hôtel ne cesse de séduire par son côté glamour depuis 1970, date à laquelle il fut inauguré par la princesse Alexandra. Sa clientèle compte des chefs d'État, des superstars et de riches hommes d'affaires. Le *Four Seasons* est situé dans l'un des quartiers les plus huppés du monde, juste en face de ses principaux concurrents, le *London Hilton* et l'*Inter-Continental*, qu'il surpasse largement : meilleure cuisine, meilleures chambres, et surtout davantage de style et de raffinement. Derrière une façade moderne, le décor intérieur classique donne l'impression que l'hôtel est bien plus ancien qu'il ne l'est en réalité. Les chambres, plus ou moins grandes mais toutes belles, sont agrémentées de rideaux de chintz, de reproductions, de superbes tapisseries, de nombreux dispositifs électroniques bien camouflés ainsi que d'un bureau, d'une télé avec magnétoscope… Certaines ont même une porte-fenêtre ouvrant sur un balcon. Les salles de bains sont à la hauteur…

Restauration/Divertissements : Le **Lanes Restaurant**, moderne et très « tendance », propose un menu international très raffiné ; les tables font face à Park Lane. Il existe aussi un bar et un salon où l'on sert le traditionnel thé anglais.

Services : *Room service* 24/24 h, valet de chambre, blanchisserie, baby-sitting, boutiques de luxe, billetterie, centre de remise en forme très bien équipé, jardin, agence de location de voitures, secrétariat 24/24 h.

Metropolitan. 19 Old Park Lane, London W1Y 4LB. ☎ **1071/447-1000.** Fax 020/7 447-1100. www.metropolitan.co.uk. E-mail : sales@metropolitan.co.uk. 155 chambres. Clim. Minibar. TV. Tél. Double 265 £-300 £ ; suite studio 320 £ ; suite studio côté ville 340 £-395 £ ; suite côté parc 445 £-515 £ ; suite de luxe 650 £-1 200 £ ; appartement grand standing 1 400 £-1 700 £. CB. Métro : Hyde Park Corner.

À mi-chemin entre le *Hilton* et le *Four Seasons*, le *Metropolitan* a été le premier hôtel à ouvrir à Park Lane dans les années 1980. Contrairement à ses voisins, il est très dépouillé. Le designer, Keith Hobbs, croit au minimalisme – dont il a atteint le summum au *Dublin's Clarence Hotel*. Les uniformes du personnel n'ont rien à voir avec les hauts-de-forme et les queues-de-pie que l'on peut voir dans les hôtels plus snobs.

Le lieu est embelli par des sols en bois de feuillu, des marbres et des tissus naturels. Les chambres, dont certaines donnent sur Hyde Park, sont grandes et d'une élégance très simple. Chacune est pourvue d'une double-ligne téléphonique avec boîte vocale. La literie est bonne (possibilité de lit « king size ») ; la salle de bains, de taille moyenne, est équipée de peignoirs, sèche-cheveux et articles de toilette de luxe. Les tissus aux tons pastels sont superbes, les meubles en bois, sobres et fonctionnels mais luxueux à leur façon. Christina Ong, la propriétaire, est déjà une véritable légende à Londres. Elle a également ouvert (entre autres) le somptueux *Halkin* en 1991. La clientèle se compose essentiellement de personnes jeunes et très aisées, qui apprécient le style et l'atmosphère vivante de l'endroit. Sofas en cuir, horloge sculptée dans la pierre dans le hall en marbre, et tapis à motifs bleus créent une ambiance relaxante.

Restauration : La salle de petit déjeuner, blanche et très claire, est uniquement ouverte aux clients de l'hôtel. Le restaurant japonais et bar à sushis est l'un des lieux de rendez-vous les plus chic de Londres. Le bar-club, verres givrés et tables en métal, associe le modernisme au style des années 1950.

Services : Fax dans la chambre, magnétoscope sur demande, *room service* 24/24 h, concierge, blanchisserie et pressing, massage, baby-sitting, secrétariat, *express checkout*, club de sport.

✪ Park Lane Hotel. Piccadilly, London W1Y 8BX. ☎ **800/325-3535** ou 020/7499-6321. Fax 020/7499-1965. www.sheraton.com. 305 chambres. Clim. Minibar. TV. Tél. Double 260 £ ; suite à partir de 360 £. CB. Parking 28 £. Métro : Hyde Park Corner ou Green Park.

L'un des hôtels les plus traditionnels de Park Lane, qui livra en son temps une lutte acharnée contre les chaînes, le *Park Lane Hotel* a finalement été vendu en 1996 à la *Sheraton Corporation*, qui l'a rénové tout en conservant son cachet britannique. Bâti en 1913, il resta vide une dizaine d'années avant de rouvrir ses portes en 1924 sous la direction de Bracewell Smith, l'un des leaders de l'hôtellerie londonienne. Aujourd'hui, son entrée en argent, que l'on peut voir dans de nombreux films, reste une merveille de l'Art déco.

Construit en forme de U, avec vue sur Green Park, l'hôtel propose des chambres luxueuses parmi les « moins chères » de Park Lane (tout est relatif !). La plupart des suites ont une cheminée et une salle de bains en marbre. Les chambres, remises à neuf, sont désormais plus grandes et le décor plus discret. Toutes ont des fenêtres à double vitrage ; certaines sont plus grandes et mieux aménagées que d'autres : le plafond est plus haut, les fenêtres, plus grandes. Les plus luxueuses offrent une meilleure vue. Les plus tranquilles donnent sur la cour mais sont plus sombres. Les salles de bains sont généralement spacieuses.

Restauration/Divertissements : La **Brasserie** propose une cuisine française. Le thé est servi tous les jours dans le **Palm Court Lounge**, où se produit un harpiste tous les dimanches. Pour de plus amples informations, voir la section « Teatime » au chapitre 5.

Services : *Room service* 24/24 h, concierge, blanchisserie et pressing, baby-sitting, secrétariat, centre de remise en forme, salon de beauté, centre d'affaires, coffres, boutique de cadeaux et kiosque, coiffeurs pour hommes et pour dames, et magasin *Daniele Ryman Aromatherapy.*

Prix élevés

Hotel Chesterfield. 35 Charles St., London W18 LX. ☎ **020/7491-2622.** Fax 020/7491-4793. E-mail : reservations@chesterfield.viewinn.co.uk. 110 chambres. Clim. Minibar. TV. Tél. Double 190 £ ; suite à partir de 350 £. CB. Métro : Green Park.

Les propriétaires de cet établissement sont très attentifs au décor. Chaque chambre est ornée d'objets d'art ou d'accessoires qui rappellent l'ambiance des vieilles maisons bourgeoises d'Angleterre. Il s'agit de trois hôtels particuliers en brique rassemblés dans les années 1970 ; l'un d'eux fut longtemps la résidence londonienne du comte de Chesterfield. À l'intérieur, les plâtres sont d'origine et les lambris vernis, l'accès au Berkeley Square et l'atmosphère victorienne créent une ambiance bien particulière. Dans les étages, un dédale de couloirs très bien décorés mène aux chambres, petites mais confortables. De style traditionnel, elles sont ornées de meubles en cerisier et de tissus contemporains de couleurs vives. Certaines sont équipées d'une presse à pantalons et/ou d'un coffre individuel. Les salles de bains sont bien aménagées : baignoire, peignoirs, pots-pourris et sèche-cheveux.

Restauration/Divertissement : Dickens se sentirait tout à fait à son aise dans le bar sombre et raffiné, qui comporte également un patio avec un dôme vitré pour ceux qui désirent plus de lumière. Un pianiste et un chanteur s'y produisent tous les soirs, excepté le dimanche. Il y a même une petite piste de danse. Un bon restaurant, ouvert tous les jours à l'heure du déjeuner et du dîner, propose une cuisine britannique et européenne.

Services : *Room service*, blanchisserie, accès à Internet dans toutes les chambres.

Prix moyens

Ivanhoe Suite Hotel. 1 St. Christopher's Place, Barrett St. Piazza, London W1M 5HB. ☎ **020/7935-1047.** Fax 020/7224-0563. www.scoot.co.uk/ivanhoe_suite_hotel. 8 chambres. Minibar. TV. Tél. Double 79 £ ; triple 89 £. Petit déjeuner continental compris. CB. Métro : Bond St.

Les mordus du shopping se pressent dans cet endroit presque secret, situé derrière Oxford Street, dans un quartier de la ville qui n'est absolument pas connu pour ses hôtels. « C'est comme si j'avais mon propre pied-à-terre à Londres » nous a affirmé l'un des clients, « si vous en parlez à quelqu'un, vous allez m'entendre ! ». Perché au-dessus d'un restaurant, dans une rue piétonne remplie de boutiques et de restaurants, à proximité des rues commerciales de New et Old Bond Street, cet hôtel propose des chambres simples et doubles, petites et moyennes, meublées avec goût. Chacune est équipée d'un système de sécurité vidéo, d'une presse à pantalons, d'un minibar et d'un grand choix de cassettes vidéo. Toutes ont été redécorées en 1998 et la literie a été changée. Les salles de bains, qui viennent d'être carrelées, sont petites – seule la moitié d'entre elles possède une baignoire, les autres n'ont qu'une douche. Le petit déjeuner est servi dans une toute petite pièce en haut du premier escalier. Si vous voulez prendre un verre, allez au pub à l'angle de la rue, c'est le lieu de rendez-vous des gens du quartier. L'*Ivanhoe* propose un certain nombre de services : *room service,* baby-sitting, secrétariat, blanchisserie, bureau de voyages et billetterie. Attention : cet hôtel de quatre étages n'a pas d'ascenseur.

MARYLEBONE

Pour localiser ces hôtels, consultez la carte « Se loger à Marylebone, Paddington, Bayswater et Notting Hill Gate », p. 112-113.

PRIX TRÈS ÉLEVÉS

✪ **The Langham Hilton.** 1 Portland Place, London W1N 4JA. ☎ **020/7636-1000.** Fax 020/7323-2340. www.hilton.com. 379 chambres. Clim. Minibar. TV. Tél. Double 280 £ ; double haut de gamme 365 £ ; suite à partir de 670 £. Petit déjeuner compris dans les doubles haut de gamme et les suites. CB. Métro : Oxford Circus.

Lorsque cet hôtel a été inauguré par le prince de Galles en 1865, c'était une adresse très prisée des aristocrates en quête de repos. Après avoir été bombardé pendant la deuxième guerre mondiale, il a été récupéré par la BBC qui y installa ses bureaux poussiéreux. C'est seulement au début des années 1990 qu'il a été racheté et soigneusement restauré par la chaîne Hilton. C'est aujourd'hui son fleuron en Europe. Ses « parties communes » témoignent de la puissance et de la majesté de l'Empire britannique lorsqu'il était à son apogée. Les chambres viennent d'être remises à neuf ; elles sont sobres mais très bien meublées et confortables. Les salles de bains sont bien équipées : sèche-cheveux, peignoirs, presse à pantalons. À proximité des restaurants et des théâtres de Mayfair, des magasins d'Oxford et de Regent Street et tout près de Regent's Park, le Langham Hilton est particulièrement bien situé.

Restauration/Divertissements : Vodka, caviar et champagne en abondance au **Tsar's Russian**, bar-restaurant de l'hôtel. Pour prendre un verre, vous pouvez aussi choisir le **Chukka Bar**, conçu sur le modèle d'un club de polo privé. Le restaurant le plus chic est le **Memories**. Très haut de plafond, son décor victorien et sa cuisine rendent hommage à la grande époque du Commonwealth. Le thé est servi au milieu des palmiers de la **Palm Court**, salon de style 1900.

Services : *Room service* 24/24 h, concierge, club de sport, centre d'affaires, salon de beauté.

Landmark London. 222 Marylebone Road, London NW1 6JQ. ☎ **800/457-4000** ou 020/7631-8000. Fax 020/7631-8080. www.landmarklondon.co.uk. 302 chambres. Clim. Minibar. TV. Tél. Double 290 £-360 £ ; suite à partir de 360 £. CB. Métro : Marylebone ou Baker St.

« L'hôtel de luxe le moins cher de Londres » pratique des réductions très intéressantes qui le rendent accessible à tous ceux qui veulent goûter au confort d'un hôtel cinq étoiles (pratiquement personne ne paie le tarif officiel, renseignez-vous). Il est très bien situé, notamment pour ceux qui voyagent avec des enfants : Madame Tussaud's et la maison de Sherlock Holmes sont à deux pas.

Lorsqu'il a ouvert ses portes en 1899, le *Landmark London* était l'hôtel victorien le plus raffiné. Une récente rénovation lui a redonné tout son cachet. Les chambres, très grandes, sont meublées de bois clair et décorées de peintures modernes ; la literie est de bonne qualité (lit « king size » et fax à disposition). Les salles de bains en marbre sont également spacieuses, la plupart avec baignoire et sèche-cheveux. Le décor rappelle celui du *Four Seasons*. La moitié des chambres donnent sur une cour centrale ornée de palmiers, le *Winter Garden*, où vous pourrez prendre votre dîner.

Restauration/Divertissement : La cuisine internationale – avec quelques touches méditerranéennes ou orientales – est très bonne. Les repas sont servis dans la salle à manger ou, de façon plus décontractée, dans le jardin d'hiver, où vous pourrez également prendre le thé. Le **Cellar's Bar** est idéal pour boire une bière.

Services : *Room service* 24/24 h, concierge, blanchisserie et pressing, massage en chambre, baby-sitting, *express checkout*, parking avec voiturier, grand club de sport, piscine couverte, courts de tennis, centre d'affaires (avec équipement pour conférences), et magnétoscope sur demande.

PRIX ÉLEVÉS

✪ **Dorset Square Hotel.** 39-40 Dorset Sq., London NW1 6QN. ☎ **020/7723-7874.** Fax 020/7724-3328. www.firmdale.com. E-mail : Dorset@afirmdale.com. 38 chambres. Minibar. TV. Tél. Double 130 £-195 £ ; suite à partir de 215 £. CB. Parking 25 £. Métro : Baker St. ou Marylebone.

Le *Dorset Square Hotel* est situé dans un square charmant, près de Regent's Park. Composé de deux anciens hôtels particuliers donnant sur le terrain de cricket de Thomas Lord, c'est l'un des établissements les plus chic de Londres. Tim et Kit Kemp, hôteliers très enthousiastes, ont paré l'intérieur de meubles anciens, de reproductions et de rideaux de chintz qui vous donneront l'impression d'être dans une maison particulière des plus élégantes. Les chambres sont décorées de façon extravagante mais très personnelle (les propriétaires, décorateurs d'intérieurs, sont connus pour leur goût audacieux) ; elles ont toutes une salle de bains en marbre avec peignoirs et sèche-cheveux. Environ la moitié des chambres sont climatisées et huit ont un lit à baldaquin.

Restauration : Le menu du **Potting Shed**, qui change selon les saisons, propose une cuisine typiquement anglaise et un grand choix de vins. Le restaurant occupe une ancienne office ornée d'un mur en trompe-l'œil représentant un terrain de cricket et d'un tapis de sisal.

Services : *Room service* 24/24 h, baby-sitting, blanchisserie et pressing, massage et secrétariat. Si vous voulez imiter Norma Desmond sur le Sunset Boulevard, vous pouvez utiliser la Bentley d'époque avec chauffeur (service payant).

The Leonard. 15 Seymour St., London W1H 5AA. ☎ **020/7935-2010.** Fax 020/7935-6700. E-mail : the.leonard@dial.pipex.com. 31 chambres. TV. Tél. Double 180 £ ; suite 225 £-390 £. CB. Métro : Marble Arch.

Ouvert en 1996, le *Leonard* est l'un des hôtels les plus récents de Marble Arch. Il se compose de quatre maisons adjacentes datant du XVIIe siècle réunies sous une seule façade toute blanche. Il est meublé de pièces d'époque et de reproductions. Les chambres ont toutes un décor qui leur est propre, une excellente literie, un magnétoscope et une chaîne Hi-Fi ainsi que des fenêtres à double vitrage et une salle de bains en marbre. Certaines ont également une cheminée qui fonctionne. Les suites sont trois fois plus nombreuses que les chambres doubles – celles du second étage sont de véritables bijoux… on s'attendrait presque à voir entrer le roi Édouard VII ! Les salles de bains, ornées d'appliques en chrome étincelantes, comportent une cabine de douche, des lavabos en marbre et des articles de toilette de luxe.

Restauration : Il n'y a pas de restaurant mais un café ouvert 24/24 h situé près de l'accueil, où l'on sert des sandwiches et quelques plats simples.

Services : Concierge, petite salle de sport au dernier étage surplombant les toits de St. Marylebone.

PRIX MOYENS

Bryanston Court Hotel. 56-60 Great Cumberland Place, London W1H 7FD. ☎ **020/7262-3141.** Fax 020/7262-7248. www.bryanstonhotel.com. E-mail : hotel@bryanstonhotel.com. 54 chambres. TV. Tél. Double 110 £ ; triple 125 £. Petit déjeuner continental compris. CB. Métro : Marble Arch.

Le *Bryanston Court Hotel* a été créé il y a environ deux siècles à partir de trois maisons individuelles. Dans le quartier, cet hôtel entouré de squares est l'un des plus raffinés dans son genre, grâce aux efforts fournis par la famille Theodore, propriétaire et gérante, pour le remettre à neuf et l'entretenir. Bien que petites, les chambres sont confortables et la literie de bonne qualité. Les salles de bains sont également petites mais suffisantes. *Attention* : refusez la chambre en sous-sol où vous aurez l'impression d'être Cendrillon avant qu'elle ne rencontre le Prince Charmant !

Lors des soirées fraîches, il est agréable de s'accouder au bar, au fond du salon, et d'y prendre une bière face à la cheminée crépitante. Vos hôtes se feront un plaisir de s'occuper de vos réservations pour vos sorties au théâtre ou vos voyages.

Durrants Hotel. George St., London W1H 6BJ. ☎ **020/7935-8131**. Fax 020/7487-3510. 92 chambres. TV. Tél. Double 135 £-180 £ ; triple 175 £ ; suite à partir de 275 £. CB. Métro : Bond St.

Sous une façade classique, cet hôtel historique fondé en 1789 et situé près de Manchester Square est à la fois douillet et traditionnel. La famille Miller fut propriétaire des lieux pendant cent ans, au cours desquels plusieurs maisons voisines ont été intégrées à la structure originale. Dès que l'on entre dans le hall lambrissé de pin et d'acajou, on a l'impression de remonter dans le temps. L'hôtel compte même un salon d'écriture datant du XVIIIᵉ siècle. Les chambres sont plutôt sobres, à part quelques petites niches élaborées. Elles sont petites mais le mobilier et la literie sont très confortables. Certaines sont climatisées. Les salles de bains sont également minuscules, même si la plupart ont à la fois une douche et une baignoire.

Le restaurant sert le thé dans l'après-midi et une bonne cuisine traditionnelle, anglaise ou française, dans une superbe salle de style classique. La salle de petit déjeuner, plus ordinaire, est décorée de caricatures politiques de l'époque victorienne. Le pub, très connu dans le quartier, est orné de chaises Windsor et d'une cheminée ouverte. Le décor n'a quasiment pas changé en deux siècles. Services : *room service* 24/24 h, blanchisserie et baby-sitting.

Hallam Hotel. 12 Hallam St., Portland Place, London W1N 5LF. ☎ **020/7580-1166**. Fax 020/7323-4527. 25 chambres. Minibar. TV. Tél. Double 92 £-97 £. Petit déjeuner anglais compris. CB. Métro : Oxford Circus.

Ce bâtiment en pierre et brique, d'un style victorien assez chargé, est l'un des rares de la rue à avoir échappé aux bombardements. À dix minutes à pied d'Oxford Circus, ses chambres, rénovées en 1991, sont confortablement meublées. Certaines « simples » sont si petites qu'on les appelle « *cabinettes* » ; d'autres, à lit jumeaux, sont assez spacieuses, avec beaucoup de placards. Les salles de bains sont un peu étroites. L'hôtel comporte un bar, où les clients se rassemblent pour échanger quelques mots, et une salle de petit déjeuner claire donnant sur un patio. Services : concierge, blanchisserie et pressing, *express checkout* et bureau de voyages.

Hart House Hotel. 51 Gloucester Place, Portman Sq., London W1H 3PE. ☎ **020/7935-2288**. Fax 020/7935-8516. 16 chambres. TV. Tél. Double 95 £ ; triple 115 £ ; quad. 130 £. Petit déjeuner anglais compris. CB. Métro : Marble Arch ou Baker St.

Au cœur de West End, ce bâtiment historique bien conservé (l'un des hôtels particuliers qu'occupaient les aristocrates français exilés pendant la Révolution) se trouve à proximité de nombreux théâtres, parcs et magasins. À la fois confortable et pratique, il est géré par Andrew Bowden, l'un des meilleurs patrons de B & B de Marylebone. Les chambres, au mobilier ancien ou moderne, sont d'une propreté impeccable. Chacune a son caractère propre ; la n° 7, triple avec grande baignoire et douche, est notre favorite ; si vous aimez la clarté, demandez la n° 11, au dernier étage. Elles sont toutes bien meublées ; les salles de bains sont petites mais fonctionnelles. Services : baby-sitting, blanchisserie, pressing et massage. Avis aux mordus de littérature : Elizabeth Barrett, poète, a occupé la chambre n° 99 avec sa famille pendant de nombreuses années.

Hotel La Place. 17 Nottingham Place, London W1M 3FF. ☎ **020/7486-2323.** Fax 020/7486-4335. www.hotellaplace.com. E-mail : reservations@hotellaplace.com. 21 chambres. Minibar. TV. Tél. Double 95 £-115 £ ; suite à partir de 125 £. Petit déjeuner anglais compris. CB. Parking 8,50 £. Métro : Baker St.

Cet hôtel meublé avec élégance, très apprécié des femmes, est un véritable havre de paix, d'un bon rapport qualité-prix, idéal pour tout le monde. C'est l'un des établissements les plus prisés du quartier. Situé à proximité de Madame Tussaud's et de Baker Street (la rue de Sherlock Holmes), dans une rue sans charme particulier, ce bâtiment de l'époque victorienne est semblable à beaucoup d'autres. Ce qui le rend exceptionnel, ce sont ses tarifs. Entièrement rénové, c'est désormais l'un des meilleurs B & B de Londres, « discret et charmant », d'après l'un des clients. Les chambres de style Laura Ashley ont de grandes fenêtres ornées de lourds rideaux. Elles ne sont pas très grandes mais bien équipées : meubles traditionnels, bonne literie, cafetière électrique, et salle de bains avec sèche-cheveux. Les services sont très nombreux pour un hôtel aussi petit : concierge, *room service*, blanchisserie, pressing et baby-sitting. Et vous ne serez pas obligé de manger dans un café lugubre : le **Jardin**, bar-restaurant chic et intime avec terrasse propose des boissons et une bonne cuisine.

Regency Hotel. 19 Nottingham Place, London W1M 3FF. ☎ **020/7486-5347.** Fax 020/7224-6057. 20 chambres. Minibar. TV. Tél. Double 85 £ ; chambre familiale 125 £. Petit déjeuner anglais compris. CB. Parking à proximité 18 £. Métro : Baker St. ou Regent's Park.

Ce bâtiment très bien situé a été construit, comme la plupart de ses voisins, à la fin des années 1800. Il a été ouvert au public en tant qu'hôtel dans les années 1940 et complètement rénové en 1991. Le *Regency Hotel*, l'un des meilleurs hôtels de la rue, propose des chambres au décor traditionnel, simples et modernes, réparties sur quatre étages. Chacune a une radio, un sèche-cheveux, une cafetière, une presse à pantalons et une planche à repasser. Les salles de bains sont petites mais bien entretenues. La salle de petit déjeuner occupe l'ancienne cave. Le quartier est un site historique classé, et Marble Arch, Regent's Park et Baker Street se trouvent à dix minutes à pied. Services : *room service* et service d'étage tous les jours.

Petits prix

Boston Court Hotel. 26 Upper Berkeley St., Marble Arch, London W1H 7PF. ☎ **020/7723-1445.** Fax 020/7262-8823. 13 chambres. TV. Tél. Double avec douche uniquement 55 £, double avec baignoire 69 £-75 £ ; triple avec baignoire 79 £-85 £. Petit déjeuner continental compris. CB. Métro : Marble Arch.

Upper Berkeley Street est connue pour ses B & B. Le n° 26 était autrefois une adresse prestigieuse, où vivait Elizabeth Montagu (1720-1800), « reine au bas bleus », qui défendit Shakespeare contre les attaques de Voltaire. Aujourd'hui, c'est un endroit respectable et abordable. Cet hôtel sans prétention situé dans un bâtiment de l'époque victorienne propose des chambres à proximité des magasins d'Oxford Street et de Hyde Park. Petites et ordinaires, elles ont été remises à neuf et redécorées de façon très simple. Chacune a une literie de bonne qualité, le chauffage central, une cafetière, un petit réfrigérateur, une baignoire et un sèche-cheveux.

Edward Lear Hotel. 28-30 Seymour St., London W1H 5WD. ☎ **020/7402-5401**. Fax 020/7706-3766. www.edlear.com. E-mail : edwardlear@aol.com. 31 chambres (12 avec salle de bains). TV. Tél. Double sans salle de bains 60 £, double avec salle de bains 79,50 £-89,50 £ ; suite à partir de 105 £. Petit déjeuner anglais compris. CB. Métro : Marble Arch.

À deux pas de Marble Arch, cet hôtel populaire composé de deux maisons en brique de 1780 vous accueille avec des bouquets de fleurs fraîches. La maison située à l'ouest était la résidence londonienne d'Edward Lear, artiste et poète du XIXᵉ siècle célèbre pour ses vers absurdes. Ses poèmes humoristiques ornent les murs de l'un des salons. Des escaliers raides conduisent à des chambres douillettes, assez petites mais confortables, avec une bonne literie. Les salles de bains, avec sèche-cheveux, sont aménagées avec soin et bien entretenues. Principal inconvénient : le quartier est très bruyant ; les chambres sur l'arrière sont plus tranquilles.

Kenwood House Hotel. 114 Gloucester Place, London W1H 3DB. ☎ **020/7935-3473**. Fax 020/7224-0582. E-mail : woutersz@msn.com. 16 chambres (11 avec salle de bains). TV. Double sans salle de bains 46 £, avec salle de bains 65 £ ; triple avec salle de bains 78 £ ; chambre familiale pour 4 avec salle de bains 85 £. Petit déjeuner anglais compris. CB. Parking 10 £. Métro : Baker St.

Le Kenwood est installé dans un hôtel particulier de 1812 – le balcon serait d'ailleurs d'époque. Il est actuellement géré par l'Anglaise Arline Woutersz et son mari hollandais, Bryan. Le salon est orné de miroirs et les fauteuils, de têtières, exactement comme à l'époque de la reine Victoria. La plupart des chambres ont été rénovées en 1993. Certaines ont une salle de bains individuelle avec sèche-cheveux ; à chaque étage se trouve une salle de bains commune, moderne et impeccable, avec douche et serviettes. Un service de baby-sitting est à votre disposition.

ST. JAMES
PRIX TRÈS ÉLEVÉS

The Ritz. 150 Piccadilly, London W1V 9DG. ☎ **800/525-4800** ou 020/7493-8181. Fax 020/7493-2687. www.ritzhotel.co.uk. E-mail : enquire@ritzhotel.co.uk. 130 chambres. Clim. Minibar. TV. Tél. Double 245 £-355 £ ; suite à partir de 385 £. Gratuit pour les enfants de moins de 12 ans occupant la chambre des parents. CB. Parking 45 £. Métro : Green Park.

Ouvert par César Ritz en 1960, cet hôtel de style Renaissance française donnant sur Green Park est tout ce qu'il y a de plus luxueux : moulures recouvertes de feuilles d'or, colonnes de marbre et palmiers d'intérieur plantent le décor. Une statue recouverte de feuilles d'or, *La Source*, orne la fontaine du salon de thé. Bien restauré, le *Ritz* est à l'apogée de sa grandeur. La climatisation a été installée dans toutes les chambres, une nouvelle moquette a été posée et tous les meubles ont été lustrés. Cependant, il est encore loin d'être aussi beau que son homonyme parisien – auquel il n'est pas affilié. Les chambres style Belle époque sont spacieuses et confortables. Chacune a son propre caractère. La plupart, décorées dans des tons pastel, ont une cheminée en marbre et des plâtres dorés et certaines ont encore leur lit en cuivre et leur cheminée en marbre d'origine. Les salles de bains, en céramique ou en marbre, sont très élégantes et toutes pourvue d'un sèche-cheveux, d'articles de toilette de luxe, de peignoirs et d'un téléphone.

Restauration : Le **Ritz Palm Court** demeure l'endroit le plus à la mode pour prendre le thé (voir la rubrique « Teatime » au chapitre 5) mais l'on peut aussi y prendre le petit déjeuner ou un café. Le **Ritz Restaurant**, l'une des plus belles salles

♦♦♦ Se loger en famille

Bien que la plupart de leurs clients soient en voyage d'affaires, les principales chaînes d'hôtels internationales veulent montrer qu'elles ont tout prévu pour accueillir les familles. Renseignez-vous sur les réductions consenties en période estivale (de juin à août). Ce sont généralement **Travelodge** (☎ 800/435-4542) et **Hilton International** (☎ 800/445-8667) qui font les offres les plus intéressantes. Pour de plus amples informations, composez le numéro gratuit et demandez s'il existe des « tarifs famille ».

Vous trouverez également des hôtels moins chers, adaptés aux personnes qui voyagent en famille. Reportez-vous à la rubrique « Le meilleur pour les familles aux budgets serrés ».

• **Hart House Hotel** (Marylebone, voir p. 83) En plein cœur de West End, près de Hyde Park, ce petit B & B propose de nombreuses chambres triples et certaines chambres communicantes pouvant être aménagées en suites.

du monde, a retrouvé sa splendeur d'origine après une restauration fidèle. Le personnel est discret et efficace, et les tables suffisamment espacées pour les conversations intimes (c'est peut-être pour cette raison qu'Édouard VIII et Mrs. Simpson ont si souvent dîné ici avant leur mariage). Ces deux endroits sont très chic : veste et cravate exigées pour les messieurs.

Services : *Room service* 24/24 h, valet de chambre, blanchisserie, baby-sitting, concierge, service de filtrage, massage en chambre, service d'étage deux fois par jour, *express checkout*, centre de remise en forme, centre d'affaires.

The Stafford. 16-18 St. James's Place, London SW1A 1NJ. ☎ **800/525-4800** ou 020/7493-0111. Fax 020/7493-7121. E-mail : info@thestaffordhotel.co.uk. 81 chambres. Clim. TV. Tél. Double 230 £-260 £ ; suite à partir de 330 £. CB. Métro : Green Park.

Célèbre pour son *American Bar*, bar sélect de St. James's, sa discrétion et son décor classique et chaleureux, le *Stafford* se trouve dans une impasse, dans l'un des quartiers les plus animés de Londres. On y accède par St. James's Place ou par une cour pavée, où se trouvaient d'anciennes écuries, connue sous le nom de Blue Ball Yard. Cet hôtel de la fin du XIXᵉ siècle, récemment remis à neuf, a conservé son atmosphère rustique : les équipements modernes n'enlèvent rien au charme suranné de l'endroit. Ce n'est pas le *Ritz*, mais il est comparable au *Dukes* et au *22 Jermyn St.*, deux très bons hôtels. À l'origine, il s'agissait d'une maison particulière. Toutes les chambres sont donc différentes les unes des autres. La plupart des chambres dites « simples » ont un grand lit double ; les autres un lit « king size » ou des lits jumeaux ; certaines ont même un lit à baldaquin, comme à l'époque d'Henri VIII. Presque toutes les salles de bains sont en marbre. Chacune est équipée à la fois d'une baignoire et d'une douche, d'un sèche-cheveux, d'articles de toilette de luxe et de belles appliques en chrome. Plusieurs des chambres les plus récentes (et les plus somptueuses) se trouvent dans les anciennes écuries, magnifiquement restaurées. Des poutres apparentes témoignent des efforts réalisés pour préserver leur style original. Toutes les chambres sont pourvues d'un coffre individuel électronique, d'une chaîne Hi-Fi et de meubles de qualité, dont la plupart sont des reproductions de meubles anciens.

Restauration : Le **Stafford Restaurant** propose des plats internationaux classiques préparés avec des ingrédients de premier choix. Lustres superbes, bouquets de fleurs, chandelles et nappes blanches rendent l'endroit très élégant. Le célèbre **American Bar**, qui ressemble à la bibliothèque d'une vieille maison anglaise, sert des repas légers et des cocktails dans une ambiance cosy.

Services : *Room service* 24/24 h, baby-sitting, concierge, secrétariat, blanchisserie, service d'étage, tarifs préférentiels au club de sport voisin.

PRIX ÉLEVÉS

✪ **Dukes Hotel.** 35 St. James's Place, London SW1A 1NY. ☎ **800/381-4702** ou 020/7491-4840.   Fax   020/7493-1264.   www.dukeshotel.co.uk.   E-mail   : dukeshotel@csi.com. 81 chambres. Clim. TV. Tél. Double 245 £ ; suite à partir de 265 £. CB. Parking 32 £. Métro : Green Park.

D'une élégance discrète, le *Dukes* était à l'origine un hôtel particulier. À l'instar de ses concurrents directs, le *Stafford* et le *22 Jermyn St.*, il s'adresse avant tout aux personnes attirés par le charme, le style et la tradition. Ouvert depuis 1908, il a été rénové en 1994. À l'écart du trafic de St. James's Street, il trône au beau milieu d'une cour éclairée par des lampes à gaz des années 1900, qui annoncent déjà l'atmosphère qui y règne. Chacune des chambres a sa propre décoration et rend hommage à une période de l'histoire du pays, de la Régence à l'époque du roi Édouard VII. Toutes ont une salle de bains en marbre, la télé satellite, la climatisation et un bar. Buckingham Palace, St. James's Palace et le Parlement sont facilement accessibles à pied. Les magasins de Bond Street et de Picadilly sont également tout proches. Avis aux littéraires : Oscar Wilde a un temps habité sur la St. James's Place.

Restauration : Le **Dukes'Restaurant**, petit mais élégant, ajoute à sa cuisine européenne quelques touches typiquement britanniques. L'hôtel possède également un bar, connu pour sa collection rare de portos, d'armagnacs et de cognacs.

Services : Bien que très petit – il est parfois décrit comme le plus petit château d'Angleterre   le *Dukes* propose tous les services nécessaires : *room service*, location de voiture, baby-sitting, blanchisserie et pressing, petit centre thermal, service de dactylographie et de photocopie et salles de conférences.

✪ **22 Jermyn St.** 22 Jermyn St., London SW1Y 6HL. ☎ **800/682-7808** ou 020/7734-2353. Fax 020/7734-0750. www.22jermyn.com. E-mail : togna@22jermyn.com. 18 chambres. Minibar. TV. Tél. Double 205 £ ; suite à partir de 280 £. CB. Parking avec voiturier 30 £. Métro : Piccadilly Circus.

Le *22 Jermyn St.* est un modèle d'élégance et de sobriété. Derrière une façade de pierre grise aux ornements néo-classiques, cet établissement situé à 50 m de Picadilly a été construit en 1870 pour servir de résidence aux gentlemen anglais de passage à Londres pour affaires. À partir de 1915, il a été géré par trois générations successives de la famille Togna. Le dernier descendant l'a fermé en 1990 pour le restaurer complètement. Devenu très chic et haut de gamme, le *22 Jermyn St.* est décoré comme une maison privée et propose les services les plus *high tech* de tous les hôtels de Londres. Il n'a ni bar ni restaurant, mais les chambres sont très bien aménagées : style anglais traditionnel, fleurs fraîches, rideaux de chintz et literie d'excellente qualité. Les salles de bains, en granit, sont équipées d'un téléphone et de tout ce dont vous pourriez avoir besoin.

Services : *Room service* 24/24 h, concierge, baby-sitting, blanchisserie et pressing, secrétariat, fax, visiophone, location de cassettes vidéo et de Cd-Rom, accès à Internet, bulletin hebdomadaire permettant aux clients de connaître, outre les restaurants de la ville, les spectacles et les expositions du moment. Accès au club de sport voisin.

PICCADILLY CIRCUS
PETITS PRIX

Regent Palace Hotel. 12 Sherwood St., London W1A 4BZ. ☎ **020/7734-7000.** Fax 020/7734-6435. www.forte-hotels.com. 842 chambres (sans salle de bains). TV. Tél. Double : dim.-jeu. 54 £, ven.-sam. 94 £. Petit déjeuner anglais compris. CB. Parking 35 £. Métro : Piccadilly Circus.

Construit en 1915 au bord de Picadilly Circus, le *Regent Palace* est l'un des plus grands hôtels d'Europe – une aubaine pour ceux qui veulent être dans les lumières des théâtres de Londres. Bien sûr, il n'a rien à voir avec les palaces de Mayfair et n'espérez pas y trouver les mêmes services ni la même ambiance. Cet hôtel bon marché n'a pas changé depuis son ouverture : les chambres très simplement meublées n'ont pas de salle de bains. Toutefois, chacune a un lavabo avec l'eau chaude, une cafetière et une théière. Les salles de bains communes sont correctes. C'est l'occasion pour vous de vivre comme vos aïeuls en longeant le couloir serviette à la main !

Le **Calahan's**, pub irlandais de l'hôtel, attire à la fois des habitants du quartier et des touristes provenant des quatre coins du monde. Marco Pierre White, chef réputé de Londres, a également choisi ce site pour lancer son premier restaurant de catégorie moyenne, le **Titanic** – et lui n'a pas coulé.

SOHO
PRIX ÉLEVÉS

❁ **Hazlitt's 1718.** 6 Frith St., London W1V 5TZ. ☎ **020/7434-1771.** Fax 020/7439-1524. E-mail : reservation@hazlitts.co.uk. 23 chambres. TV. Tél. Double 180 £ ; suite 260 £. CB. Métro : Leicester Square ou Tottenham Court Road.

Ce petit bijou composé de trois maisons historiques situées à Soho Square – l'adresse « in » il y a deux siècles – est l'un des meilleurs hôtels de sa catégorie. Construit en 1718, il a reçu le nom de William Hazlitt, fondateur de l'Église unitaire de Boston, qui écrivit également quatre volumes sur la vie de son héros, Napoléon. L'essayiste est mort dans cet hôtel en 1830.

Le *Hazlitt* est très fréquenté par les artistes, les acteurs, les gens de la presse et de la mode. Éclectique, il est rempli d'objets bizarres provenant de ventes aux enchères de tout le pays. Certaines personnes trouvent le décor un peu spartiate, mais les quelque 2 000 gravures qui ornent les murs l'égaient considérablement. De nombreuses chambres ont un lit à baldaquin. Si vous pouvez vous le permettre, choisissez l'élégante suite *Baron Willoughby*, avec sa cheminée et son immense lit à baldaquin. Il arrive que le sol craque un peu et il n'y a pas d'ascenseur, mais cela fait partie du charme. Certaines chambres sont petites mais la plupart sont spacieuses. Toutes ont une excellente literie. Les salles de bains ont conservé leur style XIXe avec leurs appliques en cuivre – et parfois la baignoire sabot d'origine – mais la plomberie est neuve ; les baignoires « classiques » sont très grandes. Services : concierge, *room service*, baby-sitting, blanchisserie et pressing, tarif préférentiel sur les locations de voitures (y compris limousines). L'hôtel se trouve dans un quartier animé et le personnel, jeune et branché, se fera un plaisir de vous indiquer les endroits à la mode.

BLOOMSBURY
PRIX MOYENS

Academy Hotel. 17-21 Gower St., London WC1E 6HG. ☎ **800/678-3096** ou 020/7631-4115. Fax 020/7636-3442. E-mail : academy@aol.com. 48 chambres. Clim.

TV. Tél. Double 125 £-145 £ ; suite 185 £. CB. Métro : Tottenham Court Road, Goodge St. ou Russell Square.

En plein cœur du quartier littéraire de Londres, l'*Academy* attire des écrivains en herbe qui n'ont pas encore connu le succès. On voit par la fenêtre le chemin où Virginia Woolf et d'autres membres du Bloomsbury Group avaient l'habitude de se promener – beaucoup d'entre eux allaient devenir célèbres. Cet hôtel est composé de trois maisons de 1776, dont l'architecture d'origine a été presque entièrement conservée. Rénové dans les années 1990, une salle de bains a été ajoutée dans chaque chambre. Quatorze d'entre elles ont une baignoire avec pomme de douche ; les autres n'ont qu'une douche. La literie est de bonne qualité ; colonnades et miroirs donnent à l'endroit beaucoup de charme, et les fauteuils rembourrés et les lits à baldaquin de certaines chambres rappellent les vieilles maisons anglaises. Le quartier des théâtres et Covent Garden sont à deux pas de là. L'**Alchemy**, restaurant de l'hôtel, récemment remis à neuf et modernisé, propose une cuisine européenne à un prix raisonnable. Services : bar élégant, bibliothèque, patio isolé, concierge, *room service*, blanchisserie et pressing.

Blooms Hotel. 7 Montague St., London WC1B 5BP. ☎ **020/7323-1717.** Fax 020/7636-6498. E-mail : blooms@mermaid.co.uk. 27 chambres. TV. Tél. Double 155 £-195 £. 40 £ par personne supplémentaire. Petit déjeuner anglais compris. CB. Métro : Russell Square.

Cet hôtel magnifiquement restauré a un passé historique : c'est ici que se trouvait la Montague House, actuel British Museum. De nombreuses personnalités, souvent marginales, comme Richard Penn, député « Whig » de Liverpool ou le Dr John Cumming, qui croyait fermement qu'il verrait la fin du monde, y ont résidé. Bien que situé en plein cœur de Londres, cet établissement ressemble à une maison de campagne anglaise : cheminée, œuvres d'art d'époque et reproductions de scènes de la vie campagnarde. Un jardin clos donne sur le British Museum. Les clients peuvent y prendre leur petit déjeuner et, en été, un repas léger. Les chambres, petites et moyennes, sont décorées avec élégance dans des tons discrets. La literie est de bonne qualité et les salles de bains, très bien entretenues. Services : *room service* 24/24 h, blanchisserie, pressing et concierge.

Crescent Hotel. 49-50 Cartwright Gardens, London WC1H 9EL. ☎ **020/7387-1515.** Fax 020/7383-2054. 24 chambres, 18 avec salle de bains (certaines avec douche, d'autres avec baignoire). TV. Tél. Double avec salle de bains 80 £. Petit déjeuner anglais compris. CB. Métro : Russell Square, King's Cross ou Euston.

Bien que John Ruskin, Percy Bysshe Shelley, Leonard Woolf et Dorothy Sayers n'occupent plus l'hôtel, celui-ci fait toujours partie du quartier intellectuel de Londres. Le square privé, qui appartient à la City Guild of Skinners (guilde des peaussiers), est gardé par l'Université de Londres – les résidences universitaires se trouvent d'ailleurs de l'autre côté de la rue. Les clients du Crescent ont accès aux jardins avec courts de tennis privés. Mesdames Bessolo et Cockle, les gérantes, sont des hôtesses particulièrement accueillantes, qui considèrent l'hôtel comme la prolongation de leur maison et vous invitent à en partager les abords élégants qui datent de 1810. Certains habitués viennent ici depuis quarante ans. Les chambres s'échelonnent de la petite simple sans salle de bains à la double plus spacieuse avec salle de bains. Toutes ont une bonne literie, une télé, une théière, un réveil et un sèche-cheveux. La plupart sont des chambres simples (de 40 à 60 £, avec ou sans une salle de bains). Toutes les doubles ont une salle de bains avec une baignoire minuscule. Une table et un fer à repasser sont à votre disposition.

Harlingford Hotel. 61-63 Cartwright Gardens, London WC1H 9EL. ☎ **020/7387-1551.** Fax 020/7387-4616. 44 chambres. TV. Tél. Double 80 £ ; triple 90 £ ; quad. 100 £. Petit déjeuner anglais compris. CB. Métro : Russell Square, King's Cross ou Euston.

Au cœur de Bloomsbury, le *Harlingford* se compose de trois maisons bâties dans les années 1820 et réunies autour de 1900 par des couloirs sinueux et d'innombrables escaliers. Il est géré par une équipe soucieuse du bien être de ses clients, contrairement à la plupart de ses concurrents voisins. Ainsi pendant les vacances de Noël, chaque client reçoit des *mincemeat pies* (pâtisseries aux fruits secs). Les chambres, avec fenêtres à double vitrage, sont confortables et accueillantes. La literie est de bonne qualité. Parce qu'elles n'existaient pas à l'origine, les salles de bains sont petites. Les meilleures chambres se trouvent aux deuxième et troisième étages, mais il faut monter un escalier raide pour y accéder (il n'y a pas d'ascenseur). Que cela ne vous décourage pas, car les chambres du rez-de-chaussée sont plus sombres. Les clients ont accès aux courts de tennis de Cartwright Gardens.

Thanet Hotel. 8 Bedford Place, London WC1B 5JA. ☎ **020/7636-2869.** Fax 020/7323-6676. www.freepages.co.uk/thanet_hotel. 16 chambres. TV. Tél. Double 80 £ ; triple 96 £ ; quad. 105 £. Petit déjeuner anglais compris. CB. Métro : Russell Square.

Tous les hôtels situés autour de Russel Square se ressemblent comme deux gouttes d'eau, excepté le *Thanet*, qui sort du lot. Le tarif de 3 £ la nuit pratiqué à son ouverture n'existe plus, mais l'endroit est toujours d'un excellent rapport qualité-prix. Confortable et abordable, il est à deux pas du Bristish Museum, du quartier des théâtres et de Covent Garden et le quartier, entre Russel Square et Bloomsbury Square, est tranquille. Malgré plusieurs restaurations, le bâtiment a conservé une grande partie de son architecture d'origine. Hôteliers depuis trois générations, les membres de la famille Orchard proposent des chambres petites mais bien meublées et joliment décorées (ici, pas de contrastes criards). Toutes sont pourvues d'une théière et d'une télé. La literie est de bonne qualité. Les salles de bains sont très petites mais propres, et équipées d'un sèche-cheveux.

PETITS PRIX

Avalon Private Hotel. 46-47 Cartwright Gardens, London WC1H 9EL. ☎ **020/7387-2366.** Fax 020/7387-5810. www.scoot.co.uk/avalon-hotel. E-mail : avalonhotellondon@compuserve.com. 28 chambres (5 avec douche). TV. Double sans douche 62 £, avec douche 78 £ ; triple sans douche 84 £, avec douche 96 £ ; quad. sans douche 96 £, avec douche 108 £. Petit déjeuner anglais compris. CB. Métro : Russell Square, King's Cross ou Euston.

Un guide de l'époque victorienne affirmait que Bloomsbury attirait « des étudiants, notamment en médecine, des deux sexes et de différentes nationalités, des Américains de passage à Londres, des hommes et des femmes de lettres venus visiter le Bristish Museum et de simples Bohémiens ». C'est à peu près ainsi que l'on pourrait encore décrire les habitués de cet hôtel composé de deux maisons bâties en 1807. De l'autre côté de la rue, un jardin semi-privé avec courts de tennis est ouvert aux clients. Seules les chambres du dernier étage, généralement occupées par des étudiants, sont accessibles par un escalier incroyablement raide. Tous les matelas et rideaux ont été remplacés. Le décor est inexistant : tout est dépareillé aussi bien dans les chambres que dans le salon, mais les tarifs sont bas. Les salles de bains individuelles avec douche sont extrêmement petites, celles communes sont correctes et bien entretenues. Services : concierge, blanchisserie, pressing et bureau de voyages.

Jenkins Hotel. 45 Cartwright Gardens, London WC1H 9EH. ☎ **020/7387-2067.** Fax 020/7383-3139. E-mail : reservations@jenkinshotel.demon.co.uk. 15 chambres (6 avec salle de bains). Minibar. TV. Tél. Double sans salle de bains 62 £, avec salle de bains 72 £ ; triple avec salle de bains 83 £. CB. Petit déjeuner anglais compris. Métro : Russell Square, King's Cross ou Euston.

Ceux qui ont suivi *Les Aventures d'Hercule Poirot*, série télévisée tirée des romans d'Agatha Christie reconnaîtront peut-être cet hôtel souvent montré à l'écran. Les meubles anciens ont disparu et les chambres sont petites mais l'endroit a en partie conservé son charme. Le *London Mail on Sunday* le classe d'ailleurs parmi les dix meilleurs hôtels de la ville en termes de rapport qualité-prix. Toutes les chambres ont été redécorées, certaines même entièrement remises à neuf avec une nouvelle literie. Seules quelques unes ont une salle de bains, assez petite ; les salles de bains communes sont correctes et bien entretenues. Chaque chambre est pourvue d'un sèche-cheveux. L'hôtel se situe à proximité du British Museum, de l'Université de Londres, des théâtres et des librairies de livres anciens. Quelques inconvénients toutefois : il n'y a ni accueil, ni ascenseur, ni salon... mais vous vous sentirez comme chez vous.

Ruskin Hotel. 23-24 Montague St., London WC1B 5BH. ☎ **020/7636-7388.** Fax 020/7323-1662. 32 chambres (6 avec salle de bains). Double sans salle de bains 60 £, avec salle de bains 75 £ ; 75 £ triple sans salle de bains, avec salle de bains 85 £. Petit déjeuner anglais compris. CB. Métro : Russell Square ou Holborn.

Cet hôtel porte le nom de John Ruskin, mais d'autres grands noms de la littérature qui vivaient à proximité hantent également le quartier. On se souvient par exemple de Mary Shelley (auteur de *Frankenstein*), de James Barrie (père de Peter Pan) et de la provocante Olive Schreiner (1855-1920), pionnière du féminisme luttant pour l'indépendance des femmes en matière sexuelle. Le *Ruskin* est géré depuis vingt ans par une famille qui accueille une clientèle d'habitués. Tout est impeccable mais le décor ne vous laissera pas un souvenir impérissable. La literie est de bonne qualité. Les chambres sur la rue ont des fenêtres à double vitrage, mais celles sur le parc ont notre préférence. Les plantes vertes de la salle de petit déjeuner (suffisamment copieux pour vous permettre de tenir toute la journée), au sous-sol, lui donnent un certain charme. Les salles de bains individuelles sont ridiculement petites : inutile de payer plus cher pour en avoir une, car les salles de bains communes sont grandes et bien entretenues. Des serviettes sont à votre disposition. Le British Museum est à proximité. Pas d'ascenseur.

St. Margaret's Hotel. 26 Bedford Place, London WC1B 5JH. ☎ **020/7636-4277.** Fax 020/7323-3066. 64 chambres (6 avec douche). TV. Tél. Double sans douche 56,50 £-68 £, avec douche 78,50 £-82,50 £. Petit déjeuner anglais compris. Pas de cartes de crédit. Métro : Holborn ou Russell Square.

Cet hôtel de Bedford Place, où se sont promenés Hogarth, Yeats et Dickens, est composé de quatre anciens hôtels particuliers. Les meubles sont dépareillés et usés, mais l'ensemble est confortable, et la literie est correcte. Au printemps, vous serez prêt à tout accepter dès que vous verrez les jardins du duc de Bedford en fleurs. Les chambres sont assez grandes, excepté quelques « simples » très étroites. La plupart ont conservé leur cheminée d'origine. Si vous voyagez en famille, demandez la n° 53 pour sa véranda. Pour ceux qui voyagent seuls et ne tiennent pas absolument à avoir une salle de bains individuelle, la n° 24 est relativement spacieuse. Seules quelques chambres ont une douche, mais les salles de bains communes sont bien entretenues. Il existe deux salons, dont l'un avec télé. Les membres du personnel sont tous très dévoués et restent à votre disposition le temps nécessaire.

COVENT GARDEN
PRIX TRÈS ÉLEVÉS

One Aldwych. 1 Aldwych, London WC2B 4BZ. ☎ **020/7300-1000.** www.onealdwych.co.uk. E-mail : sales@onealdwych.co.uk. 105 chambres. Clim. Minibar. TV. Tél. Double 265 £-320 £ ; suite à partir de 395 £. CB. Parking 25 £. Métro : Temple.

Le *One Aldwych* est le plus récent des cinq étoiles de Londres. Son décor respire la calme et la simplicité zen. À l'est de Covent Garden, il occupe un bâtiment classique, construit en 1907 pour accueillir le siège social du *Morning Post* (qui n'existe plus aujourd'hui). Ironie du sort, il fut conçu par l'architecte des hôtels Ritz de Londres, Paris et Madrid. Avant son ouverture en tant qu'hôtel en 1998, presque tout l'intérieur a été vidé et redécoré avec sobriété. Les chambres, relativement dépouillées, sont peintes dans des dégradés de vert sauge, pourpre, orange foncé ou rouge sombre, et ornées de rideaux grèges. Toutes sont équipées d'ordinateurs avec modem et de dispositifs électriques adaptés au normes européennes. Les salles de bains sont somptueuses et pourvues d'articles de toilette de luxe et d'un téléphone.

Restauration/Divertissements : l'**Indigo**, café-bistrot ouvert toute la journée, sert des plats à tendance californienne et l'**Axis**, plus raffiné, propose une cuisine britannique avec quelques touches asiatiques.

Services : club de sport très moderne et piscine de près de 18 m de long, *room service* 24/24 h, blanchisserie et pressing, concierge et baby-sitting.

PRIX ÉLEVÉS

Covent Garden Hotel. 12 Monmouth St., London WC2H 9HB. ☎ **020/7806-1000.** Fax 020/7806-1100. www.firmdale.com. E-mail : covent@firmdale.com. 50 chambres. Clim. Minibar. TV. Tél. Double 200 £-255 £ ; suite 395 £-550 £. CB. Métro : Covent Garden ou Leicester Square.

Ancien hôpital français construit autour de 1850, ce bâtiment est resté à l'abandon pendant des années pour être finalement repris en 1996 par les hôteliers Tim et Kit Kemp, dont le style en matière de décoration intérieure est désormais légendaire. Situé dans un quartier très animé de West End, c'est aujourd'hui l'un des hôtels les plus charmants de Londres. En 1997, *Travel and Leisure* l'a classé parmi les 25 meilleurs hôtels du monde. Et il mérite toujours son rang.

Au bord de Neal's Yard, derrière une façade vert bouteille de style XIXe, le *Covent Garden* vous accueille dans un hall paré de meubles en marqueterie et de grandes draperies. Les chambres, auxquelles on accède par un escalier en pierre impressionnant, sont insonorisées et meublées avec luxe dans un style anglais. Quelques touches asiatiques viennent s'ajouter au décor – tissus ornés de motifs brodés à la main ou tapisseries. Chaque chambre est équipée d'un magnétoscope, d'un lecteur de CD, d'une literie confortable, d'une double-ligne téléphonique avec boîte vocale et d'une salle de bains en marbre avec double-lavabo et baignoire. Le personnel, jeune et courtois, fait de son mieux pour satisfaire la clientèle. Le concierge est très serviable.

Restauration : Des deux restaurants à votre disposition, la **Max's Brasserie**, où règne une ambiance XIXe, propose une excellente cuisine de bistrot française et anglaise.

Services : *Room service* 24/24 h, concierge, secrétariat, équipements de bureau, petit gymnase, petite vidéothèque.

PRIX MOYENS

✪ **Fielding Hotel.** 4 Broad Court, Bow St., London WC2B 5QZ. ☎ **020/7836-8305.** Fax 020/7497-0064. 24 chambres. TV. Tél. Double 95 £-120 £. CB. Métro : Covent Garden.

L'un des hôtels les plus excentriques de Londres, petit et étrange, qui reste l'un de nos favoris. Il porte le nom d'Henry Fielding, écrivain qui vivait à Broad Court, connu pour son roman intitulé *Tom Jones*. La rue piétonne dans laquelle il se trouve est encore bordée de lampes à gaz du XIXe siècle. La Royale Opera House est juste en face et les pubs, les magasins et les restaurants de Covent Garden sont tout proches. Les chambres sont très petites mais elles jouissent d'un charme désuet. Certaines sont redécorées ou pour le moins « retouchées » tous les ans. La literie est renouvelée aussi souvent que nécessaire. Les salles de bains sont minuscules ; si vous voulez un sèche-cheveux, demandez-le à l'accueil. Le plancher craque et les meubles sont usés – vous êtes prévenu. Malgré tout, le *Fielding* continue d'attirer les clients, car il est situé en plein cœur de Londres et bénéficie d'un charme pittoresque. Il n'a ni restaurant ni *room service* mais vous pouvez y prendre votre petit déjeuner. Ne manquez pas de vous présenter à Smokey, le perroquet africain du bar : c'est le plus ancien résident de l'hôtel.

Royal Adelphi Hotel. 21 Villiers St., London WC2N 6ND. ☎ **020/7930-8764.** Fax 020/7930-8735. 49 chambres (35 avec salle de bains). TV. Tél. Double sans salle de bains 65 £, avec salle de bains 85 £ ; triple avec salle de bains 115 £. Lit supplémentaire 15 £. Petit déjeuner continental compris. CB. Métro : Charing Cross ou Embankment.

Si vous cherchez avant tout à être bien situé, choisissez le *Royal Adelphi*. Perché au-dessus d'un restaurant italien, à proximité de Covent Garden, du quartier des théâtres et de Trafalgar Square, cet hôtel est peu orthodoxe mais moins périphérique que les autres B & B. Les chambres, qui rappellent les années soixante, sont néanmoins bien entretenues et confortables, avec une bonne literie. Les salles de bains sont un peu anciennes. Chacune est équipée d'un sèche-cheveux. Plus on monte dans les étages, plus la vue est belle. Vous trouverez de bien meilleurs B & B à Londres mais pas dans ce quartier, à deux pas du Victoria Embankment Garden.

BORDURES DE QUAIS (LE STRAND)
PRIX TRÈS ÉLEVÉS

✪ The Savoy. The Strand, London WC2R 0EU. ☎ **800/63-SAVOY** ou 020/7836-4343. Fax 020/7240-6040. www.savoy-group.co.uk. E-mail : info@the-savoy.co.uk. 207 chambres. Clim. Minibar. TV. Tél. Double 310 £-325 £ ; suite à partir de 395 £. CB. Parking 24 £. Métro : Charing Cross ou Covent Garden.

Moins chic que le *Dorchester*, cet hôtel est cependant le meilleur de Covent Garden et des bordures de quais. Le directeur de théâtre Richard D'Oyly l'a construit en 1889 pour en faire une annexe du Savoy Theatre, où ses opérettes et ses vaudevilles étaient mis en scène. Ce bâtiment de huit étages se dresse solennellement au bord de la Tamise, éclipsant tous ses voisins concurrents, y compris le *Waldorf* à Aldwych et le *Howard* de la Temple Place. Chacune des chambres a son propre décor, de grands placards, des meubles confortables d'époques variées, des miroirs dorés, des sofas victoriens. 48 chambres possèdent un salon. Les lits sont somptueux et la literie d'excellente qualité. Certaines salles de bains ont une douche, mais la plupart ont une baignoire. Toutes sont spacieuses et équipées d'articles de toilette de luxe. Les suites qui donnent sur le fleuve sont chères mais très prisées – il faut reconnaître que la vue est imprenable.

Restauration : le **Savoy Grill**, célèbre dans le monde entier, est très fréquenté par les gens du théâtre – Sarah Bernhardt était une habituée. Les tables du **River Restaurant**, encore plus élégant, donnent sur la Tamise ; un orchestre assure l'animation le soir pour ceux qui ont envie de danser. Quant à l'**Upstairs**, c'est le paradis des amateurs de Champagne, de Chablis et de fruits de mer.

Services : *Room service* 24/24 h, filtrage le soir, blanchisserie et pressing express, secrétariat, salon de coiffure, kiosque et le meilleur club de sport de la ville – la piscine a une vue magnifique.

WESTMINSTER ET VICTORIA

Pour localiser les hôtels de ce secteur, consultez la carte « Se loger à Westminster et Victoria », p. 95.

PRIX ÉLEVÉS

Goring Hotel. 15 Beeston Place, Grosvenor Gardens, London SW1W 0JW. ☎ **020/7396-9000.** Fax 020/7834-4393. www.goringhotel.co.uk. E-mail : reception@goringhotel.co.uk. 75 chambres. Clim. TV. Tél. Double 195 £-235 £ ; suite 230 £-290 £. CB. Parking 25 £. Métro : Victoria.

Le *Goring* est le meilleur hôtel de sa catégorie dans le quartier. Juste derrière Buckingham Palace, à proximité des parcs royaux, de la gare Victoria, de l'abbaye de Westminster et du Parlement, il est particulièrement bien situé et offre un meilleur service que ses concurrents voisins.

Construit en 1910 par O. R. Goring, il fut le premier hôtel au monde à avoir le chauffage central et des salles de bains individuelles. Les chambres sont toujours bien meublées et les salles de bains, remises à neuf, sont luxueuses : grande baignoire, murs en marbre rose, deux lavabos sur pied, bidet, articles de toilette de luxe et sèche-cheveux. Toutes les chambres sont régulièrement remises en état. Les meilleures chambres donnent sur le jardin. Tout est très bien entretenu. Le salon lambrissé, éclairé par un feu de cheminée lors des soirées d'hiver, donne à l'endroit un charme suranné. Le bar attenant donne sur le jardin.

Restauration : Le chef propose une cuisine anglaise classique, à base d'ingrédients frais uniquement. Ses spécialités : le sanglier et sa purée de choux de Bruxelles, le rôti de faisan, l'agneau accompagné d'un bouillon de chou et de pommes de terre parfumé au romarin, et la sole de Douvres grillée. La carte des vins est très complète. Le thé est servi dans le salon.

Services : *Room service* 24/24 h, concierge, blanchisserie et pressing, baby-sitting, secrétariat, accès gratuit au club de sport.

The London Marriott Hotel. County Hall, Belvedere Road, London, SE1 7PB. ☎ **020/7928-5200.** Fax 020/7928-5300. 200 chambres. Clim. Minibar. TV. Tél. Double 153 £-205 £ ; suite à partir de 250 £. CB. Parking 25 £. Métro : Waterloo ou Westminster.

Ancien siège du gouvernement de Londres, le *London Marriott Hotel*, l'un des bâtiments victoriens les plus imposants de la ville, est le fleuron de la chaîne Marriott en Grande-Bretagne. Au sud de la Tamise, à proximité du South Banks Arts Centre, il offre une vue imprenable sur le Parlement. Ses murs lambrissés de chêne et sa bibliothèque avec bustes de marbre et livres anciens évoquent son passé prestigieux. Bien qu'il fasse partie d'une chaîne, il a gardé tout son cachet. Les anciens bureaux sont aujourd'hui des chambres somptueuses – certaines plus belles et plus grandes que d'autres. Dans l'ensemble, toutes les chambres sont spacieuses, lumineuses et gaies. On reconnaît la griffe de Marriott : literie d'excellente qualité, meubles très confortables et salles de bains flambant neuves. Le personnel est amical et sans prétention.

Restauration : Le restaurant n'a rien d'extraordinaire, mais il est pratique pour les clients de l'hôtel. Il propose une cuisine britannique de premier ordre.

Services : Piscine, concierge, blanchisserie et pressing, *room service* et baby-sitting.

PRIX MOYENS

Lime Tree Hotel. 135-137 Ebury St., London SW1W 9RA. ☎ **020/7730-8191.** Fax 020/7730-7865. 26 chambres. TV. Tél. Double 100 £-110 £. Petit déjeuner anglais compris. CB. Métro : Victoria.

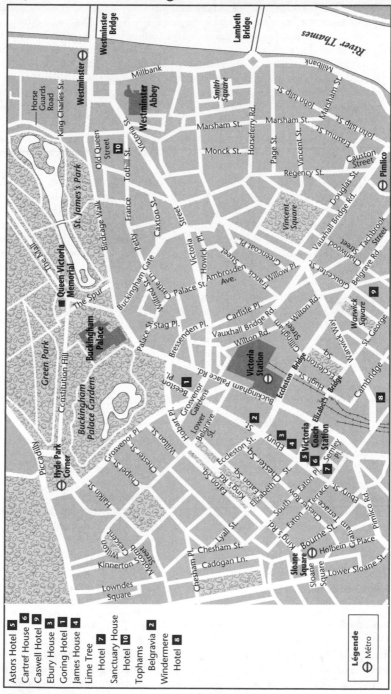

Astors Hotel **5**
Cartref House **6**
Caswell Hotel **9**
Ebury House **3**
Goring Hotel **1**
James House **4**
Lime Tree
Hotel **7**
Sanctuary House
Hotel **10**
Tophams
Belgravia **2**
Windermere
Hotel **8**

Légende
Ⓜ Métro

La famille Davies, d'origine galloise, a fait de cet ancien hôtel particulier à la façade de brique un point de chute idéal pour les voyageurs à petit budget. Sur quatre étages, les chambres meublées avec simplicité ont toutes été remises à neuf récemment : rideaux, matelas et tissus d'ameublement ont été remplacés. Celles donnant sur la rue ont un petit balcon, celles sur l'arrière sont plus calmes et offrent une belle vue sur le jardin. Pour un hôtel de cette catégorie, elles sont relativement grandes. De plus, le petit déjeuner est copieux. Les salles de bains sont plutôt petites mais bien entretenues. Buckingham Palace, l'abbaye de Westminster, le Parlement et Harrods se trouvent à proximité, ainsi que l'*Ebury Wine Bar*, un populaire bar à vins.

The Sanctuary House Hotel. 33 Tothill St., London, SW1H 9LA. ☎ **020/7799-4044.** Fax 020/7799-3657. 33 chambres. Clim. TV. Tél. Double 72,50 £-99,50 £. CB. Parking 20 £. Métro : St. James's Park.

Dans le nouveau Londres où les hôtels fleurissent comme les jonquilles, personne n'est surpris d'en trouver un si près d'une abbaye. Le *Sanctuary House Hotel*, bâtiment historique situé près de l'abbaye de Westminster, ressemble à une auberge traditionnelle, avec un pub au rez-de-chaussée. Les chambres, dans les étages, reflètent le style rustique de l'endroit. La literie est excellente. Les salles de bains viennent d'être restaurées. Le pub a été aménagé par Fuller Smith and Turner, groupe réputé dans le secteur de la brasserie. Il propose une cuisine britannique traditionnelle qui fait l'impasse sur les tendances culinaires de ses vingt-cinq dernières années. « Nous respectons la tradition », nous a affirmé l'un des membres du personnel, « pourquoi devrions-nous toujours suivre les modes ? Certaines personnes viennent en Angleterre pour y retrouver l'ambiance d'antan. C'est à elles que nous nous adressons ». Si vous aimez le rosbif, l'agneau du pays de Galles et la sole de Douvres, vous ne serez pas déçu. Naturellement, un grand choix de bières à la pression vous est proposé. La réception est ouverte 24/24 h.

Tophams Belgravia. 28 Ebury St., London SW1W 0LU. ☎ **020/7730-8147.** Fax 020/7823-5966. www.tophams.com. E-mail : tophams_belgravia@compuserve.com. 40 chambres (34 avec salle de bains). TV. Tél. double sans salle de bains 120 £, avec salle de bains 130 £-140 £ ; triple 170 £. CB. Métro : Victoria.

Composé de cinq petites maisons adjacentes, le *Tophams* a ouvert ses portes en 1937. Ses fenêtres fleuries lui donnent un caractère pittoresque. Il a été entièrement rénové en 1997. Les petites chambres sont ornées de rideaux de chintz à fleurs et de meubles anciens ; elle sont toutes équipées d'une cafetière, d'une bonne literie, d'un sèche-cheveux et de la télé satellite. Les meilleures ont un lit à baldaquin et une salle de bains individuelle – précisez lors de votre réservation si vous voulez une salle de bains. Le restaurant propose une cuisine anglaise à la fois traditionnelle et moderne. L'hôtel est bien situé, surtout pour ceux qui ont l'intention de se déplacer souvent en train ou en métro : la gare Victoria n'est qu'à trois minutes à pied. Services : concierge, *room service*, blanchisserie, pressing et baby-sitting.

Windermere Hotel. 142-144 Warwick Way, London SW1V 4JE. ☎ **020/7834-5163.** Fax 020/7630-8831. www.windermere_hotel.co.uk. E-mail : windermere@compuser ve.com. 23 chambres (20 avec salle de bains). TV. Tél. Double sans salle de bains 75 £, avec salle de bains 93 £-100 £ ; triple avec salle de bains 120 £ ; quad. avec salle de bains 130 £. CB. Métro : Victoria.

À moins de 10 minutes à pied de la gare Victoria, cet hôtel est composé de deux anciennes maisons privées de 1857, construites sur l'Abbot's Lane (« chemin de l'abbé », qui reliait l'abbaye de Westminster à la résidence de son abbé). Tous les rois de l'Angleterre médiévale sont passés par ici. Bel exemple du style classique du début de l'ère victorienne, le *Windermere* a beaucoup de caractère. Toutes les chambres sont confortablement meublées et équipées de la télé satellite, d'une cafetière et d'une bonne literie. La plupart ont une petite salle de bains avec sèche-cheveux. Les salles de bains communes sont correctes et bien entretenues. Les chambres sont de différentes taille – certaines peuvent accueillir trois à quatre personnes – mais les moins chères sont un peu étroites. Ne choisissez pas celles donnant sur la rue au rez-de-chaussée, bruyantes la nuit. Services : concierge, *room service* restreint, pressing et un restaurant très populaire, **The Pimlico Room**.

PETITS PRIX

Astors Hotel. 110-112 Ebury St., London SW1W 9QD. ☎ **020/7730-3811.** Fax 020/7823-6728. 22 chambres (12 avec salle de bains). TV. Double sans salle de bains 58 £, avec salle de bains 70 £ ; chambre familiale avec salle de bains à partir de 140 £. Petit déjeuner anglais compris. CB. Parking à proximité 15 £. Métro : Victoria.

À deux pas de Buckingham Palace et à seulement cinq minutes à pied des grandes lignes et des stations de métro de la gare Victoria, l'*Astors*, bâtiment victorien à la façade de brique, a accueilli la romancière populaire Margaret Oliphant (1828-1897). Noël Coward a habité tout près pendant vingt ans et H. G. Wells, Yeats, Bennett et Shaw sont venus rendre visite au poète et romancier George Moore (1852-1933) lorsqu'il vivait au n° 153 de la rue Elbury… Aujourd'hui, les clients de l'hôtel sont simplement des touristes à la recherche d'un endroit correct et abordable. Fonctionnelles avant tout et entièrement rénovées, chambres et salles de bains sont tout à fait satisfaisantes. La taille des chambres et le mobilier peuvent varier considérablement, demandez à jeter un coup d'œil avant (l'hôtel étant souvent plein, cela ne sera pas toujours possible).

Caswell Hotel. 25 Gloucester St., London SW1V 2DB. ☎ **020/7834-6345.** 18 chambres (7 avec salle de bains). Minibar. TV. Double sans salle de bains 56 £, avec salle de bains 76 £. Petit déjeuner anglais compris. CB. Métro : Victoria.

Géré avec sérieux et prévenance par M. et Mme Hare, le *Caswell* est situé dans une impasse, oasis de calme dans un quartier animé. Mozart demeurait non loin de là lorsqu'il a composé sa première symphonie. Harold Nicholson et Victoria Sackville-West, couple mythique, ont depuis longtemps quitté les lieux, mais l'endroit reste agréable. Mis à part le hall, orné de rideaux de chintz, l'ensemble est assez sobre. Réparties sur quatre étages, les chambres sont bien meublées mais très ordinaires. Chacune est pourvue d'un sèche-cheveux et d'une théière. Les matelas sont usés mais encore relativement confortables. Les salles de bains individuelles avec douche sont très petites. Les salles de bains communes sont correctes et bien entretenues, des serviettes sont à votre disposition. Comment expliquer le succès de cet hôtel ? « Les clients reviennent d'une année sur l'autre », nous a affirmé l'un des membres du personnel.

Ebury House. 102 Ebury St., London SW1W 9QD. ☎ **020/7730-1350.** Fax 020/7259-0400. www.infotel.co.uk. 13 chambres (6 avec salle de bains). TV. Double 60 £-75 £ ; triple 75 £ ; chambre familiale pour 4, 95 £. Petit déjeuner anglais compris. CB. Métro : Victoria.

En 1920, Ruth Draper écrivait : « J'ai eu la chance de trouver une chambre ensoleillée au dernier étage… une grande double donnant sur la rue et je suis très bien installée… pour une guinée par semaine ». L'endroit n'a guère changé, seul le prix a légèrement augmenté. Situé dans une rue remplie d'hôtels, l'*Elbury House* sort du lot grâce à l'accueil que Peter Evans, gérant et propriétaire, réserve à ses clients. Les chambres, sans style particulier, sont bien entretenues ; la plupart ont été redécorées récemment et certains matelas changés. De nouvelles salles de bains individuelles, assez petites, ont également été ajoutées. Il y a une salle de bains commune par étage et un téléphone public dans l'une des cages d'escalier. Des serviettes sont à votre disposition. L'hôtel est très fréquenté par les Canadiens, les Australiens et les Américains. Réservez largement à l'avance en été.

✪ **James House/Cartref House.** 108 et 129 Ebury St., London SW1W 9QD. James House ☎ **020/7730-7338** ; Cartref House ☎ **020/7730-6176.** Fax 020/7730-7338. E-mail : jamescartref@compuserve.com. 21 chambres (11 avec salle de bains). TV. Double sans salle de bains 62 £, avec salle de bains 73 £; quad. avec salle de bains 104 £. Petit déjeuner anglais compris. CB. Métro : Victoria.

Le *James House* et le *Cartref House* (en face) font partie des dix meilleurs B & B de Londres. Derek et Sharon James sont très dévoués ; vous vous sentirez ici comme chez vous, même si c'est la première fois que vous mettez les pieds à Londres. Tout est régulièrement remis à neuf. Chaque chambre a sa propre décoration. Certaines grandes chambres, avec des lits superposés, permettent de loger toute une famille. L'entretien est irréprochable. Les chambres avec salle de bains sont un peu petites mais bien aménagées ; les salles de bains communes sont correctes et des serviettes sont à votre disposition. Le petit déjeuner anglais est si copieux qu'il peut faire office de déjeuner. Que l'on vous donne une chambre au *James* ou au *Cartref* n'a aucune importance, les deux sont parfaits. Si la reine vous invite à boire le thé, Buckingham Palace est à deux pas. Pas d'ascenseur. Non-fumeur.

2 Knightsbridge et ses environs

Pour localiser les hôtels de ce secteur, consultez la carte « Se loger de Knightsbridge à Earl's Court », p. 100-101.

PRIX TRÈS ÉLEVÉS

The Capital. 22-24 Basil St., London SW3 1AT. ☎ **020/7589-5171.** Fax 020/7225-0011. www.capitalhotel.co.uk. 48 chambres. Clim. Minibar. TV. Tél. Double 235 £-305 £ ; suite à partir de 350 £. CB. Parking 20 £. Métro : Knightsbridge.

À deux pas d'Harrods, ce petit bâtiment moderne est l'un des hôtels les plus personnalisés de West End. Il n'est pas aussi somptueux que le *Hyatt*, son voisin à cinq étoiles, mais la cuisine y est bien meilleure que dans de nombreux hôtels de luxe. Entièrement remis à neuf par son propriétaire, David Levin, l'endroit est chaleureux et le personnel, courtois et professionnel. Dans un élégant décor fin de siècle, les couloirs et les escaliers ornés de peintures originales sont de véritables galeries d'art. Les chambres sont aménagées avec goût et décorées d'objets d'art et de tableaux choisis par les propriétaires eux-mêmes.

Restauration : Le **Capital Restaurant** a été rénové au début des années 1990 dans un style vaguement français ; les panneaux de fenêtres sont du fils de la princesse Margaret, David Linley. Sous la direction du chef Phillip Britton, il fait partie des meilleurs restaurants de Londres. Au menu : fruits de mer et plats français délicatement préparés.

Services : *Room service* 24/24 h, concierge, blanchisserie et pressing, baby-sitting, secrétariat et valet de chambre.

Hyatt Carlton Tower. 2 Cadogan Place, London SW1 X9PY. ☎ **800/233-1234** ou 020/7235-1234. Fax 020/7235-9129. www.hyatt.com. 220 chambres. Clim. Minibar. TV. Tél. Double 290 £ ; suite à partir de 355 £. CB. Parking 25 £. Métro : Knightsbridge.

Son emplacement et sa silhouette impressionnante avaient déjà imposé cet hôtel comme une référence, avant même que les décorateurs, les peintres et les divers fournisseurs d'Hyatt n'en fassent le fleuron européen de la chaîne et l'un des hôtels les plus luxueux de Londres – l'ensemble a plus de style et de charme que le *Sheraton Park Tower* de Knightsbridge. Dans un cadre magnifique, entouré d'hôtels particuliers de l'époque de la Régence, il donne sur de superbes jardins. Les chambres, de taille moyenne, sont aménagées avec goût : table en pin avec surface en marbre, téléphone, fax (sur demande), bergère et lit somptueux. Les salles de bains sont en marbre, comme il se doit. Quatre étages sont non-fumeurs.

Restauration : Avec la publicité du *Time Out*, qui l'a sacré « salon de thé de l'année », l'hôtel est désormais un endroit très à la mode pour prendre le thé. Le restaurant italien **Grissini London** est le jumeau de celui du *Grand Hyatt* de Hong Kong. Il propose des spécialités comme les raviolis farcis au homard et les médaillons d'ange de mer panés au citron. Au **Rib Room**, vous pourrez essayer les succulentes côtes de bœuf et toute une gamme de poissons pêchés dans les eaux écossaises.

Services : *Room service* 24/24 h, valet de chambre, blanchisserie, salon, baby-sitting, concierge, service d'étage deux fois par jour, filtrage, *express checkout*, secrétariat, centre d'affaires, piscine, club de sport, salle d'aérobic, salon de beauté, massage, sauna, solarium, courts de tennis, jacuzzi et galerie marchande.

Prix élevés

Basil St. Hotel. 8 Basil St., London SW3 1AH. ☎ **020/7581-3311.** Fax 020/7581-3693. E-mail : thebasil@aol.com. 92 chambres. TV. Tél. Double 210 £ ; chambre familiale 280 £. CB. Parking à proximité 28 £-30 £. Métro : Knightsbridge.

Le *Basil*, bâtiment de l'époque du roi Édouard VII, est très fréquenté par les inconditionnels de l'exposition de fleurs de Chelsea et du magasin Harrods, qui y viennent en pèlerinage une fois par an. Harvey Nichols est également à proximité. Les salons, spacieux et confortables, sont ornés de meubles anciens et d'objets des XVIIIe et XIXe siècles. Le long des couloirs se trouvent d'autres salons plus petits. Les chambres, toutes de forme et de taille différentes, rappellent l'époque du roi Édouard VII, pendant laquelle les hôtels accueillaient à la fois les grands ducs et leurs valets, logés pour leur part dans les derniers étages. Toutes sont décorées dans un style classique. Le *Basil* n'est pas recommandé aux personnes handicapées : les escaliers sont si nombreux que le traverser peut s'avérer un véritable parcours du combattant. Pourtant, les personnes âgées apprécient cet endroit pour sa distinction et son charme suranné. Les salles de bains anciennes sont toujours en très bon état.

Restauration : Au restaurant de l'hôtel, les chandelles et le piano recréent l'atmosphère d'une époque révolue. Le **Parrot Club**, lieu de rendez-vous exclusivement féminin, est idéal pour prendre le thé.

Services : *Room service* 24/24 h, service d'étage le soir, salle de conférence, blanchisserie et pressing, cirage des chaussures, baby-sitting.

The Beaufort. 33 Beaufort Gardens, London SW3 1PP. ☎ **800/888-1199** ou 020/7584-5252. Fax 020/7589-2834. www.thebeaufort.co.uk/index.htm. E-mail : thebeaufort@nol.co.uk. 28 chambres. TV. Tél. Double 200 £-290 £ ; suite junior 325 £. Petit déjeuner et afternoon tea compris. CB. Métro : Knightsbridge.

Si vous cherchez un hôtel élégant au service personnalisé et à l'atmosphère tranquille, choisissez le *Beaufort* ou le *Franklin* (voir plus loin). Le *Beaufort* se situe dans une impasse, derrière deux portiques victoriens et un portail en fer forgé, à 200 m d'Harrods. Diana Wallis, la propriétaire, a rassemblé deux maisons adjacentes des années 1870, supprimé l'ancien décor et créé un hôtel chic et élégant aux allures de

Se loger de Knightsbridge à Earl's Court

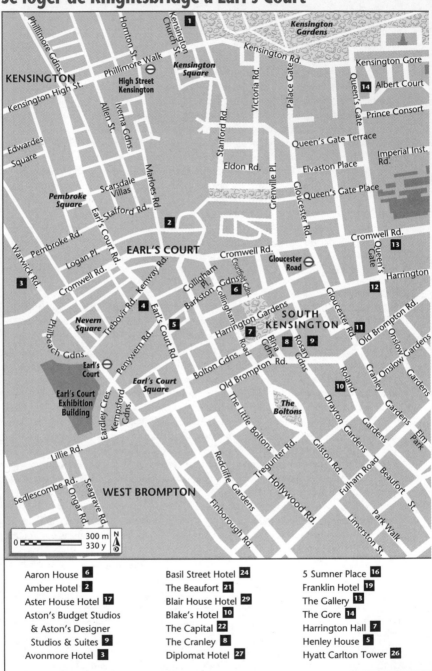

Aaron House **6**
Amber Hotel **2**
Aster House Hotel **17**
Aston's Budget Studios
& Aston's Designer
Studios & Suites **9**
Avonmore Hotel **3**

Basil Street Hotel **24**
The Beaufort **21**
Blair House Hotel **29**
Blake's Hotel **10**
The Capital **22**
The Cranley **8**
Diplomat Hotel **27**

5 Sumner Place **16**
Franklin Hotel **19**
The Gallery **13**
The Gore **14**
Harrington Hall **7**
Henley House **5**
Hyatt Carlton Tower **26**

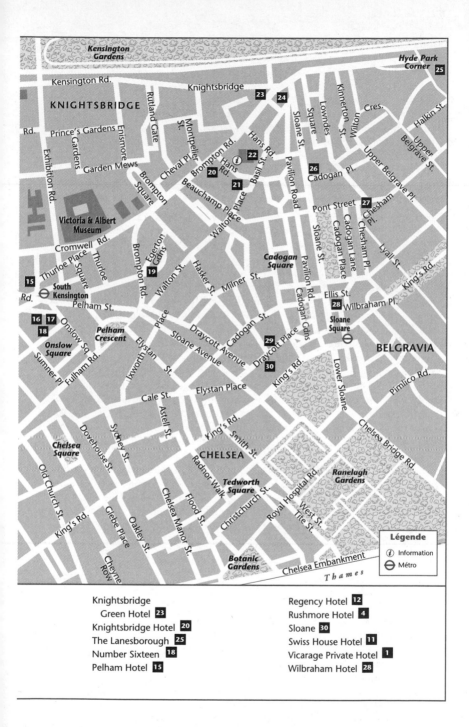

Kensington Gardens

Hyde Park Corner **25**

Kensington Rd.

Knightsbridge **23** **24**

KNIGHTSBRIDGE

Kinnerton St.
Lowndes
Sloane Square
Wilton Cres.
Halkin St.

Prince's Gardens
Rutland Gate
Montpelier St.
Hans Rd.
Upper Belgrave St.

Rd.
Enismore Gardens
Cheval Pl.
Brompton Rd.
Hans Rd.
Basil St.
Pavilion Road
Cadogan **26**
Cadogan Pl.
Upper Belgrave Pl.

Exhibition Rd.
Garden Mews
20 (i) **22**
21
Beauchamp Place

Victoria & Albert Museum

Cromwell Rd.
Walton Place
Cadogan Square
Pont Street **27**
Chesham Pl.
Lyall St.
King's Rd.

Thurloe Place
Thurloe Square
Brompton Rd.
Egerton Gdns
19
Walton St.
Hasker St.
Milner St.
Pavilion Rd.
Sloane St.
Cadogan Lane
Cadogan Place

15
South Kensington
Pelham St.
Place
Sloane St.
Ellis St.
28 Wilbraham Pl.

Rd.
16 **17**
18
Onslow Sq.
Pelham Crescent
Elystan St.
Draycott Avenue
Cadogan St.
Cadogan Gdns
Sloane Square

Onslow Square
Sumner Pl.
Fulham Rd.
Ixworth St.
Sloane Avenue
29
30
Draycott Place
King's Rd.
Lower Sloane
BELGRAVIA

Elystan Place
King's Rd.
Pimlico Rd.

Cale St.
Smith St.
Chelsea Bridge Rd.

Chelsea Square
Sydney St.
Astell St.
King's Rd.
CHELSEA

Old Church St.
Dovehouse St.
Chelsea Manor St.
Radnor Walk
Tedworth Square
Christchurch St.
Royal Hospital Rd.
West Rd.
Ranelagh Gardens

King's Rd.
Glebe Place
Oakley St.
Flood St.
Tite St.

Cheyne Row
Botanic Gardens
Chelsea Embankment
Thames

Légende
(i) Information
⊖ Métro

Knightsbridge
Green Hotel **23**
Knightsbridge Hotel **20**
The Lanesborough **25**
Number Sixteen **18**
Pelham Hotel **15**

Regency Hotel **12**
Rushmore Hotel **4**
Sloane **30**
Swiss House Hotel **11**
Vicarage Private Hotel **1**
Wilbraham Hotel **28**

maison privée en plein cœur de Londres. L'accueil se trouve à l'avant d'un petit salon éclairé par une baie vitrée. Les chambres sont claires, fleuries, décorées dans des tons modernes et ornées de tableaux de peintres londoniens. Très petites, elles sont malgré tout fonctionnelles et aménagées avec goût. Les plus luxueuses et spacieuses donnent sur la rue. Chacune possède une radio avec casque, quelques livres, un fax et une presse à pantalons ; les salles de bains sont correctes et bien entretenues. Le personnel, composé uniquement de femmes, est très serviable – un plus non négligeable. **Restauration :** Des repas légers peuvent être servis dans les chambres. Bar en libre-service ouvert 24/24 h.

Services : Concierge, billetterie, location de voitures, secrétariat, fax, bureau de voyages, baby-sitting, massage, *room service*. Accès privilégié au club de sport voisin ; laverie automatique à proximité.

✪ **Franklin Hotel.** 28 Egerton Gardens, London SW3 2DB. ☎ **020/7584-5533.** Fax 020/7584-5449. E-mail : bookings@thefranklin.force9.co.uk. 47 chambres. Clim. Minibar. TV. Tél. Double 175 £-295 £ ; suite à partir 230 £. CB. Métro : Knightsbridge/South Kensington.

Ce petit bijou a connu un véritable succès dès son ouverture en 1992. Il a même débauché des habitués du *Claridge's* et du *Dorchester*. C'est une création de David Naylor-Leyland, qui avait déjà attiré l'attention avec l'*Egerton House*, en bas de la rue (il possède également le *Dukes Hotel* ; voir « St. James's », plus haut). Dans une rue calme de Knightsbridge, à mi-chemin entre Harrods et le centre de South Kensington, le *Franklin* offre les mêmes services que les géants de l'hôtellerie, mais dans un cadre plus intime. Sa devise : « De la distinction mais pas de snobisme ».

Le hall comporte un bar en libre-service et plusieurs petits salons. Les *Garden Rooms*, avec vue sur une rangée de maisons victoriennes en brique rouge, de l'autre côté de la pelouse, ont notre préférence. Les chambres (toutes climatisées) sont ornées de meubles anciens, de tableaux et de gravures florales de Colefax et de Fowler ; nombre d'entre elles ont un lit à baldaquin. Les salles de bains, en marbre, sont équipées d'une douche, d'un sèche-cheveux et d'articles de toilette de chez Floris ; certaines ont également un bidet.

Restauration : Le petit déjeuner est servi dans la salle à manger. Le menu du *room service* est très varié : curry thaïlandais avec noix de coco et mangues, ou côtelettes d'agneau au romarin – il est également servi toute la journée dans la salle à manger.

Services : *Room service* de 23 h à 7 h, blanchisserie et pressing, filtrage, service d'étage deux fois par jour, parking avec voiturier. Accès au club de sport avec piscine situé à proximité.

Prix moyens

Knightsbridge Green Hotel. 159 Knightsbridge, London SW1X 7PD. ☎ **020/7584-6274.** Fax 020/7225-1635. E-mail : theKGHotel@aol.com. 28 chambres. Clim. Minibar. TV. Tél. Double 135 £ ; suite 160 £. CB. Métro : Knightsbridge.

De nombreux habitués du monde entier considèrent cet hôtel comme leur résidence secondaire. Lorsque ce bâtiment des années 1890 a été transformé en hôtel en 1966, les promoteurs ont veillé à conserver ses larges plinthes, ses moulures, ses plafonds hauts et ses grandes proportions. Bien qu'elles ne comportent pas de kitchenettes, les suites ressemblent à de véritables appartements, avec presse à pantalons, sèche-cheveux et salle de bains avec douche. La plupart des chambres, relativement spacieuses et toutes différentes, sont bien décorées et offrent beaucoup de rangements. Bonne adresse, à deux pas d'Harrods. Services : café, thé et pâtisseries à volonté ; baby-sitting, blanchisserie et pressing.

Knightsbridge Hotel. 12 Beaufort Gardens, London SW3 1PT. ☎ **020/7589-9271.**
Fax 020/7823-9692. www.knightsbridge.co.uk. E-mail : reception@knightsbridge
hotel.co.uk. 40 chambres. Minibar. TV. Tél. Double 135 £. Petit déjeuner anglais ou continental compris. CB. Possibilité de se garer gratuitement dans la rue de 18 h à 8 h. Métro :
Knightsbridge.

Le *Knightsbridge* attire de nombreux touristes à la recherche d'un petit hôtel dans
ce quartier assez cher.

Entre Beauchamp Place et Harrods, à proximité des plus grands
théâtres et musées de la ville (le Royal Albert Hall, Madame Tussaud's…), il est
particulièrement bien situé. Ancien hôtel particulier construit au début du XIXᵉ siècle
dans un petit square bordé d'arbres, petit et sans prétention, il a été très bien rénové
voici quelques années. Toutes les chambres ont une salle de bains, une cafetière,
une presse à pantalons et un coffre individuel. La plupart sont spacieuses et ornées de
tissus traditionnels anglais. Les 311 et 312 (les meilleures) donnent sur l'arrière et ont
un haut plafond et un petit coin salon. Les salles de bains, en marbre ou en céramique,
sont pourvues d'un sèche-cheveux. Services : *room service*, blanchisserie et concierge.
Un petit club de sport avec sauna et centre thermal est à la disposition des clients.

The Sloane. 29 Draycott Place, London SW3 2SH. ☎ **020/7581-5757.** Fax 020/7584-
1348. 12 chambres. Clim. TV. Tél. Double 140 £ ; suite 225 £. CB. Métro : Sloane Square.

Ce bâtiment victorien à la façade de brique rouge, très chic, a été rénové avec goût. À
proximité de Sloane Square, très bien situé dans le quartier, il associe confort moderne et meubles du XIXᵉ siècle – s'il vous arrive d'en admirer un, le personnel vous donnera son prix, car il est possible de les acheter. La terrasse sur le toit avec vue sur
Chelsea est idéale pour prendre un verre ou le petit déjeuner. De toutes tailles, les
chambres sont ornées de draperies et de tissus superbes. Beaucoup ont un lit à baldaquin ; les salles de bains sont très belles. La plupart ont un miroir qui s'étend sur toute
la longueur du mur. Des repas légers sont livrés 24/24 h et les membres du personnel,
de toutes nationalités, sont très conciliants. Discrétion assurée pour ceux qui veulent
passer un week-end clandestin.

ALENTOURS DE BELGRAVIA
PRIX TRÈS ÉLEVÉS

✪ **The Lanesborough.** Hyde Park Corner, London SW1X 7TA. ☎ **800/999-1828** ou
020/7259-5599. Fax 020/7259-5606. www.lanesborough.co.uk. 95 chambres. Clim.
Minibar. TV. Tél. Double 310 £-410 £ ; suite à partir de 470 £. CB. Parking 2,50 £ de
l'heure. Métro : Hyde Park Corner.

Cet hôtel, l'un des plus grand de Londres, est un ancien hôpital rendu célèbre par
Florence Nightingale. Ce bâtiment de quatre étages de style Régence est aussi sophistiqué que le *Dorchester* – même s'il n'a pas son expérience. Lorsque les Rosewood
Hotels and Resorts l'ont rénové pour en faire un hôtel de luxe, tous les détails
d'époque ont été conservés. Les parties communes et les chambres, superbes, sont
ornées de meubles anciens. Chaque chambre est équipée de détecteurs électroniques
informant le personnel de votre présence ou de votre absence, d'un lecteur de CD,
d'un magnétoscope, d'un coffre individuel, d'un fax, de la télé satellite et de fenêtres à
triple vitrage. L'hôtel propose en majorité des suites spacieuses avec haut plafond, lits
somptueux et salles de bains en marbre.

Restauration : Le **Conservatory** est un restaurant élégant, dont le décor s'inspire
des motifs chinois, indiens et gothiques du Brighton Pavilion. Le **Library Bar** – qui
donne sur un petit salon discret, style Régence, nommé « *The Withdrawing Room* » –
recrée l'atmosphère d'un élégant club privé.

Services : Maître d'hôtel personnel, concierges, *room service*, blanchisserie et pressing, massage, baby-sitting, secrétariat, location de voitures, centre d'affaires, petit centre de remise en forme. Des équipements de sport peuvent être mis à votre disposition dans votre chambre.

PRIX MOYENS

Diplomat Hotel. 2 Chesham St., London SW1X 3DT. ☎ **020/7235-1544.** Fax 020/7259-6153. www.btinternet.com/-diplomat.hotel. E-mail : diplomat.hotel@btinter net.com. 27 chambres. TV. Tél. Double 125 £-155 £. Petit déjeuner anglais (buffet) compris. CB. Métro : Sloane Square ou Knightsbridge.

Bien que situé dans un quartier très cher rempli de grandes maisons victoriennes et d'hôtels de première catégorie, le *Diplomat* présente l'avantage d'être petit et un peu moins hors de prix. Ancienne résidence privée de l'architecte Thomas Cubbitt, il a été construit en 1882. À quelques minutes d'Harrods, il est également très bien aménagé : l'accueil est entouré d'un escalier riche en dorures ; au-dessus, des anges vous adressent un regard depuis un lustre Régence. Le personnel est serviable, courtois et discret. Les chambres, hautes de plafond, sont décorées dans un style victorien ; beaucoup ont été rénovées en 1996. Un peu petites, elles sont généralement pourvues de lits jumeaux (excellente literie). Les salles de bains, avec sèche-cheveux, sont également petites mais bien entretenues. Services : concierge, massage, centre d'affaires, *afternoon tea* et collation de 13 h à 20 h 30. Club de sport à proximité. Petit plus : l'hôtel offre à ses clients un massage de quinze minutes (dos et nuque) à leur arrivée.

3 Chelsea

Pour localiser les hôtels de ce secteur, consultez la carte « Se loger de Knightsbridge à Earl's Court », p. 100-101.

PRIX MOYENS

Blair House Hotel. 34 Draycott Place, London SW3 2SA. ☎ **020/7581-2323.** Fax 020/7823-7752. 11 chambres. TV. Tél. Double 105 £-115 £. Lit supplémentaire 18 £. CB. Métro : Sloane Square.

Si vous ne pouvez pas vous permettre de loger dans un hôtel de luxe, optez pour cet établissement de style B & B. Confortable, il se situe en plein cœur de Chelsea, près de Sloane Square. Il est difficile de trouver une chambre abordable dans ce quartier chic, fréquenté aussi bien par Oscar Wilde que Margaret Thatcher ! L'un des hôtels voisins affiche des tarifs six fois supérieurs. L'endroit est idéal pour les amateurs de shopping – King's Road et Peter Jones Department Store sont à deux pas d'ici. L'intérieur a été entièrement remis à neuf. Les petites chambres, toutes décorées différemment (avec parfois un peu trop de gravures florales) sont équipées d'une cafetière, d'une presse à pantalons et d'une minuscule salle de bains avec sèche-cheveux. Si les chambres simples sont généralement petites, d'autres sont suffisamment spacieuses pour accueillir quatre personnes. Seul le petit déjeuner est servi. Préférez une chambre sur la cour si vous ne voulez pas de bruit. Services : baby-sitting et blanchisserie.

Wilbraham Hotel. 1-5 Wilbraham Place (à côté de Sloane St.), London SW1X 9AE. ☎ **020/7730-8296.** Fax 020/7730-6815. 46 chambres. TV. Tél. Double 100 £-112 £. Pas de cartes de crédit. Parking 17,50 £. Métro : Sloane Square.

Ce vieil hôtel britannique se trouve dans une rue tranquille, à quelques centaines de mètres de Sloane Square. Ses trois anciennes maisons victoriennes sont un peu défraîchies, mais les chambres lambrissées, ornées de meubles traditionnels, sont bien entretenues. Elles ont toutes une cheminée et des fenêtres à petits carreaux, avec des salles de bains anciennes mais en bon état, pourvues d'un porte-serviettes chauffant – détail appréciable lors des matinées fraîches. En revanche, les lits se sont un peu affaissés avec le temps. Les chambres sont de tailles très différentes. La meilleure double (certainement la plus spacieuse) est la n° 1. Boissons, déjeuner et dîner typiquement anglais sont servis dans le salon, au charme suranné. Les services sont nombreux pour un hôtel de cette catégorie : *room service*, baby-sitting, blanchisserie et pressing.

4 Kensington et South Kensington

Pour localiser les hôtels de ce secteur, consultez la carte « Se loger de Knightsbridge à Earl's Court », p. 100-101.

KENSINGTON
PETITS PRIX
❖ **Vicarage Private Hotel.** 10 Vicarage Gate, London W8 4AG. ☎ **020/7229-4030.** Fax 020/7792-5989. www.londonvicaragehotel.com. E-mail : reception@londonvicara gehotel.com. 18 chambres (sans salle de bains). Double 68 £ ; triple 89 £ ; chambre familiale pour 4, 100 £. Petit déjeuner anglais compris. Pas de cartes de crédit. Métro : Kensington High St. ou Notting Hill Gate.

Eileen et Martin Diviney ont une foule d'admirateurs dans le monde entier ; il est vrai que leur hôtel est charmant, abordable et accueillant. Situé dans un square le long de Kensington High Street, à proximité du Portobello Road Market, ce bâtiment victorien a conservé une grande partie de son architecture d'origine. Meublées dans un style rustique, les chambres peuvent accueillir jusqu'à quatre personnes. Si vous en voulez une plus intime, choisissez la n° 19, au dernier étage. Noël Coward l'a occupée jusqu'à ce qu'il « devienne suffisamment riche pour descendre les étages ». Des salles de bains individuelles sont en construction. En attendant, les salles de bains communes sont correctes et bien entretenues. Chaque année, quelques chambres sont remises à neuf. La literie est de bonne qualité. Les clients se retrouvent dans un petit salon douillet pour discuter ou regarder la télévision. Un petit déjeuner copieux est servi tous les matins. Boissons chaudes à volonté 24/24 h.

SOUTH KENSINGTON
PRIX TRÈS ÉLEVÉS
❖ **Blake's Hotel.** 33 Roland Gardens, London SW7 3PF. ☎ **800/926-3173** ou 020/7370-6701. Fax 020/7373-0442. E-mail : blakes@easynet.co.uk. 51 chambres. Minibar. TV. Tél. Double 210 £-310 £ ; suite à partir de 485 £. CB. Parking 15 £-30 £. Métro : South Kensington ou Gloucester Road.

Cette création très personnelle de l'actrice Anouska Hempel-Weinberg est l'un des meilleurs petits hôtels de Londres. Composé d'anciennes maisons victoriennes, il a été entièrement rénové pour devenir un bâtiment original digne des Mille et Une nuits. Le hall est orné de meubles datant de l'Empire britannique aux Indes. Les chambres, toutes décorées différemment, sont superbes : cristal de Venise, murs recouverts de tissu, draperies et même banquettes « Impératrice Joséphine ». Suivez vos envies... choisissez une barque funéraire de l'Égypte ancienne ou un boudoir vénitien du XVIᵉ siècle. Les chambres de la partie ancienne de l'hôtel, moins spacieuses, ne sont pas climatisées, mais restent très chic. La literie est d'excellente qualité et les salles de bains en marbre, très bien équipées. Toutes les chambres ont un coffre individuel.

Le *Pelham* (voir plus loin) est un concurrent non négligeable sans avoir le raffinement et le style du *Blake's*. Si vous pouvez vous le permettre, prenez une chambre de luxe – les simples et doubles classiques sont minuscules. **Restauration :** Le restaurant, très élégant, est l'un des meilleurs de la ville. La cuisine de Neville Campbell associe saveurs orientales et occidentales : loup au fenouil cuit au four ou poulet au crabe ; réservation indispensable. **Services :** *Room service* 24/24 h, blanchisserie, baby-sitting, secrétariat et concierge très conciliant. Accès payant au club de sport voisin.

PRIX ÉLEVÉS

The Cranley. 10-12 Bina Gardens, London SW5 OLA. ☎ **800/553-2582** ou 020/7373-0123. Fax 020/7373-9497. www.thecranley.co.uk. E-mail : thecranley@compuserve.com. 37 chambres. Clim. TV. Tél. Double 140 £-170 £ ; suite 180 £-220 £. CB. Métro : Gloucester Road.

Cet hôtel est composé de trois maisons adjacentes de 1875. Les chambres, hautes de plafond, ont d'immenses fenêtres et sont ornées d'objets d'art et de superbes tapisseries. Les espaces communs sont très rustiques. Grâce à cette ambiance XIXe siècle, les clients ont davantage l'impression d'être dans une résidence que dans un hôtel. Toutes les chambres, sauf une, ont une petite kitchenette et sont pourvues d'une presse à pantalons et d'une excellente literie. Elles sont pour la plupart spacieuses, avec de petites salles de bains carrelées (douchette de massage et sèche-cheveux). Certaines ont un grand miroir bordé de céramique hollandaise. Les suites du rez-de-chaussée, avec jacuzzi, donnent sur une terrasse privée. **Restauration :** Pas de restaurant, mais des repas légers sont servis dans un petit café. **Services :** *Room service* tous les jours de 7 h à 23 h, blanchisserie et pressing, secrétariat pendant les heures de bureau. Accès au club de sport voisin.

۞ The Gore. 189 Queen's Gate, London SW7 5EX. ☎ **800/637-7200** ou 020/7584-6601. Fax 020/7589-8127. www.gorehotel.co.uk. E-mail : reservations@gorehotel.co.uk. 54 chambres. Minibar. TV. Tél. Double 171 £-236 £ ; Tudor Room 257 £. CB. Métro : Gloucester Road.

Le *Gore*, autrefois propriété de la marquise de Queensberry, a été transformé en hôtel en 1892. Avec ses meubles en noyer et en acajou, ses tapis orientaux et ses murs couverts de photos anciennes et de quelque 4 000 gravures, les Anglais de l'époque victorienne ne seraient pas dépaysés. L'endroit a toujours été connu pour son excentricité. Toutes les chambres sont différentes, à vous de choisir ! Le lit de la *Venus Room* a appartenu à Judy Garland. La *Tudor Room*, avec son parquet sombre et sa cheminée, est la plus somptueuse. Dans l'ensemble, elles restent d'un bon rapport qualité-prix, même si elles ne sont plus aussi bon marché qu'en 1892. Bien que petites, elles ont tout de même un petit salon. Les salles de bains, bien entretenues, ont des robinets en cuivre faits sur mesure. Certaines n'ont qu'une cabine de douche, mais la plupart ont une baignoire. La plomberie est très ancienne mais en bon état. De nombreuses chambres ont un lit à baldaquin ; toutes possèdent un coffre indi-viduel. **Restauration :** À proximité de l'hôtel, le **Bistro 190** du chef Antony Worrall Thompson propose en autres plats des calamars croustillants, un poulet fermier cuit au charbon et un *sashimi* de thon séché accompagné de lentilles épicées. **Services :** Concierge, *room service* tous les jours de 7 h à 12 h 20, blanchisserie et pressing, livraison de journaux, baby-sitting, secrétariat et *express checkout*. Accès au club de sport attenant.

Pelham Hotel. 15 Cromwell Place, London SW7 2LA. ☎ **020/7589-8288.** Fax 020/7584-8444. www.firmdale.com. E-mail : pelham@firmdale.com. 50 chambres. Clim.

Minibar. TV. Tél. Double 175 £-225 £ ; suite à partir de 285 £. CB. Parking à proximité 23,10 £. Métro : South Kensington.

Ce petit hôtel ne manquera pas de vous plaire. Les célèbres hôteliers Kit et Tim Kemp l'ont décoré dans un style éblouissant. Composé de maisons mitoyennes du début du XIXᵉ siècle, on le repère facilement à sa façade blanche. Dans le salon, les boiseries, les hauts plafonds et les moulages constituent un cadre parfait pour les meubles anciens et l'art victorien. Les tapis, les coussins et le bar créent une ambiance chaleureuse. Les chambres au décor somptueux sont ornées de tapis orientaux et de peintures à l'huile ; les plus belles ont un petit salon, mais même la plus petite a un beau bureau. La literie est excellente : matelas fermes et édredons en duvet. Les salles de bains en acajou et en granit sont impeccables, pourvues de peignoirs et de belles serviettes, d'articles de toilette de luxe et d'un sèche-cheveux. L'emplacement de l'hôtel est idéal : le Victoria and Albert Museum, Hyde Park et Harrods ne sont pas loin. Les habitués sont accueillis comme des membres de la famille.

Restauration : Le **Kemps** est l'un des meilleurs restaurants de South Kesington.

Services : *Room service* 24/24 h, concierge, baby-sitting, blanchisserie et pressing, service d'étage et secrétariat. Club de sport à proximité.

PRIX MOYENS

5 Sumner Place. 5 Sumner Place, London SW7 3EE. ☎ **020/7584-7586.** Fax 020/7823-9962. www.dspace.dial.pipex.com/no.5. E-mail : no.5@dial.pipex.com. 14 chambres. TV. Tél. Double 130 £-140 £. Petit déjeuner anglais compris. CB. Parking 20 £. Métro : South Kensington.

Ce hôtel charmant fait partie des meilleurs B & B de Kensington. Entièrement restaurée dans un style anglais classique, cette maison de 1848 est devenue une véritable référence. À peine entré dans le hall, on est saisi par l'ambiance surannée de l'endroit. Le personnel, accueillant, vous donnera une clé et vous serez tout à fait libre de vos déplacements. Les chambres, bien entretenues et aménagées avec goût, sont desservies par un ascenseur. De taille moyenne, elles sont pourvues de meubles traditionnels et d'un lit des plus confortables. Certaines sont également équipées d'un réfrigérateur. Les salles de bains sont petites mais propres et équipées de sèche-cheveux. Le petit déjeuner est servi dans une véranda de style victorien. Services : *room service*, blanchisserie et pressing, massage, concierge.

The Gallery. 8-10 Queensberry Place, London SW7 2EA. ☎ **020/7915-0000.** Fax 020/7915-4400. www.eeh. co.uk. E-mail : reservations@eeh.co.uk. 36 chambres. TV. Tél. Double 115 £ ; suite junior 200 £. Lit supplémentaire 35 £. Petit déjeuner anglais (buffet) compris. CB. Métro : South Kensington.

Si vous souhaitez loger dans un petit hôtel élégant sans payer trop cher, le *Gallery* est idéal et peu connu. Composé de deux anciennes résidences complètement restaurées, près du Victoria and Albert Museum, du Royal Albert Hall, d'Harrods, de Knightsbridge et de King's Road, il est très bien situé. Les chambres, toutes différentes, sont décorées avec goût dans un style Laura Ashley, avec lit à baldaquin et luxueuse salle de bains en marbre ornée d'appliques en cuivre. Les suites junior, climatisées, ont une terrasse sur le toit, un minibar et un jacuzzi. Une équipe de maîtres d'hôtel est à votre disposition. Les couleurs chaudes du salon, lambrissé d'acajou, lui donnent une ambiance de club privé. Une plus petite salle accueille ceux qui ont envie de se retirer au calme. Dans la *Gallery Room*, des œuvres d'artistes connus et méconnus sont exposées et proposées à la vente. Services : *room service* 24/24 h, concierge, blanchisserie et pressing, baby-sitting.

Harrington Hall. 5-25 Harrington Gardens, London SW7 4JW. ☎ **800/44-UTELL** ou 020/7396-9696. Fax 020/7396-9090. www.harringtonhall.co.uk. E-mail : harring tonres@compuserve.com. 200 chambres. Clim. Minibar. TV. Tél. Double 160 £ ; suite 199 £. CB. Métro : Gloucester Road.

Ce bâtiment de six étages, qui abritait autrefois des appartements délabrés, a été entièrement restauré. C'est aujourd'hui une excellente adresse et l'un des rares grands hôtels indépendants de Londres. Sa façade de 1870 fut construite à l'apogée du règne de la reine Victoria. Les tarifs sont pratiquement deux fois moins élevés qu'au *Gloucester*, situé de l'autre côté de la rue, de qualité équivalente. Le superbe hall donne une idée de l'élégance des chambres (certaines sont bien plus spacieuses que d'autres) ; les tissus fleuris et les tapis créent une ambiance typiquement anglaise. Chaque chambre est équipée d'une cafetière et d'une presse à pantalons. La literie est de bonne qualité. Les salles de bains, avec baignoire et sèche-cheveux, sont de taille moyenne. Services : *room service* 24/24 h, blanchisserie et pressing express, centre d'affaires, concierge, baby-sitting. Centre de remise en forme avec gymnase, sauna et douches.

Le bar, décoré de meubles Burr Varona et d'une cheminée en marbre, est un lieu de rendez-vous agréable. Le restaurant propose une très bonne cuisine et un buffet bien garni dans un décor classique.

Number Sixteen. 16 Sumner Place, London SW7 3EG. ☎ **800/592-5387** ou 020/7589-5232. Fax 020/7584-8615. E-mail : reservations@numbersixteenhotel.co.uk. 36 chambres (34 avec salle de bains). Minibar. TV. Tél. Double sans salle de bains 125 £, avec salle de bains 160 £-195 £ ; suite 205 £. Petit déjeuner continental compris. CB. Parking 25 £. Métro : South Kensington.

Composé de quatre maisons du début de l'époque victorienne, cet hôtel a été sacré « meilleur B & B de Londres » en 1992. Sa façade d'époque et ses jardins en font l'un des bâtiments les plus charmants de la rue. Les chambres ont un décor à thème (écossais ou marin, par exemple) associant meubles anciens et peintures modernes. Toutes sont de taille différentes, certaines un peu défraîchies, mais la literie est excellente. Les salles de bains sont carrelées et ornées de miroirs, avec une petite baignoire et un sèche-cheveux. Dans la bibliothèque se trouve un bar en libre-service. Lors des soirées fraîches, les clients se pressent autour de la cheminée du salon. Le petit déjeuner est servi dans les chambres, où vous pouvez également vous faire apporter du thé ou du café de 7 h à 22 h 30, ou dans la véranda. Lorsque le temps le permet, on peut s'installer dans le jardin près de la fontaine et du bassin à poissons. Accès gratuit au club de sport avec piscine situé à proximité.

The Regency Hotel. 100 Queen's Gate, London SW7 5AG. ☎ **800/223-5652** ou 020/7370-4595. Fax 020/7370-5555. E-mail : regency.london@dial.pipex.com. 209 chambres. Clim. Minibar. TV. Tél. Double 147 £ ; suite à partir de 215 £-255 £. CB. Métro : South Kensington.

Situé dans une rue bordée de portiques doriques, près des musées, de Kensington et de Knightsbridge, cet hôtel élégant est composé de six maisons victoriennes mitoyennes. Le crépitement d'une cheminée entourée de bergères, accueille les clients dès leur entrée dans le hall. Dans l'un des escaliers principaux, cinq lustres Empire sont suspendus les uns au-dessus des autres. La plupart des chambres sont petites et meublées simplement. Les salles de bains en marbre ou en céramique, avec sèche-cheveux, peignoirs et téléphone, sont parfaites. Les suites possèdent également un jacuzzi ainsi qu'un fer et une planche à repasser.

Le **Pavilion**, restaurant splendide mais raisonnable, propose une cuisine internationale (voir chapitre 5). Services : *room service* 24/24 h, blanchisserie, baby-sitting, centre d'affaires et club de sport très bien équipé.

PETITS PRIX

✪ **Aston's Budget.** Studios & Aston's Designer Studios and Suites. 31 Rosary Gardens, London SW7 4NQ. ☎ **020/7590-6000.** Fax 020/7590-6060. www.astons_apart ments.com. E-mail : sales@astons_apartments.com. 76 chambres. Clim. TV. Tél. Budget studios : double 74 £ ; triple 105 £ ; quad. 135 £. Designer studios : double 110 £. Réduction de 10 % en semaine. CB. Métro : Gloucester Road.

Cet hôtel composé d'anciennes maisons victoriennes très bien restaurées propose de confortables studios et suites, parmi les moins chers de Londres. Les lourdes portes en chêne et les gravures de chasse du XVIIIᵉ siècle lui donnent une atmosphère traditionnelle. Les chambres sont de taille et de qualité différentes. Chacune a une petite kitchenette dissimulée derrière des portes. Les *designer studios* (les meilleurs) et les suites à deux chambres sont climatisés et très bien meublés, avec une bonne literie. Ils ont en outre une salle de bains en marbre avec sèche-cheveux. Services : blanchisserie, secrétariat, boîte vocale réservée aux clients, fax, approvisionnement sur demande, voiture (y compris limousine) à disposition et service d'étage quotidien dans les *designer studios* et les suites.

Swiss House Hotel. 171 Old Brompton Road, London SW5 OAN. ☎ **020/7373-2769.** Fax 020/7373-4983. www.webscape.co.uk/swiss_house. E-mail : recep@swiss-hh.demon.co.uk. 16 chambres (une seule n'a pas de salle de bains). TV. Tél. Double 77 £ ; triple 98 £ ; quad. 110 £. Petit déjeuner continental compris. CB. Métro : Gloucester Road.

Ce charmant B & B se trouve en plein cœur de South Kensington, près des musées, des jardins et de Earl's Court et Olympia, les principaux centres d'exposition de Londres. Ses maisons victoriennes se cachent derrière un portique fleuri. Les chambres, de style rustique, sont typiquement anglaises ; certaines ont même une cheminée. Évitez celles donnant sur la rue – il y a beaucoup de circulation et malgré le double-vitrage, vous risquez d'être gêné par le bruit. Celles sur l'arrière offrent une vue sur un jardin public et sur les toits de Londres. Les chambres sont petites mais ont une bonne literie. Certaines ont un coffre individuel. Les salles de bains, avec sèche-cheveux, sont petites également. Cet hôtel a un atout non négligeable par rapport aux autres B & B : un *room service* – rien de très élaboré, seulement des soupes et des sandwiches – est à votre disposition de midi à 21 h. Autres agréments : baby-sitting, massage, bureau de voyages et blanchisserie.

ALENTOURS DE WEST KENSINGTON
PRIX MOYENS

Avonmore Hotel. 66 Avonmore Road, London W14 8RS. ☎ **020/7603-4296.** Fax 020/7603-4035. www.dspace.dial.pipex.com/avonmore.hotel. E-mail : avonmore. hotel@dial.pipex.com. 9 chambres. Minibar. TV. Tél. Double 85 £ ; triple 95 £. Petit déjeuner anglais compris. CB. Métro : West Kensington.

L'*Avonmore* se situe dans un quartier tranquille, à proximité des théâtres et des magasins de West End et à seulement deux minutes de la station de métro West Kensington (District Line). Il a reçu voici quelques années la *National Award* en tant que meilleur hôtel indépendant de Londres. Les chambres, recouvertes de moquette et décorées avec goût, sont équipées de radio-réveil et d'une petite salle de bains. La propriétaire, Margaret McKenzie, assure une grande partie des services, y compris le *room service* (jusqu'à minuit). Le petit déjeuner anglais est servi dans une salle charmante ; grand choix de boissons au bar.

5 Earl's Court

Pour localiser les hôtels de ce secteur, consultez la carte « Se loger de Knightsbridge à Earl's Court », p. 100-101.

PRIX MOYENS

Amber Hotel. 101 Lexham Gardens, London W8 6JN. ☎ **020/7373-8666.** Fax 020/7835-1194. 38 chambres. TV. Tél. Double 80 £-125 £. Petit déjeuner compris. CB. Métro : Earl's Court.

Cet hôtel enchanteur fait oublier les B & B médiocres de Londres. Grâce au personnel accueillant, vous vous sentirez comme chez vous dans cet établissement datant de 1860, situé près de Kensington Gardens, des musées de South Kensignton et de Holland Park. La plupart des chambres sont des « simples ». Les doubles ont des grands lits ou des lits jumeaux. Il existe aussi deux chambres haut de gamme très agréables. Toutes les chambres sont petites mais bien décorées et pourvues d'une radio, de la télé satellite, d'une presse à pantalons et d'un plateau de rafraîchissements. Les salles de bains, avec sèche-cheveux, sont également petites mais bien entretenues. Le jardin privé constitue à lui seul une bonne raison de choisir cet hôtel. Le petit déjeuner est servi dans le salon sous forme de buffet. Services : blanchisserie, pressing et concierge.

Henley House. 30 Barkston Gardens, London SW5 0EN. ☎ **020/7370-4111.** Fax 020/7370-0026. E-mail : henleyhse@aol.com. 20 chambres. TV. Tél. Double 89 £. Petit déjeuner continental compris. CB. Métro : Earl's Court.

Récemment remis à neuf, ce B & B se distingue parmi tous ceux de Earl's Court et offre le meilleur rapport qualité-prix. Composé de maisons victoriennes de briques rouges, il se trouve au cœur d'un jardin clos auquel vous pouvez accéder grâce à une clé que l'on vous donnera à l'accueil. Le personnel, très soucieux du bien-être des clients, est à leur entière disposition. Au rez-de-chaussée, un salon donne sur la cour. Le décor contemporain est lumineux. La chambre la plus typique est ornée de tissus de chintz, de papier peint « Anna French » et d'appliques en cuivre. La literie est de bonne qualité. Les salles de bains sont petites mais bien entretenues. Le petit déjeuner, servi dans une pièce remplie de fleurs séchées, est le lieu de rendez-vous préféré des clients. Ceux qui n'ont pas envie de sortir le soir (les endroits branchés du coin sont surtout des bars gay) peuvent emprunter des livres. Un service de baby-sitting est à la disposition des parents souhaitant visiter des lieux où ils ne peuvent pas emmener leurs enfants.

Rushmore Hotel. 11 Trebovir Road, London SW5 9LS. ☎ **020/7370-3839.** Fax 020/7370-0274. 22 chambres. TV. Tél. Double 79 £ ; triple 89 £ ; chambre familiale pour 4 ou 5, 99 £. Petit déjeuner continental compris. CB. Métro : Earl's Court.

Plutôt délabré au début des années 1970, cet hôtel composé de maisons victoriennes à la façade de brique rouge a été complètement rénové en 1987. Aujourd'hui, c'est l'un des meilleurs dans sa catégorie. Il s'élève à la place du manoir de Earl's Court Farm, qui occupa le site jusque dans les années 1850. Si vous n'êtes pas trop difficile, le *Rushmore* vous prouvera qu'à Londres, il est encore possible d'avoir une belle chambre et un service correct à un prix abordable. Le personnel multilingue fera tout pour que vous ne regrettiez pas votre choix. Les chambres, toutes décorées différemment, ont une bonne literie ; certaines ont une salle de bains ornée de carreaux de marbre et d'appliques en cuivre. La salle de petit déjeuner, décorée de cactus, est très bien aménagée : sols blanchis à la chaux, système d'éclairage ingénieux, meubles en fer forgé de Toscane. Services : blanchisserie, réservation de places de théâtre, fax et coffres pour les objets de valeur.

PETITS PRIX

Aaron House. 17 Courtfield Gardens, London SW5 OPD. ☎ **020/7370-3991.** Fax 020/7373-2303. 23 chambres (15 avec salle de bains). Double sans salle de bains 44 £, avec salle de bains 53 £ ; triple sans salle de bains 58 £, avec salle de bains 71 £ ; quad. avec salle de bains 83 £. Petit déjeuner continental compris. CB. Métro : Earl's Court.

L'*Aaron House* se trouve dans un quartier populaire de Londres connu sous le nom de *Kangaroo Court* en raison des nombreux Australiens qui y résident. Cette ancienne maison familiale située dans un square victorien, très accueillante, a gardé son architecture d'origine tout en étant modernisée. L'entrée carrelée et les escaliers en colimaçon mènent aux chambres, petites mais bien aménagées. En janvier 1999, deux étages ont été redécorés et remis à neuf. Toutes les chambres ont une literie confortable et la plupart ont une salle de bains, étroite mais propre, avec sèche-cheveux. Les salles de bains communes sont correctes et bien entretenues. Certaines chambres ont encore leur cheminée d'origine (malheureusement hors-service). Les plus grandes donnent sur la rue, qui peut être bruyante. Bonne adresse pour tous ceux qui cherchent un endroit agréable et abordable.

6 Notting Hill

Pour localiser les hôtels de ce secteur, consultez la carte p. 112-113.

PRIX MOYENS

The Abbey Court. 20 Pembridge Gardens, London W2 4DU. ☎ **020/7221-7518.** Fax 020/7792-0858. www.telinco.co.uk/abbeycourt/. E-mail : abbey@telinco.co.uk. 22 chambres. TV. Tél. Double 130 £-145 £ ; suite avec lit à baldaquin 175 £. CB. Métro : Notting Hill Gate.

Ce petit bâtiment victorien à la façade blanche est précédé d'un patio rempli de fleurs. Son hall, récemment rénové, orné de draperies à fleurs, laisse entrer le soleil par une grande baie vitrée. Des fleurs fraîches viennent égayer l'accueil et les couloirs. Les chambres sont petites mais fort bien décorées, dans des tons coordonnés avec des meubles anciens des XVIIIe et XIXe siècles. La literie est d'excellente qualité et les salles de bains en marbre italien sont équipées d'un jacuzzi, d'une douche et de porte-serviettes chauffants. Un *room service* est à votre disposition 24/24 h (restauration légère et boissons). Le petit déjeuner est servi dans la véranda fraîchement rénovée. Kensington Gardens et les antiquaires de Portobello Road et de Kensington Church Street se trouvent à proximité. Services : blanchisserie et pressing, bureau de voyages, et concierge.

Pembridge Court Hotel. 34 Pembridge Gardens, London W2 4DX. ☎ **020/7229-9977.** Fax 020/7727-4982. www.pemct.co.uk. E-mail : reservations@pemct.co.uk. 20 chambres. Clim. TV. Tél. Double 145 £-180 £. Petit déjeuner anglais compris. CB. Métro : Notting Hill Gate.

Dans un quartier résidentiel très chic de Notting Hill, cet hôtel à proximité de Portobello Road, est très apprécié des amateurs d'antiquités. La plupart des chambres comportent au moins un objet ancien ainsi que des gravures du XIXe siècle et de superbes tissus à fleurs. La literie est d'excellente qualité. Les chambres les plus grandes et les plus élégantes sont celles du dernier étage. Les salles de bains, avec sèche-cheveux, sont en marbre italien. Trois chambres haut de gamme, avec climatisation et magnétoscope, donnent sur Portobello Road : la *Spencer Room* et la *Churchill Room* sont décorées dans des tons bleus et jaunes, tandis que la *Windsor Room* est ornée de motifs écossais. Spencer et Churchill sont aussi les noms de deux petits chats roux adorables ; Churchill aime les pop stars qui logent à l'hôtel, Spencer préfère les éviter.

Se loger à Marylebone, Paddington, Bayswater et Notting Hill Gate

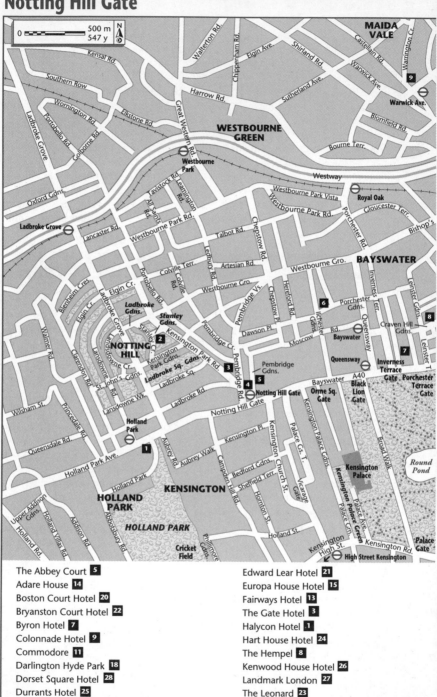

The Abbey Court **5**
Adare House **14**
Boston Court Hotel **20**
Bryanston Court Hotel **22**
Byron Hotel **7**
Colonnade Hotel **9**
Commodore **11**
Darlington Hyde Park **18**
Dorset Square Hotel **28**
Durrants Hotel **25**

Edward Lear Hotel **21**
Europa House Hotel **15**
Fairways Hotel **13**
The Gate Hotel **3**
Halycon Hotel **1**
Hart House Hotel **24**
The Hempel **8**
Kenwood House Hotel **26**
Landmark London **27**
The Leonard **23**

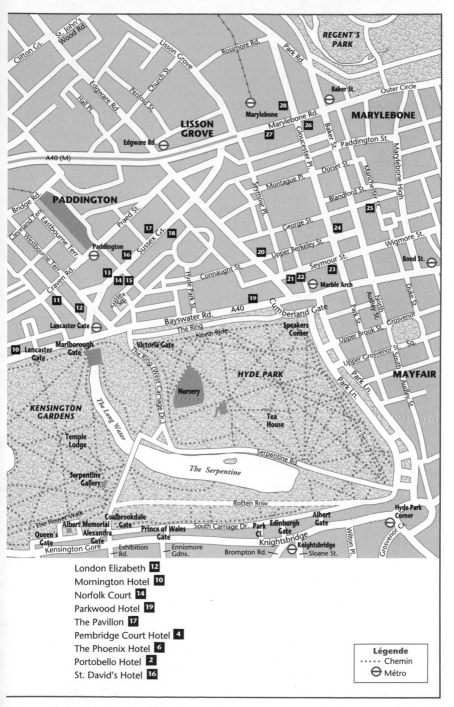

London Elizabeth 🔢12

Mornington Hotel 🔢10

Norfolk Court 🔢14

Parkwood Hotel 🔢19

The Pavillon 🔢17

Pembridge Court Hotel 🔢4

The Phoenix Hotel 🔢6

Portobello Hotel 🔢2

St. David's Hotel 🔢16

Légende

····· Chemin

⊖ Métro

Le **Caps**, restaurant de l'hôtel, propose une bonne cuisine internationale et une sélection de vins de premier choix. Il est ouvert uniquement aux clients de l'hôtel de 16 h à 23 h. Services : *room service* 24/24 h, blanchisserie et pressing express. Sur place : agence de location de voitures. Accès au club de sport voisin.

The Portobello Hotel. 22 Stanley Gardens, London W11 2NG. ☎ **020/7727-2777.** Fax 020/7792-9641. 24 chambres. TV. Tél. Double 150 £-155 £ ; 185 £-240 £. Petit déjeuner continental compris. Métro : Notting Hill Gate.

À proximité des antiquaires de Portobello Road, ce bâtiment composé de deux maisons de six étages de 1850 est un mélange de styles plutôt étrange. Il ne plaît pas à tout le monde, mais il a ses adeptes. Les chambres ont connu de meilleurs jours mais ont conservé leur cachet ; certaines sont climatisées. Flamboyantes, pleines de fantaisie et de surprises, elles ont parfois une baignoire sabot multi-jets ou un lit à baldaquin rond... Essayez la n° 16 et son lit à baldaquin face au jardin. Parmi les chambres les moins chères, certaines sont aussi petites que des cabines de bateau (ce qui ne manque pas de romantisme). Plusieurs d'entre elles ont été rassemblées pour faire des doubles. La literie est confortable. Les salles de bains sont petites et la plupart n'ont qu'une douche. L'ascenseur monte jusqu'au troisième étage, ensuite, il faut prendre un escalier. Le service est assez inégal. Le bar-restaurant du sous-sol est ouvert 24/24 h et assure le *room service*.

The Gate Hotel. 6 Portobello Road, London W11 3DG. ☎ **020/7221-2403.** Fax 020/7221-9128. www.go_london.co.uk/hp/gatehotel.html. E-mail : gatehotel@aol.com. 6 chambres. TV. Tél. Double 75 £-78 £. Petit déjeuner continental compris. CB. Métro : Notting Hill Gate.

Très fréquenté par les amateurs d'antiquités, le *Gate* est le seul hôtel sur Portobello Road. En raison de la révision du cadastre, il le restera probablement encore pendant des années. Construit dans les années 1820 pour loger les ouvriers agricoles travaillant dans les vergers et les jardins potagers des fermes de Portobello, le bâtiment a été transformé en hôtel en 1932. Chacun des trois étages comporte deux chambres étroites mais douillettes. La salle de petit déjeuner se trouve au sous-sol. Les escaliers sont très raides. Toutes les chambres sont décorées dans des tons harmonieux et pourvues d'un miroir en pied, d'une penderie et d'une excellente literie. Les salles de bains sont petites mais bien entretenues. Au mur, les peintures représentent le marché de Portobello à ses débuts : chaque personnage semble issu d'un roman de Dickens, surprenant ! Le gérant vous indiquera où se trouvent les antiquaires, Kensington Gardens et les sites touristiques de Notting Hill Gate, situés à proximité.

ALENTOURS DE HOLLAND PARK
PRIX TRÈS ÉLEVÉS

✪ **Halcyon Hotel.** 81 Holland Park Avenue, London W11 3RZ. ☎ **800/592-5416** ou 020/7727-7288. Fax 020/7229-8516. www.halcyon-hotel.co.uk. E-mail : halcyon_hotel@compuserve.com. 63 chambres. Clim. Minibar. TV. Tél. Double 260 £ ; suite à partir de 295 £. CB. Métro : Holland Park.

Seule une plaque de cuivre distingue le *Halcyon*, qui porte bien son nom (l'alcyone est le symbole de la sérénité), des autres bâtiments de la rue. Le plus grandiose des petits hôtels de Londres, composé de deux anciens hôtels particuliers de l'époque victorienne, a ouvert ses portes en 1985. Charmant, confortable et sophistiqué, il accueille des stars internationales qui l'apprécient pour sa discrétion – c'est ici que descend Brad Pitt, par exemple. La moitié de l'hôtel est composée de suites somptueusement meublées dans un style associant le classique au moderne. Toutes les chambres ont été remises à neuf et pourvues d'équipements high-tech. Les salles de bains sont en marbre italien. Les espaces communs, ornés de peintures en trompe-l'œil sur fond turquoise, sont très accueillants.

Restauration : Nous vous recommandons le **Room at the Halcyon**, superbe restaurant français de l'hôtel (voir chapitre 5).

Services : *Room service* 24/24 h, pressing en une heure, système de radiomessagerie (les bips sont fournis) couvrant un rayon de 30 km à partir de l'hôtel, baby-sitting, coffres de nuit, billetterie, centre d'affaires. Accès à des clubs de sport et de tennis.

7 Paddington et Bayswater

Pour localiser les hôtels de ce secteur, consultez la carte p. 112-113.

PRIX TRÈS ÉLEVÉS

The Hempel. 31-35 Craven Hill Garden Square, London W2 3EA. ☎ **020/7298-9000.** Fax 020/7402-4666. www.hempelhotel.com. E-mail : the-hempel@easynet.co.uk. 47 chambres. Clim. Minibar. TV. Tél. Double 220 £-255 £ ; suite à partir de 370 £. CB. Métro : Lancaster Gate.

Composé de trois maisons mitoyennes du XIXe siècle, cet hôtel est le dernier né de la décoratrice d'intérieur Anouska Hempel-Weinberg. Ne vous attendez pas à y trouver les ornements et l'élégance particulière du *Blake's*, son premier hôtel (voir plus haut) – l'ambiance y est radicalement différente. Le *Hempel* associe le sens de la proportion italien à la simplicité asiatique. Sa sobriété est celle d'un temple zen. Dans des tons monochromes apaisants, le hall dépouillé présente deux cheminées symétriques. Des souvenirs d'Asie, comme les chars à bœufs thaïlandais qui font office de tables à café, sont disposés un peu partout dans l'hôtel. Les chambres respectent la tendance minimaliste tout en offrant des équipements modernes bien dissimulés : magnétoscope, télé satellite, lecteur de CD, double-ligne téléphonique… Chaque salle de bains est équipée d'un sèche-cheveux, d'articles de toilette de luxe, de peignoirs et de pantoufles. L'hôtel accueille en majorité des personnes en voyage d'affaires, qui apprécient le tact de son personnel et son atmosphère indéniablement snob.

Restauration : L'**I-Thai**, au sous-sol, est un bar-restaurant particulièrement novateur (voir chapitre 5).

Services : *Room service* 24/24 h, concierge, blanchisserie et pressing, filtrage, service d'étage deux fois par jour, massage, *express checkout*, secrétariat restreint, baby-sitting, salles de conférence ; accès au club de sport voisin.

PRIX ÉLEVÉS

London Elizabeth Hotel. Lancaster Terrace, Hyde Park, London W2. ☎ **020/7402-6641.** Fax 020/7224-8900. www.londonelizabethhotel.co.uk. E-mail : reservations@london-elizabethhotel.co.uk. 55 chambres. Clim. TV. Tél. Double 115 £-150 £ ; suite 135 £-250 £. CB. Parking 9 £. Métro : Lancaster Gate ou Paddington.

Élégant et raffiné, cet ancien hôtel particulier du début de l'époque victorienne donne sur Hyde Park. En plein cœur de Londres, il n'en bénéficie pas moins d'une atmosphère calme qui en fait un véritable havre de paix. Récemment rénové, il a beaucoup de charme et de cachet. Les chambres, toutes décorées différemment, sont luxueuses, mais vous vous y sentirez comme chez vous. Parmi les plus somptueuses, certaines ont une mezzanine, une cheminée ancienne et un lit à baldaquin. Toutes ont une literie d'excellente qualité et une salle de bains avec sèche-cheveux. Les suites sont très confortables – citons la *Conservatory Suite*, et sa véranda qui date de 1850.

Restauration/Divertissements : L'hôtel a deux restaurants : **The Rose**, intime et élégant, et le **Theatre Bar**, chic mais plus décontracté.
Services : *Room service* 24/24 h, concierge et parking privé.

PRIX MOYENS

The Byron Hotel. 36-38 Queensborough Terrace, London W2 3SH. ☎ **020/7243-0987.** Fax 020/7792-1957. www.capricornhotels.co.uk. E-mail : byron@capricornho tels.co.uk. 45 chambres. Clim. TV. Tél. Double 96 £-105 £ ; triple 120 £ ; suite à partir de 135 £. Petit déjeuner anglais ou continental compris. CB. Métro : Bayswater ou Queensway.

Au nord de Kensington Gardens, cet hôtel d'un bon rapport qualité-prix, géré par une famille d'hôteliers, a un petit côté rustique. Le personnel, serviable, consacre beaucoup de temps aux clients pour rendre leur séjour à Londres agréable. La reconversion de cette ancienne maison victorienne a été particulièrement réussie : la modernisation n'a en rien entamé son côté traditionnel. L'intérieur a été redécoré et remis à neuf récemment. Les chambres sont très confortables : grands placards, bonne literie, presse à pantalons, cafetière et coffre. Les salles de bains, carrelées, sont pourvues d'un sèche-cheveux. Un ascenseur dessert tous les étages. Le petit déjeuner est servi dans une pièce lumineuse et gaie. Services : concierge, *room service* (limité à certaines heures) et pressing.

Commodore. 50 Lancaster Gate, London W2 3NA. ☎ **020/7402-5291.** Fax 020/7262-1088. www.commodore-hotel.com. E-mail : info@commodore-hotel.com. 90 chambres. Minibar. TV. Tél. Double 105 £-115 £ ; triple 140 £ ; chambre familiale 150 £. Petit déjeuner (buffet) compris. CB. Métro : Lancaster Gate.

Cet hôtel est de nouveau à la mode depuis que les voyageurs ont redécouvert le charme de ses chambres éclectiques et excentriques. Composé de trois maisons mitoyennes, il se situe dans le quartier verdoyant de Lancaster Gate. Toutes les chambres, de taille moyenne et au décor cosy, ont été remises à neuf récemment. Une vingtaine d'entre elles ont une mezzanine où a été installé le lit. Les autres ont souvent une petite touche de fantaisie : verrière, placard immense ou décor style 1900. La literie est d'excellente qualité. Les salles de bains sont pourvues d'un sèche-cheveux et de serviettes soyeuses – le genre de serviettes que réclamait Frank Sinatra dès son arrivée dans un hôtel. Le restaurant de l'hôtel, ouvert pour le petit déjeuner, le déjeuner et le dîner, propose une cuisine internationale très variée. De plus, de nombreux cafés-restaurants se trouvent à proximité du *Commodore*.

Darlington Hyde Park. 111-117 Sussex Gardens, London W2 2RU. ☎ **020/7460-8800.** Fax 020/7460-8828. www.members.aol.com/darlinghp. E-mail : darlinghp@aol.com. 40 chambres. TV. Tél. Double 100 £ ; suite 110 £-120 £. Petit déjeuner continental compris. CB. Métro : Paddington ou Lancaster Gate.

Même s'il ne paye pas de mine et propose peu de services, le *Darlington Hyde Park*, en plein cœur de Londres, est d'un bon rapport qualité-prix. Récemment rénovées dans un style victorien, les chambres sont bien tenues bien que peu élégantes. Petites ou moyennes, toutes ont une bonne literie et une salle de bains correcte. Cinq sont nonfumeurs. Cet hôtel est fréquenté aussi bien par des personnes en voyage d'affaires que par des touristes. Seul le petit déjeuner est servi. Il n'y a pas de bar mais les clients peuvent amener leur bouteilles et prendre un verre dans le salon. Quelques restaurants avoisinants assurent le *room service*. La liste de ces restaurants figure sur un dépliant mis à la disposition des clients dans chaque chambre. Services : blanchisserie et pressing. Club de sport à proximité.

Mornington Hotel. 12 Lancaster Gate, London W2 3LG. ☎ **800/528-123**4 ou 020/7262-7361. Fax 020/7706-1028. www.mornington.se. E-mail : mornington.hotel@

mornington.co.uk. 66 chambres. TV. Tél. Double 105 £-140 £. Petit déjeuner anglais ou scandinave compris. CB. Métro : Lancaster Gate.

Le *Mornington* apporte au centre de Londres un peu d'hospitalité nord-européenne. Au nord de Hyde Park et de Kensington Gardens, cet hôtel à la façade victorienne offre un décor d'inspiration scandinave. Le quartier n'est pas le plus chic de Londres, mais Hyde Park est à deux pas et Marble Arch, les magasins d'Oxford Street et les restaurants « ethniques » de Queensway ne sont pas loin non plus. Récemment rénovées, les chambres sont élégantes et confortables, équipées d'une théière et d'une cafetière, d'une bonne literie, et d'une télévision à péage. Les salles de bains, avec sèche-cheveux, sont petites mais bien entretenues. Vous pourrez vous détendre dans la bibliothèque et commander une collation ou un thé au bar, bien approvisionné. Le personnel de l'hôtel est très amical et serviable. Services : concierge, blanchisserie et pressing.

✪ **The Pavilion.** 34-36 Sussex Gardens, London W2 1UL. ☎ **020/7262-0905.** Fax 020/7262-1324. www.msi.com.mt/pavilion. 27 chambres. TV. Tél. Double 90 £. Petit déjeuner compris. CB. Parking 5 £. Métro : Edgwater Road.

Ce B & B était très ordinaire, voire insignifiant, jusqu'à ce qu'une équipe d'entrepreneurs qui avait un pied dans la mode redécore entièrement les chambres, sur des thèmes parfois farfelus et en fasse un hôtel très particulier. Résultat : un décor théâtral souvent extravagant, très apprécié des mannequins et des mordus de musique. Derrière une façade victorienne en brique et en stuc des années 1830, le *Pavilion* propose des chambres ayant chacune leur style. La *Honky-Tonk Afro* a un look kitsch digne des années 1970, la *Enter the Dragon*, une ambiance orientale et d'autres un décor du XIXe siècle. La *Green with Envy*, style 1900, est un véritable bijou de brocart émeraude et de velours. Elles sont équipées d'une théière et d'une bonne literie mais sont malheureusement petites dans l'ensemble. Les salles de bains sont étroites mais fonctionnelles. Seul le petit déjeuner est servi.

The Phoenix Hotel, 1-8 Kensington Garden Square, London W2 4BH. ☎ **800/528-1234** ou 020/7229-2494. Fax 020/7727-1419. www.phoenixhotel.co.uk. E-mail : phoenixhotel@dial.pipex.com. 128 chambres. TV. Tél. Double 92 £ ; chambre familiale 120 £ ; suite 145 £. Petit déjeuner compris. CB. Métro : Bayswater.

Le *Phoenix* occupe toute la partie sud de l'un des plus célèbres jardins d'Europe. Bien situé dans un quartier multi-ethnique, cet hôtel est composé de plusieurs maisons du XIXe siècle. L'atmosphère y est accueillante et chaleureuse. Les chambres, bien meublées et confortables, sont décorées dans des tons sourds. Tout est conçu pour votre confort, y compris en ce qui concerne le rangement des bagages. Les salles de bains sont petites mais bien entretenues. Le bar est très agréable et des repas légers sont servis dans le café du rez-de-chaussée. Un seul point noir : les espaces communs sont trop petits pour un hôtel de cette taille. Services : *room service* (de 11 h à 1 h), pressing et bureau de voyages.

PETITS PRIX

Adare House. 153 Sussex Gardens, London W2 2RY. ☎ **020/7262-0633.** Fax 020/7706-1859. www.freespace.virgin.net/adare.hotel. E-mail : adare.hotel@virgin.net. 20 chambres. TV. Tél. Double avec douche 69 £ (un peu moins cher en hiver). Petit déjeuner anglais complet compris. CB. Métro : Paddington.

L'*Adare House* est le meilleur *Bed and Breakfast* de Sussex Gardens pour les budgets serrés. Cet endroit a encore une âme, contrairement à la plupart des ses voisins. Bien entretenu, il s'est progressivement amélioré au fil des ans et malgré le manque d'espace, des salles de bains ont pu être ajoutées dans les chambres ; elles ont toutes un sèche-cheveux. Les espaces communs sont relativement modestes, mais le papier peint style

Régence et la moquette rouge leur donnent une certaine classe. Dans l'ensemble, les chambres sont petites mais impeccables, bien meublées et avec une bonne literie. Vous y trouverez de quoi vous faire un thé.

Europa House Hotel. 151 Sussex Gardens, London W2 2RY. ☎ **020/7402-1923** ou 020/7723-7343. Fax 020/7224-9331. www.visitus.co.uk/london/europa.html. E-mail : europahouse@enterprise.net. 18 chambres. TV. Tél. Double 50 £-65 £ ; chambre familiale 18 £-23 £ par personne. Petit déjeuner anglais compris. CB. Parking 10 £. Métro : Paddington.

Cet hôtel de Sussex Gardens est une bonne adresse pour les budgets serrés ; il est idéal pour ceux qui veulent une douche dans leur chambre sans la payer à prix d'or. Comme dans la plupart des hôtels de la rue, les chambres sont petites, mais sont bien entretenues et décorées dans des tons assortis. Chacune a sa salle de bains et une cafetière. La plupart ont été remises à neuf récemment. Certaines ont été conçues spécialement pour des groupes, avec trois, quatre ou cinq lits. Les matelas sont parfois un peu minces mais en général, la literie est confortable. Le copieux petit déjeuner anglais est servi dans la salle à manger.

Fairways Hotel. 186 Sussex Gardens, London W2 1TU. ☎ **020/7723-4871.** Fax 020/7723-4871. www.scoot.co.uk/fairways_hotel. E-mail : fairwayshotel@compuser ve.com. 17 chambres (10 avec salle de bains). TV. Double sans salle de bains 62 £, avec salle de bains 68 £. Petit déjeuner anglais compris. CB. Métro : Paddington.

Jenny et Steve Adams vous accueillent dans l'un des B & B les plus élégants de Sussex Gardens. Même s'il n'est plus aussi prisé qu'autrefois, le *Fairways Hotel*, près de Hyde Park, est l'un des points de chute favoris des touristes au budget serré. Le bâtiment, noir et blanc, est facile à repérer : façade à colonnes et balustrade en fer forgé au deuxième étage. Dédaignant toute modernité, la famille Adams préfère le charme traditionnel. La salle de petit déjeuner, ornée de photos de famille et de vaisselle en porcelaine, ne donne pas l'impression d'être dans un hôtel. Toutes les chambres, élégantes et confortables, ont un lavabo avec l'eau chaude, un interphone et une théière. Celles qui ont une salle de bains sont petites mais coquettes. Les salles de bains communes sont bien entretenues. Le petit déjeuner, fait maison, est suffisamment copieux pour tenir jusqu'au soir.

Norfolk Court & St. David's Hotel. 16-20 Norfolk Square, London W2 1RS. ☎ **020/7723-4963.** Fax 020/7402-9061. 70 chambres (35 avec douche). TV. Tél. Double sans salle de bains 50 £, avec baignoire ou douche 60 £ ; triple sans salle de bains 60 £, avec douche 75 £ ; quad. sans salle de bains 70 £, avec douche 90 £. Petit déjeuner anglais compris. CB. Métro : Paddington.

George et Foula Neokledos, deux des hôtes les plus accueillants du quartier, gèrent ces deux propriétés avec un certain style. Situés à deux minutes à pied de la station Paddington, ces petits hôtels ont été construits à la grande époque de Norfolk Square, lorsque John Addington Symonds (1840-1893), érudit excentrique, auteur et critique littéraire, fréquentait les lieux. Si les nobles ne sont plus là depuis longtemps, le quartier a conservé un certain standing. Les intérieurs ne sont pas toujours bien décorés mais les chambres sont bien entretenues et confortables. Vous vous y sentirez comme chez vous. La literie est de bonne qualité. Les cabines de douche sont petites mais convenables.

Parkwood Hotel. 4 Stanhope Place, London W2 2HB. ☎ **020/7402-2241.** Fax 020/7402-1574. 18 chambres (12 avec salle de bains). TV. Tél. Double sans salle de bains 64,50 £, avec salle de bains 87,50 £ ; triple sans salle de bains 77 £, avec salle de bains 97 £. Enfants de moins de 13 ans occupant la chambre des parents : Lun.-ven. 7,50 £, sam. et dim. gratuit. Petit déjeuner anglais compris. CB. Métro : Marble Arch.

Le *Parkwood*, hôtel d'un bon rapport qualité-prix, est très bien situé : près d'Oxford Street et de Marble Arch, à 50 m de Hyde Park, dans un quartier connu sous le nom de Connaught Village. Les chambres, très simples mais bien entretenues, sont pourvues d'une cafetière, d'une radio et d'une bonne literie. Les salles de bains individuelles sont petites et celles communes sont correctes et propres. L'hôtel se targue de proposer un excellent petit déjeuner – en fait, le menu indique seulement que si vous avez encore faim, vous pouvez en avoir un autre gratuit.

ALENTOURS DE MAIDA VALE
PRIX ÉLEVÉS
Colonnade Hotel. 2 Warrington Crescent, London W9 1ER. ☎ **020/7289-2167.** Fax 020/7286-1057. www.colonnade.demon.co.uk. E-mail : louise@colonnade.demon.co.uk. 43 chambres. Clim. Minibar. TV. Tél. Double 160 £-195 £ ; suite 230 £. Petit déjeuner anglais compris. CB. Parking 10 £. Métro : Warwick Avenue.

Le *Colonnade*, ancienne demeure de Sigmund Freud, est l'un des meilleurs hôtels du quartier depuis 1938. Situé dans la zone chic de Little Venice, à environ dix minutes en métro de West End, il est géré depuis un demi-siècle par la famille Richards, qui a su lui conserver tout son charme. Les chambres, de la simple standard à la suite avec lit à baldaquin, sont très différentes les unes des autres mais ont toutes une salle de bains avec de nombreux équipements : radio, sèche-cheveux, presse à pantalons... (les suites ont même un jacuzzi). Oreillers en mousse, couettes et lits de camp sont également à votre disposition. La literie est de bonne qualité. L'hôtel est chauffé 24/24 h de la première brise d'automne aux derniers froids d'hiver, ce qui est rare à Londres. De plus, la moitié des chambres sont climatisées. Une modernisation et une rénovation des lieux est prévue. Services : concierge, blanchisserie et pressing, *room service*, baby-sitting.

SMITHFIELD
PRIX ÉLEVÉS
✪ **The Rookery.** 12 Peters Lane, Cowross St., London EC1M 6DS. ☎ **020/7336-0931.** Fax 020/7336-0932. 33 chambres. Clim. Minibar. TV. Tél. Double 170 £ ; suite 230 £. CB. Métro : Farrington.

Smithfield, quartier devenu très chic, abrite un hôtel étrange qui mérite le détour. À quelques pas de Square Mile, le *Rookery* a été conçu à partir des quelques maisons anciennes qui restaient à Peter's Lane. Créé par Peter McKay et Douglas Blain, qui possèdent également le *Hazlitt's* à Soho, il a été restauré sans rien perdre – ou presque rien – de son architecture d'origine. Le sous-sol, où se trouvait autrefois une boulangerie, a toujours ses fours au charbon. Les propriétaires ont passé des heures dans les salles de ventes, dans les magasins d'antiquités et les marchés aux puces pour dénicher toutes sortes de gravures, de meubles, de lits et de tapis. Chaque chambre a son style. La *Rook's Nest*, par exemple, comporte une mezzanine et un plafond haut de 12 m, avec une vue imprenable sur les toits de Londres, de St. Paul à Old Bailey. Les salles de bains ont un charme suranné : appliques en fer forgé et conduits en cuivre.

Restauration : Les propriétaires disent eux-mêmes que l'hôtel est entouré de restaurants où l'on mange bien. Toutefois, un bon menu est servi toute la journée et les croissants du petit déjeuner sont cuits sur place.

Services : *Room service* 24/24 h, concierge, petit jardin (atout rare en pleine ville), blanchisserie et pressing.

8 Alentours des aéroports

ALENTOURS D'HEATHROW

PRIX ÉLEVÉS

London Heathrow Hilton. Terminal 4, Hounslow TW6 3AF. ☎ **020/8759-7755.** Fax 020/8759-7579. E-mail : gm_heathrow@comhilton.com. 395 chambres. Clim. Minibar. TV. Tél. Double : dim.-jeu. 160 £-295 £, ven.-sam. 110 £-150 £ ; suite à partir de 430 £. CB. Parking 6,50 £.

Cet hôtel de cinq étages aux allures de hangar est relié au terminal 4 d'Heathrow par un passage pour piétons couvert. Des bus desservent les terminaux 1, 2 et 3. Les chambres, de taille moyenne, sont standard mais confortables : meubles encastrés, canapé et literie d'excellente qualité. Les salles de bains en marbre et céramique sont équipées d'un téléphone et d'un sèche-cheveux. Les meilleures chambres sont celles du cinquième étage : elles proposent en plus des peignoirs et un petit salon avec vue sur l'aéroport.

Restauration/Divertissements : Dans le hall principal se trouve une brasserie à ciel ouvert, ombragée par des stores et des parasols. L'hôtel possède également un bon restaurant chinois et thaïlandais, et un bar-grill au décor de cinéma.

Services : *Room service*, concierge, télé avec écran d'information sur les vols et check-out automatique.

Radisson Edwardian Heathrow. 140 Bath Road, Hayes UB3 5AW. ☎ **020/8759-6311.** Fax 020/8759-4559. www.radisson.com. E-mail : resreh@radisson.com. 459 chambres. Clim. Minibar. TV. Tél. Double 180 £-210 £ ; suite à partir de 383 £. CB. Parking 7 £. Bus Heathrow Hopper.

Cet hôtel de luxe, situé juste au sud de l'autoroute M4 et à environ cinq minutes du tunnel qui mène aux terminaux 1, 2 et 3, est le plus chic des environs d'Heathrow. Depuis 1991, il accueille les voyageurs fatigués en provenance du monde entier, qui apprécient son centre thermal avec piscine et bains à remous. On y accède par une cour bordée d'arbres agrémentée d'un petit bassin. Tapis persans, escaliers aux rampes de cuivre et chandeliers rappellent effectivement l'époque du roi Édouard VII. Les chambres, de taille moyenne, sont ornées de meubles en bois peints à la main et équipée d'une presse à pantalons, d'une table à repasser et d'une télé avec écran d'information sur les vols. La literie est d'excellente qualité. Les salles de bains sont en marbre et en céramique.

Restauration/Divertissements : Le restaurant et la brasserie (plus décontractée) de l'hôtel proposent une cuisine britannique et internationale. Dans le bar à thème, décor polo, les selles remplacent les tabourets.

Services : *Room service*, concierge, centre thermal, sauna, piscine avec plongeoir.

PRIX MOYENS

Renaissance London Heathrow Hotel. Bath Road, Houndslow, London TW6 2AQ. ☎ **020/8987-6363.** Fax 020/8897-1113. E-mail : 106047.3556@compuserve.com. 650 chambres. Clim. Minibar. TV. Tél. Double : dim.-jeu. 139 £, ven.-sam. 82 £ ; suite à partir de 315 £. CB. Bus Heathrow Hopper à destination des aérogares.

Le *Renaissance London Heathrow Hotel* est plus qu'un simple hôtel d'aéroport. Il se situe à l'intérieur du périmètre d'Heathrow, juste à l'entrée du tunnel qui mène à l'aéroport. Une foule de voyageurs du monde entier y descend régulièrement. Les chambres, récemment rénovées, sont un peu petites mais chacune est équipée d'une cafetière, d'un panneau de télécommande de chevet, d'une excellente literie et d'une salle de bains carrelée avec baignoire, lavabo en marbre, sèche-cheveux et articles de toilette. Nous vous recommandons les chambres donnant sur l'aéroport (le double-vitrage protège du bruit). La brasserie, avec vue sur les pistes d'envol, propose une cuisine internationale. L'hôtel possède également un bar orné de gravures d'avions d'époque. Services : solarium, sauna, gymnase et club de sport récemment rénové.

Stanwell   Hall. Town   Lane,   Stanwell,   Staines,   Middlesex   TW19   7PW. ☎ **01784/252292.** Fax 01784/245250. 19 chambres (18 avec salle de bains). TV. Tél. Double 100 £ ; suite 130 £. Petit déjeuner compris. CB. Parking gratuit.

Cette maison victorienne ensoleillée a été achetée en 1951 par la famille Parke, qui en a fait un hôtel confortable. Agrémenté d'un charmant jardin, dans un petit village à quelques minutes d'Heathrow, il se révèle idéal pour les personnes en voyage d'affaires qui en ont assez de loger dans les hôtels d'aéroports. Environ la moitié des chambres ont été entièrement rénovées : confortablement meublées, elles sont décorées dans des tons chauds, avec des rideaux de chintz – rien à voir avec les chambres ternes qui n'ont pas encore été restaurées. Toutes sont pourvues d'une cafetière et d'une bonne literie. Les salles de bains, avec sèche-cheveux, sont fonctionnelles et bien entretenues. Le **St. Anne's Restaurant**, au rez-de-chaussée, petit mais accueillant, propose une cuisine britannique moderne. Le bar, très populaire, sert des boissons et des repas légers à l'heure du déjeuner. Services : blanchisserie et pressing.

ALENTOURS DE GATWICK
PRIX ÉLEVÉS

Hilton London Gatwick Airport. South Terminal, Gatwick Airport, Gatwick, West Sussex RH6 0LL. ☎ **800/HILTONS** ou 01293/518080. Fax 01293/528980. www. hilton.com. E-mail : gathitwrm@hilton.com. 550 chambres. Clim. TV. Tél. Double 187 £-240 £ ; suite à partir de 260 £. CB. Parking 10,40 £.

Cet hôtel de luxe de cinq étages – le meilleur dans les environs de Gatwick – est relié au terminal de l'aéroport par un passage pour piétons couvert. Des navettes transportent les clients à l'aéroport. Le hall du premier étage est très impressionnant : s'élevant sur quatre étages, son portique vitré arbore une réplique de l'avion De Havilland Gypsy Moth, à bord duquel Amy Johnson rallia l'Australie depuis l'Angleterre en 1930. Les chambres insonorisées (fenêtres à triple vitrage) ont une bonne literie et une cafetière. Les salles de bains, avec sèche-cheveux, sont bien entretenues. Récemment, toutes les suites juniors et 123 chambres ont été rénovées : elles possèdent désormais un minibar approvisionné sur demande.

Restauration/Divertissements : L'**Amy's**, restaurant au décor américain, sert le petit déjeuner (buffet), le déjeuner et le dîner. Le **Garden Restaurant**, très anglais, propose boissons et repas complets. Également à votre disposition, le **Lobby Bar**, ouvert 24/24 h, et le **Jockey Bar**, conçu sur le thème du polo.

Services : Blanchisserie et pressing express, chaîne d'information sur les vols, *room service* 24/24 h, salon, banque, boutique de cadeaux, concierge, livraison de journaux, baby-sitting, club de sport (sauna, salle de massage, piscine, gymnase et jacuzzi). Salles de conférence, centre d'affaires et galerie marchande.

Se restaurer 5

George Mikes, humoriste de nationalité hongroise célèbre en Grande-Bretagne a écrit un jour à propos des prouesses culinaires de son pays d'adoption : « Les Européens du continent ont une bonne cuisine. Les Anglais, de bonnes manières. »

Mais les choses ont bien changé. À l'aube du deuxième millénaire, Londres est devenue l'une des plus grandes capitales gastronomiques du monde. Ces dernières années, vétérans et débutants confondus, ses chefs ont parcouru le monde entier pour y trouver l'inspiration ; ils sont revenus avec des idées, des saveurs et des recettes encore inconnues à Londres. De cette nouvelle tendance est née la cuisine britannique moderne, à la fois créative et familière. Tous les plats sont réalisés à base d'ingrédients typiquement anglais, mais préparés de façon tout à fait nouvelle. Les recettes traditionnelles ont donc été largement adaptées – un peu trop au goût de certains détracteurs qui n'apprécient guère la mangue fraîche sur le boudin.

La cuisine anglaise traditionnelle est également revenue à la mode. Les plats que toutes les mamans anglaises servent depuis toujours à leur famille blasée sont devenus le nec plus ultra : saucisses-purée, boulettes, hachis Parmentier et pudding, aussi curieux que cela puisse paraître, font leur retour sur les tables. Simple nostalgie ou réaction au minimalisme excessif de la cuisine nouvelle des années 1980 ? Qui sait ? Cela ne correspond peut-être pas à l'idée que vous vous faisiez de la gastronomie… et pourtant, le *Simpson's in-the-Strand* sert du fromage de tête au persil et à l'oignon au petit déjeuner.

De nos jours, les grands chefs passent davantage de temps à écrire des livres de cuisine et à faire des émissions de télévision qu'à officier. Aussi, ceux qui sont encensés par *Condé Nast Traveler* ou *Travel & Leisure* ne seront sans doute pas en cuisine lorsque vous irez dans leur restaurant. Qu'à cela ne tienne : le menu n'en souffre pas. De nombreux jeunes plein d'avenir – et parfois meilleurs – ont pris le relais. De plus, Londres compte de plus en plus de restaurants immenses – certains accueillent jusqu'à 200 personnes ou plus – ; dans ce type d'établissements, l'identité du chef a bien peu d'importance dès lors qu'il sait cuisiner.

Envie d'un dîner somptueux ? Londres est l'endroit qu'il vous faut. *Le Gavroche, Chez Nico at Ninety Park Lane* et quelques autres sont de véritables paradis pour les gourmets. Si votre budget est plus modeste, ne vous inquiétez pas, vous trouverez aussi dans ce chapitre des restaurants abordables où l'on mange très bien. La révolution culinaire a infiltré la restauration londonienne à tous les niveaux : même les pubs les plus humbles ont inscrit des plats extrêmement audacieux au menu – et, croyez-le ou non, on mange parfois mieux dans un pub que dans certains restaurants). D'aucuns se sont lancés dans la cuisine moderne de style méditerranéen, d'autres se sont transformés en bar à huîtres. Pour connaître les meilleurs du genre, voir « La grande cuisine se démocratise », p. 186.

INFORMATIONS DIVERSES

HORAIRES Les horaires d'ouverture varient d'un restaurant à l'autre mais, en règle générale, le déjeuner est servi de midi à 14 h et le dîner, de 19 h 30 à 21 h 30 – toutefois, de plus en plus d'établissements ferment plus tard. Le dimanche est habituellement le jour de fermeture, mais là encore, il y a de nombreuses exceptions. Beaucoup de restaurants ferment aussi pendant les fêtes de Noël. Renseignez-vous par téléphone. Dans la liste qui suit, les horaires d'ouverture de chaque restaurant sont précisés.

RÉSERVATION La réservation est obligatoire ou conseillée presque partout, à l'exception des pubs, des cafétérias et des fast-foods. En vous y prenant à l'avance, vous aurez très probablement une meilleure table. Si vous souhaitez dîner dans un endroit réputé, n'hésitez pas à réserver des semaines auparavant, éventuellement avant de partir, et confirmez votre réservation dès votre arrivée.

TAXES & POURBOIRES Tous les restaurants et cafés sont tenus d'afficher le prix des plats et des boissons dans un endroit visible depuis l'extérieur. La facturation minimum et tous les suppléments pour le service ou le couvert doivent aussi être indiqués. Les tarifs comprennent la VAT de 17,5 %. La plupart des restaurants ajoutent un supplément de 10 à 15 % pour le service, mais vérifiez quand même votre note. Si le service n'est pas compté, laissez un pourboire de 12 à 15 %.

1 Restaurants par spécialité

AMÉRICAINS

Chicago Rib Shack (Knightsbridge, *PP*)
Christopher's (Covent Garden, *PM*)
Deal's Restaurant and Diner (Chelsea Harbour, *PP*)
Hard Rock Café (Mayfair, *PP*)
Joe Allen (Covent Garden, *PP*)
Pizzeria Condotti (Mayfair, *PP*)

ASIATIQUES

Oxo Tower (South Bank, *PÉ*)

BARS À VINS

Boaters Wine Bar (Chelsea Harbour)
Bow Wine Vaults (The City)
Bubbles (St. James's)
Cork & Bottle Wine Bar (Leicester Square)
Daniel's Bar/Cafe Royal Grill (Piccadilly Circus)
Ebury Wine Bar (Victoria)
Jamaica Wine House (The City)
Le Metro (Knightsbridge)
Shampers (St. James's)

Abréviations :
PTÉ = Prix très élevés ; *PÉ* = Prix élevés ; *PM* = Prix moyens ; *PP* = Petits prix.

BELGES

Belgo Centraal (Covent Garden, *PM*)

BRITANNIQUES (CUISINE MODERNE)

Alastair Little (Soho, *PÉ*)
Atlantic Bar & Grill (Piccadilly Circus, *PM*)
Butler's Wharf Chop House (Docklands, *PM*)
Canteen (Chelsea Harbour, *PM*)
Circus (Piccadilly Circus, *PM*)
Clarke's (Notting Hill Gate, *PM*)
The Criterion Brasserie-Marco Pierre White (Piccadilly Circus, *PM*)
English House (Chelsea, *PM*)
Fifth Floor at Harvey Nichols (Knightsbridge, *PM*)
The Georgian Restaurant (Knightsbridge, *PÉ*)
Greenhouse (Mayfair, *PM*)
Ivy (Soho, *PM*)
Joe's (Kensington, *PM*)
Launceston Place (Kensington, *PM*)
Mirabelle (Mayfair, *PÉ*)
Nico Central (Fitzrovia, *PM*)
Oak Room/Marco Pierre White (Mayfair, *PTÉ*)
Quo Vadis (Soho, *PÉ*)
Rhodes in the Square (Pimlico, *PÉ*)
St. John (Clerkenwell, *PM*)
Teatro Club & Restaurant (Piccadilly Circus, *PM*)
Titanic (Piccadilly Circus, *PM*)

BRITANNIQUES (CUISINE TRADITIONNELLE)

Butler's Wharf Chop House (Docklands, *PM*)
Dickens Inn by the Tower (Docklands, *PP*)
English Garden (Chelsea, *PM*)
English House (Chelsea, *PM*)
Fox & Anchor (The City, *PP*)
The George (The Strand, *PP*)
The George & Vulture (The City, *PP*)
The Georgian Restaurant (Knightsbridge, *PÉ*)
The Granary (Piccadilly, *PP*)
Langan's Bistro (Marylebone, *PP*)

Langan's Brasserie (Mayfair, *PM*)
Maggie Jones (Kensington, *PP*)
Porter's English Restaurant (Covent Garden, *PP*)
Quo Vadis (Soho, *PÉ*)
Rules (Covent Garden, *PÉ*)
Scotts (Mayfair, *PM*)
Shepherd's (Westminster, *PM*)
Simpson's-in-the-Strand (The Strand, *PÉ*)
The Stockpot (Leicester Square, *PP*)
Veronica's (Bayswater, *PM*)
Wiltons (Piccadilly Circus, *PÉ*)

CANTONAIS

Ming (Soho, *PP*)

CHINOIS

Chuen Cheng Ku (Soho, *PP*)
Dumpling Inn (Soho, *PP*)
Kai Mayfair (Mayfair, *PM*)
Ken Lo's Memories of China (Victoria, *PÉ*)
Poons in the City (The City, *PM*)

CUISINE INTERNATIONALE

Brinkley's Garden Restaurant & Chapter 11 Bar (West Brompton, *PP*)
Chelsea Kitchen (Chelsea, *PP*)
Circus (Piccadilly Circus, *PM*)
Coast (Piccadilly Circus, *PÉ*)
Collection (South Kensington, *PM*)
Great Eastern Dining Room (Shoreditch, *PP*)
Le Pont de la Tour (Docklands, *PÉ*)
Odin's (Marylebone, *PM*)
Pavilion Restaurant (South Kensington, *PM*)
Turner's (South Kensington, *PÉ*)
Villandry (Soho, *PM*)

EUROPÉENS

Achy Ramp (Notting Hill Gate, *PM*)
Alstair Little (Soho, *PÉ*)
Blue Bird (Chelsea, *PÉ*)
Hilaire (South Kensington, *PÉ*)
L'Oranger (Mayfair, *PM*)
Maison Novelli (Clerkenwell, *PÉ*)
Mash (Soho, *PM*)
Mezzo (Soho, *PÉ*)
Oxo Tower (South Bank, *PÉ*)

Quaglino's (Mayfair, *PM*)
The Stockpot (Leicester Square, *PP*)
Villandry (Soho, *PM*)

FRANÇAIS
Au Jardin des Gourmets (Soho, *PM*)
Aubergine (Chelsea, *PÉ*)
Bibendum/The Oyster Bar (South
   Kensington, *PÉ*)
Brasserie St. Quentin (South
   Kensington, *PM*)
Canteen (Chelsea Harbour, *PM*)
Chez Nico at Ninety Park Lane
   (Mayfair, *PTÉ*)
Connaught (Mayfair, *PTÉ*)
Gordon Ramsay (Chelsea, *PÉ*)
Langan's Bistro (Marylebone, *PP*)
Langan's Brasserie (Mayfair, *PM*)
Le Gavroche (Mayfair, *PTÉ*)
L'Odéon (Piccadilly Circus, *PÉ*)
Maison Novelli (Clerkenwell, *PÉ*)
Magno's (Covent Garden, *PM*)
Nico Central (Fitzrovia, *PM*)
Pied-à-Terre (Fitzrovia, *PÉ*)
The Room at the Halcyon (Holland
   Park, *PÉ*)
Ship Hispaniola (Embankment, *PM*)
Simply Nico (Victoria, *PM*)
Vong (Knightsbridge, *PÉ*)

FRUITS DE MER
Greens Restaurant & Oyster Bar
   (Piccadilly Circus, *PM*)
North Sea Fish Restaurant (Holborn,
   PP)
Scotts (Mayfair, *PM*)

ESPAGNOLS
Moro (Clerkenwell, *PM*)

HONGROIS
Gay Hussar (Soho, *PÉ*)

INDIENS
The Bengal Clipper (Butler's Wharf,
   PM)
Bombay Brasserie (South
   Kensington, *PM*)
Café Spice Namaste (The City, *PM*)
Soho Spice (Soho, *PM*)
Tamarind (Mayfair, *PP*)

ITALIENS
Great Eastern Dining Room
   (Shoreditch, *PP*)
I-Thai (Bayswater, *PTÉ*)
Neal Street Restaurant (Covent
   Garden, *PÉ*)
Pizzeria Condotti (Mayfair, *PP*)
The River Café (Hammersmith, *PÉ*)
San Lorenzo (Knightsbridge, *PÉ*)
Zafferano (Knightsbridge, *PÉ*)

JAPONAIS
Nobu (Mayfair, *PÉ*)
Suntory (St. James's, *PTÉ*)

LIBANAIS
Phoenicia (Kensington, *PM*)

MAROCAINS/NORD-AFRICAINS
Momo (Piccadilly Circus, *PM*)
Moro (Clerkenwell, *PM*)
Oxo Tower (South Bank, *PÉ*)
Pasha (South Kensington, *PM*)

MÉDITERRANÉENS
Bibendum/The Oyster Bar (South
   Kensington, *PÉ*)
Bistro 190 (South Kensington, *PM*)
dell'Ugo (Soho, *PP*)
Mezzo (Soho, *PÉ*)

PAKISTANAIS/MUGHLAI
Salloos (Belgravia, *PM*)

PAYS DU PACIFIQUE
Axis (Covent Garden, *PÉ*)
Sugar Club (Soho, *PM*)

PUBS
Antelope (Belgravia)
Bill Bentley's (Knightsbridge)
The Cow (Westbourne Park)
The Engineer (Camden Town)
The Enterprise (South Kensington)
Front Page (Chelsea)
Grenadier (Belgravia)
King's Head & Eight Bells (Chelsea)
Museum Tavern (Bloomsbury)
Nag's Head (Belgravia)
Nag's Head (Covent Garden)
Old Coffee House (Soho)
Prince Bonaparte (Westbourne Park)
Red Lion (St. James's)

Salisbury (Leicester Square)
Shepherd's Tavern (Mayfair)
Sherlock Holmes (Westminster)
Ye Olde Cheshire Cheese (The City)
Ye Olde Cock Tavern (The City)
Ye Olde Watling (The City)

SALONS DE THÉ
The Blue Room (Leicester Square)
Brown's Hotel (Mayfair)
Claridge's (Mayfair)
The Garden Café (Notting Hill)
The Georgian Restaurant
(Knightsbridge)
The Lanesborough (Belgravia)
MJ Bradley's (Covent Garden)
The Orangery (Kensington)
Palm Court at the Waldorf Meridien
(Covent Garden)
Palm Court Lounge (Mayfair)
Richoux (Knightsbridge)

Ritz Palm Court (St. James's)
St. James Restaurant & The
Fountain Restaurant (St. James's)
The Tearoom at Chelsea Physic
Garden (Chelsea)

SOUDANAIS
Mondola (Notting Hill, *PP*)

SZECHUAN
Zen Central (Mayfair, *PM*)

THAÏLANDAIS
Blue Elephant (West Brompton, *PM*)
Chiang Mai (Soho, *PP*)
Deal's Restaurant and Diner (Chelsea
Harbour, *PP*)
I-Thai (Bayswater, *PTÉ*)
Vong (Knightsbridge, *PÉ*)

VÉGÉTARIEN
Crank's in London (Mayfair, *PP*)

2 West End

MAYFAIR
PRIX TRÈS ÉLEVÉS
✪ **Chez Nico at Ninety Park Lane.** Grosvenor House, 90 Park Lane, W1.
☎ **020/7409-1290.** Réservation obligatoire (au moins 2 jours avant pour le déjeuner,
7 jours pour le dîner). Menu déjeuner 3 plats 25 £-40 £ ; dîner à la carte : 2 plats 54 £,
3 plats 66 £. CB. Lun.-ven. midi-14 h ; lun.-sam. 19 h-23 h. Fermé 10 jours pendant les
fêtes de Noël et de fin d'année. Métro : Marble Arch. FRANÇAIS.

Ici, le cadre est aussi merveilleux que la cuisine, mais la priorité reste à la gastronomie
– l'établissement est d'ailleurs très fréquenté par les fins gourmets français. L'un des
plus grands spécialistes londoniens des arts culinaires, le lunatique mais toujours drôle
Nico Ladenis, est aujourd'hui assisté par Paul Rhodes, qui interprète les idées du
maître avec élégance et enthousiasme. Ancien cadre dans une compagnie pétrolière et
cuisinier autodidacte, Ladenis est l'un des chefs les plus célèbres de la ville. Sa cuisine, pleine de style, grandiose, réinvente constamment des plats qui semblaient déjà
parfaits. En entrée, rien ne peut égaler la salade d'œufs de caille et de ris de veau assai-
sonnée à la vinaigrette aux amandes. Les plats sont des classiques adaptés de façon
créative. Avec une maîtrise parfaite, les chefs du *Nico* proposent une cuisine éblouis-
sante en constante évolution. Leur spécialité : les raviolis de langoustine ; mais le loup
au basilic ou le pigeon de Bresse ne peuvent quant à eux être concurrencés que par les
plats du *Gavroche* (voir ci-dessous).

The Connaught Restaurant. Connaught Hotel, Carlos Place, W1. ☎ 020/7499-
7070. Réservation obligatoire. Plats 18 £-35 £ ; menu 3 plats 60 £. CB. Tous les jours
12 h 30-14 h 30 et 18 h 30-22 h 45. Métro : Green Park. FRANÇAIS/BRITANNIQUE.

Se restaurer à West End

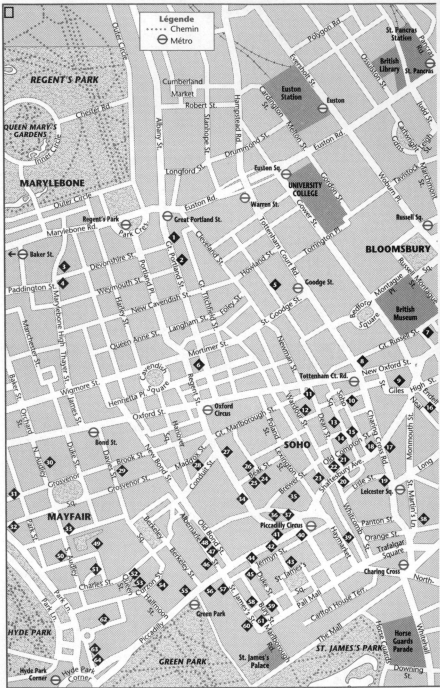

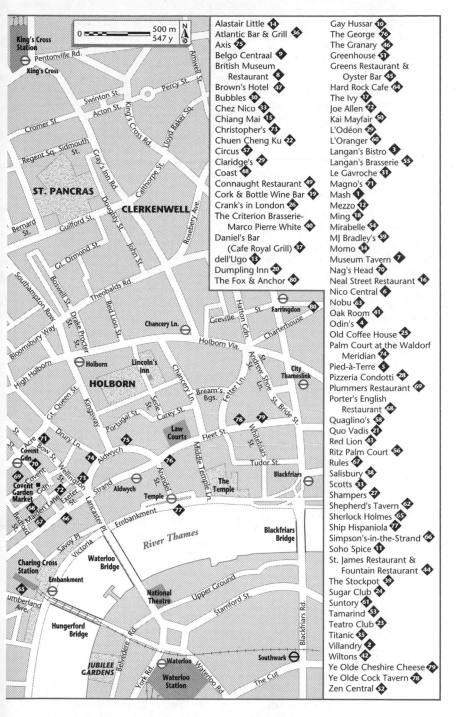

King's Cross Station
Pentonville Rd.
King's Cross
Swinton St.
Acton St.
Cromer St.
Regent Sq.
Sidmouth St.
Gray's Inn Rd.
Calthorpe St.
ST. PANCRAS
CLERKENWELL
Doughty St.
Roseberry Ave.
Bernard St.
Guilford St.
John St.
Gt. Ormond St.
Boswell St.
Theobalds Rd.
Red Lion St.
Chancery Ln.
Greville St.
Hatton Gdn.
Farringdon
Charterhouse
Southampton Row
Bloomsbury Way
Drake Procter St.
High Holborn
Holborn Via.
Holborn
Lincoln's Inn
HOLBORN
Andrew Shoe St.
City Thameslink
St. Bride St.
Chancery Ln.
Gt. Queen St.
Kingsway
Portugal St.
Serle St.
Carey St.
Bream's Bgs.
Fetter Ln.
Whitefriars St.
Drury Ln.
Bow St.
Aldwych
Law Courts
Fleet St.
Middle Temple Ln.
Tudor St.
Blackfriars
Covent Gdn.
Wellington St.
Strand
Arundel St.
The Temple
Covent Garden Market
Maiden Lane
Exeter St.
Aldwych
Temple
Embankment
Blackfriars Bridge
Savoy Pl.
Lancaster Pl.
River Thames
Blackfriars Rd.
Charing Cross Station
Waterloo Bridge
Victoria Embankment
Embankment
National Theatre
Upper Ground
umberland Ave.
Hungerford Bridge
Stamford St.
Belvedere Rd.
York Rd.
JUBILEE GARDENS
Waterloo
Waterloo Station
Waterloo Rd.
The Cut
Southwark

Alastair Little 14
Atlantic Bar & Grill 36
Axis 75
Belgo Centraal 9
British Museum Restaurant 8
Brown's Hotel 47
Bubbles 30
Chez Nico 33
Chiang Mai 15
Christopher's 73
Chuen Cheng Ku 22
Circus 57
Claridge's 29
Coast 48
Connaught Restaurant 49
Cork & Bottle Wine Bar 19
Crank's in London 26
The Criterion Brasserie- Marco Pierre White 40
Daniel's Bar (Cafe Royal Grill) 37
dell'Ugo 13
Dumpling Inn 20
The Fox & Anchor 80

Gay Hussar 10
The George 76
The Granary 46
Greenhouse 51
Greens Restaurant & Oyster Bar 45
Hard Rock Cafe 64
The Ivy 17
Joe Allen 72
Kai Mayfair 50
L'Odéon 29
L'Oranger 60
Langan's Bistro 3
Langan's Brasserie 55
Le Gavroche 31
Magno's 71
Mash 1
Mezzo 12
Ming 18
Mirabelle 54
MJ Bradley's 59
Momo 34
Museum Tavern 7
Nag's Head 70
Neal Street Restaurant 16
Nico Central 6
Nobu 53
Oak Room 41
Odin's 4
Old Coffee House 25
Palm Court at the Waldorf Meridian 74
Pied-à-Terre 5
Pizzeria Condotti 28
Plummers Restaurant 69
Porter's English Restaurant 68
Quaglino's 58
Quo Vadis 21
Red Lion 43
Ritz Palm Court 56
Rules 67
Salisbury 38
Scotts 33
Shampers 27
Shepherd's Tavern 62
Sherlock Holmes 65
Ship Hispaniola 77
Simpson's-in-the-Strand 66
Soho Spice 11
St. James Restaurant & Fountain Restaurant 44
The Stockpot 39
Sugar Club 24
Suntory 61
Tamarind 53
Teatro Club 23
Titanic 35
Villandry 2
Wiltons 42
Ye Olde Cheshire Cheese 79
Ye Olde Cock Tavern 78
Zen Central 52

0   500 m
547 y
N

Au *Connaught*, le personnel change les nappes avant de servir le dessert ; c'est dire si le service est de qualité. Toutefois, vous en aurez peut-être assez d'entendre « *Thank you very much* » pendant tout votre repas, même si cette ritournelle s'accompagne toujours d'un sourire. Qualifié de « dernier bastion de la civilisation », une équipe de serveurs en queue de pie sert dans une salle lambrissée une cuisine qui, si elle n'est peut-être plus à la mode depuis longtemps, reste délicieuse : ragoût irlandais et rognons au bacon sont toujours d'actualité, et le soufflé aux pommes de terre est un tel régal qu'il faut espérer voir ce classique revenir au goût du jour. Le gibier de saison (huit à dix variétés différentes) est très bien préparé, et l'agneau, élevé dans les pâturages du pays de Galles, justifie à lui seul le choix de ce restaurant. Enfin, le poisson est d'une fraîcheur incomparable – le turbot et le homard sont de vrais délices – et les truffes et le foie gras, dignes d'Escoffier. N'oublions pas l'impressionnante carte des desserts : tartes à la mélasse et tartes Tatin sont dignes de celles de l'époque victorienne.

✪ **Le Gavroche.** 43 Upper Brook St., W1. ☎ **020/7408-0881.** Réservation obligatoire longtemps à l'avance. Plats 29,10 £-36,80 £ ; menu déjeuner 37 £ ; menu exceptionnel pour une table entière 78 £ par personne. CB. Lun.-ven. midi-14 h et 19 h-23 h. Métro : Marble Arch. FRANÇAIS.

La qualité de la cuisine française du *Gavroche* (sans doute la meilleure de toute l'Angleterre) est reconnue depuis longtemps ; le guide Michelin a d'ailleurs décerné deux étoiles au chef, Michel Roux, bourguignon d'origine. Le service est irréprochable et l'ambiance, chic sans être guindée. Le menu change constamment en fonction de la saison et de l'inspiration du chef, mais reste toujours classique, avec des spécialités affinées au cours de longues années d'expérience. Essayez le soufflé Suissesse, la papillote de saumon fumé ou le poulet de Bresse aux truffes et à la sauce Madère ; le gibier est souvent au menu lorsque c'est la saison. Quelques nouveautés ont été ajoutées, comme le cassoulet d'escargots accompagné de cuisses de grenouilles aux herbes, la mousseline de homard sauce champagne, le pavé de turbot braisé au vin rouge de Provence et au bacon fumé, ou le filet de vivaneau accompagné de tortellinis farcies au caviar et aux huîtres. La cave (la mieux garnie de Londres) propose un très grand choix de bourgognes et de bordeaux, est. Le menu exceptionnel est un menu dégustation pour toute la table. Il comprend généralement quatre ou cinq petits plats, suivis d'un ou deux desserts et d'un café. Son prix (78 £ par personne) est très avantageux par rapport aux plats à la carte.

✪ **Oak Room/Marco Pierre White.** Le Méridien Piccadilly, 21 Piccadilly, W1. ☎ **020/7734-8000.** Réservation obligatoire largement à l'avance. Menu déjeuner 29,50 £ ; menu dîner 80 £-90 £. CB. Lun.-ven. midi-14 h 15 ; lun.-sam. 19 h-23 h. Fermé à Noël. Métro : Piccadilly Circus. BRITANNIQUE (CUISINE MODERNE).

Marco Pierre White, appelé couramment MPW, est le meilleur chef de Londres. Son talent prodigieux lui a valu en 1995 de se voir décerner ici les trois étoiles tant convoitées du guide Michelin. Pas mal pour un fils d'ouvrier de Leeds qui a quitté l'école très tôt... Sa cuisine est servie dans une salle superbe qui, à la suite d'une restauration minutieuse, a retrouvé sa splendeur : ornée de boiseries de chêne et de dorures, elle est remplie d'œuvres de Cocteau et de Chagall.

Créatif et sophistiqué, ce chef audacieux prétend n'avoir jamais eu d'autres apprentissage en France que la fréquentation des restaurants parisiens pendant quelques semaines. Pointilleux dans le choix de ses ingrédients, il explore toutes les saveurs. La plupart des hors-d'œuvre contiennent du foie gras, du caviar et des truffes. Quant aux plats, Bressole de pigeon de Bresse (également au foie gras) ou pieds de porc braisés, ils sont succulents. Certains sont très colorés, comme la gratinée de barbue aux épinards et à la ciboulette. La purée de pommes de terre toute simple est absolument divine – l'un des clients a même dit qu'elle devait être moulinée à travers un bas de soie ! White est aussi capricieux que Nico Ladenis : « Je préfère être arrogant que peu sûr de moi », affirme-t-il. Mais c'est un véritable magicien. Si vous pouvez vous le permettre, essayez de vous trouver là au moment du concours du « chef du jour ».

PRIX ÉLEVÉS

○ **Mirabelle.** 56 Cruzon St., W1. ☎ **020/7499-4636.** Réservation obligatoire. Plats 14,50 £-26 £ ; menu déjeuner 15,95 £-18,95 £. CB. Tous les jours midi-14 h 30 et 18 h-minuit. Métro : Green Park. BRITANNIQUE (CUISINE MODERNE).

Marlene Dietrich et Noël Coward ont disparu depuis longtemps, mais vous y rencontrerez sans doute des stars d'aujourd'hui comme Johnny Depp, entourées d'une foule de paparazzi. Le célèbre chef Marco Pierre White (voir ci-dessus) a donné un nouveau souffle à ce restaurant légendaire, autrefois très fréquenté par la princesse Margaret et Aristote Onassis. Il l'appelle « sa petite histoire d'amour ». Il ne reste plus rien des vestiges des années soixante-dix, remplacés par un style Art déco, un sol en cuir rouge et un petit jardin. On raconte que les plus grandes célébrités se sont fait mettre à la porte du restaurant, mais le chef assure qu'il avait de bonnes raisons !

MPW a toujours refusé d'angliciser ou de diversifier sa cuisine, qui reste complexe et très proche des classiques français. En entrée, la terrine de foie gras, présentée avec sa gelée ambrée, est idéale. Si vous êtes plus audacieux, optez pour le fromage de tête au gingembre et aux épices. Le risotto aux calamars est une devenu une véritable spécialité du chef et le loup au fenouil sauce béarnaise mérite le détour ; la queue de bœuf désossée, accompagnée d'une fine galette de pommes de terre, est elle aussi excellente. Gardez de la place pour le dessert, surtout pour la tarte au chocolat amer servie avec de la glace.

○ **Nobu.** Metropolitan Hotel, 19 Old Park Lane, W1. ☎ **020/7447-4747** Réservation obligatoire. Plats 13 £-27,50 £ ; sushis et sashimis 2,50 £-4,75 £ pièce ; menu 60 £. CB. Lun.-ven. midi-14 h 15 et 18 h-22 h 15, sam. 18 h-23 h 15, dim. 18 h-21 h 45. Métro : Hyde Park Corner. JAPONAIS.

Robert de Niro et son équipe de restaurateurs new-yorkais ont exporté leur restaurant à Londres pour y lancer une cuisine japonaise expérimentale et intensément novatrice. Isabella Rosselinni elle-même affirme que la cuisine du *Nobu* l'aide à rester mince et en pleine forme…

La préparation des sushis est un véritable exploit gastronomique – ceux qui ont envie de voir et d'être vus ne semblent guère effrayés par les prix élevés de ces superbes plats de poisson. Les saveurs sont parfaitement équilibrées : les tempuras d'oursins sont absolument exquises ; le saumon tartare au caviar, quant à lui, est le hors-d'œuvre préféré de Madonna. Pour continuer, nous vous recommandons le filet de loup accompagné de haricots ou les rouleaux de printemps au crabe. Les pâtes aux calamars sont également sublimes, tout comme le lieu noir grillé, plat extrêmement populaire. Le saké frais est présenté dans des cruches de bambou vert. Pour finir, si elle est au menu, choisissez la savoureuse crème brûlée au gingembre.

PRIX MOYENS

Greenhouse. 27A Hays Mews, W1. ☎ **0771/499-3331.** Réservation indispensable. Plats 9,50 £-18,50 £. CB. Lun.-ven. midi-14 h 45 et 19 h-22 h 45 ; sam. 19 h-23 h ; dim. 12 h 30-15 h et 19 h-22 h 30. Fermé à Noël et les jours fériés. Métro : Green Park. BRITANNIQUE (CUISINE MODERNE).

Le chef Graham Grafton est très inspiré par la cuisine britannique moderne et excelle particulièrement dans l'art de préparer le poisson : sa raie pochée est succulente et son *cod-and-chips* (cabillaud et frites) est un délice sans comparaison possible avec celui des friteries. Mais peut-être préférerez-vous l'excellente cuisine du terroir, avec des spécialités comme le rôti de faisan, dont Henry VIII aurait sûrement été friand, le porc fermier grillé ou les rouleaux de bacon aux légumes verts. La carte des vins, bien fournie, vient couronner le tout. Mais n'oublions pas les desserts, comme le *bread-and-butter pudding*, moelleux à souhait, et le pudding au gingembre avec de la confiture d'oranges. Le cadre rappelle un peu une serre avec ses plantes éparpillées çà et là et ses gravures de végétaux et de fleurs sur les murs. Cette cuisine simple attire un flot continu de clients. Les ingrédients, de première qualité, sont parfaitement préparés sans que leur parfum naturel soit dénaturé.

❍ **Kai Mayfair**. 65 S. Audley St., W1. ☎ **020/7493-8988**. Réservation conseillée. Plats 7,50 £-30 £. CB. Tous les jours midi-14 h 30 et 18 h 30-23 h. Métro : Marble Arch ou Hyde Park Corner. CHINOIS.

Londres regorge de restaurants chinois plutôt médiocres. Le *Kai Mayfair* et sa salle aux tons chauds est l'exception qui confirme la règle. Les propriétaires font appel à des chefs de toute l'Asie qui, une fois à Londres, préparent les plats qui les ont rendus célèbres. Des mets aux noms éloquents *(Buddha jumps over the wall)* figurent au menu, ainsi que les grands classiques chinois, comme le canardeau à l'ananas ou le porc à la sauce aigre-douce, et des plats inventifs tels que les ailerons de requin et l'ormeau. Le poulet bang-bang et sa sauce aux noisettes est particulièrement goûteux et le canard de Pékin vaut le détour. Les enfants sont également à la fête avec des plats préparés spécialement pour eux.

Langan's Brasserie. Stratton St., W1. ☎ **020/7491-8822**. Réservation conseillée. Plats 12,75 £-14,95 £. CB. Lun.-ven. 12 h 15-23 h 45 ; sam. 19 h-23 h 45. Métro : Green Park. BRITANNIQUE (CUISINE TRADITIONNELLE)/FRANÇAIS.

Depuis son âge d'or, au début des années 1980, cette brasserie a accueilli environ 700 personnes par jour. Créée en 1976 par l'acteur Michael Caine et le chef cuisinier Richard Shepherd, la *Langan's Brasserie*, qui fut l'un des restaurants les plus en vue de Londres, s'étend sur deux étages ornés de plantes vertes. Les ventilateurs au plafond lui donnent un style années 30. Le menu se veut essentiellement britannique avec une influence française. Vous pourrez choisir le soufflé aux épinards et sa sauce aux anchois, la croustade d'œufs de caille servie avec des champignons et une sauce hollandaise ou le canard rôti à la sauge farci au citron et agrémenté d'une sauce aux pommes. Les célèbres *fish-and-chips* et les *bangers and mash* (saucisses-purée) figurent aussi sur la carte. Parmi les desserts, vous retrouverez les grands classiques : *bread-and-butter pudding*, tarte à la mélasse et sa crème renversée, et *apple pie* à la crème, mais aussi, plus original, le sorbet à la mangue.

L'Oranger. 5 St. James's St. SW1A. ☎ **020/7839-3774**. Réservation conseillée. Menu déjeuner 19,50 £-23,50 £ ; menu dîner 33,50 £. CB. Lun.-ven. midi-15 h ; lun.-sam. 18 h-23 h 15. Métro : Green Park. EUROPÉEN.

Ce bistrot-brasserie situé dans un quartier chic en bas de St James St. a réussi à se hisser parmi les restaurants de grande qualité. Les menus audacieux proposés par Kamel Benamar sont servis dans une grande salle rectangulaire, haute de plafond, ornée de boiseries, de tapisseries et d'une multitude de fleurs. Les menus varient en fonction de l'inspiration du chef : foie gras poché et sa sauce au vin rouge, filet de loup sauté aux courgettes, aux tomates et au basilic avec une vinaigrette aux olives noires, filet de cabillaud à la sauce bouillabaisse et aux pommes de terre nouvelles, cuisse de lapin braisée à la sauce madère agrémentée de gousses d'ail entières confites et de chou... Parmi les entrées, nous vous recommandons la succulente terrine de jambon et de langue.

✪ Quaglino's. 16 Bury St., SW1. ☎ **020/7930-6767.** Réservation conseillée. Plats 11 £-17 £ ; menu (servi uniquement au déjeuner et en début de soirée [pre-theater] entre 17 h 30 et 18 h 30) 2 plats 12,50 £, 3 plats 15 £. CB. Tous les jours midi-15 h ; lun.-jeu. 17 h 30-23 h 30, ven.-sam. 17 h 30-0 h 30, dim. 17 h 30-22 h 30. Métro : Green Park. EUROPÉEN.

Voici un lieu grand, convivial, où l'on s'amuse bien. C'est ici, en 1929, que le Piémontais Giovanni Quaglino installa son restaurant, où se croisèrent nombre de personnalités de l'entre-deux-guerres. En 1993, pour redonner à l'établissement un air de jeunesse, le célèbre décorateur et restaurateur Sir Terence Conran fit appel à huit artistes pour décorer les huit colonnes et le plafond de la salle. Un groupe de jazz se produit au bar de la mezzanine les vendredi et samedi soirs, et cède la place à un pianiste le reste de la semaine. Sur l'« autel », à l'arrière, est exposée la plus impressionnante collection de crustacés et de coquillages d'Angleterre.

Les plats ont fait l'objet de certaines critiques en raison de leur présentation standard et de leur préparation rapide. Mais si l'on considère que certains soirs quelque 800 personnes se rassemblent ici, on ne peut qu'admirer la bonne organisation. Vous aussi, venez l'ambiance plus que pour déguster des mets raffinés. Le menu change souvent ; essayez si possible la tarte aux oignons caramélisés et au fromage de chèvre, le saumon séché accompagné de *pancakes* aux pommes de terre, la tartelette au crabe parfumée au safran ou le bœuf et son assortiment de légumes grillés au charbon de bois. Enfin, les crevettes roses et les huîtres, fraîches et délicieuses, recueillent tous les suffrages.

Scotts. 20 Mount St., W1Y 6HE. ☎ **020/7629-5248.** Réservation obligatoire. Plats 14,50 £-32 £ ; menu déjeuner 2 plats 19,50 £ ; menu déjeuner ou dîner 3 plats à partir de 24,50 £. CB. Tous les jours midi-15 h ; lun.-sam. 18 h-23 h, dim. 18 h-22 h. *Oyster Terrace* lun.-ven. midi-23 h ; sam. 17 h-23 h. Métro : Green Park ou Bond St. BRITANNIQUE (CUISINE TRADITIONNELLE)/FRUITS DE MER.

Lors de son ouverture en 1851 à Coventry Street, *Scotts* n'était qu'une simple poissonnerie. Sa renommée date de l'époque où les propriétaires régalaient Édouard VII et ses invités dans des salles à manger privées. Aujourd'hui, l'endroit ressemble à un luxueux paquebot des années 30.

Le chef règne sur la cuisine avec dextérité et autorité, utilisant essentiellement des produits britanniques de première qualité. Homards, crabes et huîtres figurent au menu, ainsi que des plats de viande comme la saucisse du Cumberland, le boudin noir ou le poulet fermier à la moutarde à l'ancienne. La sole de Douvres est préparée de différentes façons, en filets ou non. Les entrées sont si tentantes que vous ne passerez peut-être jamais au plat de résistance... Laissez-vous tenter par la petite friture tant appréciée des Victoriens. À goûter absolument, le fromage de chèvre parfumé aux herbes servi avec des épinards, le pâté de foie de canard avec des condiments aux oignons, et le saumon écossais *(Loch Fyne)* fumé au chêne, présenté sur une tranche de pain de seigle. Des plats plus simples tels que les croquettes de poisson font régulièrement partie du menu du déjeuner de la *Oyster Terrace* (bar à huîtres).

Zen Central. 20-22 Queen St., W1. ☎ **020/7629-8103.** Réservation conseillée. Plats 10 £-35 £. CB. Lun.-sam. 12 h 15-14 h 30 et 18 h 15-23 h 15 ; dim. 12 h 15-14 h 30 et 18 h 30-23 h 15. Métro : Green Park. SZECHUAN.

Où qu'elles aillent, les stars du cinéma semblent connaître les meilleures adresses gastronomiques. Ainsi, Eddie Murphy et Tom Cruise sont-ils allés au *Zen Central* pour goûter la cuisine Szechuan. Et ils ont fait le bon choix : ce restaurant chic de Mayfair possède un décor sobre et épuré, où le noir et le blanc dominent. Les miroirs emplissent l'espace... est-ce pour cette raison que cet endroit est très prisé par les stars ? La cuisine est de première qualité, servie par un personnel très agréable. Vous pourrez choisir, en entrée, les croquettes de crabe à la coriandre ou le crabe cuit dans une croûte de sel. Le loup à la vapeur et sa sauce aux haricots noirs est succulent. Quant au homard cuit au four agrémenté d'ail et d'écorces de mandarine, il vaut vraiment le détour. Les côtelettes de porc au *lemon-grass* rappellent la cuisine thaïlandaise, mais les habitués ne jurent que par les pieds de porc froids, qui ne plairont toutefois pas à tous les palais. Nous vous recommandons particulièrement les ailerons de requins et la soupe aux nids d'hirondelle, qui évoquent des saveurs chinoises à mille lieues des standards habituels. La carte des vins est chère, mais vous pourrez toujours vous rabattre sur le thé au jasmin, qui est excellent. Des repas végétariens sont également proposés.

PETITS PRIX

✪ **Crank's In London.** 8 Marshall St., W1 ☎ 020/7437-9431. Plats 2 £-3,65 £. Pas de cartes de crédit. Lun.-mar. 8 h-20 h ; mer.-ven. 8 h-21 h. Métro : Oxford Circus. VÉGÉTARIEN.

Non loin de Carnaby Street, cet établissement est le siège d'une chaîne de restaurants végétariens qui dispose de sept enseignes à Londres. Ce véritable self-service est décoré et meublé de boiseries naturelles, de lampes en rotin, et de tables en pin. Les petits pains sont à base de farine blanche biologique meulée à la pierre ; la salade de légumes crus est particulièrement bonne, tout comme le ragoût de légumes de saison, servi dans un pot de grès avec une salade. Le menu propose également un couscous aux asperges (spécialité maison) et des plats de légumes frits qui attirent une foule de jeunes clients branchés. En dessert, vous pourrez choisir le gâteau au miel, le flan au fromage blanc, une tarte ou un *crumble* maison. Un magasin attenant vend des viennoiseries, des noisettes et des produits bio.

Hard Rock Cafe. 150 Old Park Lane, W1. ☎ 020/7629-0382. Plats 8,50 £-15 £. CB. Dim.-jeu. 11 h 30-0 h 30 ; ven.-sam. 11 h 30-1 h. Fermé les 25 et 26 déc. Métro : Green Park ou Hyde Park Corner. AMÉRICAIN.

Il s'agit du *Hard Rock* original, qui a désormais des succursales dans le monde entier. Sur fond de musique rock, une bonne cuisine américaine du sud et du Middle West est servie par un personnel aimable. Depuis son ouverture en juin 1971, le *Hard Rock* a attiré plus de 12 millions de personnes – les gens font la queue presque tous les soirs. Les menus, où le bœuf est à l'honneur, sont copieux et les plats principaux, toujours accompagnés d'une salade et de frites ou de pommes de terre au four ; les *fajitas* sont excellentes. Parmi les desserts, nous vous recommandons l'*apple pie* maison et les milk-shakes très frais et bien épais. Grand choix de bières. La collection de souvenirs de l'âge d'or du rock qui ravira tous les amateurs.

Pizzeria Condotti. 4 Mill St., W1. ☎ 020/7499-1308. Pizzas 6,50 £-7,95 £ ; pâtes 7,25 £ ; salades 2,95 £-9,10 £. CB. Lun.-sam. 11 h 30-minuit. Métro : Oxford Circus. ITALIEN/AMÉRICAIN.

Voici sans doute l'une des meilleures pizzerias de Londres. À proximité de Regent Street, cet établissement fleuri et décoré d'objets d'art des années 1970 n'est pas aussi cher qu'il en a l'air.

Légères et croustillantes, les pizzas, arrivent encore bouillonnantes à votre table. Le choix est vaste, de la simple « margarita » à la succulente « King Edward », garnie de pommes de terre, de tomates et de quatre sortes de fromage. Nous vous recommandons l'« American Hot » (mozzarella, pepperoni, saucisse et piments). Le menu propose également des salades géantes, très fraîches. Vous n'aurez le choix qu'entre deux types de pâtes, les lasagnes et les cannellonis, mais elles sont très bien préparées. Même la carte des vins est impressionnante et affiche des prix raisonnables. Laissez-vous tenter, pour le dessert, par une boule de glace *tartufo* à base de liqueur de chocolat, un pure délice digne des meilleures saveurs italiennes.

Tamarind. 20 Queen St., W1. ☎ **020/7629-3561.** Réservation obligatoire. Plats 10,50 £-17,75 £. CB. Dim.-ven. midi-15 h ; lun.-sam. 18 h-23 h 30, dim. 18 h-22 h 30. Métro : Green Park. INDIEN.

Bien accueilli par les critiques et très fréquenté par les hommes et femmes d'affaire du quartier, le *Tamarind* est le restaurant indien le plus branché de Mayfair. La petite salle en sous-sol est ornée de colonnes dorées et d'une fenêtre « tandoor » qui permet de voir les chefs retirer leurs plats épicés et parfumés du four. Le chef Atul Kochhar est à la tête d'une équipe venue tout droit de Delhi, qui concocte les spécialités locales en fonction des produits et des épices disponibles sur les marchés – les meilleurs ingrédients y sont sélectionnés chaque jour, et sont donc d'une très grande fraîcheur. La cuisine s'enorgueillit de ses plats inventifs mais elle excelle également dans les spécialités traditionnelles, avec notamment d'excellents *nans* (pains indiens). La lotte marinée au safran et au yaourt est un véritable délice, tout comme l'assiette de kebab cuit au charbon de bois – d'ailleurs les chefs sont les rois du kebab. Vous préférez un curry ? Dans ce cas, ne manquez pas les crevettes aux cinq épices. Les végétariens sont pas oubliés, en particulier avec le *Dal Bukhari*, spécialité à base de lentilles noires du nord-ouest de l'Inde.

MARYLEBONE
PRIX MOYENS

Odin's. 27 Devonshire St., W1. ☎ **020/7935-7296.** Réservation obligatoire. Menu déjeuner ou dîner 2 plats 24,95 £, menu déjeuner ou dîner 3 plats 26,45 £. CB. Lun.-ven. 12 h 30-14 h 30 et 18 h 30-23 h. Métro : Regent's Park. CUISINE INTERNATIONALE.

Cet établissement élégant est l'un des quatre restaurants londoniens du chef Richard Shepherd et de l'acteur Michael Caine (qui possèdent également la *Langan's Brasserie*). À côté du *Langan's Bistro*, un peu moins cher (voir ci-dessous), il dispose d'une salle aux tables bien espacées et au décor éclectique, avec tableaux et objets de déco. Contrairement aux autres restaurants du quartier qui ne parviennent pas à se maintenir, l'*Odin's* propose toujours une cuisine de qualité à base d'ingrédients frais et de plats bien préparés. Le menu varie en fonction des saisons. Citons tout de même quelques classiques : les champignons de forêt en brioche, les poireaux braisés avec un glaçage à la moutarde et à la sauce tomate, le canard rôti farci à la sauge et aux oignons avec une sauce à la pomme, ou le filet de loup rôti dans une sauce au genièvre.

PETITS PRIX

Langan's Bistro. 26 Devonshire St., W1. ☎ **020/7935-4531.** Réservation conseillée. Menu déjeuner ou dîner 2 plats 18,50 £, menu déjeuner ou dîner 3 plats 20,50 £. CB. Lun.-ven. 12 h 30-14 h 30 ; lun.-sam. 18 h 30-23 h 30. Métro : Regent's Park. BRITANNIQUE (CUISINE TRADITIONNELLE)/FRANÇAIS.

Depuis sa création au milieu des années 60 par Peter Langan, Richard Shepherd et l'acteur Michael Caine, le succès de ce restaurant sans prétention ne s'est pas démenti. C'est le moins cher de leurs différentes enseignes (voir ci-dessus la *Langan's Brasserie* et l'*Odin's*), et son décor est le plus original. Derrière une devanture colorée, la salle est ornée de parasols japonais, de miroirs rococos, de peintures surréalistes et de vieilles photographies. Le menu, qui propose une cuisine britannique avec une influence française, varie selon les saisons. Parmi les entrées, citons les tartelettes au poivron rouge et au brie, ou le fromage de chèvre grillé servi avec une roquette. Les classiques de style brasserie sont préparés de façon traditionnelle. Pour continuer, optez pour le plat du jour ou la Niçoise au thon grillé au charbon de bois ou pour la morue en croûte de fines herbes (servie dans une sauce au beurre). À goûter absolument par tous les amateurs de chocolat, le surprenant *Mrs. Langan's Chocolate Pudding*.

ST. JAMES
PRIX TRÈS ÉLEVÉS
✪ Suntory. 72-73 St. James's St., SW1. ☎ **020/7409-0201.** Réservation obligatoire. Plats 10 £-48 £ ; menu déjeuner 15 £-30 £ ; menu dîner 53 £-90 £. CB. Lun.-sam. midi-14 h et 18 h-22 h ; dim. 18 h-22 h. Métro : Green Park. JAPONAIS.

Le *Suntory* est le restaurant japonais le plus ancien et le plus connu de Londres ; il conserve néanmoins son influence malgré la concurrence croissante du *Nobu*. Contrairement à celui-ci, il n'a pas cherché à s'adapter aux standards habituels mais s'est toujours attaché à la qualité des produits et à la présentation. Mais attention : l'addition est salée. Les propriétaires et gérants du *Suntory* sont des distillateurs et brasseurs japonais. Le restaurant est divisé en plusieurs salles, dont le décor rappelle les vieilles demeures japonaises. Les personnes qui viennent pour la première fois semblent préférer la salle *tappanyaki*, au rez-de-chaussée, d'où l'on peut observer à travers des grilles de fer la maîtrise des chefs maniant le couteau. Dans d'autres salles, vous pourrez goûter aux *sukiyaki*, tempuras et sushis (le thon cru en tranches est un délice). Les hors-d'œuvre sont inventifs et délicats – même le thé est de qualité supérieure. Les serveuses, en costume traditionnel, observent tous les rituels raffinés du Japon.

PICCADILLY CIRCUS & LEICESTER SQUARE
PRIX ÉLEVÉS
Coast. 26B Albemarle St., W1X 3FA. ☎ **020/7495-5999.** Réservation obligatoire. Plats 13,50 £-22,50 £. CB. Lun.-sam. midi-15 h et 18 h-minuit ; dim. midi-15 h 30 et 18 h-23 h. Métro : Piccadilly Circus. CUISINE INTERNATIONALE (MODERNE).

À vouloir absolument être branché et avant-gardiste, le *Coast* finit par donner l'impression du contraire. Installée dans un ancien hall d'exposition d'automobiles tout en boiseries, la salle de restaurant est peinte en vert d'eau, les dispositifs d'éclairage rappellent les yeux globuleux des insectes, et une seule œuvre d'art orne la pièce, réalisée par l'artiste Angela Bulloch, très à la mode… mais quelle œuvre d'art : il s'agit d'une machine à dessiner conçue sur le principe des écrans magiques.

Vous l'aurez compris, le *Coast* en fait trop et ne mériterait pas de figurer dans ce guide s'il ne proposait une excellente cuisine. Le très – parfois trop ? – inventif Bruno Loubet s'est aventuré hors des sentiers battus. Sachant tirer le meilleur parti des ingrédients et des saveurs de la cuisine moderne, il excelle particulièrement dans les plats de poissons. Le rouleau de printemps au saumon séché dans un aïoli de haricots noirs fermenté, la terrine de lotte et de légumes macérés dans du vinaigre, les raviolis au lapin ou le canard au poivre agrémenté de miel et de légumes verts asiatiques comptent parmi ses grandes réussites. Lors de votre visite, tous ces plats ne figureront plus sûrement plus au menu, car Loubet aura fait d'autres découvertes entre-temps, mais laissez-vous surprendre et séduire par sa cuisine audacieuse.

L'Odéon. 65 Regent St., W1. ☎ **020/7287-1400.** Réservation obligatoire. Plats 14,50 £-25 £ ; menu déjeuner 2 plats 15,50 £, menu déjeuner 3 plats 19,50 £. CB. Lun.-dim. midi-14 h 30 ; lun.-sam. 17 h 30-23 h 30. Métro : Piccadilly Circus. FRANÇAIS.

Lorsque le chef Bruno Loubet, remarqué par le guide Michelin, a ouvert cette brasserie chic style années 30, la presse a titré « Loubet cuisine pour les masses ». Depuis son départ, son second Erwan Louaisil a repris le flambeau mais le menu porte encore l'empreinte du « géniteur ». Vous pourrez choisir une table donnant sur Regent Street et ses bus rouges à impériale. La salle, qui peut accueillir 250 personnes, est souvent comble.

Moins audacieux et provocateur que jadis, le style culinaire a évolué vers une cuisine française plus classique. Goûtez la brème et sa sauce au beurre poivrée ou le poulet fermier rôti au parmesan servi avec du riz basmati. S'il a beaucoup appris lors de son passage au *Daniel's* à New York, Louaisil a aussi été le protégé du grand Pierre Garnier à Paris. Chaque plat a son caractère propre. En entrée, vous pourrez déguster la mousse légère aux moules et au safran ou le risotto de cèpes surmonté de parmesan râpé. Pour les desserts, Louaisil s'est surpassé, notamment avec la pomme pochée au safran accompagnée de glace à la figue sèche ou la papaye grillée avec de la glace au caramel et au whisky.

❂ Wiltons. 55 Jermyn St., SW1. ☎ **020/7629-9955.** Réservation obligatoire. Veste et cravate exigées. Plats 15 £-25 £. CB. Lun.-ven. 12 h 30-14 h 30 et 18 h-22 h 30 ; dim. 12 h 30-14 h 30 et 18 h 30-22 h. Fermé le samedi. Métro : Green Park ou Piccadilly Circus. BRITANNIQUE (CUISINE TRADITIONNELLE).

Spécialisé dans la cuisine britannique traditionnelle, ce restaurant est l'un des meilleurs du genre. Ouvert en 1742, il est réputé pour ses mets raffinés, et plus particulièrement pour son poisson ; les gourmets affluent pour déguster les meilleurs homards et huîtres de Londres et l'on peut y découvrir des fruits de mer inhabituels. Le cocktail d'huîtres en entrée pourra être suivi d'une sole de Douvres, d'un carrelet, d'un saumon ou d'un homard. En saison (à partir de mi-août), la perdrix rôtie, le faisan ou la grouse figurent au menu ; avec un peu de chance vous aurez même droit au canard siffleur, un canard de rivière se nourrissant de poissons (le chef vous demandera si vous le souhaitez *blue*, saignant, ou *black*, à point). Le gibier est souvent accompagné d'une sauce au pain (lait épaissi avec des miettes). Pour finir, nous vous recommandons le *Welsh rarebit* (toast au fromage) ou les anchois ; si c'est trop, passez directement au dessert avec un *sherry trifle* (diplomate) ou un *syllabub* (sabayon).

Le service est le plus efficace de West End. Ce restaurant étant un bastion du traditionalisme, ne venez pas habillé à la dernière mode de Covent Garden. Portez plutôt votre plus vieux costume et faites semblant de croire que l'Empire existe toujours

PRIX MOYENS

Atlantic Bar & Grill. 20 Glasshouse St., W1. ☎ **020/7734-4888.** Réservation obligatoire. Plats 10,50 £-18 £ ; menu déjeuner 3 plats 14,90 £. CB. Lun.-ven. midi-15 h ; lun.-sam. 18 h-3 h, dim. 18 h-22 h 30. Métro : Piccadilly Circus. BRITANNIQUE (CUISINE MODERNE).

Installé dans une ancienne salle de bal près de Piccadilly Circus, ce restaurant gigantesque peut accueillir 160 personnes. C'est un endroit cosmopolite idéal pour dîner tard puisqu'il est ouvert jusqu'à 3 h du matin. Des stars comme Goldie Hawn l'ont fréquenté pendant sa grande époque, en 1994, pour le délaisser ensuite... Désormais il est pris d'assaut par une autre clientèle, plutôt branchée. De retour, le chef d'origine Richard Sawyer met tout en œuvre pour que l'*Atlantic Bar & Grill* regagne ses lettres de noblesse. Il a élaboré un nouveau menu, qui laisse plus de place aux produits bio et aux légumes du jardin. Certains plats sont très raffinés, comme les boulettes d'espadon à la sauce tomate, accompagnées de champignons shiitake et d'épinards frais au gingembre et au soja. Le menu change tous les deux mois mais comprend toujours beaucoup de plats de viandes et de fruits de mer. En entrée, optez pour la salade *Caesar club* (le poulet est fumé sur place). Quant au filet d'albacore, il est servi avec un condiment à l'aubergine et au persil sauvage et un pesto de poivrons rouges. Les desserts sont délibérément (et c'est inexplicable) peu raffinés : gâteau de riz ou poire Belle Hélène. Si vous êtes pressé, allez manger un morceau au *Dick's Bar*, où l'on vous servira des hamburgers d'agneau assaisonnés au yaourt et à la menthe ou du bleu de Cashel.

Circus. 1 Upper James St., W1. ☎ **020/7534-4000**. Réservation obligatoire. Plats 12,50 £-17,50 £ ; menu avant 19 h 30 et de 22 h 15 à minuit 15,75 £-17,75 £. CB. Tous les jours midi-15 h et lun.-sam. 18 h-minuit. Menu bar tous les jours midi-1 h 30. Métro : Piccadilly Circus. BRITANNIQUE/CUISINE INTERNATIONALE.

Havre « minimaliste » en plein cœur de Londres, ce nouveau restaurant occupe le rez-de-chaussée et le sous-sol de l'immeuble où se trouvait jadis la Granada Television, à l'angle de Golden Square et de Beak Street. En début et en fin de soirée, la salle est comble – le chef Richard Lee s'est déjà constitué une bonne clientèle. L'endroit ressemble à une brasserie de la rive gauche à Paris ; le service est impeccable. Pour ceux qui ne sont guère convaincus par la cuisine moderne, Lee propose le *faggot with bubble and squeak* braisé (purée aux choux et à la viande de porc hachée avec des oignons, des herbes et de la noix de muscade). Vous pourrez aussi opter pour la raie accompagnée de pommes de terre nouvelles bien croustillantes et d'un mélange de roquette et d'olives noires, ou pour les calamars sautés agrémentés de piment, de *bak choi* et d'une sauce au tamarin. Les délicieux sorbets terminent agréablement le repas, en particulier celui à la mangue et au pamplemousse rose. Si vous êtes vraiment affamé, nous vous recommandons le flan au fromage et son coulis de café.

The Criterion Brasserie-Marco Pierre White. 224 Piccadilly, W1. ☎ **020/7930-0488**. Plats 11 £-15 £ ; menu déjeuner 2 plats 16,95 £, menu déjeuner 3 plats 19,95 £. CB. Tous les jours midi-14 h 30 et 18 h-minuit. Métro : Piccadilly Circus. BRITANNIQUE (CUISINE MODERNE).

L'enfant terrible de la cuisine britannique, Marco Pierre White, remarqué par le guide Michelin, tient ici ce qu'il appelle son restaurant « junior ». Conçu par Thomas Verity dans les années 1870, le magnifique hall en marbre de style néo-byzantin est un cadre glamour à souhait pour apprécier la grande cuisine du chef, servie sous un plafond doré orné de teintures bleu paon. Le menu, proposé par des serveurs français pour la plupart, va de la cuisine traditionnelle des brasseries parisiennes à la cuisine « nouvelle classique ». Les mets sont excellents bien que sans surprise. La raie accompagnée d'escargots frits et la selle d'agneau farcie aux champignons et aux épinards sont de véritables délices.

Greens Restaurant & Oyster Bar. 36 Duke St., St. James's SW1. ☎ **020/7930-4566**. Réservation conseillée. Plats 10,50 £-37 £. CB. Restaurant : tous les jours 12 h 15-15 h ; lun.-sam. 17 h 30-23 h. Bar à huîtres *(Oyster Bar)* : lun.-sam. 11 h 30-15 h et 17 h 30-23 h ; dim. 12 h 30-15 h et 17 h 30-21 h. Métro : Piccadilly Circus ou Green Park. FRUITS DE MER.

Attention : il y a deux Duke street à Londres. Le *Greens* se trouve à St. James. Certains critiques prétendent que la tradition l'emporte sur le goût ; la qualité du menu, l'emplacement central du restaurant et l'amabilité du personnel en font pourtant l'endroit idéal pour manger des fruits de mer. L'entrée un peu encombrée mène à un bar où vous pourrez siroter d'excellents vins et déguster des huîtres, du mois de septembre au mois d'avril. Le menu propose un grand choix de plats de fruits de mer, qui varie en fonction des saisons. Citons néanmoins quelques classiques comme les croquettes de poisson à la sauce tomate et au poivre grillé, ou le homard écossais entier. En entrée, vous pourrez choisir les filets d'anguille fumés ou la salade d'avocats et de bacon avec des épinards en branche. Le célèbre *bread-and-butter pudding* figure dans la carte des desserts.

Momo. 25 Heddon St., W1. ☎ **020/7434-4040.** Réservation obligatoire deux semaines à l'avance. Plats 9,50 £-16,50 £ ; menu déjeuner 2 plats 12,50 £, menu déjeuner 3 plats 15,50 £. CB. Lun.-ven. midi-14 h 30 ; lun.-sam. 19 h-23 h 30. Métro : Piccadilly Circus. MAROCAIN/NORD-AFRICAIN.

Au *Momo*, le personnel, très aimable, accueille les clients dans une tenue décontractée. Avec ses murs en stuc, son sol de bois et de pierre, ses stores en bois à motifs, ses bougies et ses banquettes confortables, le cadre rappelle Marrakech. Le pain frais et les hors-d'œuvre – olives marinées à l'ail ou carottes assaisonnées au poivre et au cumin – sont offerts par le chef. Les autres hors-d'œuvre, payants cette fois-ci, sont délicieux, en particulier le *briouat*, un triangle de pâte très fine et croustillante fourrée au poulet parfumé au safran ou autres épices. La *pastilla au pigeon*, une tourte traditionnelle à la volaille et aux amandes, fait partie des spécialités de la maison. Beaucoup de personnes viennent ici déguster le couscous, l'un des meilleurs de Londres. Servie dans un plat traditionnel, la semoule est accompagnée de raisins secs, de merguez, de poulet, d'agneau et de pois chiches, et devient plus savoureuse encore avec de la harissa. Pour conclure, laissez-vous tenter par les quartiers d'oranges parfumés à la cannelle.

Teatro Club & Restaurant. 93-107 Shaftesbury Avenue, W1. ☎ **020/7494-3040.** Réservation obligatoire. Plats 15,50 £-19,50 £ ; menu déjeuner ou dîner 16 £-18 £. CB. Lun.-ven. midi-15 h et lun.-sam. 18 h-23 h 45. Métro : Piccadilly Circus. BRITANNIQUE (CUISINE MODERNE).

Présenté au public en 1998 à grand renfort de publicité, le *Teatro* a été très bien accueilli. Il faut dire que Gordon Ramsay, l'un des chefs les plus appréciés de Londres, faisait partie des consultants, ce qui a certainement contribué au succès du restaurant. Créé par le footballeur Lee Chapman et sa femme l'actrice Leslie Ash, il est décoré dans un style chic et épuré. Le chef actuel, Stuart Gillies, officie avec un grand savoir-faire, beaucoup de goût et de précision.

La cuisine est aussi riche que l'intérieur est sobre. Les raviolis au maïs accompagnés de chanterelles à l'huile de truffe et les pieds de porc frits que vous pourrez déguster en entrée, sont succulents. La bisque de crabe est onctueuse à souhait et le foie gras du jour tout simplement divin. Le saumon est servi avec un couscous citronné, le filet de cabillaud, avec des pommes de terre croquantes et la poitrine de pintade, avec de la laitue braisée. Le flétan grillé n'a rien à voir avec celui qui vous serait servi dans une friterie ; une noix de beurre au raifort le rend encore plus savoureux. La carte des desserts propose tous les grands classiques : tarte à la mélasse, bananes caramélisées, etc.

The Titanic. Regent Palace Hotel, 12 Sherwood St., près de Piccadilly Circus, W1A. ☎ **020/7437-1912.** Réservation obligatoire. Plats 9 £-11,50 £ ; plateau coupe-faim

7 £-12,50 £. CB. Tous les jours midi-14 h 30 et 17 h 30-23 h 30. Coupe-faim tous les jours 23 h 30-2 h 30. Métro : Piccadilly. BRITANNIQUE (CUISINE MODERNE).

C'est en décembre 1998, juste avant Noël, que le grand chef Marco Pierre White s'est jeté à l'eau pour ouvrir cet établissement moins sélect que ceux auxquels il nous avait habitués, mais aujourd'hui très prisé. Le numéro de téléphone « 1912 » correspond bien à l'année du célèbre naufrage, mais le personnel s'empressera de vous dire que le cadre Art déco est plus inspiré du *Queen Mary* que du *Titanic*, de peur que vous ne perdiez l'appétit en pensant à toutes les personnes qui ont péri dans la catastrophe. L'endroit est un lieu de rendez-vous très animé, mais les mets sont beaucoup moins raffinés que dans les autres temples gastronomiques de MPW. Le menu propose par exemple du *bresaola* (bœuf écossais cuisiné à la méditerranéenne avec de l'huile d'olive et des herbes), des escargots dans leur sauce au beurre et à l'ail, des huîtres, des moules au vin blanc, la *Caesar salad*, des *fish-and-chips* accompagnés d'une purée de petits pois, des brochettes d'agneau à la provençale ou de la raie caramélisée. Après 23 h 30, c'est l'heure du coupe-faim (*breakfast* au sens littéral du mot) destiné aux noctambules mis en appétit par une soirée en discothèque ou aux voyageurs d'outre-Atlantique déphasés par le décalage horaire et qui ont envie d'une omelette, de harengs fumés ou d'œufs en cocotte avec du foie de veau.

Petits prix

The Granary. 39 Albemarle St., W1. ☎ **020/7493-2978.** Plats 7 £-8,60 £. CB. Lun.-ven. 11 h 30-20 h ; sam.-dim. midi-14 h 30. Métro : Green Park. BRITANNIQUE (CUISINE TRADITIONNELLE).

Depuis 1974, ce restaurant de style « terroir » sert tous les jours des plats simples et savoureux proposés sur un tableau noir. Parmi les plats du jour figurent le ragoût d'agneau à la menthe et au citron, la morue frite et l'avocat fourré aux crevettes roses, aux épinards et au fromage. Des plats végétariens sont également proposés, comme les champignons farcis aux légumes, les aubergines farcies sauce curry ou les lasagnes végétariennes. En dessert, vous pourrez choisir le *bread-and-butter pudding* ou la *brown Betty* (tous deux servis chauds). Les portions sont copieuses et la cuisine, classique et plutôt ordinaire, d'un bon rapport qualité-prix.

The Stockpot. 38 Panton St. (à proximité de Haymarket, en face du Comedy Theatre), SW1. ☎ **020/7839-5142.** Réservation possible pour le dîner. Plats 2,35 £-5,65 £ ; menu déjeuner 2 plats 3,50 £ ; menu dîner 3 plats 5,90 £. Pas de cartes de crédit. Lun.-sam. 7 h-23 h 30 ; dim. 7 h-22 h. Métro : Piccadilly Circus ou Leicester Square. BRITANNIQUE (CUISINE TRADITIONNELLE)/EUROPÉEN.

Ce petit restaurant confortable est sans doute l'une des meilleures adresses de Londres pour les budgets serrés. Au menu, par exemple : bol de minestrone, spaghettis à la bolognaise, assiette d'agneau braisé et *apple crumble*. À ce prix, la cuisine n'est peut être pas des plus raffinées, mais elle est tout à fait acceptable. Les repas sont servis dans une salle moderne à deux étages ; aux heures d'affluence, le personnel n'hésite pas à placer des gens qui ne se connaissent pas à la même table.

SOHO
Prix élevés

Alastair Little. 49 Frith St., W1. ☎ **020/7734-5183.** Réservation conseillée. Menu dîner 33 £ ; menu déjeuner 3 plats 25 £. CB. Lun.-ven. midi-15 h ; lun.-sam. 18 h-23 h.

Métro : Leicester Square ou Tottenham Court Road. BRITANNIQUE (CUISINE MODER-NE)/EUROPÉEN.

Cette maison en briques des années 1830 aurait abrité l'atelier de John Constable. Vrai ou pas, ce restaurant confortable et décontracté est l'endroit idéal pour savourer un déjeuner ou un dîner bien préparé. Certains critiques fidèles affirment toujours qu'Alastair Little est le meilleur chef de Londres, mais il a en réalité été récemment distancé par de nouveaux talents. En fait, Little est rarement présent ; il passe la plupart de son temps dans d'autres restaurants ou dans une école de cuisine en Ombrie ! Mais pas d'inquiétude, le très talentueux James Rix mène parfaitement la barque. L'influence européenne, et plus particulièrement italienne, ressort clairement dans le menu, qui change tous les jours. En entrée, choisissez la salade au foie de porc ou de volaille dans un *Vino Santo* aux tomates fraîches et au basilic, la terrine de canard sauvage ou l'excellent foie gras. Vous pourrez choisir ensuite le délicieux risotto aux cèpes et aux champignons des prés, ou la morue salée accompagnée de pois chiches et de légumes verts bien assaisonnés. Pour conclure, pensez au plateau de fromages britanniques ou laissez-vous tenter par la tarte à la poire et au vin rouge, un grand classique. Au fait, avez-vous déjà goûté à un gâteau à l'huile d'olive ? Ici, il est servi avec une compote de fruits d'hiver.

✪ Quo Vadis. 26-29 Dean St., W1. ☎ **020/7437-9585.** Réservation obligatoire. Plats 13 £-27,50 £ ; menu déjeuner et menu début de soirée *(pre-theater)* ou fin de soirée *(post-theater)* 14,75 £-17,95 £. CB. Lun.-ven. midi-15 h ; lun.-sam. 18 h-23 h, dim. 18 h-22 h 30. Métro : Leicester Square ou Tottenham Court Road. BRITANNIQUE (CUISINE MODERNE).

Ce restaurant super branché occupe l'ancienne maison de Karl Marx, qui ne la reconnaîtrait sans doute pas ! De 1926 à 1990, elle a abrité un infâme restaurant italien jusqu'à ce que l'intérieur soit complètement rénové pour devenir un endroit postmoderne élégant. La salle du rez-de-chaussée est décorée de tableaux du très controversé Damien Hirst et d'autres artistes contemporains. Beaucoup préfèrent déjeuner ou dîner au bar, à l'étage, où Hirst a exposé une tête de vache et une tête de taureau tranchées dans deux aquariums différents. Pourquoi ? Parce qu'elles encouragent les conversations et propos ironiques sur les effets dévastateurs de la maladie de la vache folle – ainsi que les commentaires moqueurs sur les opérations de séduction auxquelles se livrent les patrons du restaurant.

Le chef Marco Pierre White (encore lui !) joue un rôle important au *Quo Vadis,* mais ne vous attendez pas à l'y voir pour autant : il n'y officie qu'en tant que consultant. N'espérez pas non plus que le personnel soit aux petits soins, il est bien trop surmené. Mais qu'en est-il de la cuisine ? Les plats, excellents, sont bien présentés, mais pas aussi inventifs et audacieux que le cadre dans lequel ils sont servis. Nous vous recommandons de commencer par le bouillon de rouget et de tomates parfumé au basilic, ou par la terrine de foie gras et de confit de canard. Pour continuer, choisissez l'escalope de thon accompagnée d'une tapenade et d'un caviar d'aubergines (une purée d'aubergine et d'olives noires qui a un peu l'aspect du caviar), ou le poulet rôti à la souvaroff, agrémenté de boulettes aux fines herbes dans un bouillon de légumes et d'huile de truffe.

PRIX MOYENS

The Gay Hussar. 2 Greek St., W1. ☎ **020/7437-0973.** Réservation conseillée. Plats 11,50 £-16 £ ; menu déjeuner 17,50 £. CB. Lun.-sam. 11 h 45-14 h 30 et 17 h 30-11 h 45. Métro : Tottenham Court Road. HONGROIS.

Le *Gay Hussar* passe pour le meilleur restaurant hongrois du monde. Depuis 1953, cet endroit intimiste propose une cuisine authentique et attire une clientèle fidèle de politiciens, mais également des touristes étrangers et des Hongrois en visite. En entrée, la soupe glacée aux cerises ou l'assiette de salamis hongrois seront parfaites. Choisissez ensuite le chou farci au veau haché et au riz, la moitié de poulet et sa sauce au paprika doux accompagné d'une salade de concombres et de nouilles, le rôti de canard servi avec du chou rouge et des pommes de terre au cumin, ou bien sûr le goulasch de veau avec des boulettes aux œufs. Les portions sont pantagruéliques. Pour le dessert, laissez-vous tenter par un strudel au pavot ou des pancakes à la noix.

Mezzo. 100 Wardour St., W1. ☎ **020/7314-4000.** Réservation obligatoire au Mezzonine. Mezzo : dîner 3 plats 35 £-40 £ ; couvert 5 £ mer.-sam. après 22 h. Mezzonine : dîner 3 plats 25 £-30 £. CB. Mezzo : lun.-ven. midi-15 h ; dim. midi-16 h ; lun.-jeu. 18 h-1 h ; ven.-sam. 18 h-3 h ; dim. 18 h-23 h. Mezzonine : lun.-ven. midi-15 h ; sam. midi-16 h ; lun.-jeu. 17 h 30-1 h ; ven.-sam. 17 h 30-3 h. Métro : Tottenham Court Road. EUROPÉEN/MÉDITERRANÉEN.

Cet établissement gigantesque, dernière création de l'entreprenant Sir Terence Conran, est sans doute le plus grand d'Europe puisqu'il peut accueillir 750 personnes. Situé dans l'ancien bâtiment du légendaire *Marquee club* (club de rock), il réunit plusieurs restaurants. Le *Mezzonine*, à l'étage, propose une cuisine thaïlandaise/asiatique avec une légère influence européenne (calamars frits salés et poivrés et agrémentés d'ail et de coriandre ; agneau rôti et mariné dans du yaourt et du cumin). Au rez-de-chaussée, le *Mezzo*, plus clinquant, sert une cuisine européenne contemporaine dans une atmosphère hollywoodienne des années 30 (on s'attend presque à voir Marian Davies – ivre ou sobre – descendre le grand escalier). Le *Mezzo Café*, quant à lui, est idéal pour manger un morceau (sandwiches).

C'est au *Mezzo* que les mets sont les plus élaborés. Cent chefs s'activent derrière une paroi vitrée pour servir jusqu'à 400 repas à la fois. Dans ces conditions, il n'est pas surprenant que la cuisine soit inégale. Nous vous conseillons la côte de bœuf au vin rouge et au raifort crémeux ou la morue rôtie dont la peau est croustillante à souhait. Vous pourrez goûter, en dessert, la glace au caramel dur, servie avec une cruche de caramel chaud. Un groupe de jazz assure l'ambiance et fait revivre le monde de Marlène Dietrich et de Noël Coward du mercredi au samedi, après 22 h.

✪ **The Ivy.** 1-5 West St., WC2. ☎ **020/7836-4751.** Réservation obligatoire. Plats 8 £-21,75 £ ; menu déjeuner 3 plats du sam. et du dim. 15,50 £ (+1,50 £ pour le couvert). CB. Tous les jours midi-15 h et 17 h 30-minuit (dernière commande). Métro : Leicester Square. BRITANNIQUE (CUISINE MODERNE)/CUISINE INTERNATIONALE.

Animé et sophistiqué, l'*Ivy* a toujours été, depuis son ouverture en 1911, intimement lié au quartier des théâtres de West End. Avec son look années 30 et son petit bar à l'entrée, cet endroit déborde d'une sorte « d'énergie glamour ». Le menu paraît simple, mais le chef sait tirer le meilleur parti des ingrédients frais et apporte un grand soin à la préparation. Parmi les meilleurs plats, citons les asperges blanches au chou marin et au beurre à la truffe ; les coquilles Saint-Jacques séchées aux épinards, à l'oseille et au bacon et les croquettes de saumon. La soupe de poisson à la méditerranéenne, l'assiette de viandes grillées et les desserts typiquement anglais comme le *bread-and-butter pudding* caramélisé valent également le détour. Les repas sont servis jusqu'à une heure tardive pour les clients qui sortent du théâtre.

Mash. 19-21 Great Portland St., W1. ☎ **020/7637-5555.** Réservation obligatoire. Plats 7,50 £-13,50 £ ; menu déjeuner du sam. 16,50 £. CB. Tous les jours lun.-sam. midi-

👪 Se restaurer en famille

Pizzeria Condotti (Mayfair ; voir p. 134) Les enfants et les amateurs de pizzas adoreront cet endroit. Les pizzas et leurs garnitures alléchantes arrivent toutes fumantes à table. La « American Hot » à la mozzarella, au pepperoni, aux saucisses et au piment est succulente. Le menu propose également d'autres plats.

Deal's Restaurant and Diner (Chelsea ; voir p. 167) Après avoir fait un tour en bateau jusqu'à Chelsea Harbour, les enfants apprécieront les hamburgers et autres classiques américains servis ici. Des portions conçues spécialement pour eux sont disponibles à prix réduit.

Dickens Inn by the Tower (Docklands ; voir p. 158) Même les enfants les plus difficiles trouveront leur bonheur dans cet ancien entrepôt d'épices, devenu un restaurant de trois étages avec vue imprenable sur la Tamise et le Tower Bridge. Aux spécialités de la cuisine moderne britannique (qui raviront les parents) viennent s'ajouter les délicieuses lasagnes et pizzas.

Ye Olde Cheshire Cheese (The City ; voir p. 183) Ce pub de 1667 – le plus célèbre de Fleet Street – est idéal pour les familles. S'ils n'aiment pas le fameux *Ye Famous Pudding*, les enfants raffoleront des sandwiches et des grillades.

Hard Rock Cafe (Mayfair ; voir p. 134) C'est l'endroit rêvé pour les adolescents amateurs de rock et de bons gros hamburgers accompagnés d'une montagne de frites et d'une salade baignant dans la mayonnaise et le ketchup…

Porter's English Restaurant (Covent Garden ; voir p. 151) Ce restaurant propose des plats anglais traditionnels que la plupart des enfants aiment – en particulier les tourtes, les ragoûts et les puddings. Les plus petits se précipiteront sur le *bubble and squeak* (purée aux choux et à la viande hachée) et sur la purée de petits pois.

---

15 h et 18 h-23 h 30, dim. midi-15 h et 18 h-22 h 30. Métro : Great Portland St. EUROPÉEN (CUISINE MODERNE).

Est-ce un bar, une épicerie fine, une brasserie ? C'est tout ça à la fois et bien sûr, un restaurant. Le petit déjeuner et le brunch du week-end sont très prisés, mais ne négligez pas les dîners. Les propriétaires de l'*Atlantic Bar & Grill* et du *Coast* ont ouvert cet endroit, conçu comme une invitation à la relaxation par le designer John Currin. Le porcelet et son ragoût de cannellonis, les superbes pizzas sorties tout droit du four et le loup grillé au bois accompagné d'artichauts vous feront oublier les considérations énigmatiques des habitués sur le décor, étrange et un peu futuriste. Vous pourrez aussi goûter la caille marinée, servie avec de fines tranches de tubercules de taro frites. Les desserts sont souvent surprenants, mais osez la compote à la rhubarbe et sa tarte sablée à la polenta, ou la glace style crème anglaise parfumée au basilic.

🟢 **The Sugar Club.** 21 Warwick St., W1. ☎ **020/7437-7776.** Plats 12 £-18 £. CB. Tous les jours midi-15 h et 18 h-23 h. Métro : Piccadilly Circus ou Oxford Circus. PAYS DU PACIFIQUE.

Ashley Sumner et Vivienne Hayman ont d'abord lancé leur restaurant à Wellington, en Nouvelle-Zélande, au milieu des années 1980. Ils se sont ensuite installés à Soho, emmenant avec eux leur chef, le très talentueux Peter Gordon. Celui-ci attire les Australiens nostalgiques avec son filet de kangourou grillé – le meilleur de Londres, très tendre et servi avec une sauce bien relevée. Le cadre, dont les tons crème et vert olive sont rehaussés par un parquet, est très engageant. Le restaurant, à la fois élégant et spacieux, dispose d'un bar où l'on peut patienter, d'un étage réservé aux non-fumeurs et d'une cuisine à la vue de tous. Les saveurs sont souvent étonnantes. Vous pourrez le constater si vous choisissez le sashimi de sériole, servi avec une sauce aux haricots noirs et au gingembre. Les plats de poisson, très frais, sont toujours succulents. Vous pouvez aussi goûter la cuisse de canard braisée et sa sauce au tamarin et à l'anis étoilé, accompagnée de riz à la noix de coco, ou le turbot frit servi avec des épinards, des patates douces et une sauce au curry rouge. La plupart des entrées sont végétariennes et peuvent faire office de plat de résistance. À goûter absolument au dessert, la tarte au lait caillé et à l'orange sanguine avec de la crème fraîche.

Villandry. 170 Great Portland St., W1. ☎ **020/7631-3131.** Réservation conseillée. Plats principaux 11 £-14 £. CB. Lun.-sam. midi-15 h et 19 h-22 h. Épicerie fine : lun.-sam. 8 h-20 h. Métro : Great Portland St. CUISINE INTERNATIONALE/EUROPÉEN.

Gourmands et gourmets affluent dans ce restaurant situé au nord d'Oxford Circus, qui dispose également d'une épicerie fine où sont proposés les viandes, les fromages et les produits les plus fins. Les meilleurs ingrédients figurent au menu. Derrière la devanture de style 1900, l'intérieur, très sobre, est un véritable hommage aux produits frais et à la nourriture bio. Les ingrédients changent tellement souvent que le menu est réorganisé deux fois par jour. Les plats sont délicieux : au choix, canard aux épinards frais et au gratin d'oignons, cuissot de porc sauce moutarde servi avec du boudin, une purée de pommes de terre et du chou frisé ou encore turbot frit sauce hollandaise, accompagné de céleri sauté et de cœurs d'artichauts.

Petits Prixs

Chiang Mai. 48 Frith St., W1. ☎ **020/7437-7444.** Plats 5 £-8 £. CB. Lun.-sam. midi-15 h et 18 h-23 h ; dim. 18 h-22 h 30. Métro : Leicester Square ou Tottenham Court Road. THAÏLANDAIS.

Au cœur de Soho, ce restaurant porte le nom d'une province de la Thaïlande, célèbre pour sa cuisine épicée et riche. Laissez-vous tenter par les plats épicés ou aigres ou par les repas végétariens. Le *Chiang Mai* se trouve juste à côté du *Ronnie Scott's*, le plus célèbre club de jazz d'Angleterre. C'est donc un endroit idéal pour dîner avant de passer la soirée en ville. Des menus enfants sont proposés.

Chuen Cheng Ku. 17 Wardour St., W1. ☎ **020/7437-1398.** Réservation conseillée le week-end. Plats 7 £-18 £ ; menu 9,50 £-32 £ par personne. CB. Tous les jours 11 h-23 h 45. Fermé les 24 et 25 déc. Métro : Piccadilly Circus ou Leicester Square. CHINOIS.

Le *Chuen Cheng Ku* est l'une des meilleures adresses de « New China » à Soho. Sur plusieurs étages, ce grand restaurant propose le menu cantonais le plus complet de Londres. Les papillotes de crevettes, le riz enveloppé de feuilles de lotus, les côtelettes de porc agrémentées d'une sauce aux haricots noirs et l'émincé de porc à la noix de cajou font partie des spécialités de la maison et sont servies généreusement. Le homard au gingembre et à la ciboule, l'émincé de canard dans une sauce chili aux haricots noirs et les nouilles de Singapour (nouilles fines et riches mélangées avec du curry et du porc ou des crevettes et des poivrons rouges et verts) figurent également au menu. Le menu *dim-sum* est servi de 11 h à 17 h 30. Un seul point noir : depuis quelques années, le service laisse à désirer.

dell'Ugo. 56 Frith St., W1. ☎ **020/7734-8300.** Réservation obligatoire. Plats 6,50 £-13,50 £. CB. Lun.-ven. midi-15 h ; lun.-sam. 19 h-minuit. Métro : Tottenham Court Road. MÉDITERRANÉEN.

Ce restaurant très populaire propose sur plusieurs étages une cuisine excellente à des prix abordables. Certains critiques regrettent l'attente un peu longue entre les plats et trouvent les plats trop artificiels. Mais les fidèles (jeunes pour la plupart) ont un tout autre avis, qui est aussi le nôtre : les spécialités méditerranéennes, préparées avec les ingrédients les plus fins, sont très savoureuses. Le restaurant et le bistrot changent fréquemment leurs menus, qui proposent en général des plats de pâtes, de viandes et de poissons ainsi que des repas végétariens. En entrée, laissez-vous tenter par le fromage de chèvre et sa vinaigrette à la tomate très épicée, puis continuez avec les brochettes d'agneau au romarin accompagnées d'une aubergine grillée. Les plats de poissons sont très bien assaisonnés et grillés à point. Certains plats cependant, ne sont pas à la hauteur, par exemple le canard (trop dur), ou alors manquent d'épices. En revanche, la crème brûlée tant attendue est succulente. Ce n'est certes pas le lieu idéal pour un tête-à-tête en amoureux, mais c'est tout de même une bonne adresse. Le *caff*, au rez-de-chaussée, propose une restauration rapide toute la journée, tapas ou *meze*.

Dumpling Inn. 15a Gerrard St., W1. ☎ **020/7437-2567.** Réservation conseillée. Plats 7 £-15 £ ; menu déjeuner ou dîner 14 £-25 £. CB. Dim.-jeu. 11 h 30-23 h 30 ; ven.-sam. 11 h 30-0 h 45. Métro : Piccadilly Circus. CHINOIS.

Cet élégant restaurant propose un très bon échantillon de la cuisine mandarine pékinoise, vieille de 3000 ans, qui a emprunté certaines de ses épices à la Mongolie. L'excellent ragoût nommé « *hot pot* » est le meilleur ambassadeur de cette cuisine. Les habitués viennent ici pour déguster la soupe aux ailerons de requin, le bœuf et sa sauce aux huîtres, les toasts aux algues, aux crevettes roses et aux graines de sésame, le canard et sa sauce chili et haricots noirs ou le filet de poisson frit. Mais la spécialité, ce sont les évidemment les *dumplings* (boulettes) ; vous pourrez élaborer un repas dans le cadre du menu *dim-sum*. Les portions n'étant pas très copieuses, n'ayez pas peur de commander plusieurs plats. Le thé chinois est excellent. Le service est lent – ne dînez pas ici si vous devez sortir ensuite.

Ming. 35-36 Greek St., W1. ☎ **020/7734-2721.** Plats 7,50 £-18 £ ; menu dîner 2 plats 15 £, menu dîner 3 plats 20 £. CB. Lun.-sam. midi-23 h 45. Métro : Tottenham Court Road. CANTONAIS/PEKINOIS.

Ce très bon restaurant est situé sur la Shaftesbury Avenue, derrière le Palace Theatre, dans le quartier animé de Soho. Les chefs de cuisine, M. Bib et M. Bun (de leurs vrais noms), vous accueillent dans leur avant-poste de l'Extrême-Orient, décoré dans des tons vert et rose. La plupart des recettes ont leur caractère propre. L'une d'entre elles daterait du XVIIIe siècle et aurait été élaborée par le cuisinier de l'empereur Qian Long. Il s'agit de tendres morceaux d'agneau avec une sauce au soja légèrement sucrée. Les plats de poissons, en particulier les crevettes roses et les calamars, sont très bien préparés, tout comme les mets à base de tofu. Les choux-fleurs, sautés au beurre et parfumés avec des morceaux de piment et des lamelles d'oignons, sont proposés en hors-d'œuvre. Nous vous recommandons ensuite la poitrine de canard épicée et poivrée, ou le poulet au gingembre et à l'orange. Les rouleaux de poissons enveloppés dans une « peau » de haricot sont très surprenants. À goûter absolument, les moules agrémentées d'une sauce aux haricots noirs et le loup cuisiné à la thaïlandaise. En revanche, mieux vaut éviter les *Chiu Yim sliced eel* (anguilles) *and sea spice shredded pork* (émincé de porc), le contenu du plat étant difficilement identifiable !

Soho Spice. 124-126 Wardour St., W1. ☎ **020/7434-0808.** Réservation conseillée. Plats 8,50 £-14,50 £ ; menu déjeuner 8,50 £ ; menu dîner 15,95 £-22,95 £. CB. Dim.-

jeu. midi-minuit ; ven.-sam. midi-3 h ; dim. 12 h 30-22 h 30. Métro : Tottenham Court Road. INDIEN DU SUD.

Le *Soho Spice* est l'un des restaurants indiens les plus élégants du centre de Londres. Il est parvenu à combiner une atmosphère branchée et les saveurs et parfums du sud de l'Inde. Vous pourrez siroter une boisson au bar en sous-sol avant de dîner dans la grande salle du rez-de-chaussée, décorée dans des teintes évoquant le safran, le laurier et le poivre, arômes incontournables de cette cuisine. Le personnel, vêtu de couleurs tout aussi vives, vous proposera un large éventail de plats, notamment les fameux *tikkas* indiens, cuits à feu doux, mélange d'épices servies avec de l'agneau, du poulet, du poisson ou uniquement des légumes. La présentation est plus soignée que dans les autres restaurants indiens.

ALENTOURS DE FITZROVIA
PRIX ÉLEVÉS
Pied-à-Terre. 34 Charlotte St., W1. ☎ **020/7636-1178.** Réservation conseillée. Menu déjeuner 3 plats 23 £ ; menu dîner 3 plats 35 £-46 £ ; menu dégustation 8 plats 60 £. CB. Lun.-ven. 12 h 15-14 h 15 (dernière commande) ; lun.-sam. 19 h-22 h 45. Fermé la dernière semaine de déc. et la première semaine de jan., et les 2 dernières semaines d'août. Métro : Goodge St. FRANÇAIS (CUISINE MODERNE).

Ce paradis culinaire a délibérément réduit le décor à sa plus simple expression pour que chacun puisse se concentrer sur la cuisine raffinée et sophistiquée. La salle est des plus sobres : murs gris et rose pâle, mobilier en métal et éclairage mettant en valeur une magnifique collection d'art moderne. L'influence française se manifeste dans l'impressionnante carte des vins, mais aussi dans la plupart des plats. Le menu, qui varie en fonction des saisons, propose en général des escargots braisés au céleri et à l'ail dans une sauce à la crème et aux morilles, des coquilles Saint-Jacques grillées aux pommes et à la purée de gingembre, des filets de flétan aux pétoncles et aux endives caramélisées ou encore des perdrix rôties aux poires, sans oublier la spécialité de la maison, la ballotine de confit de canard. Si vous ne mangez pas en face d'un végétarien qui serait certainement horrifié, goûtez la cervelle de porc braisée, autre spécialité. Le plat le plus délicat est sans aucun doute le loup et sa sauce au caviar. La présentation dans des plats ornés de beaux motifs peints à la main compensent la rigidité du décor.

PRIX MOYENS
✪ Nico Central. 35 Great Portland St., W1. ☎ **020/7436-8846.** Réservation obligatoire. Menu déjeuner 2 plats 20,50 £, menu déjeuner 3 plats 23,50 £ ; menu dîner 3 plats 25,50 £. CB. Lun.-ven. midi-14 h ; lun.-sam. 19 h-23 h. Métro : Oxford Circus. FRANÇAIS/BRITANNIQUE (CUISINE MODERNE).

Créée et inspirée par le légendaire Nico Ladenis (qui passe la plupart de son temps au *Chez Nico at Ninety Park Lane*), cette brasserie propose une cuisine française du terroir de grande qualité à des prix jugés incroyablement bas. Le décor est cosy : fauteuils en bois courbé et tables recouvertes de nappes en coton. Une douzaine d'entrées (la fierté du chef) figurent au menu, qui varie en fonction des saisons et de l'inspiration du moment. Les plats tels que le canard grillé avec un risotto aux cèpes et au Parmesan, le foie gras frit avec un pain brioché et une orange caramélisée, le jarret de veau braisé et le filet de barbue au four et son assortiment de légumes sont délicieux. Gardez de la place pour les desserts, ils sont « divins », pour reprendre le terme d'un habitué des lieux.

CLERKENWELL
PRIX ÉLEVÉS

✪ **Maison Novelli**. 29-31A Clerkenwell Green, EC1. ☎ **020/7251-6606**. Réservation obligatoire. Plats : restaurant 15 £-25 £ ; brasserie 11 £-16 £. CB. Lun.-ven. 12 h 30-14 h 30 ; lun.-sam. 18 h 30-22 h 30. Fermé 2 semaines en jul./août. Métro : Farringdon. EUROPÉEN/FRANÇAIS (CUISINE MODERNE).

Il faut parfois quitter le centre de Londres pour savourer la cuisine la plus fine et la plus imaginative de la ville. Ce sont les loyers trop élevés qui ont poussé des chefs comme Jean-Christophe Novelli à venir s'installer dans ce quartier en plein développement. Vos efforts pour venir jusqu'ici seront vraiment récompensés. Novelli, qui supervise l'ensemble est assisté du très compétent Richard Guest, un adepte des saveurs audacieuses, des ingrédients les plus frais et des plats inventifs.

La brasserie se trouve au rez-de-chaussée ; par beau temps, des tables et des chaises sont installées à l'extérieur. À l'étage, le service est moins décontracté et les menus, plus chers. La brasserie et le restaurant, décorés dans des tons bleu-violet, sont ornés de quelques œuvres d'art. La première propose des plats copieux, comme le kebab au maquereau et au *lemon-grass* ou les oignons braisés farcis à l'agneau. Mais c'est au restaurant que Guest et Novelli atteignent le sommet de leur art. Leur spécialité est sans conteste le flétan, dont on ne se lasse pas. Mais ce n'est pas tout : il faut aussi goûter les calamars et les coquilles Saint-Jacques, le superbe saint-pierre grillé ou le poulet fermier. Toujours très apprécié, celui-ci est servi avec des morceaux de foie gras et une émulsion à base de cosses de petits pois. Quant aux pieds de porc farcis, ils sont accompagnés d'une purée d'amandes : un véritable délice.

PRIX MOYENS

Moro. 34-36 Exmouth Market, EC1. ☎ **020/7833-8336**. Réservation indispensable. Plats 12 £-15 £. CB. Lun.-ven. 12 h 30-14 h 30 et 19 h-22 h 30. Métro : Farringdon. ESPAGNOL/NORD AFRICAIN.

Si vous voulez essayer l'un des nombreux restaurants à la mode ouverts à Clerkenwell, optez pour le *Moro*. Son décor moderne attire la clientèle chic et branchée de Belgravia. Cet établissement n'a rien à cacher : sa cuisine est à la vue de tous. Une délicieuse odeur de viande sortant du grill au charbon de bois vient chatouiller les narines des carnivores ; les végétariens ne sont pas en reste, avec des menus prévus spécialement pour eux. Le bar en zinc propose d'excellentes tapas pour patienter en attendant de dîner. Les recettes reflètent le mélange des cultures arabe et européenne, né de l'occupation du sud de l'Espagne par les Maures du VIIIe au XVe siècle. Les côtelettes de veau accompagnées de chorizo et de chou, ou le gigot parfumé au gombo et à la coriandre sont excellents, tout comme la caille. Ne manquez pas la soupe de haricots blancs en entrée. Les plats comme les calamars à la harissa sont à base de produits très frais, et l'assaisonnement n'est jamais exagéré.

✪ **St. John**. 26 St. John St., EC1. ☎ **020/7251-0848**. Réservation obligatoire. Plats 8 £-20 £. CB. Lun.-ven. midi-23 h 30 ; sam. 18 h-23 h 30. Métro : Farringdon. BRITANNIQUE (CUISINE MODERNE).

Situé dans un ancien fumoir au nord de Smithfield Market, ce restaurant aux allures de cantine est un endroit idéal pour les amateurs de viande. Le chef et propriétaire Fergus Henderson, passé maître dans la préparation des abats, y excelle. En bon cuisinier britannique fidèle à la tradition, il ne se limite pas à une seule partie de l'animal mais s'intéresse tout autant au cou, aux pieds, à la queue, au foie ou au cœur.

N'ayez pas peur, on ne vous servira pas un *haggis* réchauffé (panse de mouton farcie avec la fressure de l'animal) : la cuisine est excellente et savoureuse. En réalité, elle est très simple et rustique. Les côtelettes d'agneau grillées et la langue de porc aux salsifis, au bacon et aux pissenlits sont sans égal. Goûtez la moelle servie avec une salade de persil ou le ragoût d'anguilles, de bacon et de palourdes. En dessert, le gâteau de riz à la vanille ou les dates et noix au caramel sont très bien. Si vous êtes plus audacieux, essayez le mélange étonnant de rhubarbe, de marc de fruits et de lait de chèvre caillé. Les pains servis aux restaurants sont également en vente à la boulangerie située sur place.

SHOREDITCH
PETITS PRIX
✪ **The Great Eastern Dining Room.** 54 Great Eastern St., EC2. Plats 7,50 £-10 £. CB. Lun.-ven. midi-15 h 30 et lun.-sam. 18 h 30-23 h. Métro : Liverpool St. ITALIEN/CUISINE INTERNATIONALE.

Johnny Depp ne s'est pas encore battu avec les paparazzi de ce restaurant, nouveau quartier général de l'élite branchée de Londres, qui garde ses prix modérés. C'est un jeune Australien, Will Ricke, qui en tient les rennes. Il a formidablement réussi dans son entreprise. L'immeuble abritant le restaurant, bâti dans les années 1880, servait autrefois d'entrepôt ; il a été transformé en automne 1998 par le célèbre designer australien Chris Connell, qui lui a donné son atmosphère moderniste des années 1950. On n'attend plus que Marilyn et James Dean… D'immenses peintures murales décorent la salle et des chandeliers italiens spectaculaires éclairent le beau monde réuni ici.

« La cuisine est divine, mon cœur », s'est exclamé le drag queen le plus célèbre de Londres (membre de la Chambre des lords). Et il n'a pas menti : que ce soit les délicieux *antipasti* comme les brochettes aux artichauts de Jérusalem agrémentées d'une sauce à la grenade, ou les spaghettis aux palourdes (aussi bonnes que dans une trattoria de Rome) ou encore le poisson du jour, souvent servi avec une aubergine marinée. Le chef prépare également tous les jours un plat de tradition britannique – un jarret d'agneau braisé à l'ail accompagné d'une purée de haricots blancs, ou un pesto à la menthe, qui apporte une petite touche contemporaine. Les desserts, tarte aux prunes ou mousse aux amandes et au chocolat accompagnée d'oranges au cognac, sont tout en douceur. Pour finir, vous pourrez naturellement commander un espresso.

HOLBORN
PETITS PRIX
✪ **North Sea Fish Restaurant.** 7-8 Leigh St., WC1. ☎ **020/7387-5892.** Réservation conseillée. Plateaux de poissons 6 £-12 £. CB. Lun.-sam. midi-14 h 30 et 17 h 30-22 h 30. Métro : King's Cross ou Russell Square. FRUITS DE MER.

Le poisson servi dans ce grand restaurant est acheté frais tous les jours ; une qualité supérieure, donc, et à petits prix. Selon les inconditionnels des friteries de Londres, celle-ci est la meilleure de la ville. Le poisson est le plus souvent frit mais vous pouvez également le commander grillé. Le menu est délibérément restreint. L'endroit est très fréquenté par les étudiants du quartier de Bloomsbury.

COVENT GARDEN & LE STRAND
PRIX ÉLEVÉS
Axis. Hotel One Aldwych, 1 Aldwych. ☎ **020/7300-1000.** Réservation conseillée. Menu 14,95 £-17,95 £ ; plats 14 £-25 £. CB. Lun.-ven. midi-15 h ; lun.-sam. 18 h-23 h 30. Métro : Covent Garden ou Charing Cross. BRITANNIQUE (CUISINE MODERNE)/OCÉANIE.

L'*Axis*, l'un des restaurants les plus en vue de Londres, s'y est installé dans l'ancienne salle d'impression d'un journal britannique. En 1998, une équipe d'architectes et de décorateurs a réaménagé la salle en tirant le meilleur parti du haut plafond, et construit un escalier en colimaçon qui mène à un bar spectaculaire. Ils ont ensuite fait appel à plusieurs cuisiniers pour qu'ils élaborent des plats raffinés pour les gourmets de Londres. Le menu parvient à marier les truffes anglaises et les puddings à la confiture aux sushis et aux dernières spécialités de l'Océanie. Il propose aussi une tarte soufflée à l'aiglefin et au fromage, une salade de nouilles au canard agrémentée de cresson, de ciboule et de coriandre, une soupe de pommes et de cardamomes parfumée au curry, un homard écossais grillé accompagné d'une salade de pamplemousse et une poitrine de canard au chou rouge et aux châtaignes et sa sauce à l'orange. Enfin, vous pourrez tester une vieille recette (datant de 1922) de civet de lièvre servi désossé avec du céleri à la crème et un gratin de pommes de terre et de navets. En dessert, goûtez le diplomate (à partir d'une recette de 1889), la gelée de sureau et son sorbet au champagne, ou l'ananas grillé avec de la glace au poivre.

Neal St. Restaurant. 26 Neal St., WC2. ☎ **020/7836-8368.** Réservation conseillée. Plats 16,50 £-22 £. CB. Lun.-sam. 12 h 30-14 h 30 et 18 h-23 h. Métro : Covent Garden. ITALIEN.

Cet élégant restaurant propose une variété incroyable de champignons. Il faut dire qu'Antonio Carluccio, originaire de Turin, est spécialisé dans les champignons du monde entier. Les murs en brique de cet ancien entrepôt sont couverts d'œuvres d'artistes contemporains, comme Frank Stella et David Hockney, ou d'autres moins doués... Situé à la cave, le bar permet aux clients d'attendre qu'une table se libère. Entre 10 et 20 champignons exotiques du monde entier sont disponibles, dont un superbe assortiment de truffes. Importées selon la saison de Chine, du Tibet, du Japon, de France ou de Californie, elles apparaissent dans des plats tels que le foie gras à la sauce balsamique, la soupe de champignons sauvages, le consommé de faisan aux morilles et au porto, et les tagliatelles à la sauce aux truffes. Les autres plats sont tout aussi bons mais moins chers car non préparés avec des champignons exotiques : c'est le cas des raviolis de chevreuil au beurre et à la sauge, des pappardelles et leur assortiment de champignons, des tagliatelles aux œufs fourrées aux truffes, et des pâtes maison aux fruits de mer et au bottarga. Le personnel est attentif et courtois, et l'ambiance, agréable. Le tiramisu est à juste titre très prisé.

Simpson's-in-the-Strand. 100 The Strand (près du *Savoy Hotel*), WC2. ☎ **020/7836-9112.** Réservation obligatoire. Plats 15 £-22 £ ; menu déjeuner 2 plats et menu début de soirée *(pre-theater)* 14 £ ; petit déjeuner à partir de 13,95 £. CB. Lun.-ven. 7 h-11 h ; lun.-sam. midi-14 h 30 et 17 h 30-23 h ; dim. midi-14 h et 18 h-21 h. Métro : Charing Cross ou Embankment. BRITANNIQUE (CUISINE TRADITIONNELLE).

Le *Simpson's* est plus qu'un simple restaurant. C'est depuis son ouverture en 1828 une véritable institution. Cet endroit très victorien, orné de boiseries et de cristal, grouille de serveurs en habit, pour qui la nouvelle cuisine commence après Henri VIII. La plupart des clients s'accordent à dire que le *Simpson's* sert les meilleurs viandes de Londres – filet de bœuf, selle de mouton et sa gelée de groseilles, caneton d'Aylesbury – sans oublier la tourte à la viande et aux champignons. En dessert, vous pourrez goûter le roulé à la mélasse et à la crème anglaise ou le *Stilton* au porto.

Profitant de la popularité renaissante de la cuisine britannique traditionnelle, le *Simpson's* sert désormais des petits déjeuners classiques. *« The Ten Deadly Sins »*

(15,95 £) est sans doute le plus prisé. Il propose une assiette de saucisses, des œufs au plat, différentes sortes de bacon, du boudin, des rognons d'agneau, du *bubble and squeak* (purée aux choux et à la viande hachée), des fèves, du foie d'agneau, du pain, des tomates et des champignons frits. De quoi vous donner des forces pour toute la journée !

La veste et la cravate ne sont plus exigées, mais nous vous conseillons de porter une tenue correcte.

Rules. 35 Maiden Lane, WC2. ☎ **020/7836-5314**. Réservation conseillée. Plats 13,95 £-17,95 £. CB. Tous les jours midi-23 h 30. Métro : Covent Garden. BRITANNIQUE (CUISINE TRADITIONNELLE).

Si vous recherchez le restaurant britannique le plus authentique de Londres, venez manger ici ou allez au *Wiltons* (voir p. 137). Le *Rules*, qui a ouvert ses portes en 1798 sous la forme d'un bar à huîtres, est le plus ancien restaurant de la ville. Il est aujourd'hui doté d'une série de salles style 1900 empreintes d'une nostalgie patriotique. Les grands classiques comme les huîtres irlandaises ou écossaises, le civet de lapin ou les moules sont évidemment très bien. Les plats de poissons d'eau douce et de gibier sont servis de mi-août à février ou mars : saumon écossais ou truite de mer sauvages ; cerf sauvage des Highlands et gibier à plumes (grouse, bécassine, perdrix, faisan et bécasse). Quant aux puddings proposés en dessert, ils restent imbattables.

PRIX MOYENS

Belgo Centraal. 50 Earlham St., WC2. ☎ **020/7813-2233**. Réservation obligatoire au restaurant. Plats 8,95 £-18,95 £ ; menus 6 £-13 £. CB. Lun.-sam. midi-23 h 30 ; dim. midi-22 h 30. Fermé à Noël. Métro : Covent Garden. BELGE.

C'est le règne du chaos dans ce sous-sol aux allures de caverne, où les moules frites et cent différents types de bières belges sont à l'honneur. Un « monte-charge » vous emmènera dans une cave divisée en deux grandes salles. L'une est un hall à bières de 250 places servant un menu identique à celui du restaurant, mais où il n'est pas nécessaire de réserver. L'autre est consacrée au restaurant, qui propose trois services le soir : 17 h 30, 19 h 30 et 22 h. Entre 17 h 30 et 20 h, vous aurez le choix entre trois menus. Vous paierez en fonction de l'heure à laquelle vous avez commandé : plus c'est tôt, moins c'est cher. Bien que les moules soient les stars du menu, vous avez le choix entre le saumon frais écossais, le poulet rôti, le steak (parfaitement préparé) ou l'une des spécialités végétariennes. Les saucisses de sangliers sont accompagnées de *stoemp*, de purée de pommes de terre et de chou. Goûtez également les *waterzooi*, ragoûts belges. Les serveurs, qui portent des habits de moine bordeaux et des tabliers noirs, crient leurs commandes dans un micro fixé sur leur visage. Bizarre, vous avez dit bizarre ?

Christopher's. 18 Wellington St., WC2. ☎ **020/7240-4222**. Réservation conseillée. Plats 15 £-24 £ ; menu début de soirée *(pre-theater)* 2 plats 14,50 £ de 17 h 30 à 19 h 30 ; brunch sam.-dim. 6 £-13 £. CB. Restaurant : lun.-ven. midi-15 h et 18 h-minuit ; sam. midi-minuit ; dim. midi-16 h. Métro : Covent Garden ou Charing Cross. AMÉRICAIN.

Beaucoup de clients du *Christopher's* ne s'aventurent pas au-delà du rez-de-chaussée, où des huîtres, des salades fraîches et d'autres plats sont proposés dans un cadre de bistrot. Ceux qui souhaitent boire un verre descendent au bar du sous-sol. C'est pourtant le restaurant du premier étage qui vaut réellement le déplacement. Un escalier de pierre en colimaçon, surmonté d'un plafond couvert de fresques, mène aux salles de type italien. La cuisine américaine contemporaine est savoureuse : soupe de tomates fumées, poivrons rouges grillés avec de la mozzarella et du basilic, poitrine de canard aux pêches du Kentucky ou saumon accompagné d'une salade d'épinards. Les pâtes figurent tous les jours au menu. Nous vous recommandons en outre la *Caesar salad*, les croquettes de crabe et les *cheesecakes* (flans au fromage blanc). La carte des vins comporte essentiellement des crus californiens. Le *Christopher's* sert également un excellent brunch le dimanche.

Magno's. 65a Long Acre, WC2. ☎ **020/7836-6077.** Réservation obligatoire. Plats 10,95 £-15,95 £ ; menu 2 plats 13,95 £, menu 3 plats 16,95 £ ; souper début de soirée *(pre-theater* ; 17 h 30-19 h 30) 10,95 £. CB. Lun.-ven. midi-14 h 30 ; lun.-sam. 17 h 30-23 h 30. Métro : Covent Garden. FRANÇAIS.

Ce restaurant français très prisé a pour cadre une salle de brasserie aux tons vert et crème, aux tables peu espacées. Le service est très efficace. Le menu, influencé par la cuisine de bistrot française, propose des classiques tels que le feuilleté au roquefort, le caneton au céleri confit, l'agneau à la ratatouille et à la semoule, ou encore le porc frit au blé et aux pommes agrémenté d'une sauce au cidre. Le *Magno's* est particulièrement apprécié pour ses menus de début de soirée et fin de soirée *(post-theater)* ; n'oubliez pas de réserver à l'avance. Les plats, toujours savoureux, sont préparés de façon plus légère que le suggèrent les recettes de nos grands-mères.

PETITS PRIX

The George. 213 The Strand, WC2. ☎ **020/7427-0941.** Plats 5,25 £-9,60 £. CB. Lun.-ven. 11 h-23 h ; sam. midi-15 h (service lun.-ven. midi-15 h et 17 h 30-20 h 30 ; sam. midi-14 h 30). Métro : Temple. BRITANNIQUE (CUISINE TRADITIONNELLE).

Ce pub, construit en 1723, paraît plus ancien encore à cause de sa façade en partie en bois. Situé sur le Strand, en bas de Fleet Street et en face des Royal Courts of Justice, le *George* est le restaurant de prédilection des avocats, de leurs clients et de quelques journalistes. C'est ici que Samuel Johnson recevait son courrier et qu'Oliver Goldsmith buvait de nombreuses chopes de bière. Aujourd'hui, le cadre ne semble guère avoir changé. Des plats traditionnels chauds et froids comme les *bangers and mash* (saucisses-purée), les *fish-and-chips*, la *steak-and-kidney pie* (tourte à la viande de bœuf et aux rognons), et les lasagnes sont servis à l'arrière. Il est également possible de manger au sous-sol – hanté par un cavalier sans tête qui reviendrait régulièrement sur les lieux où il buvait autrefois sa liqueur.

۞ Joe Allen. 13 Exeter St., WC2. ☎ **020/7836-0651.** Réservation obligatoire. Plats 10,50 £-13,50 £ ; dîner début de soirée *(pre-theater)* 12 £-14 £ ; brunch sam.-dim. 13 £-15 £. CB. Lun.-sam. midi-0 h 45 ; dim. midi-minuit. Métro : Covent Garden ou Charring Cross. AMÉRICAIN.

Ce restaurant américain moderne, situé près du *Savoy*, attire essentiellement des amateurs de théâtre – il est décoré d'affiches de spectacles. Le menu, de plus en plus élaboré, propose des plats tels que le poulet fermier accompagné d'un pesto aux graines de tournesol, de piments doux marinés et de pommes de terre nouvelles grillées à l'ail et des spécialités comme la soupe aux haricots noirs et la tourte aux noix de pécan. Parmi les plats principaux, nous vous recommandons l'assiette de grillades avec côtelette d'agneau, foie de veau et saucisse de Cumberland. Pour accompagner, laissez-vous tenter par un *Bloody Mary*, un *Bucks Fizz* ou un verre de champagne. Certains trouvent la cuisine peu inventive, mais les habitués ne s'en soucient guère et continuent d'affluer. Le brunch du dimanche est l'un des meilleurs de Londres.

۞ Porter's English Restaurant. 17 Henrietta St., WC2. ☎ **020/7836-6466.** Réservation conseillée. Plats 8 £ ; menu 15 £. CB. Lun.-sam. midi-23 h 30 ; dim. midi-

22 h 30. Métro : Covent Garden ou Charing Cross. BRITANNIQUE (CUISINE TRADI-TIONNELLE).

C'est en 1979 que le 7ᵉ Comte de Bradford a ouvert ce restaurant en indiquant qu'il servirait de la vraie cuisine anglaise à des prix abordables. Il a bel et bien gagné son pari, et le pudding à la banane et au gingembre confectionné par Lady Bradford, qui en garde jalousement la recette, n'est pas la seule raison de son succès. Ce restaurant confortable, réparti sur deux étages, sert des tourtes anglaises classiques dans une atmosphère amicale, décontractée et animée. La *Old English fish pie* (tourte au poisson), la tourte à l'agneau et à l'abricot, la tourte au jambon, poireaux et fromage, mais aussi les *bangers and mash* (saucisses-purée) figurent au menu. Les plats principaux sont si copieux – et la plupart du temps accompagnés de légumes ou d'autres plats – qu'il n'est pas nécessaire de commander un hors-d'œuvre. Vous pourrez aussi choisir une grillade. Les puddings (*bread-and-butter pudding* ou *steamed syrup sponge* [gâteau de Savoie au sirop]) sont tout ce qu'il y a de plus britannique ; ils sont servis chauds ou froids avec une mousse instantanée ou une crème renversée. Le bar propose quelques cocktails exotiques, des bières, du vin ou de l'hydromel anglais. Ne manquez pas le thé anglais traditionnel de 14 h 30 à 17 h 30 pour 3,50 £ par personne. Qui sait, peut-être rencontrerez-vous Monsieur le Comte ?

BORDURES DE QUAI (VICTORIA EMBANKMENT)
PRIX MOYENS

✪ Ship Hispaniola. Au bord de la Tamise, Victoria Embankment, Charing Cross, WC2. ☎ **020/7839-3011.** Réservation conseillée. Plats 12,75 £-19,75 £ ; menu 2 plats 12,50 £, menu 3 plats 15 £ ; 15 £ minimum par personne. CB. Lun.-ven. midi-14 h et 18 h-23 h (dernière commande) ; sam. 18 h-23 h 30. Fermé du 24 déc. au 4 jan. Métro : Embankment. FRANÇAIS

Ce grand bateau confortable a été construit en 1953 pour transporter des passagers autour des îles écossaises. Dépouillé de son moteur en 1976, il est désormais toujours à quai sur la Tamise, à quelques pas de la station de métro Embankment. La bonne cuisine et la vue sur le trafic fluvial valent le détour. Le menu change souvent, proposant généralement des plats comme les crevettes méditerranéennes flambées à l'ail, les croquettes de poissons frites avec une sauce tartare, le suprême de pintade farci aux épinards et sa sauce au champagne, l'aloyau de bœuf écossais rôti, l'agneau parfumé au romarin et à l'échalote, et plusieurs plats végétariens. Si vous préférez, choisissez le menu « *sharing the captain's table* » (invitation à la table du capitaine). Animation musicale presque tous les soirs.

WESTMINSTER/VICTORIA
PRIX ÉLEVÉS

Ken Lo's Memories of China. 67-69 Ebury St., SW1. ☎ **020/7730-7734.** Réservation conseillée. Plats 10 £-30 £ ; menu déjeuner 19,50 £-22 £ ; menu dîner 3 plats à partir de 25 £. CB. Lun.-sam. midi-14 h 30 ; tous les jours 19 h-23 h 15. Métro : Victoria Station. CHINOIS.

Beaucoup de critiques considèrent le *Ken Lo's* comme le meilleur restaurant chinois de Londres, bien que la concurrence se soit fortement accrue ces dernières années. Cet établissement a été fondé par le défunt Ken Lo, dont le grand-père, ambassadeur de Chine à la Court of St. James fut fait chevalier par la reine Victoria en 1880. M. Lo est l'auteur de plus de trente livres de cuisine et d'une célèbre autobiographie ; il a même animé une émission de cuisine à la télévision. Son restaurant au cadre mini-

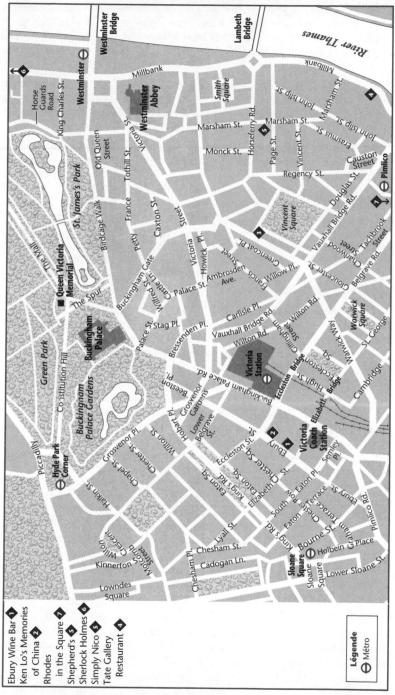

River Thames

Westminster Bridge

Lambeth Bridge

Millbank

Westminster

Horse Guards Road

King Charles St.

Old Queen Street

Millbank

Westminster Abbey

Smith Square

John Islip St.

Erasmus St.

Marsham St.

Marsham St.

Horseferry Rd.

Page St.

Monck St.

Vincent St.

Regency St.

Causton Street

Pimlico

Vincent Square

Douglas St.

Vauxhall Bridge Rd.

Charlwood Street

Tachbrook Street

Belgrave Rd.

St. James's Park

The Mall

Queen Victoria Memorial

Birdcage Walk

France

Petty

Tothill St.

Victoria St.

Caxton St.

Street

Victoria

Howick Pl.

Greencoat Pl.

Francis Street

Ambrosden Ave.

Willow Pl.

Gloucester St.

Warwick Square

St. George

The Spur

Buckingham Gate

Castle Ln.

Palace St.

Carlisle Pl.

Wilton Rd.

Gillingham Street

Buckingham Palace

Palace St.

Stag Pl.

Bressenden Pl.

Vauxhall Bridge Rd.

Wilton Rd.

Victoria Station

Eccleston Bridge

Elizabeth Bridge

Cambridge

Green Park

Constitution Hill

Buckingham Palace Gardens

Beeston Pl.

Grosvenor Gardens

Lower Belgrave St.

Buckingham Palace Rd.

Hugh St.

Eccleston St.

Victoria Coach Station

Semley Pl.

Piccadilly

Hyde Park Corner

Grosvenor Pl.

Chester St.

Wilton St.

Chapel St.

Hobart Pl.

Eaton Sq.

King's Rd.

Eaton Sq.

Chester Sq.

Eaton Pl.

Elizabeth St.

Ebury St.

South Eaton Pl.

Eaton Terrace

Chester Row

Ebury St.

Graham Terrace

Pimlico Rd.

Halkin St.

Lyall St.

Chesham St.

Bourne St.

Holbein Pl.

Holbein Place

Wilton Crescent

Motcomb Street

Kinnerton Street

Chesham Pl.

Cadogan Ln.

Sloane Square

Sloane Square

Lower Sloane St.

Lowndes Square

1. Ebury Wine Bar
2. Ken Lo's Memories of China
3. Rhodes in the Square
4. Shepherd's
5. Sherlock Holmes
6. Simply Nico
7. Tate Gallery Restaurant

Légende
Métro

153

maliste a été qualifié de « pont gastronomique » entre Londres et la Chine. Différentes régions de ce pays sont représentées dans le menu, qui propose des plats tels que le bœuf cantonais frit dans une sauce aux huîtres, le homard accompagné de nouilles maison, les croquettes aux crevettes et aux grenades, et le poulet *bang-bang*, spécialité szechuan.

○ **Rhodes in the Square.** Dolphin Square, Chichester Street, SW1. ☎ 020/7798-6767. Réservation obligatoire. Plats 15,50 £-23,50 £ ; menu déjeuner du dim. 19,50 £ ou 21,50 £. CB. Dim.-ven. midi-14 h 30, lun.-sam. 19 h-22 h, dim. 19 h-21 h. Métro : Pimlico. BRITANNIQUE (CUISINE TRADITIONNELLE).

Dans ce quartier résidentiel discret, le grand chef Gary Rhodes, coqueluche des médias, a encore réussi son pari. Rhodes a toujours ajouté à la cuisine britannique traditionnelle sa touche personnelle et des parfums inhabituels. Attendez-vous donc à quelques délicieuses surprises. Le beau monde afflue dans l'élégante salle bleu nuit, qui rappelle les salles de bal des paquebots. Impossible de prévoir ce qu'il y aura au menu lors de votre visite : peut-être le rouget farci à l'aubergine, aux anchois, à l'ail et au piment et sa sauce à la crème parfumée au fenouil ? En entrée, choisissez le parfait de foie de volaille accompagné de foie gras, puis poursuivez avec l'omelette au homard sauce Thermidor et sa croûte au fromage. Le canard laqué au jus d'orange amer est ici cuisiné à la perfection. Choisissez en dessert les puddings britanniques : tarte à la meringue et au citron ou « carpaccio » d'ananas très parfumé.

Prix moyens

Shepherd's. Marsham Court, Marsham St., à l'angle de Page St., SW1. ☎ 020/7834-9552. Réservation conseillée. Menu 2 plats 22,95 £, menu 3 plats 24,95 £. CB. Lun.-ven. midi-14 h 30 et 18 h 30-23 h 30 (dernière commande à 23 h). Métro : St. James's. BRITANNIQUE (CUISINE TRADITIONNELLE).

D'après certains observateurs politiques, nombre de projets du gouvernement britannique sont élaborés dans ce restaurant conservateur et agréable. À l'ombre de Big Ben, non loin de la Tate Britain, il accueille des avocats, des membres du Parlement et quelques-uns de leurs électeurs. Les débats politiques n'ont pas seulement lieu au moment du déjeuner ; le soir semble particulièrement propice aux négociations, facilitées par les côtes de bœuf écossais et l'incontournable *Yorkshire pudding*. Cet endroit est tellement associé au Parlement qu'une sonnerie retentit dans la salle pour renvoyer les députés dans la Chambre des communes au moment du vote ! Même le décor, avec ses banquettes en cuir, ses bibelots du XIXe siècle, et sa collection de portraits et de paysages anglais, semble avoir été conçu pour les politiciens.

Le menu respecte la tradition culinaire britannique et les plats, à base d'ingrédients frais, sont bien préparés. En plus des grands classiques, citons le ragoût de moules à la crème, la salade de saumon chaud et de pommes de terre agrémenté d'une sauce à l'aneth, le filet de sole au citron, le gigot d'agneau rôti à la menthe, le lapin de garenne, le filet de saumon et sa sauce à l'estragon et à la ciboulette. En dessert, essayez la version anglaise de la crème brûlée appelée « *burnt Cambridge cream* ».

○ **Simply Nico.** 48A Rochester Row, SW1. ☎ 020/7630-8061. Réservation obligatoire. Menu déjeuner 2 plats 20,50 £, menu déjeuner 3 plats 23,50 £ ; menu dîner 3 plats 25,50 £. CB. Lun.-ven. 12 h 30-14 h ; lun.-sam. 19 h-23 h. Métro : Victoria ou St. James's Park. FRANÇAIS.

Créé par Nico Ladenis, également propriétaire de *Chez Nico at Ninety Park Lane*, plus cher et plus sélect, le *Simply Nico* est tenu par le second de Ladenis. Selon le maître des lieux, l'endroit est « accueillant et pas cher ». Il est en effet d'un excellent rapport qualité-prix. Une foule de clients se presse tous les jours pour savourer une cuisine française préparée avec simplicité. Les menus varient souvent, mais essayez si possible le foie gras frit en entrée, puis continuez avec le jarret d'agneau au panais ou la lotte, toujours très appréciée.

SOUTH BANK
PRIX ÉLEVÉS

Oxo Tower Restaurant. Barge House St., South Bank, SE1. ☎ **020/7803-3888.** Plats 15 £-30 £ ; menu déjeuner 26,50 £. CB. Lun.-ven. midi-15 h, lun.-sam. 18 h-23 h 30, dim. 18 h 30-22 h 30. Métro : Blackfriars ou Waterloo. MÉDITERRANÉEN/ EUROPÉEN/ASIATIQUE.

Dans le centre commercial de South Bank, au huitième étage du bâtiment Art déco Ozo Tower Wharf, ce restaurant (également appelé « *The other tower* ») est géré par *Harvey Nichols,* grand magasin de Knightsbridge. Un repas ici restera pour vous une expérience inoubliable. Situé juste en bas de la rue du Globe Theater, récemment reconstruit, cet établissement de 140 couverts vaut déjà le déplacement pour la vue qu'il offre ; de surcroît, la cuisine est elle aussi exceptionnelle. Pendant votre dîner, vous pourrez admirer la cathédrale St. Paul, la City et même le palais de Westminster. Le bâtiment, surprenant, tout en courbes et en vagues, symbolise le flux et le reflux de la Tamise. L'intérieur est décoré dans le style des années 30. La cuisine, sous la houlette du chef Simon Arkless, se compose de plats raffinés et riches. Le menu varie en fonction des saisons et des produits disponibles sur les marchés ; attendez-vous à savourer des spécialités britanniques dans leur version moderne. Le poisson est très frais et les classiques sont très bien préparés. Le loup entier (pour deux personnes) est succulent, tout comme l'agneau et sa crème à l'ail et les darnes de saumon grillées au chili fumé, agrémentées d'une sauce à la mangue, apportent une touche exotique ; enfin, le filet frit de John Dory et ses coquilles Saint-Jacques est délicatement parfumé avec un risotto aux fines herbes et une sauce au champagne.

3 La City

PRIX MOYENS

✪ **Café Spice Namaste.** 16 Prescot St., E1. ☎ **020/7488-9242.** Réservation obligatoire. Plats 8,95 £-14,95 £. CB. Lun.-ven. midi-15 h et 18 h 15-22 h 30 ; sam. 18 h 30-22 h. Métro : Tower Hill. INDIEN.

À proximité du Tower Bridge, à l'est de la Tour de Londres, voici sans doute le meilleur restaurant indien de Londres, malgré la concurrence exercée par le *Tamarind* et la *Bombay Brasserie,* qui sont aussi d'excellentes adresses. Le chef, Cyrus Todiwala, parsi et ancien habitant de Goa, a rapporté de nombreux secrets culinaires de son pays d'origine ; il s'est spécialisé dans les plats du sud et du nord de l'Inde, qui ont bénéficient d'une forte influence portugaise. Le poulet et l'agneau sont préparés de la façon la plus douce à la plus épicée. Todiwala propose parfois des plats à base d'émeu : lorsqu'elle est marinée, cette viande est riche et goûteuse comme l'agneau. Mais là n'est pas la seule curiosité gastronomique : avez-vous déjà goûté le kebab au gésier d'autruche, l'alligator tikka, ou encore l'élan, le bison ou le sanglier hachés ? Beaucoup d'habitués viennent ici pour savourer le très élaboré curry de poulet, appelé *xacutt,* mais vous pouvez lui préférer le foie ou les rognons d'agneau tandoori. Un menu hebdomadaire vient compléter la longue liste de plats régionaux. Les condiments maison valent à eux seuls le détour, en particulier celui à base de kiwi. Tous les plats sont servis avec des légumes frais et des nans (pain indien). Les ingrédients exotiques, la préparation minutieuse, le service impeccable, l'accueil chaleureux et les parfums épicés et subtils à la fois font de ce restaurant un endroit exceptionnel bien au-dessus de la moyenne.

○ **Poons in the City.** 2 Minster Lane, Minster Court, Mincing Lane, EC3. ☎ 020/7626-0126. Réservation conseillée pour le déjeuner. Menu déjeuner et dîner 22,50 £-30,80 £ ; plats 6,50 £-8,50 £. CB. Lun.-ven. midi-22 h 30. Métro : Tower Hill ou Meriment. CHINOIS.

Cette succursale du *Poons* a ouvert ses portes en 1992, à moins de 5 minutes à pied de la Tour de Londres et près de nombreux autres sites touristiques. Parmi les plats principaux, vous pourrez choisir le canard croustillant et parfumé, les crevettes roses aux noix de cajou ou le porc grillé. Le célèbre *lap yuk soom* du *Poons* (sorte de *taco* cantonais) est servi avec des émincés de bacon. Il est possible de commander des plats spéciaux 24 h à l'avance. À l'extrémité de la salle en L se trouvent une zone de restauration rapide pouvant accueillir 80 personnes et un comptoir de plats à emporter, accessibles depuis Mark Lane. Le menu change toutes les deux semaines.

PETITS PRIX

The George & Vulture. 3 Castle Court, Cornhill, EC3. ☎ 020/7626-9710. Réservation possible si vous arrivez pour 12 h 45. Plats 6,45 £-12,45 £. CB. Lun.-ven. midi-14 h 30. Métro : Bank. BRITANNIQUE (CUISINE TRADITIONNELLE).

Les admirateurs de Charles Dickens se bousculent dans cet endroit « pickwickien ». Créé en 1660, le *George & Vulture* prétend être la plus vieille taverne du monde car une auberge avait déjà été bâtie en ces lieux en 1175. Cet établissement n'accueille plus de clients la nuit, mais des déjeuners anglais sont encore servis sur trois étages. Outre les plats du jour, le menu propose une assiette de grillades, une côte première et des filets de sole de Douvres frits avec une sauce tartare ; la garniture se compose généralement de pommes de terre et de choux au beurre. La tarte aux pommes est toujours excellente. Donnez votre nom à l'entrée en arrivant, puis allez au pub jamaïquain, où l'on viendra vous chercher quand votre table sera prête. Après votre repas, ne manquez pas de visiter le dédale de pubs, magasins, caves et autres vieux bâtiments du quartier.

À propos, le Pickwick Club se réunit ici six fois par an. Ce club littéraire est dirigé par Cedric Dickens, un arrière arrière petit-fils de Charles Dickens.

○ **Fox & Anchor.** 115 Charterhouse St., EC1. ☎ 020/7253-4838. Réservation conseillée. Petit déjeuner « *Full house* » 7 £ ; petit déjeuner « *steak* » 7 £-9 £. CB. Lun.-ven. 7 h-15 h. Métro : Barbican ou Farringdon. BRITANNIQUE (CUISINE TRADITIONNELLE).

Si vous voulez goûter les meilleurs petits déjeuners britanniques, rendez-vous au *Fox & Anchor*, fréquenté depuis sa construction en 1898 par les vendeurs du marché de viandes de Smithfield. Les petits déjeuners sont gargantuesques, en particulier le « *Full House* » – une assiette d'au moins huit spécialités, comprenant des saucisses, du bacon, des rognons, des œufs, des haricots, du boudin et une tranche de pain frit, avec du thé ou du café, des toasts et de la confiture à volonté. Pour bien commencer la journée, buvez un *Black Velvet* (champagne avec de la Guinness) ; le *Bucks Fizz* (jus d'orange et champagne) est encore plus branché. Le *Fox and Anchor* est réputé pour sa grande sélection de bières anglaises, toutes disponibles au petit déjeuner. Les bouchers du marché, avec leurs tabliers ensanglantés, continuent d'affluer – tout comme les infirmières après leur service de nuit et les employés et hommes d'affaires de la City qui ont planché sur la comptabilité ou brassé des millions toute la nuit.

Se restaurer dans la City et ses environs

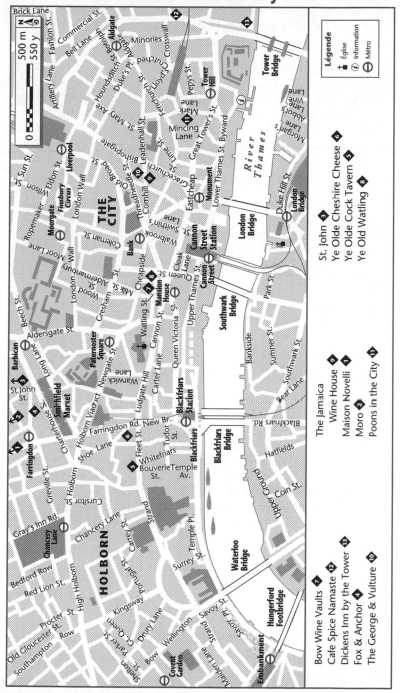

Légende

✝ Église
ⓘ Information
Ⓜ Métro

St. John ❸
Ye Olde Cheshire Cheese ❻
Ye Olde Cock Tavern ❺
Ye Old Watling ❽

The Jamaica
Wine House ❾
Maison Novelli ❶
Moro ❷
Poons in the City ⓫

Bow Wine Vaults ❼
Cafe Spice Namaste ⓬
Dickens Inn by the Tower ⓭
Fox & Anchor ❹
The George & Vulture ⓾

157

4 Au bord de la Tamise : Docklands et South Bank

Pour un dîner au bord la Tamise dans le West End, voir *Ship Hispaniola*, p. 152.

ST. KATHARINE'S DOCK
PETITS PRIX

✪ **Dickens Inn by the Tower.** St. Katharine's Way, E1. ☎ **020/7488-2208.** Réservation conseillée. Pickwick Grill : plats 17,50 £-35 £. Tavern Room : restauration rapide et plateaux 3,75 £-6 £. Pizzeria : pizzas 9 £-15 £. CB. Restaurant : tous les jours midi-15 h et 18 h 30-22 h. Pizzeria : tous les jours midi-22 h. Bar : tous les jours 11 h-23 h. Métro : Tower Hill. BRITANNIQUE (CUISINE TRADITIONNELLE).

Ce restaurant de 3 étages se situe dans un entrepôt en briques de 1830, volontairement dépourvu de tapis, de rideaux ou de tout autre élément de décor risquant de dissimuler ses poutres, dont certaines en séquoia faisaient déjà partie du bâtiment d'origine. De larges fenêtres offrent une vue imprenable sur la Tamise et le Tower Bridge. Le bar et la *Tavern Room*, qui propose des sandwiches, des lasagnes, des bols fumants de soupe et de chili et des plats appréciés des enfants, se trouvent au rez-de-chaussée. Le premier étage abrite le *Pizza on the Dock*, où l'on sert bien sûr des pizzas (quatre tailles différentes) qui feront également la joie des enfants. Au-dessus, le *Wheelers Restaurant*, dans une salle plus conventionnelle, propose des plats britanniques plus raffinés et plus modernes. Parmi les plats du jour, vous pourrez choisir le steak, les brochettes de champignons sauvages grillées au charbon de bois, les rognons de veau frits dans une sauce au citron vert et au gingembre ou le filet de cabillaud au four.

BUTLER'S WHARF
PRIX ÉLEVÉS

Le Pont de la Tour. 36D Shad Thames, Butler's Wharf, SE1. ☎ **020/7403-8403.** Réservation impossible au Bar and Grill, conseillée au restaurant. Bar and Grill : plats 9 £-18 £. Restaurant : plats 17,50 £-23,50 £ ; menu déjeuner 3 plats 28,50 £. Lun.-sam. menu début et fin de soirée *(pre- and post-theater)* 19,50 £ (de 18 h à 18 h 45 et de 22 h 30 à 23 h 30). CB. Restaurant : lun.-ven. midi-15 h ; lun.-sam. 18 h-23 h 30 ; dim. 12 h 30-15 h et 18 h-23 h. Bar and Grill : tous les jours 11 h 30-minuit. Métro : Tower Hill ou London Bridge. CUISINE INTERNATIONALE.

Situé au bord de la Tamise, à proximité du Tower Bridge, le complexe Butler's Wharf abrite des appartements de location ou en copropriété, des bureaux, et une série d'épiceries et de boutiques de marchands de vins (le Gastrodome). Construit au milieu du XIX siècle sous la forme d'un entrepôt, il offre désormais aux clients venus faire des achats ou déjeuner une vue imprenable sur l'un des trafics fluviaux les plus denses d'Europe.

Le **Bar and Grill** est très convivial et animé grâce à ses concerts de piano (le soir et le week-end) et à son grand choix de vins et de cocktails. Si des plats comme la terrine de jambon et de foie gras, le homard aux poivrons grillés, aux olives et au fenouil, ou les langoustines à la mayonnaise sont excellents, le plateau de fruits de mer – à partager avec un convive, accompagné d'une bonne bouteille de vin – est la véritable star du menu.

La salle à manger, plus conventionnelle, nommée tout simplement **The Restaurant**, offre un contraste audacieux. Orné de meubles en chêne et de lithographies représentant la société des cafés parisiens au début du XX siècle, ce restaurant propose une excellente cuisine servie avec une flegme très britannique. Le menu comprend des plats tels le lapin rôti aux herbes et sa sauce à la moutarde ou le homard rôti au beurre et aux herbes. L'agneau aux olives noires et aux herbes dans une sauce au poivron rouge est un pur délice. Tous les plats de poissons sont succulents, mais aucun n'égale la sole de Douvres, que vous pouvez prendre grillée ou meunière.

PRIX MOYENS

Butler's Wharf Chop House. 36E Shad Thames, SE1. ☎ **020/7403-3403.** Réservation conseillée. Menu déjeuner 2 plats 18,75 £, menu déjeuner 3 plats 22,75 £ ; plats dîner 12 £-29,50 £. CB. Dim.-ven. midi-15 h (dernière commande) ; Lun.-sam. 18 h-23 h. Métro : Tower Hill. BRITANNIQUE (CUISINE TRADITIONNELLE).

Des quatre restaurants de Butler's Wharf, c'est celui qui se trouve le plus près du Tower Bridge, et en plus, il pratique des prix modérés. Il y a bien un restaurant encore moins cher, *La Cantina del Ponte*, mais la plupart des gens le considèrent comme un simple restaurant de pâtes. (Voir plus haut les restaurants plus sélects du complexe). La *Chop House* a été conçue comme un hangar à bateaux, avec des banquettes d'un brun roux, beaucoup de boiseries apparentes, des fleurs, des bougies et de grandes fenêtres donnant sur le Tower Bridge et la Tamise. À midi, les employés du quartier des finances de la City prennent le restaurant d'assaut ; le soir, la clientèle est plutôt composée d'amis qui se réunissent dans une ambiance plus détendue.

Les plats sont largement inspirés de recettes britanniques : *fish-and-chips* avec purée de petits pois, pudding à la viande de bœuf et aux rognons accompagné d'huîtres, cuisse de lapin en civet à la moutarde, selle d'agneau rôtie à l'ail et au romarin et filet de porc aux pommes et aux châtaignes grillé dans une sauce au cidre. En dessert, goûtez la tarte au chocolat noir et sa crème au whisky ou le pudding au caramel. Le bar propose les meilleures bières anglaises, comme la Theakston's, plusieurs vins anglais, et une demi douzaine de bordeaux servis en pichet.

PETITS PRIX

The Bengal Clipper. Shad Thames, Butler's Wharf, SE1. ☎ **020/7357-9001.** Réservation conseillée. Plats 8 £-15 £ ; menu à partir de 10 £ ; buffet du dimanche 7,35 £. CB. Tous les jours 11 h-15 h et 18 h-23 h 30. Métro : Tower Hill. INDIEN.

Ancien entrepôt d'épices situé au bord de la Tamise, le *Bengal Clipper* propose une cuisine indienne remarquable. Ce restaurant sympathique et animé aux couleurs crème est orné de grandes colonnes et de modèles réduits de figures royales, d'arbres et d'éléphants inspirés de l'art moghol. Sept fenêtres offrent une vue panoramique sur le quartier industrialisé qui longe la Tamise. Un pianiste joue près du bar pendant que vous goûtez à la cuisine : nombreux plats végétariens provenant de Goa, ancienne colonie portugaise, et du Bengale, ancienne colonie anglaise. Les saveurs sont généralement bien piquantes mais jamais trop. Les plats proposés sont assez peu nombreux, de sorte que tous les ingrédients nécessaires sont achetés le jour même – une garantie de fraîcheur. Les plus tentants sont le blanc de poulet aux pommes de terre, oignons, abricots et amandes, cuit dans du yaourt et servi avec une délicieuse sauce au curry, et le caneton désossé à la sauce piquante. L'un des plats indiens les plus raffinés est également servi ici et n'a rien perdu de son exotisme : l'agneau mariné aux noix de cajou et au gingembre. Parmi les mets de Goa, notre préféré est le *karkra*, petit pâté de crabe et de purée assaisonné aux épices de Goa. Les *poppadums* et les condiments viennent s'ajouter aux saveurs des plats.

5 Knightsbridge et ses environs

PRIX TRÈS ÉLEVÉS

La Tante Claire. Wilton Place, Knightsbridge, SW1. ☎ **020/7823-2003.** Réservation indispensable. Plats 24 £-35 £. CB. Lun.-ven. 12 h 30-14 h, lun.-sam. 19 h-23 h. Métro : Hyde Park Corner, Knightsbridge.

Dans ses nouveaux locaux, *La Tante Claire* figure aujourd'hui parmi les meilleurs restaurants de Londres. En cuisine, le chef Pierre Koffmann s'attache davantage à entreprendre des expériences culinaires qu'à engendrer une frénésie médiatique. Conçu par le décorateur d'intérieurs irlandais David Collins, le restaurant aux murs lilas et au sol vert pâle offre un cadre idéal pour la cuisine de Koffmann, dont les classiques constitueraient de véritables exploits pour d'autres chefs. Si vous voulez goûter à la perfection, essayez les raviolis de langoustine et les pieds de porc : qui aurait cru que les pieds de porc, plat de base que l'on servait autrefois dans les bistrots de Paris, allaient devenir si raffinés ? Quant à la soupe aux truffes, elle ravira les palais les plus subtils. Enfin, le homard au sauternes et au gingembre est un véritable chef-d'œuvre, tout comme l'agneau et son couscous végétarien. En dessert, le soufflé à la pistache servi chaud avec une boule de glace restera longtemps gravé dans votre mémoire.

PRIX ÉLEVÉS

Georgian Restaurant. Au quatrième étage de Harrods, 87-135 Brompton Road, SW1. ☎ **020/7225-5930** ou 020/7225-6800. Réservation conseillée pour le déjeuner et le thé. Plats 21 £-25,50 £ ; menu déjeuner 3 plats 28,50 £ ; sandwiches et pâtisseries à l'heure du thé 17 £ par personne. CB. Lun.-sam. midi-15 h ; thé lun.-sam. 15 h 45-17 h 15. Métro : Knightsbridge. BRITANNIQUE (CUISINE TRADITIONNELLE).

Perché au-dessus du plus célèbre magasin de Londres, le *Georgian Restaurant*, avec son plafond superbe et ses lucarnes style Belle Époque, est l'un des restaurants les plus agréables de la ville. À l'heure du déjeuner, l'une des salles, suffisamment grande pour y danser, accueille un pianiste. Le buffet propose des viandes froides et toutes sortes de salades. Pour un repas chaud, adressez-vous au grill, où une équipe de chefs en uniforme sert de la volaille, du poisson et du porc. À l'heure du thé, laissez-vous ensorceler par les notes du quartette à cordes tout en dégustant des sandwiches, des *scones* ou des pâtisseries.

San Lorenzo. 22 Beauchamp Place, SW3. ☎ **020/7584-1074.** Réservation obligatoire. Plats 14,50 £-25,50 £. Pas de cartes de crédit. Lun.-sam. 12 h 30-15 h et 19 h 30-23 h 30. Métro : Knightsbridge. ITALIEN.

Ce restaurant très chic, autrefois fréquenté par la princesse Diana, s'est spécialisé dans la cuisine régionale de Toscane et du Piémont. Souvent cité dans la presse grâce à sa clientèle célèbre, le *San Lorenzo* appartient à Lorenzo et Mara Berni, restaurateurs plein d'entrain. La cuisine de saison est d'excellente qualité : fettuccines au saumon faites maison, risotto aux asperges fraîches, picatta de veau et perdreau au vin blanc. Parmi les spécialités régionales, nous vous recommandons le cabillaud à la polenta. Certains prétendent que le lieu est moins recommandable que dans les années 1970, mais il reste très populaire, si l'on en juge par la difficulté d'avoir une table. Il faut reconnaître que, si la cuisine est vraiment bonne, le service laisse un peu à désirer. Mais c'est tout de même une bonne adresse, surtout si vous avez l'intention de faire du shopping le long de Beauchamp Place.

✪ **Vong.** Berkeley Hotel, Wilton Place, SW1. ☎ **020/7235-1010.** Réservation conseillée. Plats 12,75 £-26,75 £ ; plats végétariens 10,25 £-13,50 £ ; menu dégustation 45 £ ; menu déjeuner 3 plats 20 £ ; menu dîner 3 plats 29 £-39 £ ; menu début et fin de soirée *(pre- and post-theater)* 17,50 £. CB. Lun.-sam. midi-14 h 30 et 18 h-23 h ; dim. 11 h 30-14 h 30 et 18 h-21 h 30. Menu *dim-sum* sam.-dim. 11 h 30-14 h 30 à partir de 2,50 £ par assiette. Menu début et fin de soirée 18 h-19 h et 22 h 30-23 h 30. Métro : Knightsbridge. FRANÇAIS/THAÏLANDAIS.

À 600 m de *Harrods*, le *Vong*, restaurant moderne de trois étages, est l'un des endroits les plus chic de la ville. Jean-Georges Vongerichten, le favori des cercles culinaires new-yorkais, a exporté son menu français/thaïlandais à Londres et affirme lui-même que la qualité supérieure des ingrédients thaïlandais disponibles en Angleterre place ce restaurant au-dessus de celui de New York. Servi dans un cadre minimaliste, le résultat est subtil, innovant et inspiré.

Si vous voulez goûter à tout, nous vous recommandons la *Black plate*, qui comprend des échantillons de six hors-d'œuvre. Vous pourrez également choisir le flétan rôti ou la saucisse de homard agrémentée d'une sauce au romarin et au gingembre. Tous les plats sont absolument admirables, notamment les rouleaux de printemps au crabe et leur sauce au tamarin. Le sauté de foie gras au gingembre et à la mangue fond littéralement dans la bouche. Le cabillaud épicé accompagné d'artichauts au curry est également succulent. Les desserts sont tout aussi exotiques, notamment la salade de bananes et de fruits de la passion et sa glace au poivre blanc (oui, oui, vous avez bien lu).

Zafferano. 15 Lowndes St., SW1. ☎ **020/7235-5800.** Réservation obligatoire. Menus 26,50 £-36,50 £. CB. Lun.-sam. midi-14 h 30 et 19 h-23 h. Métro : Knightsbridge. ITALIEN.

Ce restaurant a quelque chose d'honnête et de rassurant : murs ocre, nappes immaculées et personnel en uniforme appliqué. Il est fréquenté par de nombreuses personnalités : Margaret Thatcher, Michael Hesseltine, Richard Gere, la princesse Margaret et Eric Clapton. Dans une interprétation moderne et élégante, la cuisine italienne se décline dans des plats tels que les raviolis de faisan aux truffes noires, le lapin au jambon de parme et à la polenta, la brème aux épinards et au vinaigre balsamique, ou la lotte aux amandes. Joan Collins a qualifié ces plats de « feux d'artifices culinaires ». Toutefois, elle a regretté l'éclairage un peu trop violent. Les propriétaires se flattent de posséder la meilleure cave de vins italiens de Londres : elle renferme jusqu'à vingt différents crus de Brunello et de Barolos et une dizaine de crus de Sassecaia.

Prix moyens

Fifth Floor at Harvey Nichols. 109-125 Knightsbridge, à l'angle de Sloane St., SW1. ☎ **020/7235-5250.** Réservation conseillée. Menu déjeuner 3 plats 23,50 £ ; plats 12 £-30 £ ; plats à la carte disponible au dîner uniquement. CB. Lun.-ven. midi-15 h, sam. et dim. midi-15 h 30 ; Lun.-sam. 18 h 30-23 h 30pm (dernière commande). Métro : Knightsbridge. BRITANNIQUE (CUISINE MODERNE).

Ce restaurant situé dans le centre commercial Harvey Nichols est très bien organisé. À l'entrée, un café accueille en majorité des personnes chargées de paquets qui ont envie de se remettre de leur shopping en prenant une petite tasse de thé ou une salade. Les clients qui viennent dîner vont directement au restaurant. Bleue et blanche, la salle haute de plafond a de grandes fenêtres qui donnent sur les murs de brique rouge du *Hyde Park Hotel*, situé de l'autre côté de la rue. Les serveurs, très courtois, proposent un menu assez chic. Parmi les hors-d'œuvre, nous vous recommandons le risotto au fromage de chèvre et au citron accompagné de petits artichauts, ou le foie gras et son confit à l'orange et aux oignons servis sur un morceau de brioche grillée.

Se restaurer de Knightsbridge à Kensington

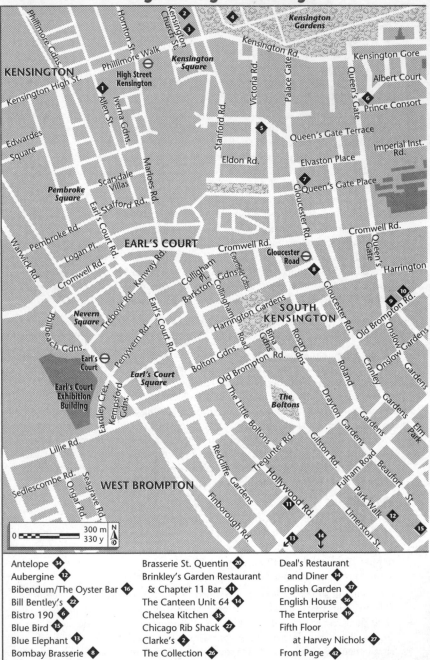

Antelope 34
Aubergine 12
Bibendum/The Oyster Bar 16
Bill Bentley's 22
Bistro 190 6
Blue Bird 15
Blue Elephant 13
Bombay Brasserie 8

Brasserie St. Quentin 20
Brinkley's Garden Restaurant
 & Chapter 11 Bar 11
The Canteen Unit 64 14
Chelsea Kitchen 35
Chicago Rib Shack 27
Clarke's 2
The Collection 26

Deal's Restaurant
 and Diner 14
English Garden 37
English House 36
The Enterprise 19
Fifth Floor
 at Harvey Nichols 27
Front Page 42

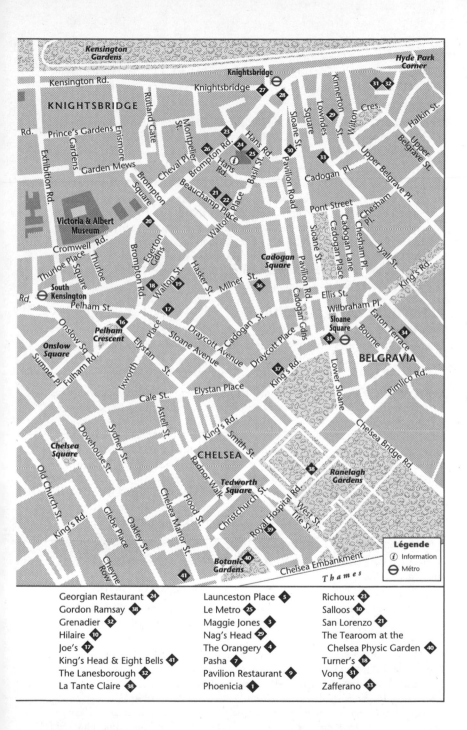

Georgian Restaurant 24	Launceston Place 5	Richoux 23
Gordon Ramsay 38	Le Metro 25	Salloos 30
Grenadier 32	Maggie Jones 3	San Lorenzo 21
Hilaire 10	Nag's Head 29	The Tearoom at the
Joe's 17	The Orangery 4	Chelsea Physic Garden 40
King's Head & Eight Bells 41	Pasha 7	Turner's 18
The Lanesborough 32	Pavilion Restaurant 9	Vong 31
La Tante Claire 38	Phoenicia 1	Zafferano 33

Les plats sont également très bons : escalopes grillées sauce bordelaise, confit de canard, soufflé au haddock, salade d'avocats, de bacon et d'épinards.

Bien que le centre commercial ferme à 18 h, il est possible d'accéder à la salle par un ascenseur ; l'épicerie de luxe à côté du restaurant est également ouverte jusqu'à 18 h.

PETITS PRIX

Chicago Rib Shack. 1 Raphael St., SW7. ☎ **020/7581-5595.** Réservation possible, excepté le samedi. Plats 8 £-12 £. CB. Tous les jours 11 h 45-23 h 45. Métro : Knightsbridge. AMÉRICAIN.

À 100 m de *Harrods*, ce restaurant s'est spécialisé dans le barbecue américain. Tous les aliments sont cuits dans des fours importés des États-Unis, et marinés dans une sauce composée de 15 ingrédients. Le cake aux oignons est une pure merveille. Les clients sont invités à manger avec les mains (des serviettes chaudes sont fournies). Un écran de télévision suspendu au-dessus du bar diffuse des événements sportifs américains. L'établissement, qui a échappé à la démolition, a toutefois un cachet très britannique, dû à son architecture typiquement victorienne. Le bar en acajou de plus de 13 m de long appartenait autrefois à un pub de Galsgow et les huit vitraux proviennent d'une chapelle du Lancashire.

ALENTOURS DE BELGRAVIA
PRIX MOYENS

Salloos. 62-64 Kinnerton St., SW1. ☎ **020/7235-4444.** Réservation conseillée. Plats 10 £-17 £ ; menu déjeuner 3 plats 16 £ ; menu dîner 4 plats 25 £. CB. Lun.-sam. midi-14 h 30 et 19 h-23 h 15. Métro : Hyde Park Corner. PAKISTANAIS/MUGHLAI.

Le *Salloos*, l'un des restaurants pakistanais les plus élégants de Londres, est situé dans un quartier très chic. Cet endroit intime ne peut accueillir que 60 personnes. La lumière est tamisée, mais des spots mettent en valeur des broderies pakistanaises. La clientèle cosmopolite a le choix entre de nombreux plats : côtelettes d'agneau, kebabs de poulet, poulet au karahi (épicé, avec du curry), poulet korma (modérément épicé et servi dans une sauce au yaourt) et *haleem akbari* (agneau accompagné de germes de blé, de lentilles et d'épices), la spécialité de la maison. La plupart des ces plats ont été élaborés pendant le règne des empereurs moghols, dans le nord de l'Inde. Le propriétaire, Muhammad Salahuddin (dont le surnom est Salloos), est assisté par ses charmantes filles, Farizeh et Nafiseh, qui accueillent les clients sur le seuil de la porte.

6 Chelsea

PRIX TRÈS ÉLEVÉS

✪ **Gordon Ramsay.** 68 Royal Hospital Road, SW3. ☎ **020/7352-4441.** Réservation indispensable (1 mois à l'avance). Menu déjeuner 2 plats 28 £, menu déjeuner 3 plats 50 £ ; menu dîner 3 plats 50 £, menu dîner 7 plats 65 £. Lun.-ven. midi-14 h 30 et 18 h 45-23 h. Métro : Sloane Square. FRANÇAIS.

Gordon Ramsay est l'un des chefs les plus talentueux et les plus novateurs de la ville. Il a racheté les anciens locaux de *La Tante Claire* (voir p. 160), où il sert une cuisine encore plus innovante que son prédécesseur. Le Tout-Londres se précipite chez lui, si bien qu'il lui est arrivé de devoir refuser l'entrée à des célébrités. D'après Ramsay, les ingrédients sont de meilleure qualité que partout ailleurs ; le critique Dominic Bradbury le présente comme un « capitaine Achab, un monomaniaque qui s'acharnera dans ses cuisines jusqu'à ce que Michelin lui accorde sa deuxième étoile ».

Ses plats sont à la fois subtils et délicats, sans jamais dénaturer les ingrédients (par exemple le cappuccino de haricots blancs aux truffes). Les hors-d'œuvre sont éblouissants : salade de pieds de porc au ris de veau, œufs de caille frits à la vinaigrette ou foie gras préparé de trois façons différentes – sauté avec des coings, mi-cuit avec un consommé Earl Grey, ou moulé avec des morceaux de truffe. Continuez ensuite avec le filet de barbue poché dans du vin rouge, le filet de rouget grillé sur un lit d'endives caramélisées, ou le canard caramélisé aux dattes. Les desserts sont tout aussi renversants, notamment le soufflé aux pistaches et son sorbet au chocolat, et le parfait aux fruits de la passion et au chocolat.

PRIX ÉLEVÉS

○ Aubergine. 11 Park Walk, SW10. ☎ **020/7352-3449.** Réservation indispensable (à partir de 4 semaines à l'avance). menu déjeuner 2 plats 23,50 £ ; menu dîner 3 plats 39,50 £ ; menu gourmand 45 £. CB. Lun.-ven. midi-14 h 30 ; lun.-sam. 18 h 45-23 h. Métro : South Kensington. FRANÇAIS.

L'*Aubergine* attire de nombreux connaisseurs, qui apprécient la cuisine du chef Williams Drabble. Reconnu par le guide Michelin, qui lui a décerné une étoile en 1998, ce restaurant a conservé le style et l'ambiance de son ancien propriétaire, Gordon Ramsay (voir ci-dessus). Bien que très fréquenté par des célébrités, l'endroit reste simple et l'on ne se plie pas aux caprices des stars (lorsque la princesse Margaret s'est plainte de l'air conditionné, trop froid, on lui a prêté un cardigan, et le patron a refusé d'accueillir Madonna, qui avait demandé une table tard dans la soirée).

Tous les plats sont savoureux, de la salade de truffes tièdes aux asperges, à la lotte rôtie au vin rouge accompagnée de pommes de terre et de poireaux. Les hors-d'œuvre sont de véritables délices : raviolis de crabes et moules parfumées au gingembre, au piment et à la coriandre, ou terrine de foie gras servie avec un confit de canard aux poires pochées dans le porto. Avec votre aubergine Villeroy ou Boch, choisissez le colvert au céleri ou l'agneau cuit dans son jus avec du thym. Le loup à la bouillabaisse est également délicieux. Si vous aimez la nouveauté, tentez le dernier plat du chef : les ris de veau accompagnés de sa purée d'oignons caramélisés et de champignons. Le restaurant ne compte que quatorze tables ; il est donc impératif de réserver.

Blue Bird. 350 King's Road, SW3. ☎ **020/7559-1000.** Réservation conseillée. Menu lun.-ven. 12,75 £-15,75 £ ; plats 9,25 £-28,50 £. CB. Lun.-ven. midi-15 h et 18 h-23 h 30 ; sam. 11 h-16 h et 18 h-23 h 30 ; dim. 11 h-16 h et 18 h-22 h 30. Métro : Sloane Square. EUROPÉEN (CUISINE MODERNE).

Les Français et les Australiens du personnel qualifient le *Blue Bird* de « restaurant de gare ». Au rez-de-chaussée se trouvent un café et une épicerie fine ; à l'étage, la salle peut accueillir jusqu'à 275 personnes, dans un décor rouge et bleu qui représente des oiseaux en plein vol. Les tables sont un peu proches les unes des autres mais, dans l'immensité de l'endroit, on finit par se sentir suffisamment isolé pour avoir une conversation privée. Certains plats sortent tout chauds d'un poêle à bois utilisé aussi bien pour le homard que pour le gibier. Nous vous recommandons particulièrement l'agneau mariné aux haricots et à l'aïoli, les pâtes et le poisson frais.

Avant d'être transformé en restaurant, le bâtiment était un garage qui réparait les légendaires Bluebird, voitures de sport anglaises très rapides qui ne sont malheureusement plus fabriquées.

PRIX MOYENS

English Garden. 10 Lincoln St., SW3. ☎ **020/7584-7272.** Réservation obligatoire. Plats 9,50 £-19,25 £ ; menu déjeuner 16,75 £. CB. Lun.-sam. 12 h 30-14 h 30 et

19 h 30-23 h 30, dim. 12 h 30-14 h et 19 h-22 h 30. Métro : Sloane Square.
BRITANNIQUE (CUISINE TRADITIONNELLE).

L'*English Garden* est le restaurant londonien par excellence. Situé dans un ancien hôtel particulier, il offre un décor gai et coquet : la *Garden Room*, aux murs blanchis à la chaux, est surmontée d'un dôme vitré. Fleurs fraîches, chaises en rotin, plantes et nappes roses complètent le cadre. Laissez-vous tenter par le cake au cheddar et aux oignons rouges caramélisés ou par la soupe de cresson aux moules. Pour continuer, le lapin rôti et sa purée de tomates et de pruneaux à l'huile d'olive ou la selle de sanglier au chou sont excellents. Certains plats, indémodables, semblent provenir d'un livre de recettes du Moyen Âge. Les desserts, notamment la glace à la rhubarbe et à la cannelle ou la tarte à l'orange confite arrosée de sirop d'orange, sont absolument divins.

English House. 3 Milner St., SW3. ☎ **020/7584-3002.** Réservation obligatoire. Plats 8 £-17 £ ; menu déjeuner 15,75 £. CB. Lun.-sam. 12 h 30-14 h 30 et 19 h 30-23 h 15 ; dim. 12 h 30-14 h et 19 h 30-21 h 45. Métro : Sloane Square. BRITANNIQUE (CUISINE TRADITIONNELLE).

Autre création du designer Roger Wren (qui a également signé l'*English Garden*, voir plus haut), ce restaurant minuscule vous donnera l'impression d'être l'un des convives d'une maison victorienne élégante et cosy. Le menu, très britannique, change selon les saisons et propose toujours des plats subtils. En entrée, nous vous recommandons la soupe aux haricots blancs et au bacon (qui ressemble à un plat médiéval), ou les gâteaux de crabe à la diable, agrémentés d'une sauce aux herbes. Pour continuer, essayez le foie de veau au bacon et sa purée de choux et de pommes de terre, ou le rosbif au raifort et son *Yorkshire pudding*. Au menu, poisson du jour mais aussi gibier en saison. En été, les fruits de saison, notamment les baies arrosées de vin de sureau, l'emportent sur les desserts, mais vous pourrez également goûter le *Phrase of Apples*, recette de pancake à la pomme du XVIIe siècle, adaptée par le chef. Londres regorge de restaurants très « tendance », aussi est-il réjouissant de voir que certains établissements sont restés attachés aux anciennes recettes, qu'ils essaient de remettre au goût du jour

Petits prix

Chelsea Kitchen. 98 King's Road, SW3. ☎ **020/7589-1330.** Réservation conseillée. Plats 3 £-5,50 £ ; menu 6 £. Pas de cartes de crédit. Tous les jours 8 h-23 h 30. Métro : Sloane Square. CUISINE INTERNATIONALE.

Ce restaurant très simple accueille un grand nombre d'habitants de Chelsea dans un cadre qui a peu changé depuis 1961. Généralement au menu : soupe de poireaux et de pommes de terre, poulet Kiev, poulet parmigiana, mais aussi steaks, sandwiches et hamburgers. La clientèle compte de nombreux habitués.

ALENTOURS DE CHELSEA HARBOUR

Au sud-ouest de Londres, Chelsea Harbour est un complexe construit sur d'anciens quais marchands abandonnés.

Prix moyens

✪ **The Canteen.** Unit G4, Harbour Yard, Chelsea Harbour, SW10. ☎ **020/7351-7330.** Réservation conseillée. Couvert 1 £ par personne. Plats 6 £-10,40 £. CB. Lun.-sam. midi-15 h ; lun.-ven. 18 h 30-22 h 30 ; sam. 18 h 30-23 h 15. Métro : Earl's Court, puis bus C3 Chelsea Harbour Hoppa ; le dim., prendre un taxi. BRITANNIQUE (CUISINE MODERNE)/FRANÇAIS.

Ce restaurant au décor étrange inspiré d'*Alice au pays de merveilles* est l'un des plus populaires du quartier ; il plaît aussi bien aux enfants qu'aux adultes. La cuisine est exceptionnelle ; nous vous recommandons le risotto de tomates cerises au champagne, la salade de coquilles Saint-Jacques agrémentée de pommes et de noix de cajou, le poulet nourri au grain accompagné de pommes, de haricots et d'un ragoût de pommes de terre à la sauge ou encore le thon séché poivré aux pommes de terre marinées dans des échalotes et de la crème fraîche – le menu étant revu tous les deux mois, vous devrez peut-être choisir autre chose. Le soufflé au chocolat est le meilleur dessert de la carte – à moins que ce ne soient les crêpes Suzette ? Si vous préférez, prenez la sélection de fromages fermiers, si fameux que vous ne regretterez pas de ne pas avoir pris de dessert.

PETITS PRIX
Deal's Restaurant and Diner. Harbour Yard, Chelsea Harbour, SW10. ☎ **020/7795-1001.** Réservation conseillée. Plats 6,75 £-17 £. CB. Lun.-jeu. midi-15 h 30 et 17 h 30-23 h ; ven.-sam. midi-23 h 30 ; dim. midi-22 h. Métro : Earl's Court, puis bus C3 Chelsea Harbour Hoppa ; le dim., prendre un taxi. AMÉRICAIN/THAÏLANDAIS.

Le vicomte Linley, fils de la princesse Margaret, et Lord Lichfield sont copropriétaire du *Deal's*. Du jour où la reine mère est venue y commander un hamburger, le succès de l'établissement a été assuré. Ventilateurs et banquettes en bois courbé créent une atmosphère 1900. La cuisine est américaine, avec une forte influence thaïlandaise : essayez le *teriyaki burger*, le curry de crevettes, les côtelettes de porc ou l'un des plats végétariens et terminez avec une *apple pie*. Si l'on ne peut être sûr de la présence du vicomte en cuisine, la rumeur dit qu'il a goûté à tout avant de donner son aristocratique approbation.

7 Kensington & South Kensington

KENSINGTON
PRIX MOYENS
Launceston Place. 1A Launceston Place, W8. ☎ **020/7937-6912.** Réservation obligatoire. Plats 14,50 £-16,50 £ ; menu 2 plats (déjeuner et dîner jusqu'à 20 h), 14,50 £, menu 3 plats 17,50 £. CB. Lun.-ven. 12 h 30-14 h 30, dim. 12 h 30-15 h ; lun.-sam. 19 h-23 h 30. Métro : Gloucester Road. ou High St. Kensington. BRITANNIQUE (CUISINE MODERNE).

Le *Launceston Place* se situe dans un quartier vivant aux allures de village, où de nombreux Londoniens aimeraient vivre s'ils pouvaient se le permettre. Composé de petits salons victoriens éclairés par une lucarne, ce restaurant élégant est orné d'huiles et d'aquarelles d'époque et de peintures contemporaines. Depuis son ouverture au printemps 1986, il est réputé pour sa cuisine moderne. Le menu change toutes les six semaines, mais vous y trouverez sans doute des hors-d'œuvre comme le saumon fumé à la crème fraîche et au raifort ou le foie gras aux lentilles relevées à la vanille. Nous vous recommandons ensuite le rôti de perdreau au bacon et aux oignons accompagné d'une purée de panais, ou le loup grillé aux tomates et au basilic.

۞ Phoenicia. 11-13 Abingdon Road, W8. ☎ **020/7937-0120.** Réservation obligatoire. Plats 9,90 £-15 £ ; buffet (déjeuner) 10,95 £-12,95 £ ; menu dîner 16,80 £-30,95 £. CB. Tous les jours 12 h 15-minuit ; buffet : lun.-sam. 12 h 15-14 h 30, dim. 12 h 15-15 h 30. Métro : High St. Kensington. LIBANAIS.

Le *Phoenicia* est très réputé pour sa cuisine libanaise de qualité et pour ses prix très intéressants. À l'heure du déjeuner, le buffet est d'un excellent rapport qualité-prix : plus de vingt mets différents y sont présentés dans des plats en terre cuite. Chaque jour, le chef prépare deux ou trois plats, toujours très alléchants, comme le poulet à l'ail ou l'agneau farci et ses légumes. Les habitués libanais commencent généralement leur repas avec un arak, liqueur servie en apéritif que certains comparent à l'ouzo. En entrée, goûtez les classiques du Moyen-Orient, comme les feuilles de vigne farcies ; le hachis d'agneau, épicé et parfumé, est l'un des plats les plus appréciés. Des grillades au charbon de bois sont aussi proposées. Le pain est cuit tous les jours dans le four en argile.

Petits prix

Maggie Jones. 6 Old Court Place (à proximité de Kensington Church St.), W8. ☎ **020/7937-6462.** Réservation obligatoire. Plats 9,95 £-15,95 £. CB. Tous les jours 12 h 30-14 h 30 et 18 h 30-23 h. Métro : High St. Kensington. BRITANNIQUE (CUISINE TRADITIONNELLE).

Ce restaurant à la fois étrange et accueillant doit sa popularité à la qualité de sa cuisine et à la princesse Margaret, cliente fidèle, qui lui a donné son nom. L'établissement compte trois étages mais le sous-sol est l'endroit le plus intime. Les meubles en pin et les bougies créent une atmosphère un peu rustique. Au menu figurent l'agneau au romarin ou à l'ail, le maquereau aux groseilles et la fameuse tourte au poisson de Maggie. En dessert, nous vous recommandons la tarte à la mélasse. Rien d'extraordinaire, mais tout est bien cuisiné et savoureux.

SOUTH KENSINGTON
Prix élevés

Bibendum/The Oyster Bar. 81 Fulham Road, SW3. ☎ **020/7581-5817.** Réservation obligatoire au Bibendum ; pas de réservation à l'*Oyster Bar*. Plats 15 £-25 £ ; menu déjeuner 3 plats 28 £ ; plateau de fruits de mer pour 2 à l'*Oyster Bar* 45 £. CB. Bibendum : lun.-ven. midi-14 h 30 et 19 h-23 h 15 ; sam. 12 h 30-15 h et 19 h-23 h 15 ; dim. 12 h 30-15 h et 19 h-22 h 15. *Oyster Bar* : lun.-sam. midi-23 h 30 ; dim. midi-15 h et 19 h-22 h 30. Métro : South Kensington. FRANÇAIS/MÉDITERRANÉEN.

Ce restaurant de deux étages, merveille de l'Art déco, est installé dans un ancien bâtiment de Michelin. Bien qu'il soit toujours à la mode, le **Bibendum** a connu ses jours de gloire au début des années 1990 et ne fait plus partie des restaurants encensés par la critique. La salle, claire et ensoleillée, est extrêmement agréable et attire une clientèle chic. La cuisine, très éclectique, varie selon les saisons et est réputée pour sa simplicité et la fraîcheur de ses ingrédients. Parmi les plats, citons simplement le rôti de pigeon aux pommes et sa purée de céleri, le lapin aux anchois, à l'ail et au romarin ou les côtelettes d'agneau arrosées d'une sauce délicieuse. Certains plats sont prévus pour deux, comme le poulet de Bresse à l'estragon ou les côtelettes de veau grillées aux truffes.

Au rez-de-chaussée, l'**Oyster Bar** propose des repas plus simples et des cocktails. Le menu s'articule autour de fruits de mer présentés à la française, sur des plateaux couverts de glace parfois ornés de brins d'algues. Très bonne adresse pour les amateurs de crustacés.

Hilaire. 68 Old Brompton Road, SW7. ☎ **020/7584-8993.** Réservation conseillée. Menu déjeuner 2 plats 19,50 £, menu déjeuner 3 plats 23,50 £ ; menu dîner 3 plats 34 £, menu dîner 4 plats 37 £ ; plats (dîner) 13,50 £-21,50 £. CB. Lun.-ven. 12 h 15-14 h 30 ; lun.-sam. 18 h 30-23 h 30. Fermé les jours fériés. Métro : South Kensington. EUROPÉEN.

Depuis le ravalement de sa façade victorienne à la suite d'un incendie, le *Hilaire* est devenu un restaurant très chic. Ses grands vases de fleurs et ses miroirs étincelants créent un cadre parfait pour goûter à la cuisine raffinée, l'une des meilleures de South Kensington. Bryan Weber associe le style classique français à la cuisine moderne, tout en suivant ses pulsions créatives et son sens de la gastronomie. Au menu figurent tous les meilleurs plats de la saison.

Pour déjeuner, nous vous recommandons le risotto au vin rouge et son pesto de tomates séchées au soleil, suivi d'escalopes accompagnées d'endives à la crème et, pour conclure, d'un sorbet à la rhubarbe. Parmi les plats proposés au dîner, vous pourrez choisir l'agneau à l'ail, la selle de lapin ou le thon grillé et sa jardinière de légumes provençale. La salle située en contrebas comprend un bar et quelques tables supplémentaires retirées dans de petites alcôves.

Turner's. 87-89 Walton St., SW3. ☎ **020/7584-6711.** Réservation obligatoire. Lun.-ven. menu déjeuner 12,50 £-15 £, dim. 21,50 £ ; menu dîner 26,50 £-29,50 £. CB. Lun.-ven. et dim. 12 h 30-14 h 30 ; lun.-sam 19 h 30-23 h 15, dim. 18 h-20 h 30. Métro : South Kensington. CUISINE INTERNATIONALE.

Le *Turner's* appartient à Brian J. Turner, originaire du Yorkshire, qui est devenu un chef londonien accompli et célèbre grâce à plusieurs établissements, notamment le *Capital Hotel,* avant d'avoir son propre restaurant. Comme l'a écrit un critique, « sa cuisine vient non seulement des produits frais des marchés mais aussi du cœur ». Il n'imite personne, il se fixe ses propres objectifs et ses propres normes. Les menus changent tous les jours et les plats proposés à la carte, au moins à chaque saison. Vous pourrez peut-être goûter le pâté de foie de poulet accompagné de foie gras, la terrine de saumon et sa sauce à l'aneth, le rôti d'agneau aux herbes, le rôti de canard fumé et sa sauce au porto et aux grains de poivre ou encore le loup sur un lit de poireaux agrémenté d'une sauce au bacon. L'endroit date un peu (ici, le temps semble s'être arrêté dans les années 1980, « à l'ère des yuppies et du thatcherisme », selon les termes d'un critique culinaire) ; mais la cuisine est si délicieuse qu'il est encore difficile d'y trouver une table.

PRIX MOYENS

Bistro 190. *Gore Hotel,* 190 Queen's Gate, SW7. ☎ **020/7581-5666.** Pas de réservation. Plats 10 £-15 £. CB. Lun.-sam. 7 h-minuit ; dim. 7 h 30-23 h 30. Métro : Gloucester Road. MÉDITERRANÉEN.

Situé à l'entrée du *Gore Hotel* (voir chapitre 4), ce restaurant propose une cuisine méditerranéenne légère, très appréciée des grands noms de la musique et des médias, ce qui rende l'endroit très branché. Dans une salle claire ornée de parquet et de plantes d'intérieur, au ronronnement convivial et cancanier, vous pourrez déguster des plats originaux : agneau au basilic cuit au charbon, cassoulet de poisson au chili, soupe de palourdes méditerranéenne. Parmi les desserts, le *crumble* à la rhubarbe apporte une petite touche britannique. Le service n'est pas très rapide ; donnez votre nom à l'entrée et prenez un verre au bar en attendant d'avoir une table. Aux heures d'affluence, il peut que votre serveur oublie les indications que vous lui aurez données lors de votre commande, mais ce restaurant reste malgré tout digne d'intérêt. Descendez au *Downstairs 190* si vous voulez un plateau de fruits de mer ou un repas végétarien.

✪ **Bombay Brasserie.** Courtfield Close, à côté du *Bailey's Hotel,* SW7. ☎ **020/7370-4040.** Réservation obligatoire. Plats 14,50 £ ; buffet (déjeuner) 15,95 £. CB. Buffet tous les jours 12 h 30-15 h ; tous les jours 19 h 30-23 h 30. Métro : Gloucester Road. INDIEN.

Le *Bombay* était le restaurant indien le plus populaire de Londres au début des années 1990, mais aujourd'hui, il semblerait que ses heures de gloire soient révolues. Pourtant sa cuisine est toujours aussi fabuleuse et le cadre, bien qu'un peu défraîchi, aussi impressionnant. Avant de dîner, prenez un verre au bar, décoré – la spécialité du barman est le Bellini à la mangue.

Le personnel, professionnel et affable, sera heureux de vous aider dans votre choix. Un seul regard au menu et vous serez entraîné dans un véritable périple à travers l'Inde : truite tandoori, poisson à la menthe, poulet tikka et plats végétariens ; la carte comprend également des plats de Goa ; la cuisine du nord de l'Inde n'est pas oubliée avec des spécialités mughlai, comme le poulet biryani et le riz pilaf. Dans la rubrique *« Some Like It Hot »* (certains l'aiment chaud), vous trouverez entre autres le korma d'agneau (sorte de curry) à la cachemirienne.

Brasserie St Quentin. 243 Brompton Road, SW3. ☎ **020/7581-5131.** Réservation obligatoire. Plats 10 £-17 £ ; menu déjeuner 2 plats 13,50 £ ; menu dîner 2 plats 10 £ 18 h 30-19 h 30 uniquement. CB. Lun.-sam. midi-15 h et 18 h 30-23 h ; dim. midi-15 h et 18 h 30-23 h. Métro : Knightsbridge ou South Kensington. FRANÇAIS.

Le *St Quentin* est une brasserie typiquement française, inspirée de *La Coupole* de Paris mais bien plus intime. Ce restaurant attire de nombreuses personnes issues de la communauté française de Londres. Le ronronnement continu des conversations rend l'endroit très convivial et le décor, miroirs et chandeliers de cristal, est très « tendance ». Les serveur font preuve de beaucoup de tact. Essayez le loup au thym, les escalopes accompagnées de jambon de Bayonne ou le confit de canard aux lentilles. Nous vous recommandons également la salade de crabe et d'épinards ou le cœur d'artichaut servi avec un œuf poché et des champignons.

The Collection. 264 Brompton Road, SW3. ☎ **020/7225-1212.** Réservation conseillée. Plats 11 £-16 £ ; menu 35 £. CB. Tous les jours midi-15 h et 16 h 30-23 h. Métro : South Kensington. CUISINE INTERNATIONALE.

Véritable miroir de l'industrie de la mode, ce restaurant est le temple du voyeurisme et de la vanité : on y accède par une passerelle de 10 m, qui vous donne l'impression d'être un mannequin présentant la collection de la saison à venir. Mais ne craignez pas le snobisme : le gérant Julian Shaw, très compétent, est plein d'humour. Il est lui-même devenu une célébrité en raison de l'habileté avec laquelle il accueille les grands noms de la mode. Parmi les plats, vous aurez le choix entre le canard accompagné de nouilles *yaki soba*, la darne de thon au sésame et ses patates douces ou le foie de veau sauté à la sauge et aux oignons. Le restaurant possède également un bar, très agréable en soirée.

Joe's. 126 Draycott Avenue, SW3. ☎ **020/7225-2217.** Réservation obligatoire. Plats 10 £-17,50 £. CB. Lun.-sam. midi-15 h et 19 h-23 h ; dim. 10 h 30-16 h. Métro : South Kensington. BRITANNIQUE (CUISINE MODERNE).

Le *Joe's* est l'un des trois restaurants londoniens du couturier Joseph Ettedgui. Grâce à son sens du prestige et de la fête, il a su attirer de nombreuses personnalités de la mode, de la musique et du spectacle. Les plats sont très variés : sanglier épicé, cabillaud à la sauce au crabe et au champagne, espadon au blé soufflé agrémenté d'une *salsa verde* (sauce verte) ou encore lasagnes au homard. Si le cœur vous en dit, vous pouvez commander uniquement des hors-d'œuvre. Près de l'entrée, un bar avec quelques tables propose des repas rapides. La salle principale se trouve au niveau supérieur. Un brunch est servi le dimanche – un bon moyen de vous restaurer à petit prix. L'atmosphère est décontractée, comme l'aiment les habitants du quartier.

Pasha. 1 Gloucester Road, SW7. ☎ **171/589-7969.** Réservation conseillée. Plats 10 £-17 £. CB. Tous les jours midi-15 h et 19 h-23 h 30. Métro : Gloucester Road. MAROCAIN.

Vous trouverez toutes sortes de restaurants ethniques à Londres, mais peu ont le style et l'élégance du *Pasha*, inspiré des palais de Marrakech. Dans les deux salles aux couleurs chaudes, ornées de riches tapisseries, la flamme vacillante des bougies et la musique orientale créent une ambiance particulière, idéale pour goûter aux spécialités (salade d'agneau aux grenades et à la menthe, loup grillé et sa persillade, merguez de poulet accompagnées d'un tajine à la coriandre, poulet cuit à la broche et sa sauce au chili…). Si vous êtes amateur de couscous, il en existe au moins trois sortes différentes.

Pavilion Restaurant. Regency Hotel, 100 Queen's Gate, SW7. ☎ **020/7370-4595.** Réservation conseillée. Plats à la carte 10 £-25 £ ; buffet (déjeuner) 19 £. CB. Lun.-ven. midi-14 h 30 ; tous les jours 17 h 30-22 h 15. Métro : Gloucester Road ou South Kensington. CUISINE INTERNATIONALE.

Si vous logez au *Regency Hotel*, l'un des nombreux hôtels de South Kensington, ce restaurant est parfait pour dîner dans une gamme de prix raisonnable. Dès que vous passerez le pas de la porte, vous serez subjugué par le décor. La carte est très variée et le menu « table d'hôte » change toutes les semaines. Les plats sont préparés avec des produits de saison de premier choix : côtelettes d'agneau accompagnées de tomates, de champignons et de cresson, darne de cabillaud au beurre d'anchois légèrement grillée, sole de Douvres grillée ou sautée ; il y a aussi des plats végétariens. En hors-d'œuvre, la roulade de saumon et de sole ou les crottins de chèvre sont excellents.

ALENTOURS DE WEST BROMPTON
PRIX MOYENS

Blue Elephant. 4-6 Fulham Broadway, SW6. ☎ **020/7385-6595.** Réservation obligatoire. Plats 7,50 £-16,50 £ ; banquet royal thaïlandais 29 £-34 £ ; buffet du dim. 16,75 £. CB. Lun.-ven. midi-14 h 30 ; lun.-sam. 19 h-0 h 30, dim. midi-15 h et 19 h-22 h 30. Métro : Fulham Broadway. THAÏLANDAIS.

Le *Blue Elephant* est l'homologue de l'*Éléphant Bleu* de Bruxelles. Situé dans les locaux d'une ancienne usine, il fait fureur depuis son ouverture en 1986 et reste le meilleur restaurant thaïlandais de Londres malgré l'augmentation de la concurrence. La cuisine bio est servie dans un décor tropical luxuriant qui fait rêver. Pour commencer, goûtez le *Floating Market* (fruits de mer dans un bouillon parfumé au piment et au *lemon-grass*) puis prenez un plat parmi le grand choix qui vous est proposé. Tous les ingrédients sont importés de Thaïlande. Le curry de canard rôti, servi dans un plat en argile, est un véritable délice.

PETITS PRIX

Brinkley's Garden Restaurant & Chapter 11 Bar. 47 Hollywood Road, SW10. ☎ **020/7351-1683.** Réservation obligatoire. Plats 7,50 £-14 £ ; restauration rapide au bar 3,50 £-14 £. CB. Lun.-sam. 19 h-23 h 30 ; dim. midi-16 h. Fermé du 23 au 27 déc. Métro : Earl's Court. CUISINE INTERNATIONALE.

Autrefois, si l'on voulait manger dans le quartier, on ne trouvait rien de mieux que des saucisses-purée. Aujourd'hui, des magasins chic attirent une clientèle jeune et branchée et les restaurants se sont multipliés. Le *Brinkley's* possède une salle au rez-de-chaussée et une petite terrasse couverte et chauffée. Le bar (*happy hour* de 18 h à 20 h 30) propose une restauration rapide, avec notamment des hamburgers. Le menu du restaurant, en revanche, se compose uniquement de plats élaborés à base d'ingrédients frais. Pour commencer, choisissez les rouleaux de printemps sauce chili, le brie frit agrémenté d'une sauce à la canneberge ou les crevettes grillées au charbon de bois, et enchaînez avec le curry de crevettes thaïlandais ou le canard rôti.

172 **Se restaurer**

8 Notting Hill

PRIX MOYENS

Achy Ramp. 150 Notting Hill Gate, W11. ☎ **020/7221-2442.** Réservation vivement conseillée ; obligatoire ven. et sam. Plats 13,50 £-16,50 £. CB. Tous les jours midi-14 h 45 et 18 h 45-22 h. Métro : Notting Hill Gate. EUROPÉEN (CUISINE MODERNE).

Ce restaurant ressemble à une petite pharmacie de campagne. Il est très apprécié des amateurs d'art, à la fois impressionnés par cette création de Damien Hirst (l'enfant terrible de l'art contemporain londonien) et amusés par l'excentricité du décor. En entrant, le bar vous propose d'excellents martinis ainsi qu'une mixture poisseuse connue sous le nom de « *Cough Syrup* » (liqueur de cerise, miel et vodka agités dans un shaker sur de la glace). Les bouteilles de pilules, les tabourets en forme de cachet d'aspirine et les peintures représentant les quatre éléments créent une ambiance très particulière. À l'étage, ce décor clinique est beaucoup moins prononcé mais subtilement omniprésent. Au menu figurent des plats assez simples comme le carpaccio de loup, le homard au céleri, aux épinards et aux fines herbes, la tourte de poisson, la tourte à l'aubergine et à la morue ou le canard rôti aux pêches blanches.

✪ Bali Sugar Club. 33A All Saints Road, W11. ☎ **020/7221-4477.** Plats 12 £-17 £ ; menu déjeuner 17,50 £. CB. Tous les jours 12 h 30 – 14 h 30 et 18 h 30 – 23 h. Métro : Westbourne Park. Cuisine « FUSION ».

C'est avec le *Sugar Club* que les propriétaires se sont fait une réputation dans toute la ville. Puis ils ont déménagé et leur restaurant est devenu le *Bali Sugar Club* – mais la cuisine est toujours aussi bonne, et le Tout-Londres s'y donne rendez-vous. Claudio Aprile, l'un des chefs les plus novateurs du Canada, est considéré comme une star du monde culinaire. Originaire de l'Uruguay, le jeune homme a effectué sa formation à New York. Il apporte une bonne dose d'exotisme et d'audace à la cuisine « fusion », qu'il a rebaptisée « cuisine britannique cosmopolite, méditerranéenne et pacifique de l'hémisphère sud ». Le menu associe ingrédients japonais et sud-américains. En entrée, goûtez le céviche de homard à la noix de coco, au citron vert et à la mangue, continuez avec le thon cru et laissez-vous envoûter par ces saveurs nouvelles. Le saumon fumé et sa purée de wasabi est parfait. La rencontre entre les ingrédients du Pacifique et la cuisine nouvelle latine est surprenante. La salle à deux étages, dont l'un est non-fumeur, est très belle ; le restaurant possède également un jardin en contrebas.

✪ Clarke's. 124 Kensington Church St., W8. ☎ **020/7221-9225.** Réservation conseillée. Menu déjeuner 8 £-14 £ ; menu dîner 4 plats 42 £. CB. Lun.-ven. 12 h 30-14 h et 19 h-22 h. Métro : Notting Hill Gate ou High St. Kensington. BRITANNIQUE (CUISINE MODERNE).

Sally Clarke fait partie des plus grands chefs de Londres et son restaurant est très réputé. Ouvert dans les années 1980, il a toujours autant de succès et compte chaque année de nouveaux adeptes. Clarke s'est fait la main au *Michael's*, à Santa Monica, et au *West Beach Café*, à Venice (Californie, États-Unis), avant de revenir dans son pays natal. Ici, tout est moderne et étincelant : parquet, éclairage discret et salle supplémentaire au sous-sol, avec des tables plus grandes et plus espacées. On peut être rebuté par le menu, qui change tous les jours mais ne laisse aucun choix. Cependant, les plats sont si bien préparés que les clients sont toujours satisfaits de ce qu'ils ont dans leur assiette. La plupart des recettes sont à base de viande saupoudrée de fines herbes et grillée au charbon de bois, servie avec des légumes de saison. En entrée, la salade d'oranges sanguines agrémentée d'oignons rouges, de cresson et d'un toast aux anchois et aux olives noires est excellente. Pour continuer, vous aurez peut-être la chance de savourer le poulet grillé accompagné de truffes noires et de polenta. En dessert, le feuilleté à la poire et au raisin et sa glace au sirop d'érable est tout aussi succulent. Remettez-vous en à Sally Clarke, vous ne le regretterez pas.

PETIT PRIX

Mondola. 139 Westbourne Grove, W11. ☎ **020/7229-4734.** Réservation conseillée. Menu 7,50 £-8,95 £ ; menu végétarien 5 £-7,50 £. Pas de cartes de crédit. Tous les jours 13 h-23 h. Métro : Notting Hill Gate. SOUDANAIS.

De tous les restaurants africains de Londres, le *Mondola* est probablement le seul à s'être spécialisé dans la cuisine épicée du Soudan. Peut-être même est-ce le seul restaurant soudanais d'Europe. Très petit et intime, cet endroit bohème n'a rien à voir avec les autres établissements du quartier, plutôt branchés. Ici, on ne sert pas d'alcool mais vous êtes libre d'apporter votre bouteille. Le porche mauresque, quelques photos et divers objets évoquent l'Afrique.

Les plats sont composés d'un mélange de plusieurs cuisines, qui empruntent beaucoup à l'Afrique du Nord, à l'Éthiopie et même au Moyen-Orient. Pour commencer, goûtez la soupe classique de la région faite avec de la viande et des cacahuètes. Le menu est assez restreint mais les plats sont bien préparés. Choisissez l'agneau (notamment les côtelettes marinées dans des épices africaines), ou les lentilles à l'ail caramélisé. Le piment rouge relève bien tous les plats. Le restaurant propose également des salades pour deux très copieuses pour 7,95 £. Sautez le dessert et passez directement au café africain traditionnel. Cet endroit singulier garantit une aventure culinaire hors du commun.

ALENTOURS DE HOLLAND PARK

PRIX ÉLEVÉS

The Room at the Halcyon. Halcyon Hotel, 81 Holland Park Avenue, W11. ☎ **020/7727-7288.** Réservation conseillée. Menu déjeuner 2 plats 18 £-35 £ ; menu dîner 2 plats 35 £, menu dîner 3 plats 43 £. CB. Lun.-ven. et dim. midi-14 h 30 ; lun.-jeu. 19 h-22 h 30, ven.-sam. 19 h-23 h, dim. 19 h-22 h. Métro : Holland Park. FRANÇAIS.

Ce restaurant vous fera profiter de l'atmosphère chic du *Halcyon Hotel* (voir chapitre 4). Au rez-de-chaussée de l'hôtel, la salle somptueuse attire des personnes riches et célèbres, y compris des membres de la famille royale. Les lourds rideaux bleu-vert et or rehaussent l'ambiance feutrée créée par les chandelles. Avant de dîner, prenez un apéritif au bar.

Le menu, très sophistiqué, dépend de l'inspiration du chef et des ingrédients disponibles. En entrée, goûtez le consommé de tomates aux raviolis de fromage de chèvre ou la terrine de foie gras au sauternes. Parmi les plats, l'escalope de loup accompagnée d'un beignet d'huîtres et les ris de veau aux carottes et aux morilles sont très bien. Il existe aussi un menu végétarien. Pour finir en beauté, prenez des *pancakes* à la banane.

9 BAYSWATER

PRIX TRÈS ÉLEVÉS

I-Thai. Hempel Hotel, Hempel Square, 31-35 Craven Hill Gardens, W2. ☎ **020/7298-9000.** Réservation obligatoire. Plats 19 £-26,50 £. CB. Tous les jours 12 h 30-14 h 30 et 19 h-22 h 30. Métro : Lancaster Gate. ITALIEN/THAÏLANDAIS

Se restaurer à Marylebone, Paddington, Bayswater et Notting Hill Gate

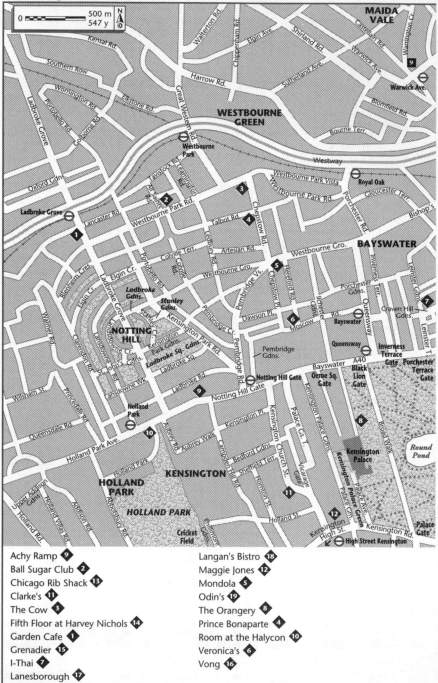

Achy Ramp **9**
Ball Sugar Club **2**
Chicago Rib Shack **13**
Clarke's **11**
The Cow **3**
Fifth Floor at Harvey Nichols **14**
Garden Cafe **1**
Grenadier **15**
I-Thai **7**
Lanesborough **17**

Langan's Bistro **18**
Maggie Jones **12**
Mondola **5**
Odin's **19**
The Orangery **8**
Prince Bonaparte **4**
Room at the Halycon **10**
Veronica's **6**
Vong **16**

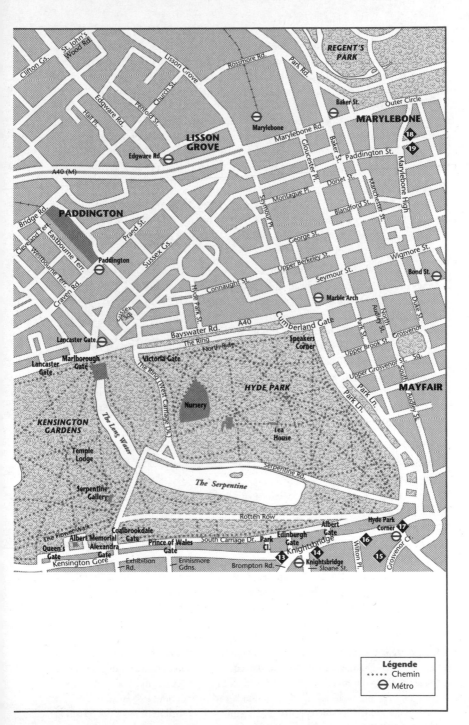

Le restaurant du *Hempel*, hôtel un peu trop minimaliste (voir chapitre 4), propose à une clientèle très chic une cuisine de première catégorie à des prix très élevés. Antithèse des restaurants tape-à-l'œil des années 1980 qu'il veut concurrencer, l'*I-Thai* se flatte d'avoir su créer une ambiance calme, voire zen. Le menu, certes innovant, est très cher. Nous vous suggérons de commencer par la soupe aux calamars agrémentée de *lemon-grass* et de lait de coco ou par la soupe au poulet, à la noix de coco et au foie gras parfumée au basilic thaïlandais. Les plats de résistance sont parfaits, notamment le risotto aux truffes, les nouilles sautées aux crevettes tigrées ou le curry de poulet au basilic thaïlandais. Tous les desserts sont bons, surtout le pudding *Pandan*, cuit à la vapeur et sa sauce à la noix de coco et aux myrtilles.

PRIX MOYENS

✪ **Veronica's.** 3 Hereford Road, W2. ☎ **020/7229-5079.** Réservation obligatoire. Plats 10,50 £-18,50 £ ; menu 12,50 £-16,50 £. CB. Lun.-ven. midi-15 h ; lun.-sam. 18 h-minuit. Métro : Bayswater ou Queensway. BRITANNIQUE (CUISINE TRADITION-NELLE).

Le *Veronica's* est le meilleur restaurant de sa catégorie. Il propose une cuisine traditionnelle (on peut même dire historique), à des prix tout à fait justifiés, dans un décor aux couleurs vives et attrayantes. Véritable célébration de la cuisine britannique de ces 2000 dernières années, les plats sont basés sur des recettes de l'époque médiévale, romaine ou classique, auxquelles la propriétaire Veronica Shaw apporte une touche moderne imaginative. Un mois peut être consacré à la cuisine écossaise, un autre aux spécialités victoriennes, galloises ou irlandaises. En hors-d'œuvre, vous pourrez peut-être goûter la salade de légumes macérés dans du vinaigre dont Élisabeth Ire se régalait en son temps, ou le *Tweed Kettle*, une recette du XIXe siècle qui relève le goût un peu fade du saumon. De nombreux plats sont végétariens. Le fromage fermier et le pudding viennent couronner le tout en beauté.

10 Un peu plus loin : Hammersmith

PRIX ÉLEVÉS

✪ **The River Café.** Thames Wharf, Rainville Road, W6. ☎ **020/7381-8824.** Réservation obligatoire. Plats 17,50 £-26 £. CB. Lun.-sam. midi-15 h et 19 h-23 h ; dim. midi-15 h. Métro : Hammersmith. ITALIEN.

Si vous êtes amateur de viande, ne manquez pas ce bistrot au bord de la Tamise, tenu par Ruth Rogers et Rose Gray. Le décor contemporain, notamment le bar en acier étincelant, a été conçu par le mari de Ruth, Richard, célèbre pour avoir cosigné avec Renzo Piano le Centre Pompidou à Paris. Ce restaurant attire une clientèle branchée, qui aime voir et être vue. Le but des propriétaires était de proposer le même type de cuisine que celle qu'ils avaient dégustée en Italie chez des particuliers : pari gagné. On voit parfois certains chefs sur les marchés de Londres, mais pas ceux du *River Café* : c'est le marché qui vient à eux ; les premières asperges de la saison récoltées en Andalousie débarquent à Londres le jour même, les coquilles Saint-Jacques et les langoustines vivantes sont rapportées par des plongeurs de la mer du Nord et, bien sûr, les légumes frais sont importés d'Italie. De minuscules bulbes de fenouil traversent même la Manche depuis la France ! La Grande-Bretagne apporte tout de même sa contribution avec des faisans et des saumons. Les meilleurs plats sont rôtis à feu doux ou saisis.

11 Teatime

Un séjour à Londres doit compter au moins un *afternoon tea*. Véritable repas à la fois relaxant et solennel, il comprend trois plats, servis avec élégance dans un service en porcelaine : d'abord, de délicats sandwiches au pain de mie (sans la croûte, bien sûr), ensuite des *scones* bien frais accompagnés de confiture et de crème épaisse (également connue sous le nom de *Devonshire cream*) et, pour finir, un assortiment de pâtisseries. Pendant tout votre repas, un serveur se tient à votre disposition pour vous servir le thé de votre choix. Certains salons offrent un porto ou un autre apéritif pour accompagner le dernier plat. C'est une expérience suprêmement britannique. Les salons répertoriés ci-dessous sont nos favoris – nous avons également ajouté des établissements plus décontractés, au cas où le rituel du thé ne serait pas de votre goût.

MAYFAIR

❂ **Brown's Hotel.** 29-34 Albemarle St., W1. ☎ **020/7493-6020.** Pas de réservation. *Afternoon tea* 17,95 £. CB. Tous les jours 15 h-17 h 45. Métro : Green Park.

Avec le *Ritz*, le *Brown's* fait partie des endroits les plus chic de Londres pour prendre le thé. L'*afternoon tea* est servi dans le salon orné de meubles anciens, de peintures et de rideaux de chintz – tout comme ceux des maisons de campagne anglaises. Donnez votre nom en arrivant et l'on vous conduira jusqu'à un sofa ou à une table basse. Le salon propose une sélection de dix thés, ainsi que des sandwiches, des *scones* et des pâtisseries confectionnés dans les cuisines de l'hôtel, que l'on vous présentera sur un chariot pour que vous puissiez faire votre choix.

Claridge's. Brook St., W1. ☎ **020/7629-8860.** Réservation conseillée. Veste et cravate exigées pour les messieurs. Goûter dînatoire 18 £. CB. Tous les jours 15 h-17 h. Métro : Bond St.

Au *Claridge's*, le rituel du thé est resté aussi fastueux que l'Empire britannique lui-même. Toutefois, il n'est pas vieux jeu, et l'accueil est très chaleureux. Le thé est servi dans la *Reading Room*. Un portrait de Lady Claridge trône avec bienveillance au-dessus de la sélection de dix-sept thés. Les plats – sandwiches au fromage, *scones* à la pomme et au raisin et délicieuses pâtisseries – sont servis le plus courtoisement du monde les uns après les autres.

Palm Court Lounge. Park Lane Hotel, Piccadilly, W1. ☎ **020/7290-7328.** Réservation conseillée. *Afternoon tea* 16 £, avec un verre de mousseux 22 £. CB. Tous les jours 15 h-18 h. Métro : Hyde Park Corner ou Green Park.

Le *Palm Court Lounge* est l'un des meilleurs salons de thé de Londres. Entièrement restauré, il a retrouvé son charme d'antan : le plafond avec un dôme vitré blanc et jaune, les torchères et les palmiers dans leurs pots de grès, créent une atmosphère style années 20. L'*afternoon tea*, qui comprend une longue liste de thés différents, est servi tous les jours. De nombreuses personnes viennent ici en fin de soirée pour y prendre un verre et un sandwich. Un pianiste assure l'ambiance en semaine.

Ritz Palm Court. Ritz Hotel, Piccadilly, W1. ☎ **020/7493-8181.** Réservation obligatoire au moins 8 semaines à l'avance. Ni jeans ni baskets ; veste et cravate exigées pour les messieurs. *Afternoon tea* 24,50 £. CB. Tous les jours 2 horaires : 15 h 30 et 17 h. Métro : Green Park.

L'art de prendre le thé

Le thé est une affaire sérieuse en Grande-Bretagne. Dans un pays où l'on en boit en moyenne cinq tasses par jour, ce rituel fait autant partie de l'inconscient collectif que le football, le rugby et la famille royale. Les débats font rage (le plus courtoisement du monde) en ce qui concerne la façon de le préparer : la température idéale, la façon de le remuer, de le parfumer, et le mélange le plus savoureux ou le plus prestigieux. Dans les années 1900, le cérémonial du thé pouvait ternir une réputation s'il n'était pas observé scrupuleusement. Si vous craignez de vous égarer parmi les nombreuses variétés, souvenez-vous que les délicats mélanges de Chine sont généralement appréciés des douairières et des gentlemen, tandis que les robustes compositions indiennes sont cédées aux travailleurs du bâtiment, qui les consomment sur les chantiers quelques heures avant d'aller boire une bière au pub local.

L'*afternoon tea* a d'illustres antécédents. Le rituel s'est développé à une époque où le régime alimentaire des Britanniques – y compris des plus riches – manquait cruellement de vitamines. Grâce à sa teneur en caféine et à sa valeur nutritive, le thé est venu apporter aux citoyens de l'Empire l'énergie qui leur était nécessaire. Des flottilles entières de clippers ont ainsi appareillé en direction de l'Inde et de la Chine pour rapporter des feuilles de thé. Aux Antilles, les Anglais ont acheté du sucre pour adoucir cette nouvelle boisson et les délicieuses pâtisseries qui commençaient déjà à l'accompagner.

Qui fait autorité en matière d'étiquette ? La reine mère et Noël Coward, qui ont été vus ensemble en train de siroter un Earl Grey dans le salon du *Ritz*. Ce jour-là, il y bien longtemps, nous étions en train de prendre le thé et nous nous sommes doutés de quelque chose lorsque le directeur de l'hôtel (figure de proue qui ne se préoccupe généralement pas de la qualité du service) a vérifié la patine de la porcelaine et de l'argenterie disposées à la table voisine de la nôtre. Nos soupçons se

---

Le *Ritz Palm Court* est le salon de thé le plus à la mode de Londres, et il est très difficile d'y avoir une table, à moins d'avoir réservé largement à l'avance. Le décor – marches et colonnes en marbre, fontaine baroque – semble tout droit sorti de *Gatsby le magnifique*. Vous aurez ici un grand choix de thés, servis avec des sandwiches et des pâtisseries évidemment délicieux.

✪ St. James Restaurant & The Fountain Restaurant. Fortnum & Mason, 181 Piccadilly, W1. ☎ **020/7734-8040.** St. James : *full tea* (complet) 16,50 £. Fountain : *full tea* (complet) 12,95 £. CB. St. James : lun.-sam. 15 h-17 h ; Fountain : lun.-sam. 15 h-18 h. Métro : Piccadilly Circus.

Ces deux salons de thé constituent la vitrine de *Fortnum & Mason*, l'une des plus prestigieuses épiceries de Londres. Par conséquent, le rituel du thé y est plus impressionnant que dans les établissements moins soucieux de maintenir une image de marque. Le *St. James*, situé au quatrième étage, est un hommage vert et beige au style 1900. Le *Fountain*, au rez-de-chaussée, est plus décontracté et correspond davantage au rythme effréné de la vie londonienne. Même si le cadre est plus sobre, le sens de la tradition et du savoir-vivre britannique n'en est pas moins respecté. Les mets qui accompagnent le thé sont suffisamment copieux pour servir de dîner à ceux qui souhaitent sortir en début de soirée.

sont confirmés quand la reine mère, *la* référence pour des millions de buveurs de thé anglais, est entrée, accompagnée de Noël Coward. Elle avait invité le dramaturge à prendre le thé pour le remercier de l'hospitalité dont il avait fait preuve en Jamaïque, où il l'avait reçue pour déjeuner.

Nous avons appris plus tard que la mousse de homard prévue pour ce déjeuner ayant fondu à cause de la chaleur, Coward avait été obligé d'ouvrir une boîte de soupe aux pois cassés. Voilà le genre de propos fleuris que l'on échange avec beaucoup de légèreté dans les salons londoniens.

Le rituel du thé a fait son entrée dans la littérature lorsque Samuel Pepys a bu sa première tasse en 1660. Il a trouvé l'expérience si grisante qu'il lui a consacré tout un paragraphe sans son journal. De même, la réputation de la duchesse de Bedford a été assurée jusqu'à la fin de ses jours lorsqu'elle conçut en 1840 un mélange de gâteaux destinés à accompagner ses infusions. Enfin, l'esthète favori de tous, Oscar Wilde, a fait de l'aphorisme une forme d'art à pratiquer devant une tasse de thé.

« Voudriez-vous verser le thé, ma chère, car il semble que je me sois foulé le poignet ? ». Cette question est considérée comme un piège classique mais fatal, auquel les futures mariées doivent prendre garde lorsqu'elles rencontrent leur belle-mère potentielle pour la première fois. Car personne ne verse le thé aussi bien qu'une dame de bonne famille et seule la plus effrontée et la plus arriviste des néophytes s'y aventurerait.

Si ce passé si prestigieux vous donne le vertige, renoncez au thé et faites comme la majorité des Anglais : allez boire un cappuccino bien mousseux dans un café, puis passez progressivement à la bière au pub du coin (où, quoi qu'on en dise, la plupart des autochtones se sentent bien plus à l'aise). Ici, au moins, vous ne vous sentirez pas obligé de porter un chapeau, de surveiller vos manières ou d'imiter la reine mère.

PICCADILLY CIRCUS & LEICESTER SQUARE
The Blue Room. 3 Bateman St., W1. ☎ **020/7437-4827.** Pas de réservation. Tasse de thé 1 £, viennoiseries et pâtisseries 60 p-2,40 £, sandwiches 3 £-3,70 £. Pas de cartes de crédit. Lun.-sam. 9 h-minuit ; dim. 10 h-23 h. Métro : Leicester Square.

Le *Blue Room* n'a absolument rien à voir avec les salons fréquentés par les *ladies*, où le thé est présenté comme un rituel social élaboré et complexe. L'endroit est cosy et un brin excentrique. Décoré d'œuvres d'art réalisées par quelques-uns des habitués, ses sofas usés semblent provenir d'une résidence universitaire. Les nombreuses variétés de thés et de tisanes sont servies dans des mugs fumants. La clientèle se compose majoritairement de jeunes citadins branchés ou un peu bohèmes et marginaux, qui se rassemblent ici en fin d'après-midi pour imiter le rituel de l'*afternoon tea* – sans jamais en atteindre le raffinement.

COVENT GARDEN & LE STRAND
MJ Bradley's. 9 King St., WC2. ☎ **020/7240-5178.** Tasse de thé 95 p, sandwiches 1,85 £-4,50 £ pièce. Pas de cartes de crédit. Lun.-ven. 8 h-20 h 30 ; sam.-dim. 10 h-20 h 30. Métro : Covent Garden ou Charing Cross.

Bien que le *MJ Bradley* se définisse comme un café, ses adeptes viennent surtout y déguster l'une des vingt variétés d'infusions disponibles, du thé classique Earl Grey aux tisanes à la menthe. Dans un décor de brasserie, l'endroit associe tradition et sculptures murales modernes. Si vous avez faim, goûtez l'un des fameux sandwiches garnis de fromage aux fines herbes et de tomates séchées au soleil.

✪ **Palm Court at the Waldorf Meridien.** *Waldorf Hotel*, Aldwych, WC2. ☎ **020/7836-2400.** Réservation obligatoire pour le thé dansant. Veste et cravate exigées pour les messieurs au thé dansant. *Afternoon tea* 18 £-21 £ ; thé dansant 25 £-28 £. CB. *Afternoon tea* lun.-ven. 15-17 h 30 ; thé dansant sam. 14 h 30-17 h ; dim. 16 h-18 h 30. Métro : Covent Garden.

Le salon de thé du *Waldorf* combine *afternoon tea* et thé dansant (fox-trot et valse). Sa ressemblance avec les décors des années 20 lui a valu plusieurs apparitions au cinéma. Vous pourrez prendre le thé sur la terrasse ou dans un pavillon de la taille d'une salle de bal, éclairé par des lucarnes. Pour le thé dansant, l'orchestre joue des airs connus comme *Ain't She Sweet* ou *Yes, Sir, That's My Baby*, tandis que le maître d'hôtel propose des sandwiches au concombre aux clients.

KNIGHTSBRIDGE

✪ **The Georgian Restaurant.** Au quatrième étage de *Harrods*, 87-135 Brompton Road, SW1. ☎ **020/7225-6800.** Goûter dînatoire 17 £ ou 23 £ par personne avec du champagne de chez *Harrods*. CB. Lun.-sam. 15 h 30-17 h 15 (dernière commande). Métro : Knightsbridge.

Le goûter dînatoire de chez *Harrods*, l'un des magasins les plus célèbres d'Europe, est très réputé. De nombreuses personnes viennent d'ailleurs au magasin uniquement pour prendre une tasse de leur boisson favorite dans le salon de thé, immense mais très élégant. Le personnel circule sans cesse avec des théières en argent et des chariots chargés de sandwiches et de pâtisseries. Le thé le plus exotique est le Betigala, un mélange chinois semblable au Lapsang Souchong.

Richoux. 86 Brompton Road (en face de *Harrods*), Knightsbridge, SW3. ☎ **020/7584-8300.** *Full tea* (complet) 12,75 £ ; *English tea* 7,50 £. CB. Jan.-mi-mai : lun.-sam. 8 h-20 h, dim. 10 h-21 h 30 ; de mi-mai à déc. : lun.-sam. 8 h-21 h 30, dim. 10 h-21 h 30. Métro : Knightsbridge.

Laissez-vous séduire par le charme suranné du *Richoux*, fondé dans les années 20. Vous pouvez commander quatre *scones* chauds avec de la confiture de fraise et de la crème fouettée ou faire votre choix parmi les pâtisseries présentées dans la vitrine. Bien sûr, le thé est incontournable ; précisez si vous voulez du citron ou de la crème, et un ou deux sucres. Un menu complet, composé entre autres de salades fraîches, de sandwiches et de hamburgers, est servi toute la journée. Le *Richoux* a trois succursales, toutes ouvertes du lundi au samedi, de 8 h 30 à 23 h, et le dimanche, de 10 h à 23 h 30 : en bas de Bond Street, 172 Piccadilly (☎ **020/7493-2204**, métro : Piccadilly Circus ou Green Park) ; 41A S. Audley Street (☎ **020/7629-5228**, métro : Green Park ou Hyde Park Corner) ; et 3 Circus Road. (☎ **020/7483-4001**, métro : St. John's Wood).

BELGRAVIA

The Lanesborough. Hyde Park Corner, SW1. ☎ **020/7259-5599.** Réservation obligatoire. Goûter dînatoire 19,50 £, goûter dînatoire avec fraises et champagne 24,50 £ ; théière 3,70 £. CB. Tous les jours 15 h 30-18 h (dernière commande). CB. Métro : Hyde Park Corner.

Il semblerait que la plupart des personnes qui sirotent leur thé au *Lanesborough* y soient venues uniquement pour voir les espaces communs de l'un des hôtels les plus chers de Londres. Le personnel relève le défi avec aplomb en proposant une sélection de sept thés, y compris un mélange réalisé par le *Lanesborough*, et quelques tisanes exotiques comme la Rose Cayou.

Les clients sont servis dans le *Conservatory*, une salle style 1900 au plafond vitré, ornée de plantes vertes et empreinte de la majesté de l'Empire. Les sandwiches, les *scones* et les pâtisseries sont copieux et délicieux.

CHELSEA
The Tearoom at the Chelsea Physic Garden. 66 Royal Hospital Road, SW3. ☎ **020/7352-5646.** Thé et pâtisserie 3,50 £. CB (au magasin uniquement). Mer. 14 h 30-16 h 45 ; dim. 14 h 30-17 h 45. Fermé de nov. à mar. Métro : Sloane Square.

Sillonné d'allées en gravier et entouré d'un grand mur de brique qui le préserve du bruit de la circulation, le Chelsea Physic Garden est un tout petit jardin qui rend hommage aux industries qui sont nées et se sont développées entre ses murs. Fondé en 1673 en tant que centre d'études botaniques, il est à l'origine de l'exportation de caoutchouc d'Amérique du Sud en Malaisie et de thé de Chine en Inde.

Le salon de thé, ouvert deux jours par semaine, est rempli de férus de botanique qui sirotent joyeusement leur thé lors d'une visite du jardin. Le cadre est assez banal, mais vous pouvez emporter votre tasse et vos pâtisseries dans le jardin, qui malgré un entretien irréprochable semble toujours un peu négligé (les plantes herbacées ne sont pas arrachées pour favoriser la vie des oiseaux et la production de graines). Les botanistes et les amoureux des fleurs trouvent l'endroit fascinant.

KENSINGTON
✪ **The Orangery.** Dans les jardins de Kensington Palace, W8. ☎ **020/7376-0239.** Pas de réservation. Théière 2 £, pâtisseries 1,95 £-4,25 £, sandwiches 6 £. CB. Tous les jours 10 h-18 h ; fermeture une demi-heure avant la clôture des grilles (généralement entre 16 h et 17 h) en hiver. Mar.-oct. 10 h-18 h ; nov.-mar. 10 h-16 h. Métro : High St. Kensington ou Queensway.

L'*Orangery* est un salon de thé absolument extraordinaire. À environ 50 m au nord de Kensington Palace, il occupe un pavillon tout en longueur, bâti en 1704 à la demande de la reine Anne et destiné à l'époque aux réceptions. Le thé est servi entre les murs de brique rouge, au milieu des colonnes corinthiennes et de quelques sculptures en bois de Grinling Gibbons pendant que des rangées d'orangers en pots se dorent au soleil. Le salon possède même quelques vases et statues que la famille royale a rapporté du château de Windsor. Le menu comprend des soupes et des sandwiches agrémentés d'une salade et d'une portion de frites particulièrement bonnes (appelées *kettle chips*). Vous pourrez également faire votre choix parmi une grande sélection de thés élégamment servis avec des *scones* accompagnés de crème épaisse et de confiture et un gâteau au chocolat belge.

NOTTING HILL
The Garden Café. London Lighthouse, 111-117 Lancaster Road, W11. ☎ **020/7792-1200.** Tasse de thé 40 p, plateau 2 £-2,50 £. Pas de cartes de crédit. Lun.-sam. midi-14 h 30. Métro : Ladbroke Grove.

Le *Garden Café* est un endroit singulier que nous vous recommandons vivement. Il se situe dans le Lighthouse, le plus grand centre d'accueil d'Europe pour les personnes atteintes du sida. La cafétéria, ouverte au public, n'a pas l'aspect « hôpital » que l'on pourrait craindre. Les portes-fenêtres ouvrent sur un superbe parc orné de fontaines et de meubles de jardin. Le thé est servi toute la journée mais le moment le plus convivial se situe entre 15 h 30 et 17 h 30. La Portobello Road n'est qu'à quelques minutes à pied.

12 Pubs

WEST END
Mayfair
Shepherd's Tavern. 50 Hertford St., W1. ☎ **020/7499-3017.** Réservation conseillée. Plats 7 £-11 £. CB. Restaurant : tous les jours midi-15 h ; dim.-ven. 18 h 30-21 h 30 ; sam. 18 h 30-22 h 30. Bar : lun.-sam. 11 h-23 h ; dim. midi-22 h 30. Métro : Green Park. BRITANNIQUE.

Voici l'un des principaux lieux de rendez-vous de la zone piétonne de Sheperd's Market, situé dans un dédale de petites rues pavées, derrière Park Lane. Le bâtiment date du XVIIIe siècle. Le bar du rez-de-chaussée est étroit mais convivial ; de nombreux habitués y évoquent l'époque où il était fréquenté par les pilotes de la bataille d'Angleterre. Si vous avez un petit creux, vous pourrez manger un hachis Parmentier ou des *fish-and-chips*. Pour un dîner plus solennel, montez à l'étage où vous attend un restaurant cosy lambrissé de cèdre. Le menu, très classique, a probablement peu changé depuis les années 50. Si vous n'osez pas goûter le rosbif et son *Yorkshire pudding*, optez pour le jambon de Oxford.

St. James
Red Lion. 2 Duke of York St. (à proximité de Jermyn St.), SW1. ☎ **020/7930-2030.** Sandwiches 2,50 £ ; *fish-and-chips* 8 £. Pas de cartes de crédit. Lun.-ven. 11 h 30-23 h ; sam. midi-23 h. Métro : Piccadilly Circus. BRITANNIQUE.

Avec son décor 1900 et ses miroirs vieux de 150 ans, ce petit pub victorien ressemble au tableau d'Édouard Manet, *Un bar aux Folies-Bergère* (exposé aux Courtauld Institute Galleries). Les sandwiches tout prêts sont bons, mais quand il n'y en a plus, personne n'en fait d'autres. Des *fish-and-chips* préparés sur place sont servis le samedi. Arrosez votre repas avec une *ale Ind Coope's* ou avec la bière de la maison, la Burton's, fabriquée avec de l'eau de source de Bourton-on-Trent.

Leicester Square
Salisbury. 90 St. Martin's Lane, WC2. ☎ **020/7836-5863.** CB. Lun.-sam. 11 h-23 h ; dim. midi-22 h 30. Métro : Leicester Square. BRITANNIQUE.

Les étincelants miroirs en cristal taillé renvoient les visages des stars anglaises (et des jeunes espoirs) assises autour du bar arrondi. La banquette adossée au mur, avec ses tables en cuivre et son décor Art nouveau, est moins en vue. Les spécialités du pub – des tartes faites maison accompagnées de salades – sont très bonnes et pas chères. Un buffet chaud et froid est à la disposition des clients à toute heure.

Soho
Old Coffee House. 49 Beak St., W1. ☎ **020/7437-2197.** Plats 2,50 £-4,20 £. Pas de cartes de crédit. Restaurant : lun.-sam. midi-15 h ; pub : lun.-sam. 11 h-23 h ; dim. midi-15 h et 19 h-22 h 30. Métro : Oxford Circus ou Piccadilly Circus. BRITANNIQUE.

Sacré « pub de l'année » il y a quelques années dans le quartier de Soho, l'*Old Coffee House* tient son nom de l'époque des *coffeehouses*, cafés londoniens du XVIIIe siècle où le café était qualifié de « *devil's brew* » (breuvage du diable). Dans un décor chargé d'objets anciens – instruments de musique mais aussi affiches de recrutement de la première guerre mondiale –, on sert toujours du café filtre. Prenez un verre au bar, long et étroit, ou retranchez-vous dans le restaurant, à l'étage, où vous pourrez savourer une bonne cuisine : tourte à la viande de bœuf et aux rognons, plats végétariens, langoustines-frites, ou hamburger-frites.

BLOOMSBURY

Museum Tavern. 49 Great Russell St., WC1. ☎ **020/7242-8987.** Restauration rapide de 2 £-6 £. CB. Lun.-sam. 11 h-23 h ; dim. midi-22 h 30. Métro : Holborn ou Tottenham Court Road. BRITANNIQUE.

Face au British Museum, ce pub de 1703 a conservé la plupart de ses ornements d'époque : velours, lambris de chêne et cristal taillé. En plein cœur du quartier de l'Université de Londres, il est très fréquenté par les écrivains, les éditeurs et les chercheurs du musée ; Karl Marx lui même aurait écrit en ces lieux. La cuisine anglaise traditionnelle comprend des plats comme le hachis Parmentier ou les saucisses au cidre ; parmi les plats froids figurent la tourte à la dinde et au jambon, le sandwich au fromage et diverses salades. Plusieurs bières anglaises, des bières blondes, de la Guinness, du cidre, du vin et des alcools viennent accompagner les repas. Il est possible de manger à tout moment de la journée – le pub est bondé à l'heure du déjeuner.

COVENT GARDEN

Nag's Head. 10 James St., WC2. ☎ **020/7836-4678.** Pas de réservation. Plateaux sandwich + salade 3,75 £-6,50 £ ; salades complètes 6,50 £. CB. Lun.-ven. 11 h-23 h ; sam. midi-23 h ; dim. midi-22 h 30. Métro : Covent Garden. BRITANNIQUE.

Le *Nag's Head* est l'un des plus célèbres pubs des années 1900 de Londres. Autrefois, les clients devaient se frayer un chemin parmi les étals de fruits et de fleurs pour y boire un verre… lorsque le marché a disparu, ce sont trois cents années de tradition britannique qui se sont envolées. Aujourd'hui, le pub est fréquenté en majorité par des jeunes. La Guinness est très bonne et la cuisine, typique de ce genre d'établissements : sandwiches, salades, porc cuit dans du cidre et crevettes à l'ail. Les plateaux mentionnés ci-dessus sont servis uniquement à l'heure du déjeuner (de midi à 16 h) ; toutefois, une restauration rapide est possible dans l'après-midi.

WESTMINSTER (PRÈS DE TRAFALGAR SQUARE)

Sherlock Holmes. 10 Northumberland St., WC1. ☎ **020/7930-2644.** Réservation conseillée au restaurant. Plats 7,95 £-12,95 £ ; restauration rapide au bar du rez-de-chaussée 2,25 £-6,95 £. CB. Restaurant : lun.-jeu. midi-15 h et 17 h-22 h 45, ven.-dim. midi-23 h 45. Pub : lun.-sam. 11 h-23 h, dim. midi-22 h 30. Métro : Charing Cross ou Embankment. BRITANNIQUE.

Le *Sherlock Holmes* fut le lieu de rendez-vous des *Baker Street Irregulars*, club autrefois très vaste d'amateurs de mystères qui se réunissait ici pour rendre hommage au génie du plus célèbre personnage de Sir Arthur Conan Doyle. À l'étage, vous trouverez une copie du salon du 221B Baker Street et d'autres souvenirs de Sherlock, comme le serpent de *La Bande mouchetée* et la tête du *Chien des Baskerville*. Des repas complets avec vin sont proposés ; essayez les *Copper Beeches*, blancs de poulet grillés au citron et aux herbes, puis prenez un dessert sur le chariot qui vous sera avancé. Au rez-de-chaussée, le bar sert surtout des boissons, mais vous pouvez également y commander salades, fromages et viande froide avec un verre de vin ou une bière.

LA CITY

❍ **Ye Olde Cheshire Cheese.** Wine Office Court, 145 Fleet St., EC4. ☎ **020/7353-6170.** Plats 8,95 £-13,95 £. CB. Lun.-ven. 11 h 30-23 h ; sam. 11 h 30-14 h 30 et 17 h 30-23 h ; dim. midi-15 h. Boissons et restauration rapide tous les jours 11 h 30-23 h. Métro : St. Paul's ou Blackfriars. BRITANNIQUE.

Ce bâtiment soigneusement préservé, dont les fondations datent du XIIIe siècle, abrite le plus célèbre des pubs de la vieille ville. Fondé en 1667, cet établissement aurait été fréquenté par le Dr. Samuel Johnson (habitant du quartier), qui y divertissait ses admirateurs de son esprit acerbe. Charles Dickens et d'autres grands noms de la littérature y ont également bu quelques pintes.

Plus tard, de nombreux journalistes du XIXe et du début du XXe siècle, aux doigts tachés d'encre et amateurs de scandale, en ont fait leur quartier général. Le bâtiment comporte six bars et deux salles à manger. Parmi les spécialités figurent le *Ye Famous Pudding* (steak, rognons, champignons et gibier) ainsi que le rosbif écossais et son *Yorkshire pudding* agrémenté d'une sauce au raifort. Des sandwiches, des salades et des grands classiques comme la tourte à la viande de bœuf et aux rognons ou la sole de Douvres sont également proposés.

Ye Olde Cock Tavern. 22 Fleet St., EC4. ☎ **020/7353-8570.** Plats 4,50 £-6 £. CB. Grill : lun.-ven. midi-14 h 30. Pub : lun.-ven. 11 h-23 h. Métro : Temple ou Chancery Lane. BRITANNIQUE.

Cette taverne, qui remonte à 1549, fut fréquentée par de nombreuses personnalités du milieu littéraire : Samuel Pepys la mentionne dans son *Journal*, Dickens faisait partie des habitués et Tennyson y fait allusion dans l'un de ses poèmes, affiché à l'entrée. Elle fait partie des rares bâtiments qui ont échappé au Grand Incendie de 1666. Le bar du rez-de-chaussée propose de bonnes bières ainsi qu'une restauration rapide (tourte à la viande de bœuf et aux rognons ou assiette de poulet froid et de bœuf avec salade). À l'étage, le grill sert une sélection de hors-d'œuvre, suivis de plats à base d'agneau, de porc, de bœuf ou de dinde.

Ye Olde Watling. 29 Watling St., EC4. ☎ **020/7653-9971.** Réservation possible. Plats 5,75 £-6,50 £ ; restauration rapide à partir de 2 £. CB. Lun.-ven. 10 h-22 h. Métro : Mansion House. BRITANNIQUE.

Le *Ye Olde Watling* a été reconstruit après le Grand Incendie de 1666. Un pub au décor suranné se trouve au rez-de-chaussée, tandis qu'à l'étage un restaurant plus intime orné de poutres en chêne sert des plats britanniques très simples. Le menu change tous les jours mais propose régulièrement *fish-and-chips*, côtes d'agneau, lasagnes, croquettes de poisson et plats végétariens. Tous les plats sont servis avec deux légumes ou une salade, et du riz ou des pommes de terre.

KNIGHTSBRIDGE

Bill Bentley's. 31 Beauchamp Place, SW3. ☎ **020/7589-5080.** Réservation conseillée. Plats 9 £-18,95 £. CB. Lun.-sam. midi-15 h et 19 h-23 h ; brunch du dim. 11 h-15 h. Métro : Knightsbridge. EUROPÉEN (CUISINE MODERNE).

Le *Bill Bentley's*, situé sur la superbe place Beauchamp, propose une carte des vins variée et abordable avec une bonne sélection de bordeaux. De nombreux clients viennent d'ailleurs uniquement pour goûter les vins. En été, il est possible de manger dans le patio. Pour répondre à la tendance actuelle, le menu du restaurant a été simplifié et revient moins cher qu'auparavant. Il change régulièrement, mais vous pourrez peut-être goûter la salade d'avocats, de crabe et de crevettes, et continuer avec le suprême de poulet sauce madère aux huîtres et aux champignons, ou la truite arc-en-ciel grillée et sa sauce au citron. Une grande sélection de bières en bouteille et d'alcools est également disponible. Si vous préférez manger un morceau au bar, choisissez en entrée une demi-douzaine d'huîtres ou la soupe de poisson du chef avec croûtons et sauce rouille. Parmi les plats principaux figurent les croquettes de saumon, servies avec une sauce tomate, et les spécialités du jour.

ALENTOURS DE BELGRAVIA

Antelope. 22 Eaton Terrace, SW1. ☎ **020/7730-7781.** Réservation conseillée au restaurant situé à l'étage. Plats 5,95 £-6,50 £. CB. Lun.-sam. 11 h 30-23 h ; dim. midi-15 h et 19 h-22 h 30. Métro : Sloane Square. BRITANNIQUE.

À l'entrée de Chelsea, l'*Antelope* accueille des clients de toutes sortes et notamment des passionnés de rugby. Le bar du rez-de-chaussée propose des plats chauds et froids à l'heure du déjeuner, mais ne sert que des boissons le soir. À l'étage, le restaurant offre essentiellement une cuisine britannique : *fish-and-chips*, grillades, etc.

◎ Grenadier. 18 Wilton Row, SW1. ☎ **020/7235-3074.** Réservation conseillée. Plats 11,95 £-18,95 £. CB. Lun.-sam. midi-15 h et 18 h-22 h, dim. midi-15 h 30 et 19 h-22 h 30. Métro : Hyde Park Corner. BRITANNIQUE.

Caché dans une ruelle, le *Grenadier* est l'un des pubs les plus fréquentés de Londres. Le sous-sol abrite encore le bar et la piste de jeu de quilles d'origine, où se rendaient les officiers du duc de Wellington après leurs combats contre Napoléon. On verra la porte rouge de l'ancien mess des officiers, précédée d'une guérite et ornée d'une plante grimpante. Le bar est presque toujours plein. Le déjeuner et le dîner sont servis tous les jours – même le dimanche, traditionnel jour du *Bloody Mary* – ; la cuisine est préparée avec des produits de saison. Parmi les principaux plats figurent le porc, le poulet et les paupiettes. Vous pourrez également commander des *fish-and-chips* au bar.

Nag's Head. 53 Kinnerton St., SW1. ☎ **020/7235-1135.** Plats 3,50 £-5,80 £. Pas de cartes de crédit. Tous les jours 11 h-23 h. Métro : Hyde Park. BRITANNIQUE.

Blotti dans une petite rue, le *Nag's Head* se trouve à quelques pas du *Berkeley Hotel*. Ancienne prison datant de 1780, il s'agirait du plus petit pub de Londres. Prenez un verre à l'entrée ou dans le petit bar situé à l'arrière ; si vous voulez manger un morceau, choisissez la saucisse à la bière, le hachis Parmentier ou la quiche du jour. Ce pub charmant, au personnel accueillant et fréquenté par une clientèle variée – journalistes, musiciens et touristes, met en avant son « indépendance », c'est-à-dire son refus de s'associer à une brasserie pour pouvoir servir n'importe quelle bière.

CHELSEA

Front Page. 35 Old Church St., SW3. ☎ **020/7352-0648.** Plats 5,95 £-9,95 £. CB. Restaurant : lun.-ven. midi-14 h 30 ; sam.-dim. 12 h 30-15 h ; lun.-sam. 19 h-22 h, dim. 19 h-21 h 30. Pub : lun.-sam. 11 h-23 h ; dim. midi-22 h 30. Métro : Sloane Square. EUROPÉEN (CUISINE MODERNE).

Les murs lambrissés, les tables, les bancs et les banquettes en bois du *Front Page* lui donnent une atmosphère surannée, et une cheminée réchauffe la pièce lors des soirées fraîches. Situé dans un quartier résidentiel de Chelsea, ce pub attire une clientèle assez jeune. Le menu du jour, présenté sur un tableau noir, comprend généralement une salade de poulet, des croquettes de poisson, du saumon fumé et du fromage blanc. En accompagnement, commandez une Budweiser en bouteille.

King's Head & Eight Bells. 50 Cheyne Walk, SW3. ☎ **020/7352-1820.** Plats 5,25 £-7,75 £. CB. Lun.-sam. 11 h-23 h ; dim. midi-22 h 30. Métro : Sloane Square. BRITANNIQUE.

De nombreuses personnalités comme Carlyle, Swinburne et George Eliot ont vécu près de ce pub historique au bord de la Tamise. Autrefois, les rues étaient plutôt malfamées et dangereuses, mais aujourd'hui le quartier est plutôt fréquenté par les stars de la scène et de la télévision et par les écrivains. Cet établissement sert les meilleurs bières de toute l'Angleterre ainsi qu'une bonne sélection de vins, relativement abordables. Le menu propose des plats style *fish-and-chips* ou saucisses-frites et au moins un plat végétarien. Le dimanche, vous pourrez également choisir la grillade du jour.

La grande cuisine se démocratise

Après s'être se contenté de la pire des cuisines ou presque pendant des décennies (voire des siècles) la clientèle des pubs n'en croit toujours pas ses papilles : les gargotes se sont transformées en véritables palais de la gastronomie. De plus en plus de pubs proposent aujourd'hui une cuisine digne de ce nom – et non plus de vulgaires haricots en boîte. Aussi incroyable que cela puisse paraître, certains bénéficient même des services d'un chef qui pourrait officier dans les meilleurs restaurants.

Comment expliquer ce retournement ? De nombreux chefs n'ont tout simplement pas les moyens d'ouvrir un restaurant ; par conséquent, ils se tournent vers les pubs. Envolées les taches de nicotine et de bière, disparus les tissus imprégnés de fumée. Place à la lumière et à la fraîcheur ! Cuisine moderne, nouveau menu, les pubs sont devenus un lieu de sortie dernier cri.

Goûtez les viandes fondantes à souhait du **Cow**, 89 Westbourne Park Road, W2 (☎ **020/7221-0021** ; métro : Westbourne Grove). Tom Conran (le fils de Sir Terence Conran) est présent toutes les nuits dans ce pub de plus en plus branché de Notting Hill. Sous ses airs irlandais, il propose une cuisine européenne moderne. Le menu change tous les jours mais vous pourrez peut-être goûter la langue de bœuf pochée dans du lait, les moules au curry et à la crème ou l'assiette de grillades – côtes d'agneau, foie et ris de veau. Pour accompagner, prenez une pinte de Fuller's ou de London Pride. Les fruits de mer sont excellents. Le *Cow Special* – une demi-douzaine d'huîtres avec une pinte de Guinness ou un verre de vin pour 8 £ – est toujours très apprécié. Le bar à huîtres situé au rez-de-chaussée sert d'autres plateaux de fruits de mer. Pour terminer, laissez tomber le café filtre proposé à la fin du repas (il est infect) et prenez un express en bas. Plats 12,20 £-15,50 £ ; menu dîner du dimanche au mardi 2 plats 15,50 £, 3 plats 17,95 £. Ouvert du lundi au samedi de 19 h à 23 h et le dimanche de 12 h 30 à 15 h 30 et de 19 h 30 à 22 h 30 ; bar ouvert tous les jours de midi à 23 h. CB acceptée.

Nous vous recommandons également **The Engineer**, 65 Gloucester Avenue, NW1 (☎ **020/7722-0950** ; métro : Chalk Farm ou Camden Town), pub très chic appartenant à Abigail Osborne et Tamsin Olivier, la fille de Sir Laurence Olivier (« la fille de Larry » comme l'appellent les habitués). Ce bastion de l'élégance typique du nord de Londres tire son nom de l'ingénieur Isambard Kingdom Brunel, auteur de plusieurs ponts, tunnels et chemins de fer à l'époque victorienne. Il se trouve juste à côté du Regent's Canal, l'une des créations de Brunel. Il comporte un bar, une salle à manger et un jardin très agréable lorsqu'il fait beau. Le décor est sobre et moderne et la cuisine, européenne avec une légère influence thaïlandaise, est préparée avec des ingrédients bio de saison. Essayez les croquettes

13 Bars à vins

WEST END
ST. JAMES'S

Bubbles. 41 N. Audley St., W1. ☎ **020/7491-3237.** Réservation conseillée. Plats 5,50 £-11,80 £ ; plats végétariens 6 £-6,25 £. CB. Tous les jours 11 h-23 h. Métro : Bond St. VÉGÉTARIEN CUISINE BRITANNIQUE/INTERNATIONALE.

de poisson thaïlandaises, le confit de canard aux patates douces ou la salade de champignons shiitake avec céleri et oignons rouges. En hors-d'œuvre, le camembert frit parfumé au kiwi est irrésistible. Les desserts, comme le pudding à l'orange et à la cardamome, changent tous les jours. Parmi les bières pression, testez la Caffrey's ou la Guinness. Plats 8,50 £-14,95 £. Ouvert tous les jours de 8 h à 22 h 30 ; fermeture du bar à 23 h. Réservation conseillée. CB acceptée.

Le pub le plus chic de la ville est **The Enterprise**, 35 Walton Street, SW3 (☎ 020/7584-3148 ; métro : South Kensington). Non loin de *Harrods*, il est fréquenté tant par des habitués que par des personnes venues faire du shopping. Si l'ambiance est plutôt branchée en soirée, pendant la journée, la clientèle se compose surtout de dames distinguées. Les banquettes, les nappes blanches et les fleurs fraîches créent une ambiance qui n'a plus rien à voir avec les pubs négligés d'autrefois. Le menu traditionnel propose des plats à la fois britanniques et européens – croquettes de saumon, steak frites et salade. Si vous êtes amateur, demandez une entrecôte – la viande de bœuf juteuse et savoureuse à souhait est absolument divine. Plats 9,65 £-13,95 £. Ouvert en semaine de 12 h 30 à 14 h 30, le samedi et le dimanche de 12 h 30 à 15 h 30, du lundi au samedi de 19 h à 22 h 45, et le dimanche de 19 h à 22 h 30 (le bar est ouvert toute la journée). Réservation possible uniquement pour le déjeuner. CB acceptée.

Original, le **Prince Bonaparte**, 80 Chepstow Road, W2 (☎ 020/7313-9491 ; métro : Notting Hill Gate ou Westbourne Park), propose une bonne cuisine dans ce fut un pub minable avant que Notting Hill ne devienne un quartier chic. Aujourd'hui fréquenté par une clientèle jeune, il est devenu, d'après l'un des habitués, « le cadre idéal pour une pub' sur la bière ». Rempli de meubles dépareillés provenant d'écoles et d'églises, il baigne dans une ambiance jazzy nonchalante qui couvre à peine les voix des gastronomes. Au premier abord, on peut être un peu agacé par le personnel, pas toujours très au point, mais, dès que les plats arrivent, on oublie tout le reste. Le menu s'inspire de toutes les cuisines du monde : le couscous marocain au poulet est aussi bon qu'à Marrakech, le risotto de fruits de mer est délicieux, tout comme la salade de betteraves, de pommes de terre nouvelles et d'aubergines agrémentée de noix. Ne manquez pas le rôti d'agneau, tendre et juteux, servi tous les dimanches. En accompagnement, nous vous recommandons la London Pride ou le Grolsch. Plats 6,75 £-9,50 £. Ouvert le lundi, le mercredi, le jeudi et le vendredi de midi à 23 h, le mardi de 18 h 30 à 22 h 30, et le dimanche de 12 h 30 à 15 h 30 et de 18 h 30 à 22 h. CB acceptée.

Si cette nouvelle tendance ne vous plaît pas, ne désespérez pas : des dizaines de pubs ont échappé à la révolution et servent encore le bon vieux « rata » d'antan.

Ce bar à vins est situé entre Upper Brook Street et Oxford Street (dans le quartier de Selfridges). Les propriétaires attachent autant d'importance à la cuisine qu'à leur impressionnante carte des vins – certains se vendent au verre. Au rez-de-chaussée, vous pourrez également boire des bières ou des liqueurs. Pour vous restaurer, goûtez le saumon fumé sur une tranche de pain ou le hamburger accompagné de frites, d'une salade et de fromage. Au sous-sol, le restaurant propose une cuisine anglaise ou internationale, y compris de nombreux plats végétariens. Commencez par la soupe à l'oignon et continuez avec les saucisses-purée, la sole de Douvres ou le blanc de poulet grillé accompagné de riz et de poireaux à la crème.

Shampers. 4 Kingly St. (entre Carnaby et Regent St.s.), W1. ☎ **020/7437-1692.** Réservation conseillée. Plats 6,50 £-10,95 £. CB. Lun.-sam. 11 h-23 h. Fermé à Pâques et à Noël. Métro : Oxford Circus. EUROPÉEN.

Depuis plusieurs années, le *Shampers* est l'un des bars à vins les plus fréquentés de West End. En plus du bar du rez-de-chaussée, qui sert quelques plats, il existe également un restaurant au sous-sol. Tous deux proposent des spécialités comme le foie de veau au bacon, accompagné de frites et de salade, les crevettes sautées au gingembre, à l'ail et au piment, et un plateau de fromages bien garni. Les salades sont très appréciées, notamment celle d'aubergines avec tomates, avocat, mozzarella et pesto. Le restaurant est fermé le soir, mais le menu du bar est très complet : tous les plats proposés au déjeuner et d'autres comme les calamars, la darne de thon, les crevettes tigrées sautées et le poulet fermier.

PICCADILLY CIRCUS

Daniel's Bar (Café Royal Grill). 68 Regent St., W1. ☎ **020/7437-9090,** poste 277. Plats 4 £-14 £ ; menu déjeuner 2 plats 12,50 £. CB. Lun.-sam. midi-15 h et 17 h-23 h (le soir, restauration rapide et boisson uniquement). Métro : Piccadilly Circus. BRITANNIQUE.

Annexe sans prétention du *Café Royal Grill,* beaucoup plus cher, le *Daniel's* date de 1865. On y accède par le hall de marbre du grand café, où se sont croisés tous les écrivains célèbres du XIXᵉ siècle, y compris Oscar Wilde. Malgré son décor chargé – moulures Art nouveau, lambris de chêne, illustrations de toutes sortes – le bar est très décontracté. À l'heure du déjeuner, choisissez un plat, un sandwich, un hors-d'œuvre ou le menu du jour, qui comprend un plat principal, comme les saucisses-purée, et un *bread pudding* (gâteau à la mie de pain) en dessert. Au dîner, le menu est plus limité : poulet, pizza, ou *nachos* au guacamole. La plupart des clients du soir ne viennent d'ailleurs que pour prendre un verre. Un goûter dînatoire de 12,50 £ est également proposé. Le thé de votre choix est servi avec les traditionnels sandwiches (au concombre, notamment), pâtisseries et *scones.* Pour 5 £ de plus, faites-vous plaisir avec un verre de champagne.

LEICESTER SQUARE

✪ Cork & Bottle Wine Bar. 44-46 Cranbourn St., WC2. ☎ **020/7734-7807.** Pas de réservation après 18 h. Plats 3,95 £-11,95 £ ; verre de vin à partir de 3,30 £. CB. Lun.-sam. 11 h-23 h ; dim. midi-22 h 30. Métro : Leicester Square. CUISINE INTERNATIONALE.

Don Hewitson, connaisseur en bons vins depuis plus de trente ans, est le propriétaire de ce paradis vinicole. La carte, en constante évolution, propose une excellente sélection de beaujolais, de champagnes et de vins d'Alsace, d'Australie et de Californie. Pour manger, nous vous recommandons la tourte au jambon et au fromage, particulièrement riche. Goûtez également la salade de poulet et de pommes, le ragoût du Lancashire, les crevettes méditerranéennes à l'ail et aux asperges, l'agneau à la bière, et le poulet tandoori.

VICTORIA

Ebury Wine Bar. 139 Ebury St., SW1. ☎ **020/7730-5447.** Réservation conseillée. Plats 9,50 £-16 £. CB. Lun.-sam. 11 h-22 h 30 ; dim. 18 h-22 h. Métro : Victoria ou Sloane Square. CUISINE INTERNATIONALE.

L'*Ebury* est très fréquenté par des cadres qui viennent y faire leur pause déjeuner et ne craignent ni la fumée ni l'odeur de friture. Dans son décor de bois sombre, c'est l'un des bars à vins les plus populaires du quartier. Le menu est incroyablement varié. Certains plats, comme les croquettes de poisson épicées, mettent en valeur une influence des pays du Pacifique. D'autres, comme le rôti de porc et sa sauce à la pomme, sont plus typiques de l'Angleterre.

LA CITY

Bow Wine Vaults. 10 Bow Churchyard, EC4. ☎ **020/7248-1121.** Réservation conseillée. Couvert 1,40 £. Plats 7,20 £-13 £. CB. Lun.-ven. 11 h-23 h. Métro : Mansion House, Bank ou St. Paul's. BRITANNIQUE/EUROPÉEN (CUISINE MODERNE).

Le *Bow Wine Vaults* a ouvert ses portes bien avant l'engouement pour les bars à vins, qui a débuté dans les années 70. Cet établissement, l'un des plus célèbres de Londres, attire dans ses caves voûtées une clientèle plutôt modeste. Le bar propose une cuisine traditionnelle : camembert frit, raviolis de homard, et assortiment de grillades et de poissons. La cuisine servie dans la salle du rez-de-chaussée est plus raffinée : moules à la sauce au cidre, feuilletés de champignons sauvages, bœuf Wellington et steak au beurre noisette. Cette salle de restaurant a son propre bar, très fréquenté par les employés de la City après les heures de bureau (ouvert en semaine de 11 h 30 à 20 h).

Jamaica Wine House. St. Michael's Alley, à proximité de Cornhill, EC3. ☎ **020/7626-9496.** Restauration rapide 3,50 £-4,50 £. CB. Lun.-ven. 11 h-23 h. Métro : Bank. BRITANNIQUE.

Le *Jamaica Wine House* fut l'un des premiers cafés d'Angleterre et peut-être même d'Occident. Pendant des années, des marchands et des capitaines sont venus y faire des transactions autour d'un rhum ou d'un café. Aujourd'hui, cet établissement de deux étages propose toutes sortes de bières, de vins et de portos. Au rez-de-chaussée, le bar lambrissé de chêne attire une riche clientèle de banquiers d'affaires. Les plats et les sandwiches sont simples mais copieux.

KNIGHTSBRIDGE

Le Metro. 28 Basil St., SW3. ☎ **020/7589-6286.** Réservation obligatoire. Plats 6 £-8 £. CB. Lun.-sam. 7 h 30-22 h 30. Métro : Knightsbridge. CUISINE INTERNATIONALE.

À côté de *Harrods*, la cave voûtée du *Metro* est fréquentée par une clientèle chic. La cuisine est bonne, riche et bien préparée. Le menu change souvent, mais goûtez si possible le risotto de champignons ou le confit de canard aux lentilles, à l'ail et aux échalotes. Le vin se vend au verre.

CHELSEA HARBOR

Boaters Wine Bar. Harbour Yard, Chelsea Harbour, SW10. ☎ **020/7352-3687.** CB. Lun.-ven. midi-19 h. Métro : Earl's Court, puis bus C3 Chelsea Harbour Hoppa. BRITAN-NIQUE.

Ce bar à vins se trouve dans l'un des nouveaux « villages » de Londres, Chelsea Harbour. Les habitants du quartier, qui occupent les appartements très chers des alentours, viennent s'asseoir le long du bar en bois pour y boire du champagne au milieu de touristes venus du monde entier. Le nombre de bières en bouteille et à la pression est considérable et la carte des vins est très complète (vin vendu au verre).

Explorer la ville 6

Selon Samuel Johnson, « être las de Londres, c'est être las de la vie, car cette ville a tout pour combler un homme ». Et il faudrait en effet toute une vie pour en explorer chaque ruelle, cour, rue et place (et maints livres pour en parler). Mais comme vous n'avez pas toute la vie, ce chapitre vous présente le meilleur de Londres. Vous y trouverez de quoi meubler amplement une douzaine de séjours dans la « ville sur la Tamise ».

Pour ceux dont c'est la première visite, la question n'est jamais de savoir que faire mais que faire *en priorité*. Les « Itinéraires conseillés » et « Les immanquables » devraient vous aider dans vos choix.

Remarque sur les tarifs des attractions et les horaires d'ouverture : le tarif enfant s'applique généralement aux moins de 16 ans, et il faut avoir au moins 60 ans pour bénéficier de la réduction « senior ». Pour bénéficier des réductions étudiants, il faut montrer une carte d'étudiant – de préférence internationale. Beaucoup d'attractions et d'institutions étant fermées les jours fériés mais aussi durant la période de Noël et du nouvel an (et dans certains cas, au début du mois de mai), téléphonez à l'avance si vous séjournez à Londres durant ces périodes.

Itinéraires conseillés

Vous avez une journée

Quiconque vient à Londres pour la première fois doit absolument aller à l'abbaye de Westminster pour y voir le « coin des Poètes » et les tombes royales. Allez ensuite à Big Ben et au Parlement à pied. Assistez si possible à la relève de la garde à Buckingham Palace, puis marchez jusqu'au 10 Downing Street, résidence du Premier Ministre. Dînez dans l'un des petits restaurants de Covent Garden – par exemple *Porter's*, qui appartient au comte de Bradford – et goûtez à l'une des spécialités anglaises, la *pie* (avec peut-être de l'agneau et de l'abricot). Enfin, allez au Red Lion à Mayfair, le pub victorien par excellence. C'est le genre d'établissement qu'aurait choisi Oscar Wilde pour prendre un petit cognac.

Vous avez 2 jours

1er jour Voir ci-dessus.

2e jour Consacrez une bonne partie de la journée à explorer le British Museum, l'un des plus grands musées du monde. Passez l'après-midi à la Tour de Londres, sans manquer d'aller voir les joyaux de la Couronne (la file n'avance pas très vite…). Enfin, dînez dans un établissement traditionnel comme Shepherd's à Westminster, où vous pourrez frayer avec les membres de la Chambre des communes.

Vous avez 3 jours

1er et 2e jours Voir ci-dessus.

3e jour Le matin, allez à la National Gallery et dans l'après-midi, au musée de cire de Madame Tussaud's pour changer de style. Visitez St James's à pied (voir au chapitre 7, « Promenades dans la ville »). Le soir, offrez-vous une pièce dans l'un des théâtres du West End, un spectacle au National Theatre ou au Queen Elisabeth Hall du South Bank Centre.

Vous avez 4 ou 5 jours

Du 1er au 3e jour Voir ci-dessus.

4e jour Le matin, rendez-vous à la City, le quartier financier de Londres, avec comme objectif la cathédrale St Paul (architecte : Sir Christopher Wren). Visitez le quartier à pied (voir au chapitre 7) et arrêtez-vous par exemple au Guildhall (l'hôtel de ville). L'après-midi, baladez-vous à King's Road dans Chelsea pour faire du lèche-vitrines puis dîner dans l'un des nombreux restaurants du quartier. Plus tard, allez dans un night-club de Soho tel que *Ronnie Scott's*, où l'on peut écouter l'un des meilleurs jazz de la ville.

5e jour Le matin, explorez le Victoria and Albert Museum puis découvrez la Tate Britain et ses nombreux chefs-d'œuvre ; déjeunez à son restaurant, dont les vins offrent parmi les meilleurs rapports qualité-prix de Grande-Bretagne. Si vous voulez vous faire une idée des jours sombres de la Seconde Guerre mondiale, visitez les Cabinet War Rooms, quartier général de Churchill, aux Clive Steps. Passez la soirée au théâtre ; essayez d'assister à autant de spectacles des théâtres du West End que possible.

1 Les attractions quartier par quartier

BELGRAVIA
Apsley House, the Wellington Museum (p. 220)

BLOOMSBURY
British Library (p. 220-21)
British Museum (p. 194-95)
Dickens House (p. 218-19)
Percival David Foundation of Chinese Art (Fondation d'art chinois Percival David ; p. 227)
St Pancras Station (p. 216)

CAMDEN TOWN
Jewish Museum (Musée juif ; p. 224)

CHELSEA
Carlyle's House (p. 218)
Chelsea Physic Garden (p. 230)
Chelsea Royal Hospital (p. 215)
National Army Museum (p. 225-26)

LA CITY
All Hallows Barking-by-the-Tower £ (et centre de reproduction de plaques funéraires ; p. 209-10)
Guildhall (p. 253)
London Bridge (p. 250)
Middle Temple Hall (p. 217)
Museum of London (p. 225)
Old Bailey (p. 217-18)
St Bride's (p. 210)
St Giles Cripplegate (p. 211)
St Mary-le-Bow (p. 212)
St Paul's Cathedral (p. 202-03)
Samuel Johnson's House (p. 219-20)
Temple Church (p. 213)
Temple of Mithras (p. 231)
Tower Bridge (p. 232-33)
Tower of London (Tour de Londres ; p. 204-07)

CLERKENWELL
St Etheldreda's (p. 210-11)
Wesley's Chapel, House & Museum
of Methodism (Chapelle, maison
et musée du méthodisme ; p. 213)

COVENT GARDEN ET LE STRAND
Courtauld Gallery (p. 221-22)
London Transport Museum (p. 225)
St Clement Danes (p. 210)
St Paul's, the Actor's Church (St Paul,
l'église des acteurs ; p. 212)
Theatre Museum (p. 229)

DOCKLANDS
Butler's Wharf (Quai Butler ; p. 233)
Canary Wharf (Quai Canary ; p. 233)
Design Museum (p. 222)
Exhibition Centre (Centre
d'exposition ; p. 233)
St Katharine's Dock (p. 233)

EAST END
Bethnal Green Museum of
Childhood (Musée de l'enfance de
Bethnal Green ; p. 241)
Geffrye Museum (p. 221)

GREENWICH
Le Cutty Sark (p. 234)
National Maritime Museum (p. 239)
Old Royal Observatory (p. 239)
Queen's House (p. 239)
Royal Naval College (p. 239)

HAMPSTEAD
Burgh House (p. 234-35)
Fenton House (p. 235)
Freud Museum (p. 235)
Hampstead Heath (p. 234)
Keats House (p. 235)
Kenwood House (p. 235)

HIGHGATE, PRÈS DE HAMPSTEAD
Highgate Cemetery (p. 235-37)

HOLBORN
Gray's Inn (p. 216)
Inns of Court (p. 216-18)
Law Courts (Tribunaux ; p. 217)
Lincoln's Inn (p. 217)
Royal Courts of Justice (p. 218)
Sir John Soane's Museum (p. 228-29)
Staple Inn (p. 218)

ISLINGTON
Little Angel Theatre (p. 241-42)

KENSINGTON ET SOUTH KENSINGTON
Brompton Oratory (p. 210)
Hyde Park (p. 230)
Kensington Gardens (p. 230)
Kensington Palace (p. 200)
Linley Sambourne House (p. 224-25)
Natural History Museum (p. 226)
Science Museum (p. 228)
Victoria & Albert Museum (p. 207)

KEW
Kew Palace (p. 238)
Royal Botanic (Kew) Gardens
(Jardins botaniques royaux de
Kew ; p. 240)

MARYLEBONE
London Planetarium (p. 242)
London Zoo (p. 242-43)
Madame Tussaud's (p. 200-01)
Regent's Park (p. 230)
Sherlock Holmes Museum (p. 228)
Wallace Collection (p. 229)

HIGHGATE
Saatchi Gallery (p. 227-28)

MAYFAIR
Royal Academy of Arts (p. 225)

ST JAMES
Buckingham Palace (p. 195)
Green Park (p. 230)
Institute of Contemporary Arts
(p. 224)
Queen's Gallery, Buckingham Palace
(p. 195)
Royal Mews, Buckingham Palace
(Écuries royales du palais de
Buckingham ; p. 227)
Spencer House (p. 216)
St James's Church (p. 211)
St James's Park (p. 230)

SOUTH BANK
Battersea Park (p. 231)
Florence Nightingale Museum
(p. 222)

2 Les immanquables

✪ British Museum. Great Russell St., WC1. ☎ **020/7323-8299** ou 020/7636-1555 pour des informations enregistrées. Entrée libre. Lun.-sam. 10 h-17 h, dim. 12 h-18 h. Métro : Holborn ou Tottenham Court Rd.

Situé dans le quartier intellectuel de Bloomsbury, cet immense musée est né d'une collection privée de manuscrits achetés en 1753 avec les gains d'une loterie. Il a sans cesse grandi grâce à des legs, des découvertes et des acquisitions, jusqu'à constituer l'une des plus complètes collections d'art et d'artisanat au monde. N'espérez pas le visiter en une seule journée.

Le British Museum est principalement composé des collections suivantes : antiquités, lithographies et dessins, monnaies et médailles, ethnographie. Si vous ne faites qu'une brève visite, ne manquez pas les antiquités asiatiques (la plus belle collection de poterie islamique hors des pays de l'Islam), les porcelaines de Chine, les sculptures de l'Inde et les collections se rapportant à la préhistoire et à l'occupation romaine. Ne manquez pas, dans l'une des salles égyptiennes, la fameuses **pierre de Rosette**, qui permit à Champollion de déchiffrer les hiéroglyphes ; les inestimables **sculptures du Parthénon**, dites « marbres d'Elgin », un ensemble de frontons, de métopes et de frises dans la *Duveen Gallery*, ni, enfin, le fameux **obélisque noir**, qui remonte à environ 860 avant J.-C., dans la *Nimrud Gallery*. Parmi les autres trésors, citons ceux trouvés dans les tombeaux de rois égyptiens (y compris les momies), un extraordinaire éventail d'objets de plus de 2 000 ans (bijoux, produits de beauté, armes, mobilier, outils), des instruments d'astronomie babyloniens ainsi que, dans la salle assyrienne, les lions ailés qui montèrent la garde devant le palais d'Assourbanipal à Nimrud. Parmi les nouvelles galeries, on note la galerie mexicaine, une galerie hellénique et une exposition intitulée « L'histoire de l'argent ». Le British Museum accueille également des expositions temporaires, aussi vérifiez au préalable si vous souhaitez voir quelque chose en particulier.

Pour gagner du temps

Avec ses 4 km de galeries, le British Museum est gigantesque. Pour un premier contact, il est conseillé d'effectuer une visite guidée d'1 h 30 (6 £, lun.-sam., 10 h 45, 11 h 15, 13 h 45 et 14 h 15 ; dim., 15 h, 15 h 20 et 15 h 45). Ensuite, vous pouvez retourner aux galeries qui vous intéressent le plus. Si vous avez un peu de temps, concentrez-vous sur les salles grecques et romaines (1 à 15) qui renferment des trésors achetés ou « empruntés » aux lointaines colonies de l'Empire de jadis.

○ **Buckingham Palace.** Au bout du Mall (en venant de Trafalgar Sq.). ☎ **020/7839-1377.** Visites du palais (normalement en août et septembre) 10 £ adultes, 7,50 £ seniors, 5 £ moins de 17 ans. Métro : St James's Park, Green Park ou Victoria.

Cette construction gigantesque mais élégante est la résidence officielle de la reine. Ce palais en briques fut construit par le duc de Buckingham, libertin notoire, pour en faire une maison de campagne. En 1762, le roi George III l'acheta – il avait en effet besoin de place pour ses 15 enfants. Situé dans un parc de 16 ha, Buckingham fait 110 m de long et comporte 600 pièces. Il devint la résidence officielle du monarque lorsque la reine Victoria, qui le préférait à St James's Palace, accéda au trône. À partir de l'époque de George III, la construction ne fit que s'étendre et se modifier : sa façade, ornée de pierres de Portland, subit les bombardements à deux reprises pendant le Blitz. Quand sa majesté est là, l'étendard royal flotte au-dessus du palais.

La majeure partie de l'année, les visites ne sont guère possibles – à moins d'y être officiellement invité ! Depuis 1933, une grande partie est ouverte au public pendant les 8 semaines de vacances de la famille royale. La reine Élisabeth II a accepté que l'on visite la *State Room* (salle des cérémonies officielles), le grand escalier, la salle du trône et d'autres salles conçues par John Nash pour George IV, ainsi que la **Queen's Gallery**, où l'on peut admirer des chefs-d'œuvre de Van Dyck, Rembrandt ou Rubens – pour ne citer qu'eux. Le prix de l'entrée est utilisé pour contribuer aux réparations du château de Windsor, ravagé par un incendie en 1992.

La **relève de la garde** est le spectacle le plus célèbre de Buckingham Palace. Quand elle a lieu, la cérémonie commence à 11 h et dure une demi-heure. On dit que c'est aujourd'hui l'exemple le plus parfait d'apparat militaire. Tambours en tête, la nouvelle garde arrive de la caserne de Wellington ou de Chelsea et prend la relève de l'ancienne dans la cour avant du palais. Cette cérémonie a lieu différents jours en fonction de la période de l'année ; appelez au ☎ **0839/123-411** pour vous renseigner.

Avertissement

Les programmes des cérémonies du palais de Buckingham ne sont jamais fixés définitivement ni révélés un an à l'avance, d'où le problème pour les éditeurs de guides touristiques ! Théoriquement, la relève de la garde a lieu tous les jours d'avril à mi-juillet, puis tous les deux jours (programme « d'hiver »). Vérifiez toujours à l'office du tourisme pour savoir si vous avez une chance d'y assister pendant votre séjour. Il est arrivé que la cérémonie soit annulée à la dernière minute, laissant sur leur faim des milliers de touristes.

Centre de Londres : sites et monuments

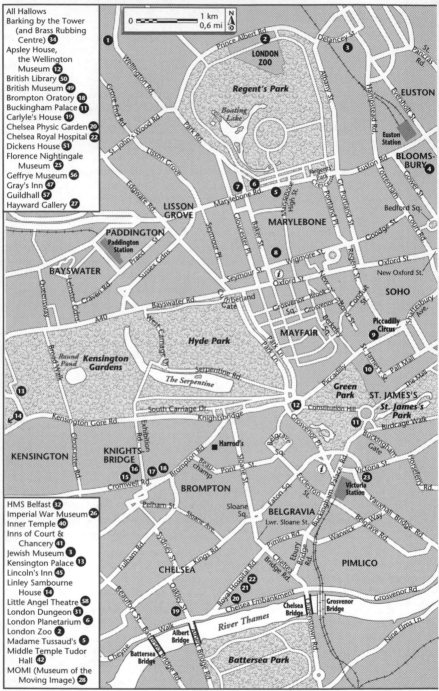

All Hallows
Barking by the Tower
   (and Brass Rubbing
   Centre) **34**
Apsley House,
   the Wellington
   Museum **12**
British Library **50**
British Museum **49**
Brompton Oratory **18**
Buckingham Palace **11**
Carlyle's House **19**
Chelsea Physic Garden **20**
Chelsea Royal Hospital **22**
Dickens House **51**
Florence Nightingale
   Museum **25**
Geffrye Museum **56**
Gray's Inn **47**
Guildhall **57**
Hayward Gallery **27**

HMS Belfast **32**
Imperial War Museum **26**
Inner Temple **40**
Inns of Court &
   Chancery **41**
Jewish Museum **3**
Kensington Palace **13**
Lincoln's Inn **45**
Linley Sambourne
   House **14**
Little Angel Theatre **58**
London Dungeon **31**
London Planetarium **6**
London Zoo **2**
Madame Tussaud's **5**
Middle Temple Tudor
   Hall **42**
MOMI (Museum of the
   Moving Image) **28**

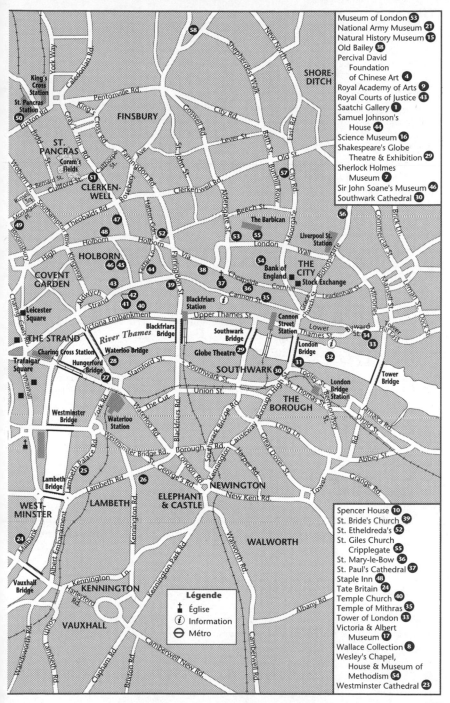

Museum of London 53 21
National Army Museum 15
Natural History Museum 15
Old Bailey 38
Percival David
    Foundation
    of Chinese Art 4
Royal Academy of Arts 9
Royal Courts of Justice 43
Saatchi Gallery 1
Samuel Johnson's
    House 44
Science Museum 16
Shakespeare's Globe
    Theatre & Exhibition 29
Sherlock Holmes
    Museum 7
Sir John Soane's Museum 46
Southwark Cathedral 30

Spencer House 10
St. Bride's Church 39
St. Etheldreda's 52
St. Giles Church
    Cripplegate 55
St. Mary-le-Bow 36
St. Paul's Cathedral 37
Staple Inn 48
Tate Britain 24
Temple Church 40
Temple of Mithras 35
Tower of London 33
Victoria & Albert
    Museum 17
Wallace Collection 8
Wesley's Chapel,
    House & Museum of
    Methodism 54
Westminster Cathedral 23

Légende
⚑ Église
ⓘ Information
⊖ Métro

✪ **Houses of Parliament.** Westminster Palace, Old Palace Yard, SW1. Chambre des communes ☎ **020/7219-4272** ; Chambre des lords ☎ **020/7219-3107.** Entrée gratuite. Chambre des lords : visites lun.-mer. à partir de 14 h 30, jeu. à partir de 15 h et certains vendredis (téléphoner pour vérifier). Chambre des communes : visites lun.-mar. 14 h 30-22 h 30, mer. 9 h 30-22 h 30, jeu. 11 h 30-19 h 30, le ven., vérifier par téléphone. Faire la queue au porche St Stephen. Métro : Westminster.

Le Parlement et sa fameuse tour de l'Horloge symbolisent Londres. Siège de la démocratie britannique, des assemblées qui sont parvenues à limiter le pouvoir monarchique, la Chambre des communes et la Chambre des lords se trouvent dans l'ancien palais de Westminster, résidence royale jusqu'au déménagement d'Henri VIII à Whitehall. Conçus par Charles Barry, les bâtiments actuels de style néogothique datent de 1840 (les précédents avaient été détruits par un incendie en 1834). Ils comportent plus de 1 000 pièces et de 3 km de couloirs. Augustus Welby Pugin, qui secondait Barry, conçut les lambris des plafonds, les carrelages des sols, les vitraux, les horloges, les cheminées, les porte-parapluies et même les encriers.

Située à l'extrémité Est, une tour abrite l'horloge la plus célèbre du monde : **Big Ben**, qui ne désigne pas le clocher mais la plus grande cloche du carillon. Celle-ci pèse près de 14 tonnes et tient son nom du premier commissaire aux travaux. La nuit, une lumière dans le clocher indique quand le Parlement est en séance.

On peut assister aux débats parlementaires des deux chambres depuis les **Stranger's Galleries**. La session parlementaire commence à la mi-octobre ; elle est suspendue fin juillet, avec des interruptions à Noël et à Pâques. S'il n'est pas possible de garantir des joutes oratoires à la Charles James Fox ou à la William Pitt l'Aîné, les débats à la Chambre des communes sont souvent animés et polémiques (en période de crise, il est difficile de trouver des places pour y assister). Il est généralement plus facile d'assister aux débats de la Chambre des lords qu'à ceux de la Chambre des communes, où la reine elle-même n'est pas admise. Selon nombre d'analystes politiques, les nobles parlent plus librement et sont moins susceptibles de suivre la ligne de leur parti que leurs homologues de la Chambre des communes ; mais ils font montre d'un comportement beaucoup plus civilisé et ne poussent pas les cris (voire les hurlements) qui sont monnaie courante à la Chambre des communes.

Le public est admis aux *Stranger's Galleries* les « *sitting days* » ; pour cela, il faut attendre (parfois longtemps) au porche St Stephen le jour dit. Pour la Chambre des communes, il faut se placer à gauche et pour celle des lords à droite. Un conseil : essayez plutôt d'entrer après 17 h 30 (les débats se poursuivent souvent jusqu'à 23 h). Pour organiser une visite avant votre départ à Londres, écrivez au bureau d'information de la Chambre des communes, **House of Commons Information Office**, 1 Derby Gate, Westminster, Londres SW1A 2TT. Les visites ont généralement lieu le vendredi.

Soyez à l'affût des aventures des lords, que les journaux populaires comparent sans se gêner à des « bandes de crétins de la haute qui ressemblent aux Monty Pythons » ! Depuis des années, cette Chambre offre à la Grande-Bretagne son bon sens et sa sagesse, comme en témoigne une remarque du comte de Longford en 1992 : « une fille n'est pas perdue à tout jamais si elle est séduite – un jeune homme, lui, l'est. » Le gouvernement travailliste de Tony Blair a prévu de grandes réformes du Parlement. Ainsi en 1999, plus de 600 parmi les 752 pairs de naissance – souvent descendants de maîtresses royales et d'anciens propriétaires fonciers – ont été renvoyés de la Chambre haute. Cette année, une commission parlementaire doit déterminer qui les remplacera. Le ministre des Affaires étrangères a déjà qualifié la Chambre des lords de « bric-à-brac médiéval »…

Trafalgar Square, la plus célèbre place de Londres

Londres comporte de nombreuses places historiques. Trafalgar Square, qui rend hommage à l'un des grands héros de l'armée anglaise, le vicomte Horatio Nelson (1758-1805), est sans doute la plus connue (Métro : Charing Cross). S'il souffrit toute sa vie du mal de mer, Nelson s'embarqua malgré tout dès l'âge de 12 ans et fut promut amiral à 39 ans. Il se distingua à la bataille de Calvi en 1794 où il perdit un œil, à la bataille de Santa Cruz en 1797 où il perdit un bras, et à celle de Trafalgar en 1805 où il perdit la vie. Sa célèbre liaison avec Lady Hamilton a fait l'objet de nombreux livres et films – pour une version très romancée, choisissez *Mrs. Hamilton* avec Sir Laurence Olivier et Vivien Leigh. La place d'aujourd'hui est dominée par la colonne en granit de Nelson (44 m de haut), réalisée par E. H. Baily en 1843. Elle est tournée vers Whitehall, en direction de l'Old Admiralty où fut exposée la dépouille de l'amiral avant ses funérailles. La statue de ce héros fait plus de 5 m de haut, – ce qui n'est pas mal pour un homme qui ne mesurait que 1,62 m. Le chapiteau en bronze provient des canons récupérés sur l'épave du *Royal George*. Le peintre animalier préféré de la reine Victoria, Édouard Landseer, ajouta en 1868 les quatre lions qui se trouvent au pied de la colonne. On installa les bassins et les fontaines en 1939, dernière œuvre d'Edwin Lutyens.

Des manifestations ont toujours lieu sur la place et autour de la colonne, qui compte parmi les pigeons les plus agressifs de la ville – ils vont jusqu'à se poser sur votre tête, quand ce n'est pas pire. Leur présence fait partie d'une longue tradition : Édouard Ier (1239 – 1307) gardait déjà ici des oiseaux de proie, les « Longshanks ». Richard II, qui régna de 1377 à 1399, y avait aussi mis des autours et des faucons. À l'époque d'Henri VII, au pouvoir de 1485 à 1509, la place abritait les écuries royales. C'est Charles Barry, architecte du Parlement, qui créa dans les années 1830 la place telle qu'on la connaît aujourd'hui.

Le 31 décembre, les caméras sont braquées sur elle. Il faut dire que c'est un endroit particulièrement festif et bruyant – les plus intrépides se jettent dans l'eau glacée des fontaines. La Norvège offre tous les ans au peuple britannique le sapin de Noël géant qui la décore pour le remercier d'avoir protégé sa famille royale pendant la Seconde Guerre mondiale. Les soirs de décembre, on y chante des chants de Noël. Toute l'année des artistes de rue (autorisés par la ville) présentent des spectacles dans l'espoir de recevoir un témoignage de votre appréciation.

Au 36 Craven St., au sud-ouest de la place, se trouve une maison où habita Benjamin Franklin de 1757 à 1774. La National Gallery, construite dans les années 1830, est au nord.

Sur la gauche de St Martin's Place se trouve la National Portrait Gallery, qui compte une collection de portraits de Britanniques célèbres, de Chaucer et Shakespeare à Nell Gwynne et Margaret Thatcher en passant par Pete Townshend des Who. L'imposant clocher de St Martin-in-the-Fields donne aussi sur la place ; c'est la dernière demeure de Joshua Reynolds, William Hogarth et Thomas Chippendale.

De fait, les ducs, marquis, comtes, vicomtes et barons qui y siègent ont obtenu ce droit il y a des siècles. Mais tant qu'elle existe, la Chambre des lords est très occupée à rejeter bon nombre des projets de loi adoptés par sa sœur ennemie. Par exemple, elle s'est opposée à une mesure visant à abaisser l'âge nubile légal pour les rapports homosexuels de 18 à 16 ans, qui avait été adoptée à une large majorité par la Chambre des communes. Rien d'étonnant, la Chambre des lords étant en majorité conservatrice. Parmi les récents débats, on compte l'interdiction aux sportifs connus de cracher et celle pure et simple du chewing-gum ! Lord Dean, pair à vie, défend ses collègues : « Les pairs à vie ne sont pas davantage des génies que les autres ».

Kensington Palace. The Broad Walk, Kensington Gardens, W8. ☎ 020/7937-9561. Entrée : adultes 8,50 £, seniors/étudiants 6,70 £, enfants 6,10 £, familles 26,10 £. Tlj. de juin à septembre 10 h-17 h ; basse saison mer.-dim. 10 h-15 h. Métro : Queensway ou Bayswater pour entrer par les jardins au nord ; High St. Kensington au sud.

Jadis résidence des monarques britanniques, le palais de Kensington ne l'est plus depuis le règne du roi George II. Il fut acquis en 1689 par Guillaume III et Marie II, qui souhaitaient échapper à l'humidité des salles royales situées sur les bords de la Tamise. Depuis la fin du XVIII⁰ siècle, le palais sert de demeure à des membres de la famille royale et on peut en visiter les grands appartements *(State Apartments)*.

C'est ici qu'en 1837 la jeune Victoria apprit que son oncle Guillaume IV était décédé et qu'elle était devenue reine d'Angleterre. Le palais abrite une collection nostalgique d'objets se rapportant à elle, notamment des souvenirs personnels. Dans les appartements de la reine Marie II se trouve un extraordinaire secrétaire du XVII⁰ siècle marqueté d'écaille. Les appartements sont ornés de tableaux de la collection royale ; les salles adjacentes aux grands appartements abritent une rare robe de Cour des années 1750 et de superbes exemples de tenues d'hommes du XVIII⁰ siècle destinées à être portées à la Cour.

Le palais de Kensington est désormais la résidence londonienne de la princesse Margaret et du duc et de la duchesse de Kent. Auparavant, ce fut la demeure de la princesse Diana et de ses deux fils, qui habitent désormais avec leur père à St James's Palace, où la dépouille de Diana fut exposée durant la semaine précédant ses funérailles. Le palais de Kensington est aujourd'hui célèbre pour les millions de fleurs qui furent déposées devant son entrée peu après le décès de Diana.

Les **Kensington Gardens** sont ouverts tous les jours au public, qui peut se promener dans le domaine soigneusement entretenu et aux alentours du bassin de la *Round Pond*. Le célèbre et controversé Albert Memorial est non seulement un hommage à l'époux de la reine Victoria, mais aussi aux goûts artistiques douteux de l'ère victorienne. On sert un extraordinaire thé à l'Orangery ; voir « Teatime » au chapitre 5.

Madame Tussaud's. Marylebone Rd., NW1. ☎ 020/7935-6861. Entrée : adultes 10 £, seniors 7,50 £, moins de 16 ans 6,50 £, gratuite pour moins de 5 ans. Billets jumelés avec la visite du nouveau planétarium : adultes 12,25 £, seniors 9,30 £, moins de 16 ans 8 £. Lun.-ven. 10 h-17 h 30, sam.-dim. 9 h 30-17 h 30. Métro : Baker St.

Madame Tussaud's n'est pas tant un musée de cire qu'un grand parc d'attractions couvert. Composé d'un assemblage bizarre, mobile et parfois terrifiant d'expositions, de panoramas et de mises en scène, il en offre pour presque tous les goûts.

C'est à la Cour de Versailles que madame Tussaud apprit son art. Elle prit les empreintes mortuaires des têtes guillotinées de Louis XVI et de Marie-Antoinette – qui sont d'ailleurs exposées. De Paris, elle déménagea son musée en Angleterre en 1802. Son idée fit des émules dans le monde entier (notamment le musée Grévin à Paris), mais aucun musée de cire n'est parvenu au réalisme et à l'imagination de celui-ci. C'est madame Tussaud elle-même qui moula les traits de Benjamin Franklin, rencontré à Paris. Tous les autres, de George Washington à John F. Kennedy, en passant par Marie Tudor et Sylvester Stallone, ont subi la même stupéfiante reproduction.

Dans la célèbre Chambre des horreurs, un genre de cachot souterrain, on verra toutes sortes d'instruments de torture et de mort et les représentations en cire de leurs victimes. Le fantôme de Jack l'Éventreur rôde dans l'obscurité d'une rue de Londres à l'époque victorienne que vous arpentez vous-même – les criminels d'aujourd'hui sont représentés en prison. La dernière attraction, « *The Spirit of London* » est une promenade en musique décrivant 400 ans d'histoire de Londres au moyen d'effets spéciaux et de mannequins animés et doués de parole. On monte dans un « taxi à remonter le temps » qui permet de voir et d'entendre Shakespeare en train d'écrire et de réciter, d'être reçu par la reine Élisabeth Ire et de sentir l'odeur et la chaleur du Grand Incendie qui détruisit Londres en 1666.

○ National Gallery. Au nord-ouest de Trafalgar Sq., WC2. ☎ **020/7747-2885.** Entrée gratuite. Jeu.-mar. 10 h-18 h ; mer. 10 h-21 h. Métro : Charing Cross, Embankment ou Leicester Square.

Cet imposant édifice de style néoclassique abrite une collection inégalée d'œuvres européennes de la fin du XIIIe au début du XXe siècles, couvrant toutes les grandes écoles européennes. Ne serait-ce que pour la présentation et l'agencement des œuvres, ce musée surpasse ses homologues de Paris, New York, Madrid et Amsterdam.

La majeure partie de la collection est consacrée aux Italiens, parmi lesquels les grands maîtres siennois, vénitiens et florentins. Leurs toiles se trouvent désormais dans l'aile Sainsbury, œuvre architecturale de Robert Venturi et Denise Scott Brown (tous deux de Philadelphie), inaugurée en 1991 par la reine Élisabeth II. On peut y voir *La Vierge au rocher* de Leonard de Vinci ; *Bacchus et Ariane* du Titien ; *L'Adoration des mages de* Giorgione ainsi que des toiles inoubliables de Bellini, Véronèse, Botticelli et du Tintoret. La *Venus et Mars* de Botticelli est à ne pas manquer. Cette aile accueille également de grandes expositions temporaires.

Parmi les œuvres du premier art gothique, le *Diptyque de Wilton* (école anglaise ou française, fin du XIVe siècle) est le joyau de la collection ; on y voit Richard II présenté à la Madone et à l'Enfant par Jean Baptiste et les rois saxons Edmond et Édouard le Confesseur.

Viennent ensuite les « géants espagnols » : *L'Agonie dans le jardin* du Greco et des portraits de Goya et de Vélazquez. L'école flamande-hollandaise est représentée par Brueghel, Van Eyck, Vermeer, Rubens et de Hooch ; parmi les Rembrandt, on trouve deux de ses autoportraits. La collection d'impressionnistes et de post-impressionnistes français, gigantesque, comprend des œuvres de Manet, Monet, Degas, Renoir et Cézanne. Dans l'une des salles hollandaises, la boîte optique avec vue d'un intérieur de Hoogstraten est amusante. Cela donne l'impression d'espionner par un trou de serrure.

La Tate Britain (voir ci-dessous) s'est spécialisée dans l'art britannique mais la National Gallery n'est pas en reste, avec quelques œuvres britanniques du XVIIIe siècle, parmi lesquelles des toiles de peintres comme Hogarth, Gainsborough, Reynolds, Constable et Turner.

Le truc des initiés : la National Gallery dispose d'un centre d'information informatisé où vous pouvez concevoir un plan personnalisé de votre visite. La salle informatique, située dans la galerie Micro, comporte une douzaine de postes de travail. Le système en ligne répertorie 2 200 toiles et offre des informations sur chaque œuvre. Le programme comporte quatre index avec renvois pour vous faciliter la tâche. Au moyen d'un écran tactile, vous pouvez personnaliser votre visite en choisissant au plus 10 toiles que vous voudriez voir. Votre sélection étant faite, il vous suffit d'imprimer votre plan. Ce service est gratuit.

La cathédrale Saint-Paul

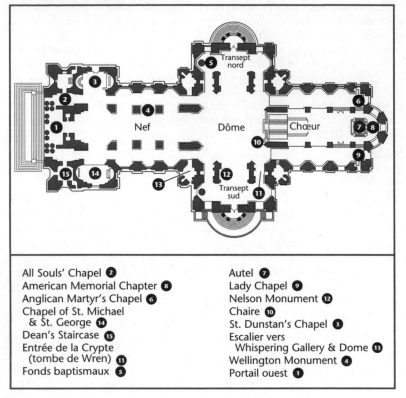

All Souls' Chapel ❷
American Memorial Chapter ❽
Anglican Martyr's Chapel ❻
Chapel of St. Michael
  & St. George ⓮
Dean's Staircase ⓯
Entrée de la Crypte
  (tombe de Wren) ⓫
Fonds baptismaux ❺

Autel ❼
Lady Chapel ❾
Nelson Monument ⓬
Chaire ❿
St. Dunstan's Chapel ❸
Escalier vers
  Whispering Gallery & Dome ⓭
Wellington Monument ❹
Portail ouest ❶

✪ **St Paul's Cathedral.** St Paul's Churchyard, EC4. ☎ **020/7236-4128.** Cathédrale : adultes 4 £, 6 – 16 ans 2 £. Galeries : adultes 3,50 £, 6-16 ans 1,50 £. Entrée gratuite jusqu'à 5 ans. Visites guidées 2 £ ; audio-guidées 3 £. Visite générale : lun.-sam. 8 h 30-16 h ; galeries lun.-sam. 9 h 30-16 h. Pas de visite dim. (culte uniquement). Métro : St Paul's.

Au cours de la Seconde Guerre mondiale, les informations montraient la cathédrale Saint-Paul se dressant seule au milieu des décombres, le dôme éclairé par les incendies provoqués par les bombardements. C'est un miracle qu'elle ait survécu car elle fut durement touchée à deux reprises au début des bombardements de Londres. Mais elle avait l'habitude de souffrir : elle fut trois fois brûlée et une fois détruite par des envahisseurs scandinaves. L'ancienne cathédrale fut entièrement ravagée pendant le Grand Incendie de 1666. Sir Christopher Wren proposa un projet de nouvel édifice : le dernier chef-d'œuvre de ce génie de l'architecture fut construit entre 1675 et 1710.

Le dôme classique de l'édifice domine la City, et la croix dorée qui le surmonte s'élève à plus de 110 m de hauteur. Le globe doré sur lequel elle repose fait presque 2 m de diamètre mais vu d'en bas, on le prendrait presque pour une bille. La galerie des murmures *(Whispering Gallery)* qui borde la coupole est dotée d'une acoustique exceptionnelle : on y entend clairement le moindre murmure de part et d'autre – donc attention à ce que vous dites ! Il est possible de monter en haut du dôme d'où l'on a une vue spectaculaire sur la ville.

Le truc des initiés

Si vous vous rendez à Londres au printemps, allez absolument vous promener dans les jardins de la cathédrale St Paul pour profiter des roses. Ce sera l'un de vos meilleurs moments.

Si l'intérieur de la cathédrale semble dépouillé, il abrite néanmoins un grand nombre de monuments. Le duc de Wellington (auquel les Britanniques doivent la victoire de Waterloo) est enterré ici, tout comme l'amiral Nelson et Sir Christopher Wren. Dans la partie Est se trouve l'*American Memorial Chapel* en hommage aux 28 000 soldats américains tombés en Grande-Bretagne au cours de la Seconde Guerre mondiale.

Les visites guidées durent 1 h 30 et incluent des parties de la cathédrale qui ne sont pas ouvertes au public. Elles sont organisées du lundi au samedi à 11 h, 11 h 30, 13 h 30 et 14 h. Des visites audio-guidées de 45 minutes sont proposées toute la journée.

Saint-Paul est une cathédrale anglicane ; les services ont lieu aux heures suivantes : matines à 7 h 30 du lundi au vendredi, 8 h 30 le samedi ; célébration du lundi au samedi à 8 h et 12 h 30 et office du soir du lundi au samedi à 17 h. Le dimanche, célébration à 8 h et 11 h 30, matines à 10 h 15 et office du soir à 15 h 15. L'entrée est gratuite si vous venez assister au service.

❂ **Tate Britain.** Millbank. SW1P 4RG. ☎ **020/7887-8008**. www.tate.org.uk. Entrée gratuite pour les collections permanentes ; les expositions temporaires sont payantes. Tlj. 10 h-17 h 50. Fermé le 24, 25 et 26 décembre et le 1ᵉʳ janvier. Métro : Pimlico. Bus : 77A, 88 ou C10. Parkings et accès pour les visiteurs handicapés (fauteuils roulants disponibles sur demande au ☎ 020/7887-8813).

Depuis le mois de mai 2000, la Tate Gallery a été divisée en deux : le « vieux » bâtiment abrite maintenant la Tate Britain, et la collection d'art moderne a déménagé dans la nouvelle Tate Modern (voir ci-dessous).

Située sur la Tamise près du pont de Vauxhall, la Tate Britain est un peu la cousine du British Museum, en plus petit et plus élégant. Elle abrite des œuvres d'art britannique de 1500 à nos jours et possède la plus grande collection d'art britannique au monde, avec des œuvres de Constable, Gainsborough, Hirst, Moore, Reynolds, Rossetti, Spencer, Stubbs, Turner et d'autres encore, aussi talentueux.

Afin de mettre en valeur la variété et la richesse des collections, les principales salles du musée sont organisées par thème. Chaque salle contient un ensemble d'œuvres qui illustrent les différentes facettes de l'art britannique et reflètent son évolution sur cinq siècles.

William Hogarth est très présent, notamment avec son satirique *O the Roast Beef of Old England* (appelé aussi *Les Portes de Calais*), ainsi que William Blake, poète mystique par excellence, qui illustra des œuvres telles que *Le Livre de Jacob*, *La Divine comédie* ou le *Paradis perdu*, exposées ici. La collection d'œuvres de Turner (la Donation Turner), exposée dans la *Clore Gallery*, est très importante, le peintre ayant légué la plupart de ses toiles et aquarelles à la nation.

Le musée met à la disposition des visiteurs un guide audio numérique qui propose des commentaires sur une sélection d'œuvres. Il organise aussi des visites guidées gratuites, avec commentaires en anglais, du lundi au vendredi de 11 h 30 à 14 h et le samedi jusqu'à 15 h. Les visites guidées de la collection Turner ont lieu du lundi au vendredi à 11 h 30.

Outre les collections permanentes, le musée a mis a mis en place un programme d'expositions temporaires (entrée payante) et d'animations diverses (téléphoner pour obtenir le détail des programmes).

De renommée internationale, le *Tate Restaurant* (☎ 020/7887-8877, e-mail : tate.restaurant@tate.org.uk) vous ouvre ses portes pour le déjeuner, de midi à 15 h toute la semaine, et jusqu'à 16 h le dimanche. La décoration intérieure a été confiée à Whistler. Son tableau *The Expedition in Pursuit of Rare Meats* (*Expédition à la recherche de mets rares*) lui a été spécialement commandé.

Le *Tate Café* est ouvert tous les jours de 10 h à 17 h 30, et l'*Espresso Bar* tous les jours de 10 h à 17 h.

✪ **Tate Modern.** Queen's Walk SE1. ☎ **020/7887-8000.** www.tate.org.uk. Entrée gratuite pour les collections permanentes ; les expositions temporaires sont payantes. Tlj. dim.-jeu. 10 h-18 h, ven.-sam. 10 h-22 h. Métro : Southwark, Blackfriars et London Bridge. Bus : 45, 63 ou 100, 381 et 344.

Situé au sud de la Tamise, sur le site d'une ancienne centrale électrique désaffectée, la toute nouvelle Tate Modern (ouverte depuis le 12 mai) abrite une **collection d'art moderne** qui ambitionne de rivaliser avec celles de ses illustres homologues, comme le MoMA de New york ou Beaubourg. 4 000 peintures, 1 300 sculptures et 3 500 œuvres sur papier y sont présentées tout au long de l'année au public : Brancusi, Modigliani, Derain, Picasso, Rothko…, ainsi que des œuvres contemporaines d'artistes tels que Rebecca Horn, Steve McQueen et Gillian Wearing.

L'originalité du musée réside dans l'agencement, thématique plutôt que chronologique, des œuvres. Ainsi, la Tate Modern est divisée en quatre galeries principales organisées autour de quatre « genres » : « Nature morte-objet-vie réelle », « Paysage-matière-environnement », « Nu-action-corps » et « Histoire-mémoire-société ». Ce parti pris intéressant fait cohabiter les *Nymphéas* de Monet et les œuvres de l'artiste contemporain Richard Long ou Giacometti avec le peintre abstrait Barnett Newman.

Un guide audio numérique est disponible en français. Il propose aux visiteurs des commentaires généraux sur les œuvres exposées et une description détaillée de 80 d'entre elles.

La Tate Modern a mis en place un programme d'**expositions temporaires** (entrée payante), inauguré par le sculpteur américain d'origine française Louise Bourgeois et les architectes suisses Herzog & de Meuron ; dans le *Turbine Hall* (salle des turbines) du 12 mai au 20 décembre.

Le musée propose aussi un programme varié d'animations ouvertes au public. Des visites guidés du musée (gratuites mais en anglais) sont organisées tout au long de l'année, tous les jours à 10 h 30, 11 h 30, 14 h 30 et 15 h 30, plus une visite à 12 h 30 comportant des commentaires plus approfondies de certaines œuvres.

La Tate Modern dispose de quatre espaces de restauration. Le café-bar du dernier étage reste ouvert tard en soirée pour permettre au visiteurs de prendre un verre ou de dîner (vue panoramique exceptionnelle de Londres).

✪ **Tour de Londres.** Tower Hill, EC3. ☎ **020/7709-0765.** Entrée : adultes 10,50 £, étudiants et seniors 7,90 £, enfants 6,90 £, entrée gratuite pour les moins de 5 ans ; familles 31 £ (5 personnes dont 2 adultes max.). Mars-oct. lun.-sam. 9 h-17 h, dim. 10 h-17 h ; basse saison mar.-sam. 9 h-16 h, dim.-lun. 10 h-16 h. Métro : Tower Hill.

La vieille forteresse continue d'attirer les foules, principalement en raison de son association macabre avec tous les personnages légendaires qui y furent emprisonnés et/ou exécutés. Selon James Street, « il y a davantage de revenants par mètre carré que dans tout autre édifice hanté du royaume. Corps décapités, têtes sans corps, soldats fan-

Le truc des initiés

Réservez un peu de temps pour vous rendre à la Art Now Gallery, où sont exposées les œuvres d'artistes nouveaux ou confirmés, dont certains très controversés ; il se passe toujours quelque chose dans cette galerie d'avant-garde. Il est parfois difficile d'obtenir des billets pour des expositions à succès, aussi mieux vaut téléphoner au préalable à First Call (☎ 020/7420-0002 ; fax 01293/433-702 ; Ocean House, Hazelwide Ave., Three Bridges, Crawley, West Sussex RHT 1NP), l'agence chargée de vendre les billets pour ce type de manifestation.

tômes, souffles glacés, cliquetis de chaînes, la tour en a pour tous les goûts ». Même à ce jour, des siècles après que la dernière tête coupée a roulé sur Tower Hill, une atmosphère lugubre se dégage de ses murs imposants. Prévoyez malgré tout d'y passer un certain temps...

La tour est un ensemble complexe d'édifices construits progressivement à des fins différentes, mais toujours pour affirmer le pouvoir royal. La **Tour Blanche** *(White Tower)*, dont Guillaume le Conquérant commença la construction en 1078 dans le but d'asseoir sa domination sur la population saxonne de Londres, est la plus ancienne. Par la suite, les souverains lui ajoutèrent des tours, des murs, des enceintes fortifiées, ce qui transforma cet ensemble d'édifices en une véritable petite ville dans la ville. Jusqu'au règne de James Ier, la tour faisait partie des résidences royales, mais elle était avant tout une prison pour « détenus prestigieux ».

Chacune de ses pierre est chargée d'histoire, souvent sanglante. Selon Shakespeare, les deux petits princes (fils d'Édouard IV) furent assassinés par des partisans de Richard III dans la **Tour sanglante** *(Bloody Tower)*. Les historiens d'aujourd'hui tendent cependant à penser que ce n'est pas Richard qui aurait commandité ces meurtres. C'est aussi là que Sir Walter Raleigh passa les treize dernières années de sa vie, avant d'être exécuté. Les murs de la **Tour Beauchamp** sont tapissés de messages de prisonniers désespérés. Des personnages romantiques infortunés, tels que Robert Devereux, deuxième comte d'Essex et l'un des favoris d'Élisabeth Ire, passèrent par la **Porte des Traîtres** *(Traitor's Gate)*,. Une plaque signale l'endroit sinistre sur la **pelouse** où deux des épouses d'Henri VIII, Anne Boleyn et Catherine Howard, ainsi que Sir Thomas More et la reine de 4 jours, Lady Jane Grey, furent exécutés. L'époux de Lady Jane, Lord Guildford Dudley, fut supprimé en face, à Tower Hill.

Palais royal, forteresse et prison, la Tour de Londres compta également un arsenal, une ménagerie et, à partir de 1675, un observatoire astronomique. Rouverte en 1999, la Tour Blanche possède deux **armureries** qui remontent au règne d'Henri VIII, ainsi que des instruments de torture et d'exécution qui rappellent les pires moments d'horreur de son histoire. C'est dans la Maison des joyaux que vous trouverez les **Joyaux de la couronne**, le *must* de la visite. Certaines des pierres précieuses les plus belles au monde sont serties dans des robes de cérémonie, des épées, sceptres, diadèmes et couronnes. La couronne impériale d'État est immensément célèbre ; fabriquée en 1837 pour la reine Victoria, elle est portée par la reine Élisabeth lors des cérémonies d'ouverture de la session parlementaire. Sertie d'environ 3 000 pierres précieuses (des diamants pour la plupart), elle est ornée du rubis du Prince noir qu'avait porté Henri V à la bataille d'Agincourt. « L'Étoile d'Afrique », un diamant taillé de 530 carats qui orne la croix du sceptre royal, rendrait le joaillier Harry Winston fou de jalousie. Il faut attendre un certain temps avant de passer sur un tapis roulant pour voir les joyaux. Mais l'attente en vaut la peine.

La Tour de Londres

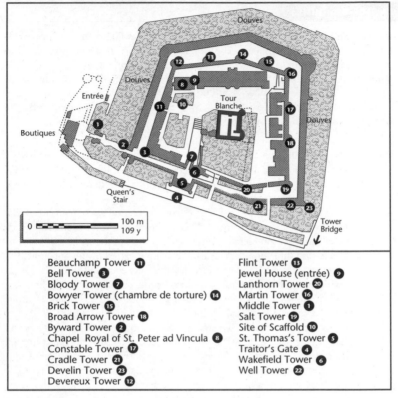

Beauchamp Tower **11**		Flint Tower **13**	
Bell Tower **3**		Jewel House (entrée) **9**	
Bloody Tower **7**		Lanthorn Tower **20**	
Bowyer Tower (chambre de torture) **14**		Martin Tower **16**	
Brick Tower **15**		Middle Tower **1**	
Broad Arrow Tower **18**		Salt Tower **19**	
Byward Tower **2**		Site of Scaffold **10**	
Chapel Royal of St. Peter ad Vincula **8**		St. Thomas's Tower **5**	
Constable Tower **17**		Traitor's Gate **4**	
Cradle Tower **21**		Wakefield Tower **6**	
Develin Tower **23**		Well Tower **22**	
Devereux Tower **12**			

Un **palais** jadis habité par Édouard Ier à la fin du XIIIe siècle se dresse au-dessus de la Porte des Traîtres. C'est le seul palais médiéval existant encore en Grande-Bretagne. Les guides sont habillés en costumes de l'époque. Des reproductions du mobilier et des accessoires également de l'époque (notamment du trône d'Édouard) de l'encens et des chandelles restituent davantage encore l'atmosphère de jadis.

Sans oublier bien sûr les fameux corbeaux. Six (plus deux remplaçants) sont résidents officiels de la tour. Selon la légende, celle-ci restera debout tant que ses sinistres habitants ailés y résideront. Comme on n'est jamais sûr de rien, chaque corbeau a une aile coupée.

Toutes les demi-heures à partir de 9 h 25 (rendez-vous à la Tour centrale *(Middle Tower)*, près de l'entrée principale, les *Yeoman Warders* (gardes traditionnellement recrutés parmi les petits propriétaires, appelés aussi *Beefeaters*, mangeurs de bœuf) organisent des **visites guidées d'une heure**. La dernière commence vers 15 h 25 en été, 14 h 25 en hiver, si le temps le permet.

Il est possible d'assister à la **cérémonie des clés** qui a lieu tous les soirs et au cours de laquelle les *Yeoman Warders* ferment la Tour. Pour obtenir des billets gratuits, envoyez une demande par écrit à Ceremony of the Keys, Waterloo Block, Tower of London, London EC3N 4AB, en spécifiant la date souhaitée ainsi que des dates de rechange, au moins 6 semaines à l'avance. Il convient de joindre à la demande une enveloppe dûment timbrée (timbres britanniques uniquement) ou deux coupons-réponse internationaux. Le jour J, un *Yeoman Warder* vous fera entrer à 21 h 35.

Le truc des initiés

Si vous voulez éviter les files d'attente à la Tour de Londres, présentez-vous dès l'ouverture des portes, avant les hordes de l'après-midi et évitez le dimanche, jour de plus grande affluence.

Victoria and Albert Museum. Cromwell Rd., SW7. ☎ **020/7938-8500.** Entrée : adultes 5 £, seniors 3 £, gratuit pour les moins de 18 ans et les handicapés. Tlj. 10 h-17 h 45. Métro : South Kensington. Bus : C1, 14 ou 74.

Le Victoria and Albert (V & A pour les intimes) est le plus grand musée consacré aux arts décoratifs. C'est également l'un des plus vivants et des plus imaginatifs de Londres : où trouverait-on la fameuse petite robe noire de Chanel dans la collection permanente sinon au V & A ?

Parmi les trésors médiévaux, on compte le chandelier de Gloucester du XIIᵉ siècle, le coffret Byzantin de Veroli, dont les panneaux en ivoire représentent des tragédies grecques et la chape de Syon, dont le style de broderie élaboré en Angleterre au début du XIVᵉ siècle était très prisé. Le secteur consacré à l'art islamique possède le tapis d'Ardabil fabriqué en Perse au XVIᵉ siècle.

Le V & A possède la plus vaste collection de sculptures de la Renaissance italienne hors l'Italie. Le groupe en marbre *Neptune et un triton* du Bernin constitue ainsi l'une des pièces maîtresses de la collection du XVIᵉ siècle. Les cartons de Raphaël, qui furent conçus en vue de l'exécution des tapisseries de la chapelle Sixtine à Rome, appartiennent à la reine et sont exposés ici. Les cours des moulages, impressionnants et inhabituels, rassemblent des modèles grandeur nature de statues et de détails architecturaux du Moyen Âge.

Le musée possède également la plus grande collection d'art indien hors de l'Inde ainsi que des galeries d'art chinois et japonais. On trouve aussi une grande collection de mobilier britannique, de métal ouvragé, de céramiques ainsi qu'une très belle collection de portraits miniatures, notamment celui d'Anne de Clèves réalisé par Hans Holbein le Jeune pour Henri VIII, qui était encore à la recherche d'une épouse adéquate. La collection de costumes comprend une série de corsets à travers les âges à vous faire grimacer de douleur. La collection d'instruments de musique est également remarquable.

En raison du réaménagement du V & A, les galeries britanniques ne rouvriront toutes qu'en 2001. Le musée élabore toutefois un programme dynamique d'expositions en alternance ; il y a donc toujours quelque chose de nouveau à voir.

Le truc des initiés : aussi étonnant que cela puisse paraître, le musée organise un brunch avec musique de jazz le dimanche de 11 h à 15 h. Vous entendrez l'un des meilleurs jazz de Londres en dégustant un brunch anglais complet pour 8,50 £. Et ne ratez surtout pas la galerie la plus excentrique du V & A, « Faux et contrefaçons ». Les faux ont une apparence étonnamment authentique, on serait même tenté d'en préférer certains aux originaux.

✪ **Westminster Abbey.** Broad Sanctuary, SW1. ☎ **020/7222-7110** ou 020/7222-5897. Entrée : adultes 5 £, étudiants et seniors 3 £, 11-18 ans 2 £, gratuite pour les moins de 11 ans, familles 16 £. Lun.-ven. 9 h 15- 15 h 45, sam. 9 h 15-13 h 45. Métro : Westminster ou St James's Park.

Avec ses deux tours carrées et ses voûtes magnifiques, cette abbaye du premier art gothique anglais constitue l'un des plus beaux exemples d'architecture religieuse. Mais elle est encore bien plus : elle est le haut lieu par excellence de la nation, le symbole de la Grande-Bretagne, l'endroit où la majorité de ses souverains furent couronnés et où reposent bon nombre d'entre eux.

Presque tous les grands personnages de l'histoire de l'Angleterre ont laissé leur empreinte dans l'abbaye de Westminster. En 1605, Édouard le Confesseur fonda l'abbaye bénédictine en ce lieu, qui donnait sur Parliament Square. En 1066, Harold fut le premier roi anglais a y être couronné, suivi par celui qui le vainquit un an plus tard à la bataille de Hastings, Guillaume le Conquérant. Cette tradition qui perdure n'a été rompue qu'à deux reprises avec Édouard V et Édouard VIII. La structure qui existe aujourd'hui, principalement du premier gothique anglais, doit davantage à Henri III qu'aux autres souverains, même si de nombreux architectes – y compris Wren – contribuèrent à l'architecture de l'abbaye.

Construite sur le site de l'*Ancient Lady Chapel* au début du XVIe siècle, la **chapelle Henri VII** fait partie des plus belles d'Europe avec ses voûtes en éventail, ses étendards des chevaliers de l'Ordre du Bain et le caveau du roi exécuté par Torrigiani au-dessus duquel se trouve la *Madone et l'Enfant* de Vivarini (XVe siècle). Ironiquement, c'est aussi là que sont enterrées, dans la même tombe, la catholique Marie Ire et la protestante Élizabeth Ire (dont l'ennemie jurée, Marie Stuart, repose de l'autre côté de la chapelle Henri VIII). À une extrémité se trouve la dalle à la mémoire de Cromwell ainsi que la **chapelle de la Royal Air Force** *(Royal Air Force Chapel)*,, décorée d'un vitrail en hommage aux aviateurs qui combattirent à la bataille d'Angleterre (inauguré en 1947).

Vous pouvez également visiter le lieu le plus sacré de l'abbaye, le **tombeau d'Édouard le Confesseur** (canonisé au XIIe siècle). Le trône du couronnement, commandé par Édouard Ier en 1300 pour y exposer la pierre de Scone (depuis restituée à l'Écosse), se trouve dans cette chapelle. Des rois écossais y ont été couronnés.

En entrant dans le bras sud du transept, la statue d'un barde, le bras posé sur une pile de livres, annonce le **coin des Poètes**. Si Shakespeare est enterré à Stratford-upon-Avon, Chaucer, Ben Jonson, Milton, Shelley et bien d'autres reposent ici ; on y trouve aussi des monuments en hommage à de nombreux personnages : Chaucer, Shakespeare, « O Rare Ben Johnson » (avec une faute d'orthographe), Samuel Johnson, George Eliot, Dickens, etc. Le plus stylisé est le buste sculpté de William Blake exécuté par Jacob Epstein. Les mémoriaux les plus récents rendent hommage à Dylan Thomas et Sir Laurence Olivier.

Des hommes d'État et de science, notamment Disraeli, Newton et Darwin, reposent aussi dans l'abbaye ou y ont un monument. Un mémorial à Winston Churchill *(Memorial to Churchill)*, érigé en 1965, est situé près de l'entrée ouest. La **tombe du soldat inconnu** *(Tomb of the Unknown Warrior)*, se trouve à proximité, en hommage aux soldats britanniques morts durant la Première Guerre mondiale.

Près des cloîtres se trouve le **College Garden**, le plus ancien jardin d'Angleterre, cultivé depuis plus de 900 ans. Ceinturés de hauts murs, les arbres en fleurs, pelouses et bancs constituent un havre de paix d'où l'on entend à peine la circulation. Il est seulement ouvert le mardi et le jeudi. Il est possible de reproduire par frottement des plaques tombales en cuivre au **Brass Rubbing Centre** (☎ **020/7222-2085**).

Le truc des initiés : loin des pompes et de la magnificence, l'**Abbey Treasure Museum** offre une foule de curiosités exposées dans la crypte, qui fait partie des édifices monastiques érigés entre 1066 et 1100. Vous y trouverez des effigies, utilisées pour remplacer le corps des souverains lors des cérémonies funéraires. Vous y verrez celle, très réaliste, de l'amiral Nelson (c'est sa maîtresse qui l'a coiffé) et celle d'Édouard III, la lèvre abîmée par le coup qui lui fut porté. Parmi les autres objets bizarres, un contrat de bail en vieil anglais de Chaucer, l'épée fort utilisée d'Henri VI et la bague d'Essex qu'Élisabeth Ire offrit à son favori un jour où elle l'apprécia tout particulièrement.

L'abbaye de Westminster

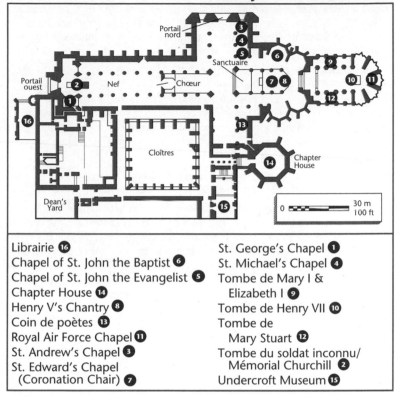

Librairie **16**

Chapel of St. John the Baptist **6**

Chapel of St. John the Evangelist **5**

Chapter House **14**

Henry V's Chantry **8**

Coin de poètes **13**

Royal Air Force Chapel **11**

St. Andrew's Chapel **3**

St. Edward's Chapel
  (Coronation Chair) **7**

St. George's Chapel **1**

St. Michael's Chapel **4**

Tombe de Mary I &
  Elizabeth I **9**

Tombe de Henry VII **10**

Tombe de
  Mary Stuart **12**

Tombe du soldat inconnu/
  Mémorial Churchill **2**

Undercroft Museum **15**

On peut prendre des photos le mercredi soir de 18 h à 19 h 45. Le dimanche, les chapelles royales sont fermées mais les autres édifices sont ouverts – sauf aux heures de culte. Pour en connaître les horaires, contactez le **Chapter Office** (☎ 020/7222-5152). Des bedeaux organisent jusqu'à six visites complètes de l'abbaye du lundi au vendredi à partir de 10 h (3 £ par personne).

3 Le centre historique

ÉGLISES ET CATHÉDRALES

Bon nombre d'églises de Londres offrent des concerts gratuits à l'heure du déjeuner. La liste complète est disponible au London Tourist Board. Il est d'usage d'offrir une modeste contribution.

All Hallows Barking-by-the-Tower. Byward St., EC3. ☎ **020/7481-2928.** Entrée gratuite ; visite du musée de la crypte 2 £. Musée : lun.-ven. 11 h-16 h 30, sam. 10 h-16 h 30, dim. 13 h-16 h 30. Église : lun.-ven. 9 h-18 h, sam.-dim. 10 h-17 h. Métro : Tower Hill.

Situé à côté du clocher, le centre de reproduction de plaques par frottement *(brass-rubbing)* de cette église fascinante compte un musée dans sa crypte ; l'église abrite quant à elle des restes de l'époque romaine et des vestiges du vieux Londres, parmi lesquels une arche saxonne qui domine le clocher. Le célèbre chroniqueur Samuel Pepys monta jusqu'à la flèche pour observer le Grand Incendie en 1666. En 1644, William Penn y fut baptisé et en 1797, John Quincy Adams s'y maria. Pratiquement détruite en 1940 par des bombardements qui n'épargnèrent que le clocher et les murs, elle fut reconstruite de 1949 à 1958.

☉ Brompton Oratory. Brompton Rd., SW7. ☎ **020/7589-4811.** Entrée gratuite. Tlj. 6 h 30-20 h. Métro : South Kensington.

L'Oxford Movement, un groupe d'intellectuels de l'ère victorienne convertis au catholicisme, n'a pas fait les choses à moitié en édifiant cette spectaculaire église en 1884. De style baroque italien, elle est célèbre pour la musique de ses messes et son orgue de presque 4 000 tuyaux et dotée de la troisième plus large nef d'Angleterre après celles des cathédrales de Westminster et de York.

St Bride's. Fleet St., EC4. ☎ **020/7353-1301.** Entrée gratuite. Lun.-ven. 8 h-16 h 45, sam.-dim. 11 h-19 h 30. Concerts à 13 h 15. Métro : Blackfriars.

Appelée « l'église de la presse » parce qu'elle se trouve au bout de Fleet St., St Bride's est un site historique remarquable. L'église actuelle est la huitième construite en ce lieu. Après son bombardement en 1940, un archéologue a mis au jour des cryptes, confirmant une grande partie de l'histoire légendaire du site : une demeure romaine y fut découverte intacte, et il fut prouvé que sainte Brigitte d'Irlande y avait fondé la première église chrétienne. Parmi ses paroissiens, on compte les écrivains John Dryden, John Milton, Richard Lovelace et John Evelyn ; le chroniqueur Samuel Pepys y fut baptisé et le romancier Samuel Richardson et ses proches y sont enterrés. Après sa destruction lors du Grand Incendie, l'église fut reconstruite par Christopher Wren et surmontée d'un clocher qualifié de « madrigal en pierre ». On raconte que cette construction tout en hauteur (71 m de haut) inspira les pièces montées d'un pâtissier qui habitait dans Fleet St. à la fin du XVIIe siècle. Pendant des siècles, la crypte fut un lieu de sépulture et un ossuaire ; c'est aujourd'hui un musée. Des concerts sont organisés le mardi et le vendredi ainsi qu'un récital d'orgue le mercredi (ils sont souvent annulés pendant le carême et Noël).

St Clement Danes. Strand, WC2. ☎ **020/7242-8282.** Entrée gratuite. Lun.-sam. 10 h-16 h. Fermé dim. Office à 11 h le dim. Métro : Temple ou Embankment.

On ne sait pas vraiment pourquoi Danes figure dans le nom de l'église, mais on sait qu'il existait ici une église saxonne en bois, reconstruite en pierre à la fin du Xe siècle. Si elle a survécu au Grand Incendie de Londres, elle n'en fut pas moins déclarée dangereuse et Christopher Wren fut chargé de la reconstruire. Le clocher est dû à James Gibbs ; la décoration intérieure est en stuc. Samuel Johnson assistait régulièrement au culte et l'épouse du poète John Donne y est enterrée. Le Blitz détruisit totalement l'église qui fut à nouveau reconstruite à la fin des années 1950. Grande église de la Royal Air Force, elle abrite à ce titre des monuments en hommage aux aviateurs britanniques, du Commonwealth et des États-Unis qui ont participé à la Seconde Guerre mondiale. William Webb Ellis est l'un de ses pasteurs les plus célèbres. Enfant, il jouait au football à l'école de la ville de Rugby lorsqu'il saisit le ballon et l'emporta en courant : il avait inventé le rugby !

St Etheldreda's. Ely Place, Holborn Circus, EC1. ☎ **020/7405-1061.** Entrée gratuite. Tlj. 8 h-18 h, offices le dimanche. Métro : Farringdon ou Chancery Lane.

La plus vieille église catholique de Londres, St Etheldreda, fut construite en 1251 – le chantre la mentionne dans *Richard II* et *Richard III*. Appartenant au diocèse d'Ely à l'époque où nombre d'évêques avaient des propriétés épiscopales à Londres – en plus de celles de leur évêché –, elle échappa au Grand Incendie. Ely Place demeure un passage privé avec ses impressionnants portails en fer et la guérite du gardien. Le domaine est administré par une commission de six membres élus.

Sainte Etheldreda, parfois appelée sainte Audrey, était la fille d'un roi du VIIe siècle ; elle quitta son mari pour fonder une abbaye sur l'île d'Ely. La tradition musicale de St Etheldreda's est digne d'être mentionnée, la messe de 11 h le dimanche étant chantée en latin. Les autres messes ont lieu le dimanche à 9 h, et du lundi au vendredi à 8 h et 13 h et le samedi à 9 h 30. Un déjeuner composé de plats chauds et froids est servi à l'office du lundi au vendredi de 11 h 30 à 14 h.

St Giles Cripplegate. À l'intersection de Fore St. et de Wood St., London Wall, EC2. ☎ 020/7638-1997. Entrée gratuite. Lun.-ven. 9 h-17 h, sam. 9 h-12 h pour le culte. Métro : Moorgate ou St Paul's. Des visites guidées sont organisées la plupart des mardis après-midi. Téléphoner pour vérifier.

Ainsi nommée en hommage au patron des invalides, St Giles fut fondée au XIe siècle. Le Grand Incendie de Londres l'épargna mais pas le Blitz, qui n'en laissa que le clocher et les murs. C'est ici qu'Olivier Cromwell se fiança à Élisabeth Bourchier en 1620 et que John Milton, auteur du *Paradis perdu*, fut enterré en 1674. Plus d'un siècle plus tard, quelqu'un viola la tombe du poète, lui enfonça les dents, vola l'une de ses côtes et lui arracha des cheveux.

St James's Church. 197 Piccadilly, W1. ☎ 020/7734-4511. Entrée gratuite. Récitals mer.-ven. à 13 h 10. Métro : Piccadilly Circus ou Green Park.

Lorsque le quartier aristocratique de St James's connut son essor au XVIIe siècle, Sir Christopher Wren fut chargé d'en construire l'église paroissiale. Selon le chroniqueur John Evelyn, « il n'existe pas d'autre autel en Angleterre ou à l'étranger qui fut aussi joliment décoré. » Les retables, le buffet d'orgue et les fonts baptismaux sont tous l'œuvre du maître sculpteur de Wren, Grinling Gibbons. Comme on pourrait s'y attendre, l'église a un riche passé : le poète William Blake et le premier comte de Chatham William Pitt, qui devint le plus jeune Premier Ministre de l'Angleterre à 24 ans, y furent tous deux baptisés. Le caricaturiste James Gillray, le commissaire-priseur James Christie et le fondateur des *coffee houses* Francis White y sont enterrés. Le mariage de l'explorateur Samuel Baker à une esclave qu'il avait achetée aux enchères dans un bazar turc figura parmi les plus pittoresques. St James's Church est une église anglicane œcuménique connue pour son ouverture d'esprit. C'est également le siège du *Centre for Health and Healing* (centre de santé et de guérison) et un lieu où sont organisés des séminaires sur le New Age et la spiritualité de la Création. La cour abrite un *Bible Garden* et un marché artisanal. Le *Wren Café*, ouvert tous les jours, accueille des concerts à l'heure du déjeuner et le soir.

Le truc des initiés : il y a aussi un marché aux antiquaires le mardi de 10 h à 19 h et un marché d'objets artisanaux du mercredi au samedi de 10 h à 19 h.

St Martin-in-the-Fields. Trafalgar Sq., WC2. ☎ 020/7930-0089. Lun.-sam. 10 h-20 h, dim. 12 h-20 h à condition qu'il n'y ait pas d'office. Métro : Charing Cross.

Conçu par James Gibbs, disciple de Christopher Wren, ce temple classique achevé en 1726 se dresse dans la partie nord-ouest de Trafalgar Square, en face de la National Gallery. Ajoutée en 1824, sa flèche s'élève à plus de 56 m de hauteur – son sommet dépasse la colonne de Nelson. Depuis le début de la Première Guerre mondiale, cette église offre traditionnellement le « souper et le coucher » aux sans-abri.

À une époque, la crypte abrita les ossements de Charles II, qui fut baptisé ici (ils se trouvent désormais à l'abbaye de Westminster) ; c'est ce qui confère à Saint-Martin un statut d'église paroissiale royale. La maîtresse de Charles II, Nell Gwynne, y fut aussi enterrée, tout comme le célèbre bandit de grand chemin Jack Sheppard (ces derniers sont toujours là). Le sol de la crypte est composé de pierres tombales et ses murs datent du début du XVIᵉ siècle. Les inconditionnels du petit restaurant **Café in the Crypt** l'appellent toujours « Field's ». Vous trouverez également dans la crypte le **London Brass Rubbing Centre** (☎ 020/7930-9306), qui possède 88 copies conformes de portraits en bronze prêts à l'emploi. Le papier, le matériel pour décalquer les plaques et le mode d'emploi vous sont fournis, tout ceci sur fond de musique classique. Il en coûte de 2,50 £ à 15 £, ce dernier prix permettant de prendre le calque d'un croisé grandeur nature, la plus grande pièce de la collection. Il y a aussi un magasin de souvenirs où sont vendus des kits pour les enfants, des calques tout faits très bon marché, de la bijouterie celte, des plaques mortuaires miniatures et des figurines de chevaliers. Le centre est ouvert du lundi au samedi de 11 h à 16 h et le dimanche de 13 h à 16 h.

Le truc des initiés : un marché artisanal se trouve derrière l'église. Des concerts sont donnés le lundi, le mardi et le vendredi à 13 h 05 et du jeudi au samedi à 19 h 30. Les billets coûtent de 6 à 15 £.

St Mary-le-Bow. Cheapside, EC2. ☎ **020/7248-5139.** Entrée gratuite. Lun.-mer. 6 h 30-18 h, jeu. 6 h 30-18 h 30, ven. 6 h 30-16 h. Métro : St Paul's, Bank ou Mansion House.

On dit que pour être un vrai Cockney, il faut être né assez près de cette église pour avoir pu entendre les fameuses cloches de Bow. Son histoire est jalonnée de nombreux désastres : en 1091, son toit fut arraché par la tempête ; son clocher s'écroula en 1271, faisant 20 morts ; en 1331, le balcon où se tenaient la reine Philippa et ses dames d'honneur s'écroula au cours d'une joute organisée pour l'anniversaire du Prince Noir ; elle fut reconstruite par Wren après sa destruction par le Grand Incendie ; ses cloches « Cockney » d'origine furent détruites pendant le Blitz, et remplacées depuis. En 1964, à l'issue de vastes travaux de rénovation, l'église fut à nouveau inaugurée officiellement.

St Paul's, the Actors Church. Covent Garden, WC2. ☎ **020/7836-5221.** Entrée gratuite. Mar.-ven. 9 h 30-16 h 30, lun. 9 h 30-14 h, service dim. 11 h. Métro : Covent Garden.

Avec le Drury Lane Theatre, le Royal Opera House et bien d'autres théâtres dépendant de sa paroisse, St Paul's est depuis longtemps associée aux arts du théâtre. Vous y trouverez de nombreuses plaques en hommage à des célébrités du spectacle telles que Vivien Leigh, Boris Karloff, Margaret Rutherford et Noel Coward pour ne citer qu'eux. Conçue par Inigo Jones en 1631, cette église a connu d'importantes modifications au cours des années tout en conservant sa calme piazza-jardin à l'arrière. Parmi les grands personnages qui y sont enterrés, citons le sculpteur sur bois Grinling Gibbons, l'écrivain Samuel Butler et l'actrice Ellen Terry. Le peintre Turner et le librettiste Gilbert y furent tous deux baptisés.

Southwark Cathedral. Montague Close, London Bridge, SE1. ☎ **020/7407-3708.** Entrée gratuite ; contribution suggérée 2 £. Tlj. 8 h 30-18 h. Métro : London Bridge.

Depuis plus d'un millénaire, en plein cœur du premier quartier des théâtres de Londres se dresse une église. L'édifice actuel remonte au XVᵉ siècle mais fut en partie reconstruit en 1890. Le précédent fut la première église de style gothique de Londres (1106). Shakespeare et Chaucer la fréquentèrent. Un service commémoratif de l'anniversaire de Shakespeare y est organisé chaque année et un monument en son hommage se trouve à l'intérieur. On y voit également une statue de chevalier en bois de 1275.

En 1424, James Ier d'Écosse s'y maria avec Marie Beaufort. Au cours du règne de Marie Tudor, Stephen Gardiner, évêque de Winchester, organisa un procès dans l'arrière-chœur où sept protestants furent condamnés à mort (les martyres marians). Ultérieurement, ce même arrière-chœur fut loué à un boulanger et servit même de porcherie. Des concerts sont régulièrement organisés à l'heure du déjeuner le lundi et le mardi ; téléphoner pour obtenir les horaires et les programmes.

Temple Church. The Temple (à l'intérieur de l'Inner Temple), EC4. ☎ **020/7353-1736.** Entrée gratuite. Mer.-sam. 10 h-16 h, dim. 13 h-16 h. Métro : Temple.

L'église des Templiers est l'une des trois dernières églises romanes « circulaires » d'Angleterre. Elle fut achevée au XIIe siècle et restaurée ultérieurement. Il convient de noter le porche roman, les gisants de chevaliers et la rotonde ornée de bustes grotesques parmi lesquels une chèvre en stuc.

Dans l'Inner Temple Lane, là où le Strand se transforme en Fleet Street en allant vers l'est, vous verrez le **Temple Bar**, pilier commémoratif qui marque les limites du quartier de la City.

Wesley's Chapel, House & Museum of Methodism. 49 City Rd., EC1. ☎ **020/7253-2262.** Entrée gratuite dans la chapelle. Maison et musée : adultes 4 £, seniors, étudiants et 5-17 ans 2 £. Lun.–sam. 10 h-16 h. Entrée gratuite le dim. après le service, entre 12 h et 14 h. Métro : Old St. ou Moorgate.

John Wesley, créateur du méthodisme, fonda cette chapelle en 1778 pour en faire son siège londonien. L'homme qui parcourut les campagnes anglaises à dos de cheval pour porter la bonne parole vivait à côté, au n° 47, et il est enterré derrière la chapelle. Elle survécut au Blitz mais tomba ultérieurement en désuétude et fut rénovée de fond en comble dans les années 1970. Le musée installé dans la crypte retrace l'histoire du méthodisme.

De l'autre côté de la rue, à Bunhill Fields, se trouve le **Dissenters Graveyard** (cimetière des dissidents), où sont enterrés Daniel Defoe, William Blake et John Bunyan.

Westminster Cathedral. Ashley Place, SW1. ☎ **020/7798-9055.** Entrée gratuite dans la cathédrale, visite audio-guidée 2,50 £. Campanile, 2 £. Cathédrale, tlj. 7 h-19 h. Campanile, Avr. – Nov. tlj. 9 h-13 h et 14 h-17 h ; autres périodes jeu.-dim. uniquement. Métro : Victoria.

Cette cathédrale spectaculaire en brique et pierre (1903) est le siège de l'Église catholique de Grande-Bretagne. Décorée dans le premier style byzantin, elle est gigantesque : 110 m de long et 47 m de large. L'intérieur est richement orné de cent marbres différents. Huit piliers de marbre bordent la nef. L'énorme baldaquin situé au-dessus de l'autel est soutenu par huit colonnes de marbre jaune. Les chapelles et les voûtes du sanctuaire sont décorées de mosaïque. Si vous montez en ascenseur jusqu'en haut du campanile de 83 m, vous bénéficierez d'une vue superbe sur le palais de Buckingham, l'abbaye de Westminster et la cathédrale St Paul. Une cafétéria propose des snacks et des boissons sans alcool de 9 h à 17 h ; le magasin de souvenirs est ouvert de 9 h 30 à 17 h 15.

ÉDIFICES HISTORIQUES

Banqueting House. Whitehall Palace, Horse Guards Ave., SW1. ☎ **020/7930-4179.** Entrée : adultes 3,50 £, seniors et étudiants 2,70 £, enfants 2,30 £. Lun.-sam. 10 h-17 h (entrée à 16 h 30 au plus tard). Métro : Westminster, Charing Cross ou Embankment.

La maison des banquets du palais de Whitehall compte sans doute l'une des plus somptueuses salles à manger… malheureusement, on ne peut y dîner, à moins d'être

Covent Garden, le Strand et St. James

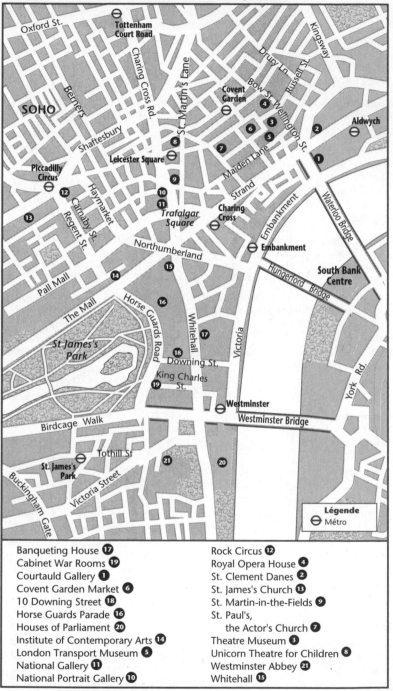

Banqueting House **17**
Cabinet War Rooms **19**
Courtauld Gallery **1**
Covent Garden Market **6**
10 Downing Street **18**
Horse Guards Parade **16**
Houses of Parliament **20**
Institute of Contemporary Arts **14**
London Transport Museum **5**
National Gallery **11**
National Portrait Gallery **10**

Rock Circus **12**
Royal Opera House **4**
St. Clement Danes **2**
St. James's Church **13**
St. Martin-in-the-Fields **9**
St. Paul's,
   the Actor's Church **7**
Theatre Museum **3**
Unicorn Theatre for Children **8**
Westminster Abbey **21**
Whitehall **15**

un chef d'État en visite officielle. Conçue par Inigo Jones et décorée, entre autres, d'un plafond peint par Rubens, elle est suffisamment fascinante pour qu'on en oublie sa faim. Elle accueillit de grands événements historiques tels que la défenestration du roi Charles Ier qui passa au travers d'une fenêtre et atterrit sur les échafaudages extérieurs, ainsi que la cérémonie de restauration au pouvoir de Charles II qui marqua le retour de la monarchie après le bref Commonwealth puritain de Cromwell.

Cabinet War Rooms. Clive Steps, au bout de King Charles St. (qui commence dans Whitehall à côté de Big Ben), SW1. ☎ **020/7930-6961.** Entrée : adultes 4,80 £, seniors et étudiants 3,50 £, enfants 2,40 £. Avr.-sept., tlj. 9 h 30-18 h (entrée à 17 h 15 au plus tard) ; oct.-mar., tlj. 10 h-17 h 30. Métro : Westminster ou St James's.

C'est dans ce bunker que Winston Churchill et son gouvernement dirigèrent la nation pendant la Seconde Guerre mondiale. Bon nombre des salles n'ont guère changé depuis septembre 1945 : les conservateurs de l'Imperial War Museum ont étudié des photographies de façon à replacer bloc-notes, dossiers, machines à écrire et même crayons, épingles et trombones aux places qui leur revenaient.

Une visite audio-guidée fournit pas à pas des explications détaillées sur la fonction et l'histoire de chaque salle de ce centre nerveux de la Seconde Guerre mondiale. Vous passerez par la salle des cartes *(Map Room)* aux murs sont tapissés de cartes gigantesques ; à coté se trouve le bureau/chambre à coucher de Churchill, avec un simple lit et un bureau sur lequel se trouvent deux micros de la BBC qui permettaient de diffuser ses célèbres discours. La salle du téléphone transatlantique *(Transatlantic Telephone Room)* n'est guère plus grande qu'un placard à balais, mais c'est là que se trouvait le poste relié au téléphone qui brouillait les conversations (« Sig-Saly ») et permettait à Churchill de parler en toute sécurité avec Roosevelt. Trop volumineux pour tenir dans le bunker, le « brouilleur » fut installé dans le sous-sol du grand magasin Selfridges d'Oxford St.

Chelsea Royal Hospital. Royal Hospital Rd., SW3. ☎ **020/7730-0161.** Si vous souhaitez le visiter de façon approfondie, faites une demande par écrit à l'adjudant-major, (adjutant), Royal Hospital Chelsea, London, SW3 4SR. Les visites guidées sont gratuites mais les dons sont bienvenus. Vous pouvez aussi l'explorer à votre guise. Entrée gratuite. Lun.-sam. 10 h-12 h et 14 h-16 h, dim.14 h-16 h. Métro : Sloane Sq.

Fondée par Charles II en 1682 pour accueillir les anciens combattants, cette institution empreinte de dignité fut réalisée par Christopher Wren en 1692. L'architecture a peu changé, hormis de petites modifications effectuées par Robert Adam au XVIIIe siècle et la construction d'écuries conçues par John Soane en 1814. Le corps principal est flanqué d'une aile à l'est et à l'ouest et comprend la chapelle. La dépouille du duc de Wellington fut exposée dans le hall du 10 au 17 novembre 1852. La ruée pour lui rendre un dernier hommage fut telle que deux personnes moururent écrasées.

✪ Horse Guards. Whitehall, SW1. ☎ **020/7414-2396.**
Au nord de Downing Street sur Whitehall, se trouve l'édifice des Horse Guards, construit sur les plans de William Kent, architecte en chef de George II, pour servir de quartier général à l'armée britannique. Ce sont les *Horse Guards* que l'on vient surtout voir : ils appartiennent au régiment de la cavalerie de la Garde royale, qui réunit les deux plus anciens et plus prestigieux régiments de l'armée : la cavalerie de la Garde *(Life Guards)* et les *Blues and Royals*. Les premiers portent une tunique rouge et un plumet blanc, les seconds une tunique bleue et un plumet rouge. Deux membres (très photographiés) de la cavalerie montent la garde tous les jours de 10 h à 17 h. Les sentinelles montées sont relevées toutes les heures pour permettre aux chevaux de se reposer. Les sentinelles à pied sont relevées toutes les deux heures. Tous les jours à 16 h, le

commandant de la garde inspecte ses troupes de façon assez impressionnante et, à 17 h, elles mettent pied à terre avec style et en fanfare.

Certains préfèrent voir la **relève de la garde** au palais de Buckingham. Elle a généralement lieu du lundi au vendredi vers 11 h et le dimanche à 10 h 30 ; une nouvelle unité de la garde quitte la caserne de Hyde Park, descend Pall Mall à cheval pour arriver à l'édifice des Horse Guards (tout ceci en 30 minutes environ). La garde qui vient d'être relevée retourne à sa caserne.

Si vous passez par l'arche des Horse Guards, vous vous trouverez à la **Horse Guards Parade** qui débouche sur St James's Park. Cette vaste esplanade offre la meilleure vue sur les différents styles architecturaux qui composent Whitehall. Malheureusement, le terrain des défilés est devenu un parking.

Le spectacle militaire le plus célèbre en Grande-Bretagne, **Trooping the Colour** (le salut aux couleurs), qui marque l'anniversaire de la reine, a lieu en juin à Horse Guards Parade (voir le « Calendrier des événements londoniens » au chapitre 2). La « couleur » désigne le drapeau du régiment. Pour les amateurs de grande pompe, la « battue en retraite » est exécutée ici 3 ou 4 soirs par semaine les deux premières semaines de juin, mais ce n'est qu'une répétition générale.

Spencer House. 27 St James's Place, SW1. ☎ **020/7499-8620.** Entrée : adultes 6 £, moins de 16 ans 5 £, l'entrée n'est pas permise aux moins de 10 ans. Dim. 10 h 30-17 h 30. Fermé jan. et août. Métro : Green Park.

C'est l'un des plus beaux édifices de la ville. Il fut construit en 1766 par le premier comte Spencer pour rendre hommage de façon exubérante à son amour d'enfance Georgiana Poyntz, qu'il avait épousée en secret l'année précédente. Ce n'est plus une résidence privée depuis 1927 ; le bâtiment a connu des hauts et des bas jusqu'à sa restauration et sa transformation en musée en 1990. Les pièces sont remplies de mobilier d'époque et d'œuvres d'art prêtées, certaines par la reine Élisabeth elle-même. La *Palm Room* (salle aux palmiers), tout en blanc, vert et or, est le salon le plus spectaculaire.

St Pancras Station. Euston Rd., NW1. Métro : King's Cross/St Pancras.

Terminus londonien du Midland Railway, la gare St Pancras (1863-1867) est un chef-d'œuvre d'ingénierie de l'ère victorienne. Conçu par W. H. Barlow, le hangar en fer et verre mesure 210 m de long, 73 m de large et, en son point le plus haut, s'élève à plus de 30 m au-dessus des rails. On a surélevé les quais de 6 m car les voies ferrées passaient sur le Regent's Canal avant d'entrer en gare. Mais le *must* reste l'extravagant Midland Grand Hotel de Sir George Gilbert Scott. Construit dans le style néogothique, il est orné de pinacles, de tours et de pignons ; c'est aujourd'hui un immeuble de bureaux. La façade de 172 m de large est flanquée d'un clocher et d'une tour sur son côté ouest.

LE LONDRES JUDICIAIRE

C'est le nom que l'on donne souvent à la plus petite circonscription urbaine de Londres, le quartier très animé de **Holborn**. La majorité des avocats, avoués et juristes y sont établis et c'est là que se trouvent les anciennes **Inns of Court** (écoles de droit) (Métro : Holborn ou Chancery Lane). Tous les avocats plaidants sont tenus d'appartenir à l'une de ces institutions et bon nombre travaillent dans les vieux bâtiments imposants des *Inns of Court* : **Gray's Inn**, **Lincoln's Inn** (le mieux conservé) et le **Middle and Inner Temple** (juste à la limite, à l'intérieur de la City). Très endommagés pendant la Seconde Guerre mondiale, certains ont été remplacés par des immeubles de bureaux. Toutefois, le quartier a conservé des éléments de son passé.

Gray's Inn. Gray's Inn Rd. (au nord de High Holborn ; entrée sur Theobald's Rd.),

WC1. ☎ 020/7458-7800. Entrée gratuite aux places et jardins. Tlj. 6 h-minuit. Métro : Chancery Lane.

Vous devez faire une demande par écrit pour obtenir l'autorisation de pénétrer dans le hall. Gray's Inn est la quatrième des anciennes *Inns of Court* toujours utilisées. Le philosophe Francis Bacon (1561-1626) en fut le pensionnaire le plus éminent. En entrant, on voit une rangée de maisons de style anglais et d'inspiration néoclassique, qui dans leur majorité sont des demeures et des bureaux ou des cabinets d'avocats. Les bâtiments ayant été fortement endommagés pendant la Seconde Guerre mondiale, ils ont été réhabilités ; le *Tudor Hall* a été reconstruit. Mais ce sont les beaux jardins et les pelouses ombragées qui attirent le plus. On ne retrouve l'atmosphère du XVIIe siècle que sur la place.

Law Courts. Strand, WC2. Entrée gratuite. Appareils photo, magnétophones, Caméscopes et téléphones portables interdits durant les séances. Lun.-ven. 10 h-16 h 30. Métro : Holborn ou Temple.

Toutes les affaires civiles et certains procès criminels sont entendus dans plus de 60 tribunaux. Ces bâtiments de style néogothique (1874-1882, architecte G. E. Street) comportent plus de 1 000 salles et plus de 5,5 km de couloirs. Des sculptures représentant le Christ, le roi Salomon et le roi Alfred se dressent à l'entrée principale tandis que Moïse se trouve à l'entrée arrière. C'est ici que le président de la Haute Cour de Justice fait prêter serment, le deuxième samedi de novembre, au *lord mayor* (maire) élu tous les ans.

Lincoln's Inn. Carey St., WC1. ☎ 020/7405-1393. Entrée gratuite. Lun.-ven. 7 h-19 h. Métro : Holborn ou Chancery Lane.

Lincoln's Inn est la plus ancienne des quatre *Inns of Court*. Située entre la City et le West End, elle est composée d'un domaine de 4,4 ha avec pelouses, places, jardins, chapelle du XVIIe siècle (peut-être due à Inogo Jones ; ouverte lun.-ven. de 12 h 30 à 14 h), bibliothèque et deux halls… L'*Old Hall*, l'ancien réfectoire, remonte à 1490. Il n'a pratiquement subi aucune modification et a conservé ses panneaux, ses vitraux et sa clôture en bois. Thomas More y vécut jadis ; le lieu est également le cadre du premier chapitre du roman de Dickens *La Maison déserte* (1854) ; enfin, les avoués s'y retrouvaient pour se restaurer et discuter vers la fin du XVIIIe siècle. Le *Great Hall*, l'une des plus belles constructions de style Tudor à Londres, fut inauguré par la reine Victoria en 1843. C'est désormais le centre de l'*Inn*, utilisé pour les cérémonies d'accession au barreau.

Middle Temple Hall. Middle Temple Lane, EC4. ☎ 020/7427-4800. Entrée gratuite. Lun.-ven. 10 h-11 h 30 et 15 h-16 h. Métro : Temple.

En partant de Victoria Embankment, Middle Temple Lane se trouve entre les Middle et Inner Temple Gardens dans le quartier de Temple. Celui-ci doit son nom à l'ordre médiéval des Templiers constitué à Jérusalem par les croisés au XIIe siècle. On raconte que les barons d'Henri VI auraient cueilli des roses rouges et blanches dans le Middle Temple Garden et commencé la guerre des Roses en 1430 ; à présent, seuls les membres du Temple et leurs invités sont autorisés à pénétrer dans les jardins. La salle paroissiale de style Tudor construite en 1570, en revanche, est ouverte au public. La troupe de Shakespeare aurait joué ici la première représentation de *La Nuit des rois* en 1602. Enfin, une table exposée aurait été exécutée avec du bois provenant du vaisseau de Francis Drake, *The Golden Hind*.

Old Bailey. Newgate St., EC4. ☎ 020/7248-3277. Entrée gratuite. Séances des tribunaux lun.-ven. 10 h 30-13 h et 14 h-16 h 30. Les moins de 14 ans ne sont pas admis ; les 14-16 ans doivent être accompagnés d'un adulte. Appareils photo, magnétophones ou téléphones portables interdits (attention, il n'y a pas de vestiaire). Métro : St Paul's. Pour s'y rendre à partir du Temple, prenez Fleet St. vers la City, qui se transforme en Ludgate Hill ; traversez Ludgate Circus puis tournez à gauche vers l'Old Bailey, un édifice avec un dôme surmonté du symbole de la Justice.

Ce tribunal remplaça l'infâme prison de Newgate, jadis un lieu de pendaisons et autres formes de « divertissements publics ». Il est affectueusement connu sous le surnom de « Old Bailey », le nom d'une rue à proximité. Observer les avocats en perruques en train de plaider est absolument fascinant, mais vous devrez faire la queue pour y entrer. Les responsables de la sécurité vous orienteront vers l'une des salles d'audience où sont jugées des affaires en cours. On entre dans les salles 1 à 4 et 17-18 par l'entrée de Newgate Street, et dans les autres par l'entrée d'Old Bailey (la rue).

Royal Courts of Justice. The Strand, WC2. ☎ **020/7936-6751.** Entrée gratuite. Appareils photo, caméscopes, magnétophones ou téléphones portables interdits. Lun.-ven. 10 h-16 h 30. Métro : Temple.

Construit en 1882 mais avec une architecture typique du XIIIe siècle, ces tribunaux traitent les affaires de droit maritime, de divorces, de successions, de tutelles judiciaires, d'appels ainsi que celles qui sont du ressort de la Cour supérieure de justice. Une exposition de robes d'avocats et de juges est installée depuis peu à l'entrée de Carey Street. En sortant des *Royal Courts* par le portail arrière, vous vous retrouvez dans Carey St., à proximité de New Sq.

Staple Inn. High Holborn, WC1. ☎ **020/7242-5240.** Entrée gratuite. Métro : Chancery Lane.

Située près de la station de métro Chancery Lane, Staple Inn, en partie construite en bois, et huit autres anciennes *Inns of Chancery* ne sont plus utilisées par les avocats et sont désormais bordées de magasins. Staple Inn fut édifiée entre 1545 et 1589 et reconstruite à de maintes reprises. Samuel Johnson y emménagea en 1759, l'année de la publication de *Rasselas*.

LE LONDRES LITTÉRAIRE

Pour d'autres visites d'intérêt littéraire, voir « Hampstead » dans la section « Les faubourgs ».

Carlyle's House. 24 Cheyne Row, SW3. ☎ **020/7352-7087** ou 01494/755-559. Entrée : adultes 3,30 £, enfants 1,65 £. Mer.-ven. 14 h-17 h, sam.-dim. 11 h-17 h. Métro : Sloane Sq. Bus : 11, 19, 22, 49 ou 239.

De 1834 à 1881, l'auteur d'*Histoire de la Révolution française* et son épouse Jane Baillie Welsh Carlyle, célèbre pour ses lettres, résidèrent dans ces modestes maisons mitoyennes qui remontent à 1708. Meublée essentiellement comme à l'époque de Carlyle, cette maison est située tout près de la Tamise, non loin du Chelsea Embankment, parallèlement à King's Road. Jane la décrivait ainsi : « d'une apparence des plus anciennes, elle correspond bien à notre humeur, toute lambrissée, sculptée, bizarre, vaste, imposante, avec des placards qui feraient le bonheur de Barbe-Bleue ». Le salon de Jane Carlyle se trouve au 2e étage. La pièce la plus intéressante est au grenier : c'est le bureau de Thomas Carlyle, soi-disant insonorisé et baigné de lumière naturelle. Il regorge de souvenirs associés à l'historien : ses livres, une lettre de Disraeli, des effets personnels, un siège d'écritoire et même son masque mortuaire.

Dickens House. 48 Doughty St., WC1. ☎ **020/7405-2127.** Entrée : adultes 3,50 £, étudiants 2,50 £, enfants 1,50 £, familles 7 £. Lun.-ven. 9 h 45-17 h 30, sam. 10 h-17 h. Métro : Russell Sq.

Les demeures de Virginia Woolf

Née à Londres en 1882, Virginia Woolf choisit souvent cette ville comme cadre de ses romans, parmi lesquels *La Chambre de Jacob* (1922). Fille de Sir Leslie Stephen et de Julia Duckworth, Virginia passe ses premières années au **22 Hyde Park Gate**, près de Kensington Road et du Royal Albert Hall. Sa mère meurt en 1895 et son père en 1904.

Virginia et sa sœur Vanessa quittent alors Kensington pour Bloomsbury, où elles s'installent près du British Museum. Un choix intéressant car Bloomsbury est à l'époque un quartier que la haute société victorienne ne considère pas comme « respectable ». Virginia va se l'approprier et, dans la foulée, en faire le centre littéraire de Londres, bientôt connu dans le monde entier. À partir de 1905, les Stephens habitent au **46 Gordon Square**, à l'est de Gower Street et de University College. C'est là que se constitue le célèbre groupe de Bloomsbury. À terme, il comptera Clive Bell et Leonard Woolf, futurs maris de Vanessa et de Virginia. Puis la romancière passe au **29 Fitzroy Square**, à l'ouest de Tottenham Court Road, dans une maison où avait vécu George Bernard Shaw.

Pendant les vingt années qui suivent, elle déménagea plusieurs fois, toujours dans Bloomsbury : à **Brunswick Square**, **Tavistock Square** et **Mecklenburg Square**. Ces lieux ont disparu ou ont subi de telles modifications qu'ils sont aujourd'hui méconnaissables. Durant cette époque, le groupe de Bloomsbury accueille en son sein les artistes Roger Fry et Duncan Grant ; Virginia devient même l'amie de John Maynard Keynes, l'économiste, et de l'écrivain d'E. M. Forster *(La Route des Indes)*. À Tavistock Square (de 1924 à 1939) puis Mecklenburg Square (1939-1940), elle dirige les éditions Hogarth Press avec son mari. C'est là qu'elle publie ses premières œuvres ainsi que *La Terre vaine* de T. S. Eliot.

Pour échapper à la ville, Leonard et Virginia achètent Monk's House, dans le village de Rodmell, entre Lewes et Newhaven dans le Sussex, où ils y vivent jusqu'en 1941. Cette année-là, Virginia, profondément perturbée par les horreurs de la guerre, va se noyer dans l'Ouse toute proche. Ses cendres sont enterrées dans le jardin de sa dernière demeure.

C'est à Bloomsbury que se trouve la modeste demeure dans laquelle Charles Dickens écrivit *Olivier Twist* et termina *Les Aventures de M. Pickwick*. La maison, pratiquement devenue un lieu de pèlerinage, abrite son bureau, ses manuscrits et souvenirs personnels ainsi qu'une reconstitution de ses appartements.

Samuel Johnson's House. 17 Gough Sq., EC4. ☎ **020/7353-3745**. Entrée : adultes 3 £, étudiants et seniors 2 £, enfants 1 £, gratuite pour les enfants jusqu'à 10 ans. Avr.–sept., lun.-sam. 11 h-17 h 30 ; oct.-mars lun.-sam. 11 h-17 h. Métro : Blackfriars ou Temple. Bus à partir de Trafalgar : 11, 15 ou 23. Prendre New Bridge St. et tourner à gauche dans Fleet St. ; Gough Sq. est une petite place à l'écart, au nord de Fleet St.

Samuel Johnson et ses copistes rédigèrent son célèbre dictionnaire dans cette maison où vécut le lexicographe, essayiste et romancier de 1748 à 1759. Si Johnson demeura également à la Staple Inn de Holborn et en d'autres lieux, la maison de Gough Square est la seule de ses résidences qui existe encore à Londres. Ce bâtiment du XVIIe siècle, soigneusement restauré, vaut bien le détour.

Une fois la maison visitée, faites donc un petit arrêt au **Ye Olde Cheshire Cheese**, Wine Court Office Court, 145 Fleet St. (☎ **020/7353-6170**), le pub préféré de Johnson, où il dut passer de longues soirées car lorsqu'il eut terminé son dictionnaire, il avait déjà dépensé son avance de 1 500 guinées. G. K. Chesterton, auteur de *What's Wrong with the World* (*Qu'est-ce qui ne va pas dans le monde*, 1910) et de *The Superstition of Divorce* (*La superstition du divorce, 1920*), le fréquentait lui aussi assidûment.

MUSÉES ET GALERIES

Apsley House, The Wellington Museum. 149 Piccadilly, Hyde Park Corner, SW1. ☎ **020/7499-5676.** Entrée : adultes 4,50 £, seniors et 12-17 ans 3 £, gratuit pour les enfants de moins de 12 ans. Mar.-dim. 11 h-17 h. Métro : Hyde Park Corner.

Aspley House était l'hôtel particulier du duc de Wellington, l'un des plus grands généraux britanniques, le « duc de fer » qui remporta la bataille de Waterloo. Premier Ministre, il dût faire poser des volets en fer à ses fenêtres pour se protéger des foules outrées par son opposition autocratique à la réforme – mais cette impopularité ne dura pas.

Les nombreuses œuvres d'art comptent trois toiles de Velázquez et des souvenirs militaires – médailles et décorations militaires du duc – et, dans la *Plate and China Room* (salle des vaisselles et porcelaines), des pièces d'argenterie et de porcelaine parmi les plus belles d'Europe. Les monarques européens, reconnaissants à Wellington d'avoir sauvé leur trône, lui offrirent des trésors inestimables ; ainsi, un service égyptien en porcelaine de Sèvres que Napoléon destinait à Joséphine en guise de cadeau de divorce qu'elle refusa, et finalement offert à Wellington par Louis XVIII. Le service portugais en argent, fabriqué entre 1812 et 1816, est considéré comme le plus bel exemple d'argenterie portugaise de style néoclassique.

☉ British Library. 96 Euston Rd., NW1. ☎ **020/7412-7000.** Entrée gratuite. Lun., mer.-ven. 9 h 30-18 h., mar. 9 h 30-20 h, sam. 9 h 30-17 h, dim. 11 h-17 h. Métro : King's Cross/St Pancras.

L'une des plus grandes bibliothèques du monde a quitté le British Museum pour St Pancras. Le déménagement des 12 millions d'ouvrages, manuscrits et autres articles commença en décembre 1996. La nouvelle bibliothèque donne une impression de beauté moderniste qui change de l'atmosphère de gloire fanée à l'ombre des fantômes de Marx, Thackeray et Virginia Woolf de la vieille bibliothèque du British Museum. Mais ici, vous aurez sans doute l'ouvrage que vous recherchez en une heure au lieu de trois jours... Universitaires, étudiants, écrivains et rats de bibliothèques des quatre coins du monde s'y retrouvent pour effectuer des recherches sur tous les sujets possibles – l'histoire des pubs par exemple.

L'intérieur clair et spacieux est beaucoup plus accueillant que l'extérieur ne le ferait penser. L'écrivain Alain de Botton l'a comparé à un supermarché de la chaîne britannique Tesco, mais l'architecte, Colin St John Wilson, est évidemment plus sensible aux réactions positives suscitées par sa réalisation. Même le prince Charles, pour qui fut organisée une visite spéciale, se montra très encourageant et garda pour lui ses commentaires après sa première désapprobation. La *Humanities Reading Room*, construite sur trois niveaux et éclairée naturellement par le plafond, est la plus spectaculaire.

Parmi les éléments qui composent son impressionnante collection, on compte des pièces d'intérêt historique et littéraire telles que deux des quatre exemplaires existants de la *Magna Carta* (la Grande Charte, 1215) de Jean sans Terre, une Bible de Gutenberg, la dernière lettre de Nelson à Lady Hamilton et le journal du capitaine

Le sésame des musées

Si vous venez à Londres pour faire la tournée des pubs, le principe ne vous intéressera pas ; en revanche, si vous êtes amateur de musées, vous ferez beaucoup d'économies en achetant la London White Card. Individuelle ou familiale, elle se révèle indispensable si l'on désire en visiter beaucoup – Museum of Moving Image, Victoria and Albert Museum, Science Museum, Design Museum et bien d'autres. La carte est valable 3 ou 7 jours. Laissez-passer adulte de 3 jours : 16 £, de 7 jours : 26 £ ; laissez-passer familial (2 adultes et 4 enfants max.) de 3 jours : 32 £, de 7 jours : 50 £ ; en vente aux centres d'information touristique, aux centres de London Transport, aux aéroports et aux diverses attractions. Pour de plus amples informations, appelez ☎ 020/7923-0807.

Cook. Presque tous les grands écrivains, Dickens, Jane Austen, Charlotte Brontë, Keats et des centaines d'autres, sont représentés dans la section consacrée à la littérature anglaise. Sous la statue de Shakespeare par Roubiliac (1758), sont exposés des documents associés au dramaturge dont un contrat d'emprunt hypothécaire portant sa signature et un exemplaire du premier in-folio de 1623. On y trouve aussi une collection philatélique inégalée.

Il est également possible de voir le *Diamond Sutra*, qui remonte à 868 et serait le plus ancien ouvrage imprimé existant. Des casques installés dans la salle permettent d'entendre des extraits audio passionnants, comme James Joyce lisant un passage de *Finnegans Wake*. Le premier enregistrement connu de cris d'oiseau (1889) fait partie des grandes curiosités. Une exposition intitulée « *Turning the Pages* », particulièrement fascinante, permet par exemple de lire un carnet de notes entier de Leonard de Vinci en plaçant simplement les mains sur un écran d'ordinateur spécial où les pages tournent toutes seules. On y trouve un exemplaire des *Contes de Canterbury* (1410), des manuscrits de *Beowulf* (aux alentours de l'an 1000) et des textes enluminés tels que le *Codex Sinaitticus* et le *Codex Alexandrius*, évangiles grecs du IIIᵉ siècle. La section des documents historiques *(Historical Documents)* possède des épîtres des grands de ce monde, de Henri VIII à Napoléon en passant par Élisabeth Iʳᵉ et Churchill. Dans les installations consacrées à la musique, vous pourrez rechercher non seulement des œuvres de Beethoven, Haendel et Stravinsky, mais aussi des brouillons de chansons de Paul McCartney et de John Lennon. Même en y passant toute journée, vous verrez à peine le haut de l'iceberg.

Les visites guidées coûtent 4 £ (adultes) et 3 £ (seniors, étudiants et enfants). Elles sont organisées du mercredi au lundi à 15 h, le mardi à 18 h 30 et le samedi à 10 h 30. Il est conseillé de réserver trois semaines à l'avance.

✪ **Courtauld Gallery**. Somerset House, The Strand, WC2. ☎ **020/7873-2526.** Entrée : adultes 4 £, étudiants 2 £, gratuit pour les moins de 18 ans. Lun.-sam. 10 h-18 h, dim. 12 h-18 h ; dernière entrée à 17 h 15. Métro : Temple ou Covent Garden.

Étonnamment peu connue, la Courtauld Gallery n'en est pas moins extraordinairement riche, avec l'une des plus vastes collections au monde de peintures impressionnistes hors de Paris. Dans un cadre superbe, on y trouve donc les impressionnistes et post-impressionnistes français (chefs-d'œuvre de Monet, Manet, Degas, Renoir, Cézanne, Van Gogh ou Gauguin) et une magnifique collection de toiles et de dessins de grands maîtres, dont Rubens, Michel-Ange et Tiepolo, sans oublier des toiles, des ivoires et des majoliques des premiers Italiens, la collection Lee (grands maîtres), des peintures françaises et anglaises du début du XXe siècle ainsi que des peintures britanniques du XXe siècle.

À noter tout particulièrement : *Un bar aux Folies Bergère* de Manet, vraiment extraordinaire. Nombre des peintures sont exposées sans vitre de protection, donnant à la galerie une ambiance plus intime.

Design Museum. Butler's Wharf, Shad Thamas, SE1. ☎ **020/7378-6055.** Entrée : adultes 5,50 £, enfants 4 £, familles 12 £. Tlj. 11 h 30-18 h. Métro : Tower Hill ou London Bridge.

Le musée du Design est une vitrine de l'esthétique. Vous saurez ici pourquoi et comment les objets produits en série fonctionnent, sont ce qu'ils sont, avec telle ou telle apparence et dans quelle mesure le design contribue à la qualité de la vie. On y trouve des voitures, du mobilier, des appareils électroménagers, des représentations graphiques, des céramiques ainsi que des expositions temporaires de produits nouveaux et de prototypes du monde entier. Du café, une vue sur le Tower Bridge et la Tamise.

Florence Nightingale Museum. St Thomas'Hospital, 2 Lambeth Palace Rd., SE1. ☎ **020/7620-0374.** Entrée : adultes 4,80 £, seniors et enfants 3,60 £, familles (2 adultes, 2 enfants) 10 £. Lun.-ven. 10 h-17 h (dernière entrée à 16 h) ; sam., dim. et jours fériés 11 h 30-16 h 30 (dernière entrée à 15 h 30). Métro : Waterloo Station.

Ce musée est consacré à la vie et à l'œuvre de l'une des femmes les plus puissantes d'Angleterre dans les années 1800. On apprend ici que sa mission la plus célèbre – prendre soin des soldats à l'hôpital de Scutari en Turquie pendant la guerre de Crimée – constitue une partie infime de sa carrière, longue d'un demi-siècle. Des objets, tels qu'une lettre originale écrite à la lueur de sa fameuse lampe, permettent d'entrevoir ce que fut sa vie. Nightingale a tout fait : redoré le blason du soldat britannique qui, d'arsouille bagarreur, est devenu un héroïque travailleur, et permis au métier d'infirmière d'acquérir une image respectable – incroyable mais vrai, avant la « dame et sa lampe », la profession d'infirmière était ni plus ni moins assimilée à de la prostitution.

En 1896, Nightingale « se retira dans son lit » mais n'en ralentit pas moins ses activités, poursuivant ses écrits sur la santé publique – bon nombre de ses recommandations sont toujours valables de nos jours. Lorsqu'elle mourut en 1910, à 90 ans, elle vivait dans une telle réclusion que le grand public pensait qu'elle était déjà décédée.

Geffrye Museum. Kingsland Rd., E2. ☎ **020/7739-9893.** Entrée gratuite. Mar.-sam. 10 h-17 h, dim. 14 h-17 h. Jardins ouverts avr.-oct. Métro : Liverpool. Bus : 149 à partir de Bishopsgate ou 242.

Voici l'endroit idéal pour qui s'intéresse à la vie quotidienne en Angleterre du XVIe au XXe siècle. Le musée est installé dans des hospices du XVIIIe siècle qui ont échappé au Blitz. Les salles sont organisées chronologiquement, ce qui permet de voir changer les goûts au temps de l'Empire ; on y suit l'évolution du mobilier et des objets d'art dans les classes moyennes anglaises. La collection est particulièrement fournie en intérieurs de l'époque de Jacques Ier, d'inspiration classique et surtout de l'époque victorienne. Dans la partie consacrée au XXe siècle, vous pourrez comparer la richesse du style Art déco à l'austérité des conceptions utilitaires qui suivirent la fin de la Seconde Guerre mondiale. Des galeries plus récentes présentent la décoration de la fin du XXe siècle. Enfin, le musée abrite un centre de design/conception et un café/restaurant. À l'origine, en 1715, les bâtiments appartenaient à la corporation des ferronniers et leur architecture vaut le détour, tout comme les jardins situés à l'avant – surtout celui des herbes aromatiques.

La grande roue du millénaire

La grande roue du millénaire *(Millenniem Wheel)* se situe à proximité du pont de Westminster (Métro : Embankment, Waterloo ou Charing Cross. Tlj. de 9 h à 21 h 30 d'avril à octobre, et de 10 h à 18 h de novembre à mars. Entrée : 7,45 £ pour un adulte, 4,95 £ pour les enfants et 5,95 £ pour les seniors).

Haute de 135 mètres et installée dans les Jubilee Gardens, la plus grande roue du monde offre à ses visiteurs une vue exceptionnelle de Londres. À chaque tour, les 800 passagers installés à bord des 32 nacelles de verre profitent le temps d'une rotation (une demi-heure) d'une perspective totalement nouvelle sur la ville : les grands monuments apparaissent alors, comme vus d'un avion ou d'un hélicoptère.

Appelée aussi le « *British Airways London Eye* », « l'œil » de Londres dépend du groupe Tussauds. Construite par un consortium européen, elle fut conçue par des architectes londoniens, Julia Barfield et David Marks, dont l'objectif était de créer un monument accessible à tous les publics. Les visiteurs devraient pouvoir en profiter jusqu'en 2005, date prévue pour son démontage. Mais d'ici-là, on aura peut-être décidé de la conserver ; comme disent les Anglais, « *wait and see* »...

Pour plus de détails, voir le site www.ba-londoneye.com.

Hayward Gallery. Sur la South Bank, SE1, ☎ **020/7960-4242** ou 020/7261-0127 pour des informations enregistrées. Entrée : adultes 6 £, étudiants, seniors et enfants 4 £, gratuit pour les moins de 12 ans, familles 14 £ ; le prix varie selon les expositions et les enfants paient souvent demi-tarif. Jeu.-lun. 10 h-18 h, mar.-mer. 10 h-20 h. Métro : Waterloo ou Embankment.

Inaugurée par Élisabeth II en 1968, cette galerie présente de grandes expositions temporaires contemporaines et historiques. Elle est dirigée par le South Bank Board, dont dépendent également le Royal Festival Hall, le Queen Elisabeth Hall et la Purcell Room. Attention, elle est fermée entre deux expositions, mieux vaut donc appeler avant.

Imperial War Museum. Lambeth Rd., SE1. ☎ **020/7416-5321.** Entrée : adultes 5,20 £, seniors et étudiants 4,20 £, enfants 2,70 £ ; gratuit de 16 h 30-18 h. Tlj. 10 h-18 h. Métro : Lambeth North ou Elephant and Castle.

Situé au sud de la Tamise, ce musée occupe une caserne de l'armée ; son entrée est annoncée par des canons de 4,50 m qui proviennent des cuirassés *Resolution* et *Ramillies*. Construit en 1815, ce grand édifice surmonté d'un dôme abritait le Bethlehem Royal Hospital, hôpital psychiatrique surnommé « *Bedlam* » (qui signifie « chahut » et par extension « maison de fous »).

On y verra une large gamme d'armes et de matériel, des maquettes, des décorations, des uniformes, des affiches, des photos et des tableaux ainsi qu'un char Mark V, un Spitfire de la Bataille d'Angleterre, un sous-marin allemand « pour un seul homme » et un fusil de Lawrence d'Arabie. Dans la salle des archives sont conservés le prétendu « testament politique » dicté dans le bunker de la chancellerie à la fin de la Seconde Guerre mondiale avec pour témoins Goebbels et Bormann, et les célèbres accords de Munich que Chamberlain rapporta en 1938 – au sujet desquels Hitler dira : « [Chamberlain] était un vieil homme si sympathique que j'ai décidé de lui donner un autographe ». Une nouvelle exposition permanente, « La guerre secrète », dévoile un monde d'espionnage et de guerre non déclarée où l'on découvre que la vraie guerre secrète est bien plus étrange et fascinante que dans James Bond. Nombre des articles sont ici montrés pour la première fois au public : messages codés, faux documents, radiogrammes secrets et matériel utilisé par les espions de 1914 à nos jours. Des projections publiques sont organisées le week-end à 15 h et certains jours de la semaine pendant les vacances scolaires et les jours fériés.

Institute of Contemporary Arts. The Mall, SW1. ☎ **020/7930-3647.** Entrée : adultes 1,50 £ lun.-ven., 2,50 £ sam.-dim. ; étudiants 1 £ lun.-ven., 1,50 £ sam.-dim. Galeries ouvertes tlj. 12 h-19 h 30. Librairie tlj. 12 h-21 h. Trois projections de films par jour. Métro : Piccadilly Circus ou Charing Cross.

Ouvert en 1947, ce temple de l'avant-garde offre le programme culturel le plus passionnant de Londres. C'est là que les Londoniens se tiennent informés des dernières créations dans le monde du cinéma, du théâtre, de la photographie, de la peinture, de la sculpture et des autres arts, tant vivants que plastiques. En théorie, il faut être adhérent pour visiter cet institut mais vous pouvez sans problème le devenir sur-le-champ. Des films étrangers et/ou expérimentaux et des hommages particuliers (rétrospective Fassbinder par exemple) y sont souvent projetés ; on en ressort régulièrement les grands classiques et les films cultes. Le samedi et le dimanche à 15 h, la cinémathèque propose des films pour enfants. Il arrive que des écrivains ou des artistes de renom viennent y faire des conférences, ce qui rentabilise largement le prix de l'adhésion, déjà très faible. Des pièces de théâtre expérimentales y sont également programmées. En 1998, Sun Microsystems, la société américaine auteur du langage informatique qui contribua à la naissance d'Internet, a fait don de 2 millions de livres pour la construction d'un New Media Centre. Les galeries de photographie, où sont exposées les dernières créations de photographes britanniques et étrangers, ne recueillent sans doute pas l'assentiment des gens trop traditionalistes.

Jewish Museum. 129-131 Albert St., Camden Town, NW1. ☎ **020/7284-1997.** Entrée : adultes 3 £, seniors 2 £, enfants 1,50 £. Dim.-jeu. 10 h-16 h. Fermé ven., sam., jours fériés et fêtes juives. Métro : Camden Town.

Ce musée raconte l'histoire des Juifs en Grande-Bretagne. Ils arrivèrent en Angleterre à l'époque de la conquête normande et en furent expulsés par le roi Édouard Ier en 1290. À partir de cette époque, il semble qu'il n'y ait plus eu de communauté juive en Grande-Bretagne jusqu'au retour d'une petite communauté en 1656, pendant le règne d'Élisabeth Ire. Ce musée s'est récemment vu attribuer une mention spéciale de la Commission des musées et galeries pour la qualité exceptionnelle de ses collections d'art cérémonial juif. On y verra des cloches en argent fabriquées à Londres ainsi que deux coupes de l'amitié offertes au *lord mayor* au XVIIe siècle par la synagogue espagnole et portugaise. Le musée organise également des visites à pied du Londres historique juif ; téléphoner pour plus de précisions.

Linley Sambourne House. 18 Stafford Terrace, W8. ☎ **020/7937-0663.** Entrée : adultes 3 £, enfants (15 ans et moins) 1,50 £. Mar.-oct. mer. 10 h-16 h, dim. 14 h-17 h. Fermé nov.-fév. Métro : High St. Kensington. Bus : 9, 9a, 10, 27, 33, 49.

En visitant cette demeure inchangée depuis plus d'un siècle, vous remontez le temps jusqu'au règne de la reine Victoria. Linley Sambourne, légendaire dessinateur humoristique pour le magazine satirique *Punch*, y habita. Cette maison en brique du Suffolk fait partie d'une série de demeures mitoyennes construites à la fin des années 1860. Le hall de l'entrée comporte un mélange de styles caractéristiques de la décoration victorienne, dont une somptueuse porte, un manteau de cheminée, des vitraux et toute une série de trophées de chasse. Le salon à lui seul contient une quantité incroyable de souvenirs de l'époque victorienne.

London Transport Museum. The Piazza, Covent Garden, WC2. ☎ **020/7379-6344.** Entrée : adultes 4,45 £, enfants 2,50 £, familles 12,85 £, gratuit pour les moins de 5 ans. Sam.-jeu. 10 h-18 h, ven. 11 h-18 h (dernière entrée à 17 h 15). Métro : Covent Garden.

Ce splendide édifice victorien abritait le marché aux fleurs de Covent Garden ; il présente aujourd'hui une collection de véhicules des XIXᵉ et XXᵉ siècles. On peut y voir l'évolution des transports en commun à Londres, ainsi qu'une collection représentative de véhicules et une reconstruction de l'omnibus de George Shillibeer (1829). À ne pas manquer, une locomotive à vapeur qui parcourut le premier chemin de fer souterrain du monde, un autobus à plate-forme tiré par des chevaux, le premier trolleybus de Londres et le tramway de Feltham. Plusieurs installations interactives permettent de faire fonctionner une rame de métro, un tram, un bus et un poste d'aiguillage grandeur nature. On peut acheter au magasin les superbes affiches « *London by Tube* » qu'on voit partout dans le métro. Des « *Kidzones* », sortes de bornes interactives destinées aux enfants ont été installées récemment.

✪ **Museum of London.** 150 London Wall, EC2. ☎ **020/7600-3699.** Entrée : adultes 5 £, enfants, étudiants et seniors 3 £, familles 12 £. Mar.-sam. 10 h-17 h 50, dim. 12 h-17 h 50. Métro : St Paul's ou Barbican.

Dans le quartier du Barbican, à proximité de la cathédrale St Paul et surplombant les remparts romains et médiévaux de la ville, ce musée retrace l'histoire de Londres de la Préhistoire au XXᵉ siècle à travers des pièces archéologiques, des peintures et des gravures, mais aussi des objets de la vie quotidienne, industriels et historiques, des costumes, des cartes, plans et maquettes. Les installations sont agencées de façon à vous faire commencer et terminer votre voyage chronologique de 250 000 ans à l'entrée principale. La pièce maîtresse du musée, le carrosse rouge et or du *lord mayor*, digne des meilleurs contes de fées, a été fabriqué en 1757 et pèse 3 tonnes. On peut également voir un diorama du Grand Incendie de Londres, le masque mortuaire d'Olivier Cromwell, des portes des cellules de la prison de Newgate, rendue célèbre par Dickens, et un comptoir de magasin stupéfiant, donnant les prix d'avant-guerre.

Museum of the Moving Image (MOMI). South Bank (sous le pont de Waterloo), SE1. ☎ **020/7401-2636.** Entrée : adultes 6,25 £, étudiants 5,25 £, enfants et seniors 4,50 £, familles (2 adultes et 2 enfants max.) 17 £. Tlj. 10 h-18 h (dernière entrée à 17 h). Métro : Waterloo ou Embankment.

Le MOMI fait partie du complexe de la South Bank ; il retrace l'histoire du cinéma et de la télévision en nous emmenant dans un fascinant voyage de la naissance du cinéma à l'animation multimédia d'aujourd'hui, de Charlie Chaplin aux complexités d'un studio d'enregistrement de télévision. Des objets à manipuler, des boutons à pousser et des acteurs sont là pour nous en dire toujours plus. Chaque année, le musée présente trois ou quatre expositions temporaires. Prévoir 2 h de visite.

National Army Museum. Royal Hospital Rd., SW3. ☎ **020/7730-0717.** Entrée gratuite. Tlj. 10 h-17 h 30. Fermé le vendredi saint, le 1ᵉʳ lundi de mai et certains jours vers Noël. Métro : Sloane Sq.

Le musée national de l'Armée occupe un édifice contigu au Royal Hospital, une maison de retraite pour militaires. À la différence de l'Imperial War Museum, qui n'est consacré qu'aux guerres du XXᵉ siècle, il raconte l'histoire de l'armée britannique depuis 1845. Vous y trouverez les uniformes portés par les soldats de sa Majesté aux quatre coins du monde, ainsi que des armes, du matériel, des étendards et des médailles, et même les vestiges du chargeur préféré de Napoléon. À noter : des bijoux ayant appartenu à Florence Nightingale, le standard téléphonique d'Hitler (saisi en 1945) et des ordres et médailles de sa Majesté le duc de Windsor. Une galerie plus récente, « L'ascension des tuniques rouges » présente la vie d'un soldat britannique de 1485 à 1793. On y trouve également des installations sur la Guerre civile anglaise et la guerre d'Indépendance des États-Unis.

✪ **National Portrait Gallery.** St Martin's Place, WC2. ☎ **020/7306-0055.** Entrée gratuite ; payante pour certaines expositions temporaires. Lun.-sam. 10 h-18 h, dim. 12 h-18 h. Métro : Charing Cross.

Ici sont exposées des œuvres plus ou moins remarquables – les acquisitions se font en fonction du sujet plutôt que de la qualité artistique –, mais quelques toiles sortent du lot, parmi lesquelles le premier portrait de Samuel Johnson (« un homme d'une apparence des plus affreuses ») par Joshua Reynolds, la miniature de Nicholas Hilliard représentant un beau Walter Raleigh, une Élisabeth Ire en pied et un dessin d'Henri VIII par Holbein. On notera un portrait de Shakespeare (portant un anneau en or, rien de moins) exécuté par un artiste anonyme et qui serait le portrait « le plus proche de la réalité ». Les trois sœurs Brontë, peintes par leur frère Bramwell, est l'un des plus célèbres tableaux de la galerie. Un portrait idéalisé de Lord Byron par Thomas Phillips est aussi exposé.

Les galeries contenant les œuvres de l'époque victorienne et du début du XXe siècle ont été récemment réaménagées. Occupant tout le premier étage, elles présentent des portraits de 1837 (date d'accession de Victoria au trône) à nos jours ; parmi les œuvres exécutées à la fin du XXe siècle, se trouvent celles d'artistes comme Warhol ou Hambling. Des personnages hauts en couleur sont représentés : T. S. Eliot, Disraeli, Macmillan, Richard Burton, Elisabeth Taylor, Margaret Thatcher et le célèbre portrait de l'actrice Ellen Terry réalisé par son mari, G. F. Watts, ainsi que celui de Virginia Woolf peint par sa sœur Vanessa Bell. Le portrait de la princesse Diana, exposé à l'étage de la famille royale, semble attirer la majorité des visiteurs. Un café et une librairie consacrée à l'art viennent d'ouvrir.

Natural History Museum. Cromwell Rd., SW7. ☎ **020/7938-9123.** Entrée : adultes 6 £, seniors et étudiants 3,20 £, 5-17 ans 3 £, gratuit pour les enfants jusqu'à 4 ans, familles 16 £. ; gratuit pour tous lun.-ven. après 16 h 30 et sam.-dim. après 17 h. Lun.-sam. 10 h-17 h 50, dim. 11 h-17 h 50. Métro : South Kensington.

Voici le haut lieu des collections nationales, où de magnifiques spécimens de plantes vivantes et de fossiles, d'animaux et de minéraux sont présentés. Parmi les expositions passionnantes destinées à encourager le public de tous les âges à se familiariser avec l'histoire naturelle, citons « Biologie humaine, une exposition sur nous-mêmes », « Notre place dans l'évolution », « L'origine des espèces », « Les petites bestioles » et « Découverte des mammifères ». La galerie des minéraux possède de magnifiques échantillons de cristaux et de pierres gemmes, et le pavillon des météorites, des fragments de roches qui se sont écrasées sur la Terre, en provenance des points les plus éloignés de notre galaxie. L'immense exposition sur les dinosaures rencontre plus grand succès avec ses 14 squelettes entiers. Au centre du spectacle, trois Deinonychus grandeur nature sont en train de déguster un Tenontosaurus fraîchement tué. L'exposition « Galeries de la Terre » présente les rapports des êtres humains avec la Terre ; « La Terre d'aujourd'hui et de demain » invite le public à explorer l'histoire incroyable de la planète, du big-bang à sa mort inévitable.

Percival David Foundation of Chinese Art. 53 Gordon Sq., WC1. ☎ **020/7387-3909.** Entrée gratuite, contributions bienvenues ; visite guidée 10-20 personnes, 4 £, avec l'autorisation du conservateur de la bibliothèque (à demander à l'avance). Lun.-ven. 10 h 30-17 h. Métro : Russell Sq. ou Euston Sq. Bus : 7, 8, 10, 14, 18, 19, 24, 25 ou 27.

Cette fondation possède la plus importante collection de céramiques chinoises hors de Chine. Environ 1 700 pièces, parmi lesquelles bon nombre d'une beauté exceptionnelle, reflètent l'évolution des goûts de la cour de Chine du Xᵉ au XVIIᵉ siècle. Une extraordinaire collection de pots de grès remontant aux dynasties Song (960-1279) et Yuan (1279-1368) comprend des pièces rares Ru et Guan. Parmi les célèbres porcelaines bleues et blanches, on compte deux vases de temples exceptionnels où est inscrite la date de 1351 ; on verra un vaste éventail d'articles polychromes, parmi lesquelles des exemples de pièces raffinées de la période Chenghua (1465-1487) et un ensemble remarquable de porcelaines du XVIIIᵉ siècle.

Royal Academy of Arts. Burlington House, Piccadilly, W1. ☎ **020/7300-8000.** Entrée : en fonction de l'exposition. Tlj. 10 h-18 h (dernière entrée à 17 h 30). Métro : Piccadilly Circus ou Green Park.

Parmi les pères fondateurs de cette organisation créée en 1768 figurent Joshua Reynolds, Thomas Gainsborough et Benjamin West. Chaque membre devant faire don d'une œuvre d'art, l'académie s'est constitué une collection assez importante. Le magnifique relief de la *Madone à l'enfant* de Michel-Ange fait partie des plus belles pièces. L'exposition estivale annuelle a lieu depuis plus de 200 ans (voir « Calendrier des événements londoniens » au chapitre 2 pour de plus amples informations).

Royal Mews. Buckingham Palace. Buckingham Palace Rd., SW1. ☎ **020/7839-1377.** Entrée : adultes 4,20 £, seniors 3,20 £, moins de 17 ans 2,10 £. Mar.-jeu. 12 h-16 h. Métro : Green Park ou Victoria.

C'est ici que vous pouvez voir de près le carrosse d'apparat de sa majesté, fabriqué en 1716 sur les plans de William Chambers et orné de peintures de Cipriani. Traditionnellement tiré par huit chevaux gris, il était utilisé par les souverains lors des grandes occasions, notamment l'ouverture du Parlement. La reine Élisabeth l'utilisa à l'occasion de son couronnement en 1953, puis en 1977 pour le défilé de son Jubilé d'argent. Les chevaux qui tirent les voitures de la reine logent ici, non loin des autres voitures d'apparat.

○ The Saatchi Gallery. 98A Boundary Rd., NW8. ☎ **020/7624-8299.** Entrée : 4 £, gratuit pour les moins de 12 ans. Jeu.-dim. 12 h-18 h. Métro : St John's Wood ou Swiss Cottage.

Dans l'univers de l'art contemporain, cette collection n'a pas d'égale. Charles Saatchi fait partie des plus grands collectionneurs de Grande-Bretagne ; ce musée personnel, installé dans un ancien entrepôt de peinture, présente les œuvres en alternance. Entrez par le portail en métal sans nom. L'idée de Saatchi est de présenter des œuvres d'art nouvelles et inconnues à un large public. La collection comprend plus de 1 000 tableaux et sculptures. Les œuvres non exposées à la galerie sont fréquemment prêtées à des musées de par le monde.

Les œuvres de jeunes artistes britanniques constituent l'axe principal ; certaines sont assez controversées – ainsi le requin-tigre de Damien Hirst, qui fait plus de 4 m de long et est conservé dans un aquarium rempli de formol. La « tête » congelée de Marc Quinn, moulée dans 4,5 l de plasma sanguin prélevé sur l'artiste en plusieurs mois, est régulièrement présentée. Les critiques ont détesté l'œuvre de Richard Wilson : 11 350 l d'huile de carter usagée qui inondait une galerie tout entière. De jeunes artistes américains et européens sont également exposés et leurs œuvres sont tout autant controversées. Quelle que soit l'exposition en cours lors de votre séjour, elle sera fascinante. Et pour connaître l'image qu'ont les Anglais du touriste moyen, ne manquez pas *Tourists II* de Duane Hanson's (1988) : hilarant !

Science Museum. Exhibition Rd., SW7. ☎ **020/7938-8000.** Entrée : adultes 6,50 £, 5-17 ans 3,50 £, gratuit pour les moins de 5 ans et pour tous à partir de 16 h 30. Tlj. 10 h-18 h. Métro : South Kensington.

Ce musée retrace l'évolution des sciences et de l'industrie et explique leur incidence sur la vie quotidienne. Vous y trouverez une collection scientifique très complète et pertinente – la fusée de Stephenson, le minuscule prototype de moteur de chemin de fer, le moteur à réaction original de Whittle et le module de l'espace d'Apollo 10. La collection d'instruments scientifiques du roi George III est le point fort du département consacré à la science au XVIII⁵ siècle ; la santé occupe une galerie permanente sur la médecine moderne. Le musée possède deux galeries d'expérimentation pratique ainsi que des maquettes fonctionnelles et des installations vidéo.

Shakespeare's Globe Theatre & Exhibition. New Globe Walk, Southwork, SE1. ☎ **020/7902-1500.** Entrée à l'exposition et visite : adultes 6 £, seniors et étudiants 5 £, 15 ans et moins 4 £. Visites guidées adultes 5 £, étudiants et seniors 4 £, 15 ans et moins 3 £. Mai-sep. tlj. 9 h 30-14 h., oct-avr. tlj. 10 h-17 h (visites guidées toutes les demi-heures environ). Métro : Mansion House ou London Bridge.

Voici une reproduction récente de ce qui fut sans doute le plus important théâtre public jamais construit, sur le site même où furent jouées bon nombre des premières des pièces de Shakespeare. Sam Wanamaker, cinéaste américain aujourd'hui disparu, mit une vingtaine d'années à trouver les fonds pour recréer le théâtre exactement comme il était à l'époque élisabéthaine, toit de chaume compris. Dans une exposition fascinante, on apprend l'histoire de la construction du Globe, les matériaux employés (parmi lesquels des poils de chèvre dans du plâtre), les techniques et le travail d'il y a 400 ans. Le nouveau Globe n'est pas une copie conforme : il comporte 1 500 places et non pas les 3 000 régulièrement occupées au début des années 1600, et ce toit de chaume-ci est ignifugé. Des visites guidées sont organisées toute la journée.

En mai 1997, la compagnie du Globe a produit sa première série de pièces (voir « Comme il vous plaira : le théâtre à Londres » au chapitre 9 pour de plus amples informations).

Sherlock Holmes Museum. 221B Baker St., NW1. ☎ **020/7935-8866.** Entrée : adultes 5 £, enfants 3 £, gratuit pour les moins de 7 ans. Tlj. 9 h 30-18 h. Métro : Baker St.

On ne pouvait trouver un musée réunissant les souvenirs de ce célèbre détective qu'à Baker Street. Ses responsables prétendent que c'est « l'adresse la plus célèbre au monde » (bien que le 10, Downing St. soit une concurrence sérieuse) ; c'est ici que Conan Doyle créa la résidence de Sherlock Holmes et de son fidèle Dr Watson, qui y « vécurent » de 1881 à 1904. Les pièces, de style victorien, renferment différents objets dont les publications des aventures de Sherlock Holmes et des lettres qui lui furent écrites. L'aspect très commercial et artificiel de ce musée ne gênera pas les éternels fans de Sherlock.

✪ Sir John Soane's Museum. 13 Lincoln's Inn Fields, WC2. ☎ **020/7430-0175.** Entrée gratuite, contributions bienvenues. Mar.-sam. 10 h-17 h ; 1ᵉʳ mardi de chaque mois 18 h-21 h. Visites guidées le samedi à 14 h 30, 3 £, billets distribués à 14 h dans l'ordre d'arrivée (visites en groupes uniquement sur RDV : ☎ 020/7405-2107). Métro : Holborn.

L'ancienne demeure de John Soane (1753-1837), l'architecte qui reconstruisit la Banque d'Angleterre (mais pas l'édifice actuel) présente de multiples niveaux avec miroirs en trompe-l'œil, voûtes arc-boutées, dômes… Soane était un maître de la perspective et un génie de l'aménagement intérieur (sa galerie de tableaux par exemple, renferme trois fois plus de toiles qu'une salle de même dimension habituellement). Les épisodes satiriques sur la politique du XVIIIe siècle de *La Carrière d'un roué* (*The Rake's Progress*) de William Hogarth, dont *Orgie* et *Les élections* ont été reproduits à maintes reprises, constituent la pièce maîtresse de la collection. La demeure de l'architecte contient également des sculptures classiques ainsi que le sarcophage du pharaon Séti Ier, découvert dans une chambre sépulcrale de la Vallée des Rois. Des dessins architecturaux provenant de sa gigantesque collection (30 000) sont aussi exposés.

Theatre Museum. Russell St., WC2. ☎ **020/7836-7891.** Adultes 4,50 £, seniors et 5-17 ans 2,50 £. Mar.-dim. 11 h-19 h. Métro : Covent Garden.

Cette « antenne » du Victoria and Albert Museum est consacrée aux arts vivants : théâtre, danse classique, opéra, music-hall, pantomime, marionnettes, cirque et musique pop et rock. Des démonstrations quotidiennes de maquillage et des ateliers de costumes sont organisés avec des costumes appartenant à la Royal Shakespeare Company et au Royal National Theatre. Le musée possède aussi d'importantes archives sur Diaghilev.

Le truc des initiés : à l'intérieur, le guichet propose des billets pour des pièces du West End (y compris les plus prisées) des concerts, pièces de théâtre et comédies musicales, avec un supplément de prix généralement quasi-nul.

Wallace Collection. Manchester Sq., W1. ☎ **020/7935-0687.** Entrée gratuite. Lun.-sam. 10 h-17 h, dim. 14 h-17 h. Métro : Bond St. ou Baker St.

Située dans le cadre palatial du « modeste » hôtel particulier de Lady Wallace, cette collection d'œuvres d'art et d'armes est tout en contrastes. La collection d'art (principalement française) comprend des œuvres de Watteau, Boucher, Fragonard, Greuze ainsi que de grands classiques tels le *Cavalier riant* de Frans Hals ou le portrait que Rembrandt fit de son fils Titus. Les tableaux des écoles hollandaise, anglaise, espagnole et italienne sont remarquables. Des pièces des arts décoratifs français du XVIIIe siècle sont également présentées, avec notamment du mobilier provenant de plusieurs palais royaux, de la porcelaine de Sèvres et des boîtes en or. Au rez-de-chaussée, les armes européennes et asiatiques méritent largement le titre d'œuvres d'art : de magnifiques armures ciselées – certaines de toute évidence destinées davantage à la parade qu'au combat – accompagnées d'épées, de hallebardes et d'extraordinaires cimeterres perses. Le Heritage Lottery Fund et Christie's de Londres ont attribué 7$^{1/2}$ millions de livres au projet du centenaire de la galerie, afin d'agrandir les installations du musée.

UN PEU PLUS LOIN

Royal Air Force Museum. Grahame Park Way, Hendon, NW9. ☎ **020/8205-2266** ou 0891/600-5633 pour obtenir des informations 24/24 h. Entrée : adultes 6,50 £, seniors 4,90 £, 5-16 ans 3,25 £. Tlj. 10 h-18 h. Métro : Colindale. BritRail (train) : Mill Hill Broadway, puis prendre le bus 303. En voiture : prendre la A41, la A1 puis la M1 (sortie 4).

Avec plus de 60 appareils exposés, ce musée raconte l'histoire de l'aviation militaire britannique. Sur une surface de 6 ha, site de l'ancien aérodrome de Hendon au nord de Londres, il présente l'une des plus belles collections d'appareils historiques, principalement abrités dans deux grands hangars datant de la Première Guerre mondiale. Les salles construites pour le musée accueillent l'exposition « Connaître la Bataille d'Angleterre », dont « L'invasion par son propre camp », qui commémore la contribution des armées de terre et de l'air américaines à l'effort de guerre des alliés au cours la Seconde Guerre mondiale ainsi qu'une collection de bombardiers célèbres. À noter, un simulateur de vol dans lequel on peut mettre en scène différentes situations, des films, un simulateur de vol dans un avion à réaction « comme si vous y étiez » et des visites guidées.

PARCS ET JARDINS

Les métropoles de la planète peuvent envier à Londres ses « poumons verts ». Si les parcs ne sont pas entretenus de façon aussi rigide qu'à Paris (les Britanniques leur préfèrent un aspect plus naturel), ils n'en ont pas moins une apparence luxuriante et fort artistique.

Hyde Park (Métro : Marble Arch, Hyde Park Corner ou Lancaster Gate) est le plus grand parc du centre de Londres (246 ha avec les Kensington Gardens contigus). Henri VIII l'affectionnait pour chasser le cerf. Ses pelouses veloutées sont agrémentées de bassins, de plates-bandes et d'arbres et il est traversé dans sa largeur par un lac de 16 ha, le lac Serpentine, où l'on peut faire du canot, voguer des modèles réduits et même se baigner – si l'eau froide ne vous dissuade pas. *Rotten Row*, un chemin d'équitation en sable de 2,5 km de long, fait le bonheur de cavaliers émérites le dimanche. Le *Speakers' Corner* se trouve à l'extrémité nord, près de la *Marble Arch*.

Dans la continuation de Hyde Park et en bordure du domaine du palais de Kensington, les **Kensington Gardens** (Métro : High Street Kensington ou Queensway) abritent la célèbre statue de Peter Pan entouré des lapins en bronze que les enfants veulent toujours attraper. C'est aussi là que se trouve le somptueux Albert Memorial. L'Orangery est un endroit idéal pour le thé (voir « Teatime » au chapitre 5).

À l'est de Hyde Park, de l'autre côté de Piccadilly, s'étendent **Green Park** (Métro : Green Park) et **St James's Park** (Métro : St James's Park), qui forment une chaîne presque continue de jardins paysagers. Aujourd'hui idéaux pour pique-niquer, il est difficile d'imaginer que ces lieux étaient jadis des marais infestés, non loin d'un hôpital pour lépreux. Un lac romantique accueille des canards et quelques pélicans, descendants du couple que l'ambassadeur de Russie avait offerts à Charles II en 1662.

Regent's Park (Métro : Regent's Park ou Baker Street) couvre la majorité du quartier du même nom, au nord de Baker Street et de Marylebone Road. Conçu par le génie du XVIIIe siècle, John Nash, pour entourer un palais destiné au prince régent qui ne fut jamais construit, c'est le plus beau parc classique de Londres. Au centre, une roseraie entoure un petit lac enjambé par des ponts à la japonaise ; au début de l'été, l'enivrant parfum des roses envahit l'air. Ce parc abrite l'Open-Air Theatre (voir au chapitre 9) et le zoo de Londres (voir « Pour les enfants », plus bas). Comme dans tous les parcs de la ville, des centaines de chaises longues éparpillées sur les pelouses s'offrent à vous contre un modeste coût de location.

Fondé en 1673 par la Worshipful Society of Apothecaries, le **Chelsea Physic Garden**, 66 Royal Hospital Rd., SW3 (☎ 020/7352-5646 ; Métro : Sloane Square), est le second plus ancien jardin botanique existant en Angleterre. Sir Hans Sloane, médecin de George II, exigeait des apothicaires de l'empire qu'ils découvrent au moins 50 espèces de plantes par an pour les présenter à la Royal Society afin d'en étudier les vertus médicinales. Les spécimens de plantes, voire d'arbres, qui n'avaient jamais grandi sur le sol anglais, arrivaient au jardin par péniche. Les graines de coton cultivées ici permirent ainsi de lancer toute une industrie dans la nouvelle colonie de Georgie. Environ 7 000 plantes y sont toujours cultivées, du grenadier au saule pleureur ; on y trouve même un chêne-liège exotique ainsi que le plus ancien jardin de rocaille d'Angleterre. Le Chelsea Physic Garden est ouvert d'avril à novembre le mercredi de 2 h à 17 h et le dimanche de 14 h à 18 h. L'entrée coûte 4 £ (adultes), 2 £ (5-15 ans et étudiants). Il est chaudement recommandé d'y prendre le thé – on peut se promener avec sa tasse dans le jardin (voir « Teatime » au chapitre 5).

Situé sur la rive sud de la Tamise, face au Chelsea Embankment entre l'Albert Bridge et le Chelsea Bridge, le **Battersea Park**, SW11 (☎ **020/8871-7530** ; Métro : Sloane Square) est une vaste étendue de bois, de lacs et de pelouses. Jadis appelé Battersea Fields, le parc actuel fut aménagé entre 1852 et 1858 sur un ancien terrain de duel (le plus célèbre opposa Lord Winchelsea au duc de Wellington en 1829). On y trouve un lac où l'on peut faire du bateau, un enclos avec des cerfs et des oiseaux sauvages, des courts de tennis et des terrains de football ; un zoo pour les petits est ouvert tous les jours de Pâques à fin septembre (10 h-17 h) et le week-end en hiver (13 h-15 h). Construite par des artisans japonais avec des architectes britanniques, la Pagode de la paix, en bois et pierre, est l'élément architectural le plus marquant ; elle fut dédiée en 1986 au désormais défunt Conseil du Grand Londres par un ordre de moines japonais. Le parc est ouvert tous les jours du lever au coucher du soleil. Le parc est à 15 minutes à pied de la station de métro Sloane Square, sinon prenez le bus 137 (descendre au premier arrêt après qu'il a traversé la Tamise).

Le centre anglais, voire mondial, de l'horticulture se trouve aux **Royal Botanic Gardens** (connus sous le noms de **Kew Gardens**) qui sont à Kew, dans le Surrey (voir « Les faubourgs », plus bas dans ce chapitre).

LE LONDRES ROMAIN

Les plus beaux vestiges de l'époque romaine se trouvent dans Victoria Street : c'est le **Temple de Mithra** (Métro : Bank ou Mansion House). Découverts en 1954 au cours de travaux de construction, les restes de ce temple furent transportés puis ré-assemblés pour former les fondations et la partie inférieure des murs d'un temple romain. Construit en 240 après J.-C., il appartenait au culte mystérieux de Mithra, dieu perse de la lumière céleste. Cette religion avait des points communs avec la religion chrétienne naissante, notamment l'idée d'un sauveur qui se sacrifie pour sauver l'humanité, et le banquet cérémonial symbolique. D'après certains historiens, les premiers chrétiens auraient emprunté ces principes aux « mithraïstes ». À cause de la rivalité entre ces deux religions, les chrétiens détruisirent de nombreuses reliques sacrées et les lieux saints du culte de Mithra. On a toutefois trouvé des objets sacrés enfouis à proximité du site, dont plusieurs idoles en marbre italien et des colifichets en argent, désormais exposés au London Museum (voir plus haut « Musées et galeries »).

4 Le long de la Tamise

L'histoire et l'évolution de Londres sont liées à la Tamise : le fleuve et ses méandres relient la ville à la mer, source de richesse et de puissance. Ce fut la grande voie commerciale et royale de Londres. Les processions royales avaient lieu dans de superbes embarcations de cérémonie peintes et ornées de dorures (visibles au National Maritime Museum de Greenwich). Les prisonniers de marque arrivaient à la Tour de Londres par le fleuve, ce qui permettait d'éviter les éventuelles embuscades sur les chemins étroits et tortueux qui entouraient la forteresse. Une bonne partie du trafic commercial disparut lorsque les rues de la capitale furent élargies pour permettre aux voitures à chevaux de maintenir une vitesse adéquate.

PROMENADES SUR LA TAMISE

Vous aurez une perspective totalement différente de Londres en faisant une promer de en bateau sur la Tamise, et vous verrez combien la ville s'est développée le lon fleuve et comment nombre de ses monuments sont tournés vers lui. Plusieurs opérateurs organisent des visites en bateau au départ des Westminster piers (Métro : Westminster).

Westminster-Greenwich Thames Passenger Boat Service, Westminster Pier, Victoria Embankment, SW1 (☎ 020/7930-4097), organise des excursions uniquement en direction de la mer vers des lieux comme Greenwich (voir « Les faubourgs », plus bas). Cette ville est la destination la plus populaire (50 minutes) ; les bateaux partent toutes les demi-heures de Westminster Pier de 10 h à 16 h d'avril à octobre, de 10 h 30 à 17 h de juin à août et toutes les 40 minutes de 10 h 40 à 15 h 20 de novembre à mars. L'aller simple coûte 6 £ (adultes) et 3,20 £ (moins de 16 ans). L'aller-retour coûte 7,30 £ (adultes) et 3,70 £ (moins de 16 ans). Le tarif famille (2 adultes, 3 enfants de moins de 15 ans max.) coûte 16,20 £ (aller simple) et 19,20 £ (aller-retour).

Westminster Passenger Association (Upriver) Ltd., Westminster Pier, Victoria Embankment, SW1 (☎ 020/7930-2062 ou 020/7930-4721), est la seule organisation qui offre des excursions en amont du pont de Westminster à destination de Kew, Richmond et Hampton Court. Les traditionnels navires à aubes partent tous les jours du lundi précédant Pâques à la fin octobre. L'excursion dure 1 h 30 pour aller à Kew et de 2 h 30 à 4 h pour aller à Hampton Court, en fonction des marées. De Westminster Pier à Kew, les bateaux partent tous les jours à 10 h 30, 11 h 15 et midi. Un billet aller-retour coûte de 9 £ à 13,50 £ (adultes), de 6,50 £ à 11 £ (seniors) et de 4,50 £ à 8 £ (4-14 ans), c'est gratuit pour les enfants de moins de 4 ans accompagnés par un adulte. Des excursions sont aussi organisées le soir, de mai à septembre, à 19 h 30 et 20 h 30 (21 h 30 sur demande) au départ de Westminster Pier pour 5,50 £ (adultes) et 4 £ (enfants).

Inauguré en 1997, **Pool of London** permet de suivre la Tamise de London Bridge à St Katharine's Dock en prenant un bateau-bus. Pour seulement 2 £ (adultes) et 1 £ (enfants), vous pouvez monter et descendre autant de fois que vous le souhaitez pendant une journée. Il s'arrête à cinq embarcadères : Tower Pier, London Bridge Pier, H.M.S. Belfast, Butlers Wharf et St Katharine's Dock. Le service fonctionne de 11 h à 17 h, d'avril à octobre et uniquement le week-end de novembre à mars, toutes les demi-heures. Les billets sont vendus à bord. Pour plus d'informations, appeler ☎ 020/7488-0344.

QUE VOIR LE LONG DE LA TAMISE ?
LES PONTS

Les noms de certains d'entre eux sont connus de tous. Contrairement à la comptine *London Bridge is falling*, le **London Bridge** ne s'est jamais écroulé mais il a été reconstruit à plusieurs reprises et diffère beaucoup du premier qui était bordé de maisons et de magasins. L'actuel est le plus laid de tous, et le précédent a été démonté puis remonté en 1971 à Lake Havasu dans l'Arizona.

Son voisin à l'est, le **Tower Bridge** (SE1 ; ☎ 020/7403-3761 ; Métro : Tower Hill), est plus intéressant : c'est l'un des monuments les plus célèbres de la ville et sans doute le plus photographié et le plus peint. En dépit de son aspect médiéval, il a été construit en 1894.

En 1993, une exposition a été organisée à l'intérieur du pont pour commémorer son premier siècle d'histoire ; en montant dans la tour Nord et en empruntant de hauts passages qui relient les deux tours, la vue sur St Paul, la Tour de Londres et le Parlement, spectaculaire, est un vrai paradis pour le photographe. Une fois arrivé dans tour Sud, on descend jusqu'à la salle des machines d'origine, entièrement équipée de chaudières et de pompes à vapeur de l'époque victorienne, qui permettaient de lever et d'abaisser le pont pour laisser passer les navires. L'exposition présentée dans les tours fait appel aux technologies de pointe – personnages animatroniques, vidéo et informatique – pour illustrer l'histoire du pont. L'entrée à la **Tower Bridge Experience** (☎ **020/7403-3761**) coûte 6,15 £ (adultes) et 4,15 £ (5-15 ans, étudiants et seniors) ; elle est gratuite pour les enfants de 4 ans et moins. Ouvert tlj. avr.-oct.10 h-18 h 30 ; tlj. nov.-mars 9 h 30-18 h (dernière entrée 1 h 15 avant la fermeture). Fermée vendredi saint, du 1er au 28 janvier et quelques jours pendant la période de Noël.

HMS BELFAST

Le *HMS Belfast* (Morgan's Lane, Tooley Street, SE1 ; ☎ **020/7940-6328** ; Métro : Monument, Tower Hill ou London Bridge), un croiseur de 11 500 tonnes, servit durant la Seconde Guerre mondiale et abrite désormais un musée naval. Il est amarré en face de la Tour de Londres, entre le Tower Bridge et le London Bridge. Le *Belfast* s'est distingué pendant la période des convois russes et le jour du débarquement, mais aussi pendant la guerre de Corée, où il fut surnommé « le navire qui tire droit ». On peut en explorer tous les ponts et descendre jusqu'à la salle des machines ; les différents objets exposés donnent une idée de la manière dont vivaient et combattaient les marins au cours des cinquante dernières années. Il est ouvert tous les jours de 10 h à 18 h (dernière entrée) en été, 17 h en hiver ; 4,70 £ (adultes), 2,40 £ (enfants), 3,60 £ (seniors et étudiants) et 11,80 £ (familles, 2 adultes et 2 enfants). Un service de ferry relie le *HMS Belfast* au Tower Pier (ne fonctionne pas en hiver) ; 1 £ (adultes) et 80 p (enfants).

LES DOCKLANDS

Ces 21 km² étaient à l'origine des terrains vagues entourés d'eau, correspondant à 88 km de front de mer. À proximité des grandes attractions de Londres, ils ont été réaménagés. Les **London Docklands** sont désormais un quartier résidentiel mais aussi de loisirs et de magasins.

À côté de la Tour de Londres, **St Katharine's Dock** a été rénové en premier. Construit en 1827-1828, sa situation près de la City lui valut longtemps un rôle important. Aujourd'hui quartier résidentiel et port de plaisance, St Katharine's a retrouvé sa place. Le World Trade Centre moderne domine les voiles rouge brique des chalands et les coques étincelantes des yachts. De luxueux immeubles d'habitation dignes des plus grandes métropoles s'élèvent au bord du fleuve.

Canary Wharf, sur l'Isle of Dogs, est au cœur des Docklands ; d'une superficie de plus de 21 ha, il est surplombé par une tour de 244 m de haut – l'édifice le plus haut de Grande-Bretagne – conçue par César Pelli. La **Piazza** est bordée de boutiques et de restaurants ; l'**Exhibition Centre** présente l'histoire des Docklands. Accueillant déjà le trop-plein de la City, le quartier semble voué à un avenir très prometteur.

Situés sur la rive sud de la Tamise, les Surrey Docks abritent les entrepôts de l'époque victorienne de **Butler's Wharf**, réaménagés en immeubles de bureaux, ateliers, maisons, magasins et restaurants par Terence Conran ; c'est là que se trouve le **Design Museum** (voir plus haut « Musées et Galeries »).

Pour se rendre aux Docklands, on peut prendre le **Dockland Light Railway**, une ligne de chemin de fer qui relie l'Isle of Dogs à la station de métro Tower Hill. Pour voir le complexe tout entier, prendre le train à Tower Gateway près de Tower Bridge on passe alors par Wapping et l'Isle of Dogs. Descendre à Island Gardens puis pas sous la Tamise en empruntant le Greenwich Tunnel pour arriver aux attraction Greenwich (voir « Les faubourgs » ci-dessous).

GREENWICH ET SON CÉLÈBRE NAVIRE

À 6,5 km à l'est de Londres, le symbole de la puissance maritime anglaise est en cale sèche à Greenwich Pier : c'est le *Cutty Sark*, King William Walk, Greenwich, SE10 (☎ 020/8858-3445 ; bus : 177, 180, 188, 199, 286 ou 386). Du nom de la sorcière du poème de Robert Burns *Tam O'Shanter*, c'est le plus grand des clippers ; il transporta du thé de Chine et de la laine d'Australie en un temps record, inégalé à l'époque, de 581 km en 24 h. Mis à la mer en Écosse en 1869, ce trois-mâts aux lignes pures entreprit la dernière bataille de la voile contre la vapeur. Si l'époque des clippers fut brève, ils parvinrent néanmoins à distancer les bateaux à vapeur tant qu'il eurent le vent en poupe ; le *Cutty Sark* abrite un musée consacré à leur histoire. 3,50 £ (adultes), 2,50 £ (enfants de plus de 5 ans, étudiants et seniors) et 8,50 £ (familles) ; ouvert tous les jours de 10 h à 17 h.

5 Les faubourgs

Facilement accessibles en métro, train, bateau ou bus, ces attractions conviennent parfaitement pour passer une matinée ou une après-midi.

HAMPSTEAD

Le ravissant village de Hampstead et les pittoresques landes de Hampstead Heath se trouvent à environ 6,5 km du centre de Londres (Métro : Hampstead).

Hampstead Heath, 320 ha, est composé de parcs aménagés, de bois, de landes, de prés et de bassins. Par temps clair, on voit la cathédrale St Paul et même les collines du Kent. Les Londoniens monteraient aux barricades sans hésiter si Hampstead Heath était menacé ; depuis des années, ils viennent y bronzer, faire voler des cerfs-volants, pêcher dans les bassins, mais aussi s'y baigner, pique-niquer et faire du jogging. À la belle saison, de grandes foires d'une journée sont organisées. Sur les rives de Kenwood Lake, dans la partie nord, une scène accueille des concerts symphoniques les soirs d'été. En juin et juillet, dans le Waterlow Park au nord-est, le Grass Theatre présente des spectacles de ballet classique, des opéras et des comédies.

Quand le métro arriva à **Hampstead Village** en 1907, écrivains, artistes, architectes, musiciens et chercheurs vinrent se réfugier dans ce village verdoyant, dans le sillage de Keats, D. H. Lawrence, Rabindranath Tagore, Shelley et Robert Louis Stevenson ; Kingsley Amis et John Le Carré y habitent toujours.

Les maisons de styles Regency et géorgien et les grandes étendues vertes du village ne sont qu'à 20 minutes en métro de Piccadilly Circus. Hampstead est composé d'un mélange excentrique de pubs historiques, de magasins de jouets et de boutiques chic situés dans la rue piétonne, **Flask Walk**. Le village d'origine, situé sur un flanc de la colline, a conservé ses vieilles ruelles, ses marches, cours et bosquets qui en font un lieu de promenade idéal.

Burgh House. New End Sq., NW3. ☎ **020/7431-0144.** Entrée gratuite. Maison et musée, mer.-dim. 12 h-17 h. Salon de thé mer.-dim. 11 h-17 h 30. Métro : Hampstead.

Au centre du village, cette demeure de style néoclassique de 1703 fut la résidence de la fille et du gendre de Rudyard Kipling. Des expositions, des concerts, des récitals, des onférences et des réunions publiques sur différents sujets y sont organisés ; la maison t également de lieu de rencontre à des associations locales telles que le Hampstead ic Club et la Hampstead Scientific Society. Le **Hampstead Museum** présente ire locale de Hampstead, avec une salle consacrée aux reproductions d'œuvres de

John Constable qui vécut de longues années dans ce quartier ; il est enterré sur les terres de l'église locale. Il y a aussi un **salon de thé** (autorisé à vendre de l'alcool, ☎ 020/7431-7401), très apprécié, tant pour le déjeuner que pour le thé – au prix où est le déjeuner (seulement 5 £), c'est une bonne affaire pour Hampstead.

Fenton House. Windmill Hill, NW3. ☎ **020/7435-3471.** Entrée : adultes 4,10 £, enfants 2,05 £, familles 10 £. Mars sam.-dim. 14 h-17 h ; avr.-oct. sam.-dim. 11 h-17 h, mer.-ven. 14 h-17 h. Fermé vendredi saint et de nov. à fév. Métro : Hampstead.

Construite en 1693, cette demeure appartenant à la National Trust (équivalent de nos Monuments Historiques) se trouve dans la partie ouest de Hampstead Grove, immédiatement au nord de Hampstead Village. Ses pièces lambrissées sont décorées de mobilier, de tableaux, de porcelaine anglaise, allemande et française du XVIIIe siècle ; on y verra également une remarquable collection d'anciens instruments de musique à clavier.

Freud Museum. 20 Maresfield Gardens, NW3. ☎ **020/7435-2002.** Entrée : adultes 4 £, étudiants 2 £, gratuit pour les moins de 12 ans. Mer.-dim. 12 h-17 h. Métro : Finchley Rd.

C'est là que vécut, travailla et mourut le père de la psychanalyse, après avoir fui Vienne et les nazis avec sa famille et ses biens. Les pièces contiennent son mobilier – y compris le fameux divan –, du courrier, des photos, des tableaux et des effets personnels de Freud et de sa fille Anna, elle aussi psychanalyste de renom. Des expositions temporaires et un programme de films d'archives sont également proposés.

Keats House. Wentworth Place, Keats Grove, NW3. ☎ **020/7435-2062.** Entrée gratuite ; contributions bienvenues. Avr.-oct. lun.-ven. 10 h-13 h et 14 h-18 h, sam. 10 h-13 h et 14 h-17 h, dim. et jours fériés 14 h-17 h ; nov.-mar. lun.-ven. 13 h-17 h, sam. 10 h-13 h et 14 h-17 h, dim. 14 h-17 h. Métro : Hampstead.

Le poète John Keats n'y habita que deux ans mais c'est là qu'il écrivit deux de ses poèmes les plus célèbres, *Ode à un rossignol* et *Ode sur une urne grecque*. Cette maison de style Regency abrite certains de ses manuscrits et lettres. Téléphonez avant de vous y rendre car l'édifice est en cours de rénovation et sera fermé par périodes jusqu'en 2003.

Kenwood House. Hampstead Lane, NW3. ☎ **020/8348-1286.** Entrée gratuite. Tlj. avr.-oct. 10 h-18 h ; nov.-mar. 10 h-16 h. Métro : Golders Green, puis prendre le bus 210.

Cette gentilhommière fut agrandie et embellie par le célèbre architecte écossais Robert Adam en 1764. Elle contient du mobilier d'époque et des tableaux de Rembrandt, Vermeer, Gainsborough et Turner pour ne citer qu'eux. Des expositions temporaires et des concerts y sont organisés (l'entrée est alors payante).

HIGHGATE, PRÈS DE HAMPSTEAD

✪ **Highgate Cemetery.** Swain's Lane, N6. ☎ **020/8340-1834.** Visite guidée du cimetière Ouest 3 £. Entrée au cimetière Est 1 £. Autorisation de prendre des photos (Caméscope interdit) 2 £. Western Cemetery, mar.-déc. visites guidées uniquement, lun.-ven. 12 h, 14 h et 16 h ; sam.-dim. toutes les heures de 11 h à 16 h ; déc.-mar. visites guidées lun.-ven. 12 h, 14 h et 16 h, sam.-dim. toutes les heures de 11 h à 15 h ; Eastern Cemetery, avr.-oct. tlj. 10 h-17 h, nov.-mar. 10 h-16 h. Les deux cimetières sont fermés à Noël et lors des enterrements. Métro : Archway, puis traverser Waterlow Park. Bus partant d'Archway, 143, 271 ou 210.

Décrit par la presse britannique comme des « décombres romantiques entourés d'un mur » ou une « anthologie de l'horreur », ce cimetière de presque 15 ha com...

Hampstead

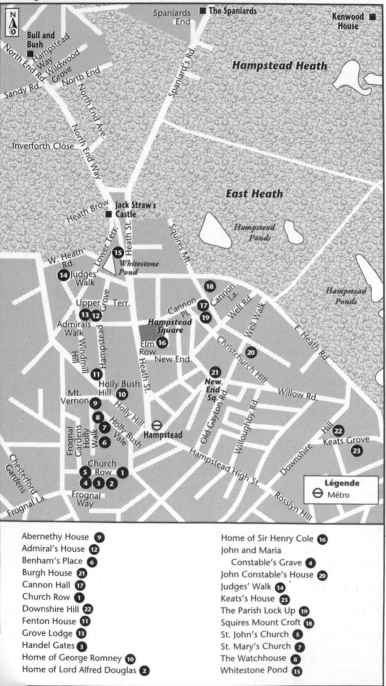

Abernethy House **9**
Admiral's House **12**
Benham's Place **6**
Burgh House **21**
Cannon Hall **17**
Church Row **1**
Downshire Hill **22**
Fenton House **11**
Grove Lodge **13**
Handel Gates **3**
Home of George Romney **10**
Home of Lord Alfred Douglas **2**

Home of Sir Henry Cole **16**
John and Maria
    Constable's Grave **4**
John Constable's House **20**
Judges' Walk **14**
Keats's House **23**
The Parish Lock Up **19**
Squires Mount Croft **18**
St. John's Church **5**
St. Mary's Church **7**
The Watchhouse **8**
Whitestone Pond **15**

belle collection de sculptures victoriennes ainsi que les tombes de Karl Marx, George Eliot, Christina Rossetti, Élisabeth Siddell (épouse de Dante Gabriel Rossetti et modèle favori des pré-raphaélites) entre autres. On peut se promener à son gré dans le cimetière Est.

GREENWICH

C'est ici que se trouve le fameux méridien de Greenwich qui marque l'heure G.M.T. et 0° de longitude depuis 1884. Ce joli village, centre maritime lorsque la Grande-Bretagne dominait les mers, abrite aussi le Royal Naval College, le National Maritime Museum et le Old Royal Observatory. Le *Cutty Sark* se trouve en cale sèche à Greenwich Pier. (voir plus haut « Le long de la Tamise »). Greenwich compte également beaucoup de magasins et un célèbre marché ouvert le week-end (voir au chapitre 8).

L'attraction principale de Greenwich est le Millennium Dome (dôme du millénaire), qui a ouvert ses portes le 1er janvier 2000. Conçu par l'architecte Richard Rogers (pour un coût estimé à 8 milliards de francs), le projet a d'emblée suscité de nombreuses controverses. Mais le Dome constitue néanmoins l'une des réalisations les plus ambitieuses du XXe siècle. Il propose 14 expositions thématiques, des événements spéciaux, et un spectacle multimédia en 3 actes est interprété chaque jour par 200 comédiens-danseurs-acrobates (pour de plus amples informations, voir l'encadré ci-dessous).

COMMENT S'Y RENDRE Prévoyant des millions de visiteurs, le métro de Londres a prolongé la Jubilee Line, qui suit un nouveau trajet à partir de Green Park, qui passe par Westminster, Waterloo, London Bridge, les Docklands, North Greenwich et Stratford dans l'est de Londres.

Le métro est rapide mais si vous préférez suivre les pas d'Henri VIII pour vous rendre Greenwich, c'est toujours possible ; à environ 6,5 km de la City, le voyage fait toujours partie du plaisir. Les ferry-boats qui parcourent la Tamise restent l'un des plus agréables moyens de s'y rendre ; ils passent toutes les demi-heures en été et toutes les 45 mn en hiver. **Westminster Passenger Services, Ltd.** (☎ 020/7930-4097) assure le service au départ de Westminster Pier (Métro : Westminster). **Catamaran Cruises, Ltd.** (☎ 020/7987-1185) offre un service de ferries au départ de Charing Cross Pier (Métro : Embankment) et de Tower Pier (Métro : Tower Hill). En fonction du transporteur et des marées, vous y arriverez en 50 ou 75 minutes ; aller-retour adulte de 7,25 £ à 7,30 £, 5-12 ans de 3,70 £ à 3,95 £ ; gratuit pour les moins de 5 ans.

On peut également prendre le train à la gare de Charing Cross. Les trains **Rail Europe** (☎ 0345/484950) mettent environ 15 minutes pour relier Charing Cross à Greenwich ; le billet coûte entre 1,90 £ et 2,90 £ (aller-retour) en fonction de l'heure à laquelle vous prenez le train. Le **Docklands Light Railway** (☎ 020/7918-4000), véritable attraction touristique, peut également vous y emmener : l'étroite voie passe au-dessus des Docklands sur des pilotis. Les trains bleus et blancs partent de Tower Gateway (Métro : Tower Hill) ou de Bank. La compagnie a prolongé la ligne : le train passe au-dessus de l'Isle of Dogs avant d'arriver à Island Gardens dans les Docklands, puis il poursuit son chemin à destination de Lewisham, Greenwich et du Cutty Sark. L'aller simple coûte 1,70 £.

INFORMATIONS TOURISTIQUES Le **Greenwich Tourist Information Centr** se trouve au 46 Greenwich Church St. (☎ 020/8858-6376), ouvert avr.-oct. tlj. 10 17 h ; nov.-mars lun.-jeu. 11 h-13 h et 13 h 45-16 h ; ven.-dim. 10 h-17 h. Ce ce organise des **visites guidées à pied** des grandes attractions de Greenwich (4 £, 1¨ et 14 h 15, durée 1 h 30-2 h). Il n'est pas impératif de réserver mais mie¨

Le Dôme du millénaire

Avec son énorme coupole en fibre de verre blanche – qui « pourrait contenir 3,8 billions de pintes de bière » ! vante la publicité – soutenu par 12 mâts d'acier jaune, le **Greenwich Millennium Dome** (☎ **0870/606-2000**). Entrée : adultes 20 £, seniors 18 £, étudiants et enfants de 5 à 15 ans 16,50 £, familles : 57, gratuite pour les moins de 5 ans. Tlj. dim.-jeu. 9 h- 20 h ; 9 h-23 h ven.-sam. et jours fériés. Métro North Greenwich.) s'étend sur 55 ha sur une péninsule au nord de Greenwich, bordée sur trois côtés par la Tamise. Ce terrain où se trouvait une usine à gaz avait été laissé à l'abandon pendant plus de deux décennies ; c'était le plus vaste site non aménagé sur les rives du fleuve. Le méridien le coupe sur sa partie nord, à environ 1,5 km du centre historique de Greenwich.

Cet emplacement très spécial a valu au Dome d'être proclamé « point de départ » officiel du millénaire et d'accueillir les festivités organisées par la municipalité à l'occasion du passage à l'an 2000.

Lors d'une conférence internationale à Washington en 1884, il fut en effet décidé de la création d'un « jour universel » qui commencerait au premier méridien du monde (c'est-à-dire à 0° de longitude). Depuis, chaque jour commence à Greenwich, y compris le 1er janvier 2000... Mais n'oublions pas que le millénaire et le XXIe siècle commencent officiellement le 2 janvier 2001. Malgré ce détail (et quelques ratés), le Dome a offert un spectacle extraordinaire à ses visiteurs.

D'abord l'objet de nombreuses controverses – selon les sondages, quatre Britanniques sur cinq s'y opposaient –, le Dome a vaincu le scepticisme de ses détracteurs et est devenu l'un des édifices les plus emblématiques de la ville (comme l'a dit un habitant de la région, « les Parisiens étaient contre la tour Eiffel qui est pourtant devenu le symbole de Paris »).

D'après le Premier ministre, Tony Blair, le Dome constitue « une déclaration symbolique de toute la nation à l'aube du nouveau millénaire » et « une fenêtre sur l'avenir ». Pour lui, son ouverture est « l'événement de l'an 2000 le plus exaltant au monde ». Ainsi, les manifestations et expositions qui y sont organisées sont supposées inspirer, amuser, instruire et faire participer les visiteurs.

La visite du Dome s'organise autour d'expositions culturelles axées sur le multimédia réparties dans quatorze **zones thématiques**, parmi lesquelles on peut citer *Learning* (le savoir), *Body* (le corps) et *Faith* (la foi) ; des casques audio en neuf langues sont disponibles gratuitement. Trois fois par jour, l'espace central (*Central Arena*) accueille le **Millennium Show**, spectacle en 3 actes interprété par 200 comédiens-danseurs-acrobates avec des effets spéciaux stupéfiants.

Outre ces expositions et manifestations permanentes, le Dome propose tout au long de l'année des événements spéciaux (*Special Events*) et des animations diverses (concerts, spectacles de rue...).

Le Dome possède plus de 30 restaurants, cafés, bars et boutiques de souvenirs, offre toutes les commodités (distributeurs de billets, vestiaire, toilettes, accès handicapés...) et dispose d'un *Touriste Information Centre*.

À noter que l'entrée au Dome donne également accès au **Skyscape** voisin, qui abrite deux salles de cinéma et le plus grand théâtre du Royaume-Uni.

Pour plus de détails, consulter le site **www.dome2000.co.uk**.

téléphoner en cas de changement d'horaire à la dernière minute. Si vous faites la visite guidée, vous avez droit à une réduction de 50 % au National Maritime Museum, à l'Old Royal Observatory et à la Queen's House.

LES ATTRACTIONS   La plupart des visiteurs se presseront à Greenwich pour visiter le Millennium Dome, mais la vieille ville historique n'a pas attendu son arrivée pour être une destination touristique.

Un seul billet permet d'entrer dans les trois attractions de Greenwich, le **National Maritime Museum**, l'**Old Royal Observatory** et la **Queen's House**, toutes trois situées dans un très beau parc royal en haut d'une colline dominant la Tamise. 5 £ (adultes), 4 £ (seniors et étudiants), 2,50 £ (5-16 ans), 15 £ (familles, 2 adultes et 3 enfants max.) ; gratuit pour les enfants de 5 ans et moins ; ouvert tlj. 10 h-17 h. Pour de plus amples informations : ☎ **020/8858-4422**.

Des premiers marins à la puissance maritime du XXe siècle, le **National Maritime Museum** retrace la glorieuse histoire maritime de la Grande-Bretagne. Le canon, des reliques, maquettes de navires et tableaux racontent un millier de batailles navales et autant de victoires, sans oublier le coût de ces batailles. On y trouve des curiosités comme le redoutable martinet qui servait à fouetter les marins jusqu'en 1879 et la tunique que Nelson porta à Trafalgar, percée à l'épaule gauche par la balle fatale. Le musée s'est considérablement agrandi avec 16 nouvelles galeries consacrées à l'histoire maritime de la Grande-Bretagne et les installations destinées au public ont été rénovées.

C'est à l'**Old Royal Observatory** que se trouve le méridien qui nous donne la fameuse heure de Greenwich. Il compte la plus grande lunette d'approche du Royaume-Uni, une collection de montres et d'horloges historiques ainsi que des instruments d'astronomie. Vous pouvez vous tenir au-dessus du méridien et régler votre montre au moment où la boule tombe. L'*Octagon Room* est l'œuvre de Sir Christopher Wren. C'est ici que le premier astronome royal, Flamsteed, nota les 30 000 observations qui servirent de base à son *Historia Coelestis Britannica*. Edmond Halley, qui découvrit la comète qui porte son nom, lui succéda. En 1833, on installa la boule en hauteur pour permettre aux navigateurs de régler leur montre avec précision.

Conçu par Inigo Jones, la **Queen's House** (1616) est un bel exemple du style novateur de cet architecte. Elle est célèbre pour son *tulip staircase* (escalier aux tulipes) sans noyau, le premier dans son style. Restaurée avec soin, la maison compte une collection de tableaux royaux et marins ainsi que des objets d'art.

Le **Royal Naval College**, King William Walk (qui débute à Romney Road ; ☎ **020/8858-2154**), se trouve à proximité. Conçu par Christopher Wren en 1696, il occupe 4 édifices portant les noms du roi Charles, de la reine Anne, du roi Guillaume et de la reine Marie. Le palais de Greenwich s'élevait à cet endroit de 1422 à 1640. Ne manquez pas le superbe Painted Hall décoré par Thornhill, où fut exposée la dépouille de Nelson en 1805, ainsi que la Chapelle St Pierre et St Paul de style géorgien. Ouvert tlj. 14 h 30-16 h 45, entrée libre.

KEW

Situé à 14,5 km au sud-ouest du centre de Londres près de Richmond, Kew compte les plus célèbres jardins botaniques d'Europe. On y trouve également le **Kew Palace**, ancienne résidence de George III et de la reine Charlotte. Ce sont les jardins (et n... le palais qui doit rouvrir en 2001) qui attirent les foules. Pour s'y rendre, le plus sir... est de prendre le métro (District line) jusqu'à Kew Gardens.

✪ Royal Botanic (Kew) Gardens. Kew. ☎ **020/8940-1171.** Entrée : adultes 5 £, étudiants et seniors 3,50 £, enfants 2,50 £, familles 13 £. Tlj. 9 h 30-17 h. Métro : Kew Gardens.
Célèbres dans le monde entier, ces jardins abritent des milliers de variétés de plantes. Mais Kew n'est pas une simple attraction touristique, c'est surtout un centre de recherche qui a la chance d'être magnifique. Les jardins, d'une surface de 120 ha, comprennent des lacs, des serres, des chemins, des pavillons, des musées et de beaux exemples de l'architecture de William Chambers. Parmi les 50 000 espèces de plantes, l'on compte notamment des fougères, des orchidées, des plantes aquatiques, des cactus, des plantes de montagne, des palmiers et des nénuphars tropicaux.
Il y a toujours quelque chose à voir à Kew, des premières fleurs du printemps à l'hiver, et l'on peut s'y rendre en toute saison. Du cercle polaire aux forêts tropicales humides, des espèces d'arbustes, de fleurs et d'arbres provenant des quatre coins du globe sont cultivées dans d'immenses serres chauffées. À noter, la Porte japonaise, récemment restaurée, qui est installée dans son paysage traditionnel, et des expositions qui changent avec les saisons. La serre la plus récente, la Princess of Wales Conservatory (un peu plus loin que le jardin de rocaille), comprend 10 zones climatiques (de l'aride au tropical) et abrite la plus incroyable collection d'orchidées naines. L'extraordinaire Marianne North Gallery (1882) est décorée de panneaux provenant de 246 espèces de bois différents que l'intrépide artiste de l'époque victorienne avait glanées aux cours de ses voyages ; 832 peintures de flore exotique et tropicale y sont également exposées. On peut prendre le thé à l'Orangery, particulièrement agréable. L'histoire de Kew est présentée au Visitor Centre (situé au Victoria Gate) où se trouve aussi une librairie.
LE THÉ DE CINQ HEURES En face des jardins botaniques, l'un des salons de thé les plus élégants du coin, l'**Original Maids of Honour Tearooms**, 288 Kew Rd. (☎ 020/8940-2752) offre avec ses panneaux en chêne et ses vieilles fenêtres à petits carreaux une atmosphère chaleureuse et confortable. Les gâteaux maison sont succulents, tout comme les délicieux *scones*. Spécialité pâtissière du salon, le *Maids of Honour* fut élaboré la première fois pour Henri VIII, qui l'aima tant que la recette secrète se transmit à travers les siècles. Le « thé de cinq heures » coûte 4,25 £. Ouvert : lun. 9 h 30-14 h, mar.-sam. 9 h 30-17 h et le thé y est servi de 14 h 30 à 17 h 30.

HAMPTON COURT
À 21 km de Londres au nord de la Tamise, à East Molesey dans le Surrey, Hampton Court est aisément accessible. Hampton Court Station est desservie fréquemment par des **trains** (☎ **0345/484950** depuis le Royaume-Uni. uniquement, ou ☎ 01603/764776) au départ de Waterloo Station (Network Southeast). Des bus **London Transport** (☎ **020/7730-3466** ou 0990/808080) 111, 131, 216, 267 et 461 partent de Victoria Coach Station (gare routière) sur Buckingham Palace Road près de Victoria Station. Il y a également des services de ferries qui passent par Kingston, Richmond et Westminster (voir plus haut « Le long de la Tamise »). Si vous venez de Londres en **voiture**, prenez la A308 jusqu'à l'intersection avec la A309 au nord du Kingston Bridge de l'autre côté de la Tamise.

✪ Hampton Court Palace. ☎ **020/8781-9500.** Entrée : adultes 10 £, étudiants et ⸱niors 7,60 £, 5-15 ans 6,60 £, gratuit pour les moins de 5 ans. Les jardins sont ouverts de 7 h jusqu'au crépuscule (21 h au plus tard) ; entrée gratuite sauf au Privy Garden ⸱) £, ne comprend pas la visite du palais en été). Cloîtres, cours, grands appartements, ⸱le cuisine, caves et exposition de Hampton Court ouverts mi-mars-mi-oct.

tlj. 9 h 30-18 h ; mi-oct.-mi-mars tlj. 9 h 30-16 h 30. Courts de tennis de l'époque Tudor ouverts mi-mars-mi-oct.

Construit au XVIᵉ siècle, le palais du Cardinal Wolsey illustre un certain adage : mieux vaut ne jamais tenter de faire mieux que son patron, surtout si c'est Henri VIII. C'est ce qu'avait fait le riche cardinal, qui finit par perdre fortune, pouvoir, prestige, et fut contraint d'offrir son somptueux palais au monarque.

Aujourd'hui, on peut visiter les appartements remplis de porcelaines, de mobilier, de tableaux et de tapisseries. Il est manifeste qu'Henri VIII voulut faire encore mieux que Wolsey après avoir pris possession du palais. Parmi les constructions de l'époque Tudor, on note la **Porte Anne Boleyn**, dotée d'une horloge astronomique qui donne même le niveau de la marée haute au London Bridge. De la **Cour de l'horloge**, on voit l'une des principales contributions d'Henri VIII, la **Grande salle** *(Great Hall)*, avec son plafond à poutres. Le roi se divertissait avec son épouse du moment dans les différents appartements, d'Anne Boleyn à Catherine Parr (qui contrairement aux autres survécut à son époux). Charles Iᵉʳ y fut emprisonné et parvint à échapper temporairement à ses geôliers.

Si le palais fut prestigieux et fastueux à l'époque élisabéthaine, il doit en grande partie son aspect actuel à Guillaume III et Marie II, ou plus exactement à Christopher Wren, auteur des portes Nord, ou **Lion Gates**, destinées à servir d'entrée principale aux nouveaux bâtiments. Le **cabinet de toilette du roi** *(King's Dressing Room)* est décoré de très belles œuvres d'art, principalement des tableaux de grands maîtres prêtés par la reine Élisabeth II. N'oubliez pas de vous rendre à la **chapelle royale**, que Wolsey ne reconnaîtrait pas, et pour finir, perdez-vous dans le **labyrinthe** boisé du jardin, lui aussi une œuvre de Wren. La belle grille en fer forgé située à l'extrémité sud des jardins fut élaborée par Jean Tijou vers 1694 pour Guillaume et Marie. Un café-restaurant se trouve dans les Tiltyard Gardens.

6 Pour les enfants

Hormis les recommandations ci-dessous, les enfants adorent Madame Tussaud's, le musée des Sciences, celui des Transports de Londres, celui d'Histoire naturelle, la Tour de Londres et le Musée maritime de Greenwich – tous présentés dans ce chapitre.

La **Kidsline** (☎ 020/7222-8070) procure des informations sur les manifestations dignes d'intérêt pour les enfants. La ligne est ouverte de 16 h à 18 h en période scolaire et de 9 h à 16 h lors des vacances. Seul problème, elle est pratiquement toujours occupée...

Bethnal Green Museum of Childhood. Cambridge Heath Rd., E2. ☎ 020/8980-2415. Entrée gratuite. Sam.-jeu. 10 h-17 h 30. Métro : Bethnal Green.

Cette antenne du Victoria and Albert se spécialise dans le jouet. La collection de poupées est à elle seule très impressionnante ; certaines sont vêtues de costumes d'époque très sophistiqués. Les maisons de poupées vont du *cottage* tout simple au château miniature, dotés de cheminées, de pianos à queue, d'ustensiles de cuisine, d'animaux de compagnie et de voitures de maître. On y trouve également des jouets optiques, des marionnettes, des fantoches (marionnettes à fils), une collection considérable de soldats et de jouets de guerre datant des deux guerres mondiales, des trains et des avions ainsi que des vêtements et du mobilier liés à l'histoire sociale de l'enfance.

Little Angel Theatre. 14 Dagmar Passage, N1. ☎ 020/7226-1787. Entrée : ad 5,50 £, enfants 4,50 £. Horaires des spectacles : sam.-dim. (parfois en semaine) 1 15 h. Métro : Angel ou Highbury & Islington ; accessible aux handicapés.

Le théâtre de marionnettes sous toutes ses formes est présenté dans cette charmante petite salle d'Islington. On y montre des spectacles créés ici, qui rencontrent un succès national et international, ainsi que les œuvres de compagnies invitées. Les types de marionnettes sont variés, des fantoches (marionnettes à fils) au guignol (marionnettes à gaine). La majorité des spectacles sont destinés aux enfants – l'âge minimum est spécifié pour chaque spectacle – mais les adultes apprécient aussi. Les marionnettes, décors et costumes sont fabriqués dans un atelier contigu. Chaque saison, le théâtre produit un spectacle pour les adultes (téléphoner pour de plus amples informations).

The London Dungeon. 28-34 Tooley St., SE1. ☎ **020/7403-0606** ou 020/7403-7221. Entrée : adultes 9,50 £, étudiants et seniors 7,50 £, moins de 15 ans 6,50 £. Le billet comprend la promenade en bateau « Judgment Day ». Tlj. 10 h 30-17 h. Métro : London Bridge.

Ce lieu macabre, qui recrée la vie au Moyen Âge, a été délibérément conçu pour donner froid dans le dos. Situé sous les arches de la London Bridge Station, le cachot est composé de tableaux encore plus sinistres que ceux de Madame Tussaud's. Le grondement des métros qui passent au-dessus renforce l'atmosphère terrifiante, auquel le glas ajoute une note mélancolique, le tout couronné par de l'eau ruisselante et des rats en cage. Bien sûr, il y a un bûcher sur lequel brûle une victime, une chambre de torture tout équipée (supplice du chevalet, brûlure au tison, extraction d'ongles) ainsi qu'un « Jack l'Éventreur comme si vous y étiez » à vous glacer le sang. Les effets spéciaux avaient été conçus à l'origine pour des longs métrages et la télévision. « *Judgment Day* » est le dernier spectacle mis au point : des acteurs vous condamnent à mort et vous emmènent en bateau pour vous exécuter. Si vous parvenez à survivre, vous pourrez reprendre des forces à *Pizza Hut* (sur place) et acheter au magasin de souvenirs un certificat qui atteste que vous avez vaincu les dangers du cachot.

London Planetarium. Marylebone Rd., NW1. ☎ **020/7935-6861.** adultes 6 £, seniors 4,60 £, 5-17 ans 4 £. Lun.-ven. à partir de 10 h, sam.-dim. 9 h 30, spectacles de 12 h 20 (10 h 20 le week-end) à 17 h. Métro : Baker St.

Contigu au musée Madame Tussaud's, le planétarium explore les mystères des étoiles et de la nuit. Le spectacle le plus récent met en scène les passagers d'un vaisseau spatial contraint de fuir leur planète après l'explosion d'une étoile ; le visiteur les accompagne, parcourant le système solaire dont il visite les principaux points et où il assiste à une activité cosmique spectaculaire. Des installations interactives présentent les planètes et l'espace ; vous pouvez voir par exemple à quoi vous ressembleriez ou connaître le poids que vous auriez sur d'autres planètes. Stephen Hawking a été sollicité et enregistré pour parler des mystérieux trous noirs.

✪ **London Zoo.** Regent's Park, NW1. ☎ **020/7722-3333.** Entrée : adultes 8,50 £, enfants 6,50 £, gratuit pour les moins de 4 ans. Tlj. mar.-oct. 10 h-17 h 30 ; nov.-fév. 10 h-16 h. Métro : Regent's Park ou Camden Town puis prendre le bus C2 ou 274.

Le zoo de Londres, l'un des plus admirables au monde, existe depuis plus de 150 ans. Son parc de 14 ha abrite environ 8 000 animaux, parmi lesquels des espèces extrêmement rares. On verra le pavillon des insectes (avec d'incroyables araignées mangeuses d'oiseaux), celui des reptiles (des varans qui ressemblent à des dragons et un python ¬ncroyable de 5 m de long), le pavillon Sobell des gorilles et singes, les *Lion Terraces*... ns le *Moonlight World*, la nuit est simulée au moyen d'effets spéciaux, de façon à ᴗles petits mammifères nocturnes en pleine activité. Le Millennium Conservation ᴗ a ouvert en 1999 : la variété de la vie sur notre planète y est illustrée par un ᴗ e associant animaux, images et installations interactives. Nombre de familles prévoient d'y passer presque toute la journée pour assister au repas des pingouins, faire des promenades à dos d'animal en été et rencontrer les éléphants quand ils font leur promenade dans le parc.

Rock Circus. London Pavilion, Piccadilly Circus, W1. ☎ **020/7734-7203.** Adultes 8,25 £, seniors et étudiants 7,25 £, moins de 16 ans 6,25 £. Dim.-lun. et mer.-jeu. 10 h-20 h, mar. 11 h-20 h, ven.-sam. 10 h-21 h. Basse saison dim.-lun. et mer.-jeu. 10 h-17 h 30, mar. 11 h-17 h 30, ven.-sam. 10-20 h. Métro : Piccadilly Circus.

Cette antenne du musée Madame Tussaud's retrace l'histoire de la musique rock et pop de Bill Haley à Madonna et Sting, en passant bien sûr par les Beatles. De personnages animés en cire chantent les vieux tubes et les succès plus récents avec un réalisme frappant. Souvenirs authentiques, vidéos et musique stéréo.

Unicorn Theatre for Children. The Arts Theatre, 6-7 Great Newport St., WC2. ☎ **020/7379-3280** ; vente de billets 020/7836-3334. Prix : 10 £, 7,50 £, 5 £ selon la place. Horaires des spectacles : sept.-juin tlj. 11 h et/ou 14 h 30 (ces horaires sont susceptibles de varier). Métro : Leicester Sq.

L'Unicorn est le seul théâtre pour enfants dans le quartier des théâtres du West End. Fondé en 1947, il a toujours autant de succès et présente des pièces destinées aux 4-12 ans. La programmation comprend des œuvres commandées tout spécialement et des adaptations de grands succès, avec le concours d'acteurs adultes. En devenant adhérent temporaire durant votre séjour, vous pourrez participer aux ateliers (fort intéressants) organisés le week-end.

7 Visites organisées

VISITES EN BUS

Une visite touristique en bus reste le moyen le plus rapide et le moins coûteux de se faire une idée de cette grande ville, surtout pour ceux qui viennent pour la première fois. **The Original London Sightseeing Tour** passe par les plus grands monuments en 1 h 30. La visite en bus à impériale avec un guide coûte 12 £ (adultes), 6 £ (moins de 16 ans) et elle est gratuite pour les moins de 5 ans. Vous pouvez descendre et remonter à tout moment durant le parcours. Le billet combiné « visite en bus/musée Madame Tussaud's » coûte 21 £ (adultes) et 12 £ (enfants).

Les visites partent de différents endroits pratiques que vous choisissez en prenant votre billet (à bord du bus ou, à prix réduit, dans l'un des centres d'information des Transports londoniens ou du tourisme de Londres ; la plupart des hôtels en vendent aussi). Pour toute information ou acheter des billets par téléphone, ☎ **020/8877-1722.** On peut également acheter des billets par correspondance : **London Coaches,** Jews Row, London SW18 1TB.

Harrods, 87-135 Brompton Rd. (☎ **020/7581-3603** ; Métro : Knightsbridge) propose des visites touristiques de Londres à bord de ses bus à impériale climatisés, aux couleurs vert et or du célèbre grand magasin. Le premier bus part de la porte 8 de *Harrods* à 10 h 30 ; l'après-midi les visites commencent à 13 h 30 et 16 h. Du thé, du café et du jus d'orange sont servis à bord. (Adultes 20 £, moins de 14 ans 10 £, gratuit pour les moins de 5 ans.) *Harrods* organise également des excursions d'une journée à Blenheim Palace, Windsor, Stratford-upon-Avon et dans les quartiers périphériques de Londres. Vous pouvez acheter les billets au rayon *Sightseeing* (visites touristiques) du magasin, au rez-de-chaussée inférieur *(lower-ground floor).*

Big Bus Company Ltd., Waterside Way, London SW17 (☎ **020/8944** organise des visites de 2 h en été, de 8 h 30 à 18 h ou 19 h (selon l'époque de

244 Explorer la ville

en hiver de 9 h à 16 h 30). Départ de Marble Arch (à côté du Speakers Corner), Green Park (près de l'hôtel Ritz) ou Victoria Station (sur Buckingham Palace Road à côté du Royal Westminster Hotel). Les bus, avec un guide à bord, passent par les principaux monuments (18 en tout), du Parlement et de l'abbaye de Westminster à la Tour de Londres et au palais de Buckingham (l'extérieur uniquement). La visite coûte 12 £ (adultes) et 6 £ (enfants). Il existe également une visite d'1 heure, qui suit le même itinéraire mais ne couvre que 13 monuments. Le billet est valable toute la journée et vous pouvez monter et descendre du bus comme bon vous semble.

VISITES À PIED

The Original London Walks, 87 Messina Ave. (P.O. Box 1708), London NW6 4LW (☎ 020/7624-3978), est la plus ancienne société qui organise ce type de visites à Londres. Ses services se distinguent par la variété, la fiabilité, la taille raisonnable des groupes et surtout l'excellente qualité des guides, parmi lesquels on compte l'historien de renom spécialiste de la criminalité Donald Rumbelow (qui fait autorité sur Jack l'Éventreur), l'auteur du célèbre guide *London Walks* ainsi que plusieurs acteurs de premier plan (dont Edward Petherbridge, acteur classique). Les visites sont organisées tous les jours ; 4,50 £ (adultes), 3,50 £ (étudiants et seniors), gratuit pour les moins de 15 ans. Téléphoner pour obtenir le programme et les horaires. Il est inutile de réserver.

Chez **Discovery Walks**, 67 Chancery Lane, Londres WC2 (☎ 020/8530-8443 ; www.Jack-the-Ripper-Walk.co.uk), Richard Jones, auteur de *Frommer's Memorable Walks in London*, organise des visites à thèmes. **Stepping Out** (☎ 020/8881-2933 ; www.walklon.ndirect.co.uk) propose des visites à pied hors des sentiers battus en compagnie d'historiens, tout comme **Guided Walks in London**, 20 Denman Dr North, London NW11 (☎ 020/7243-1097 ; www.guided-walks-in-london.net/). Ces visites coûtent entre 4 £ et 5 £.

John Wittich, 88 Woodlawn St., Whitstable, Kent, CT5 1HH (☎ 0122/777-2619) commença à organiser des visites à pied en 1960. Citoyen d'honneur de Londres et membre de deux des anciennes guildes de la ville, il a écrit plusieurs ouvrages sur le principe. Il les conduit lui même et les organise uniquement sur rendez-vous. Il convient donc de réserver. La visite coûte 25 £ pour 2 adultes (une demi-journée) et 5 £ par personne supplémentaire.

VISITES DES CANAUX

Les canaux de Londres furent jadis les principales voies d'accès à la ville. Depuis le Festival of Britain de 1951, on a restauré certaines des embarcations traditionnelles qui assurent la visite des canaux. L'une d'elles, le *Jason,* propose des visites d'1 h 30 qui commencent à Bloomfield Road, à Little Venice, et passent dans le long tunnel de Maida Hill sous Edgware Road, par Regent's Park, la mosquée, le zoo de Londres, la volière de Lord Snowdon, le Pirate's Castle, l'écluse Camden Lock pour revenir à Little Venice. Les passagers qui prennent l'aller simple (45 minutes) descendent à Camden Lock.

On peut visiter les canaux en bateau du 27 mars à la fin octobre ; départs à 10 h 30, 12 h 30 et 14 h 30. En juin, juillet et août, départ supplémentaire à 16 h 30 le week-end et les jours fériés. Au point d'amarrage du *Jason* se trouve un café-restaurant de ~~uits~~ de mer, ouvert pour le déjeuner, le thé et le dîner ; réserver à l'avance pour se ~~e~~ servir le déjeuner à bord du *Jason*. Aller-retour : adultes 5,95 £, enfants et seniors ~~£~~. Aller simple : adultes 4,95 £, enfants et seniors 3,75 £, familles 17,50 £. Faire ~~rvations~~ auprès de **Jason's Trip**, Jason's Wharf, opposite 60 Blomfield Rd., ~~nice~~, London W9 (☎ 020/7286-3428 ; Métro : Warwick Avenue).

8 Garder la forme

Appeler la **Sportsline** (☎ 020/7222-8000) du lundi au vendredi de 10 h à 18 h pour toute question concernant la pratique du sport à Londres.

BICYCLETTE Les trottoirs en asphalte et la circulation dense ne facilitent pas les déplacements en vélo. Ceci ne dissuade toutefois pas les âmes courageuses. **On Your Bike** loue des vélos neufs pour 15 £ par jour. (52-54 Toley St., SE1, ☎ 020/7378-6669 ; Métro : London Bridge). **The Mountain Bike and Ski Co.**, 18 Gillingham St., SW1 (☎ 020/7834-8933 ; Métro : Pimlico) loue des bicyclettes à 21 vitesses à partir de 7,99 £ par jour. La **London Cycling Campaign**, 3 Stamford St., SE1 (☎ 020/7928-7220 ; Métro : Waterloo) offre des plans avec des itinéraires spécialement destinés aux deux-roues, le *Cyclist's Route Map*.

PROMENADES EN BATEAU On peut louer des pédalos ou des barques au hangar à bateaux (de mars à octobre) situé sur la rive nord du lac **Serpentine de Hyde Park** (☎ 020/7262-1330) ou louer des barques et des canots à voile à **Regent's Park** (☎ 020/7486-4759) et au **Royal Victoria Dock Water Sport Centre**, Royal Victoria Dock, Tidal Basin Rd., E16 (☎ 020/7511-2326). Tarif : 5 £ l'heure et demie.

CLUBS DE GYM Le **Jubilee Hall Sports Centre**, 30 The Piazza, Covent Garden, WC2 (☎ 020/7836-4835 ; Métro : Covent Garden) fait partie des centres sportifs les mieux situés (en plein centre). Sa salle de musculation est la plus grande de Londres – d'où les cohortes de culturistes enthousiastes. On peut y jouer au badminton, au basket, faire de l'aérobic, de la gymnastique, pratiquer les arts martiaux et le football. Ouvert lun.-ven. 7 h-22 h, sam.-dim. 10 h-17 h. Tarifs : 6,50 £ pour la salle de musculation, 5,50 £ pour un cours d'aérobic ; ces prix comprennent l'utilisation du sauna et des douches.

Si vous préférez vous entraîner de façon moins intense, allez au **Lambton Place Health Club**, Lambton Place, Westbourne Grove, W11 (☎ 020/7229-2291 ; Métro : Notting Hill Gate). Pour toute la gamme des soins du corps – y compris sauna sur fond de télé –, allez à **The Peak**, Hyatt Carlton Tower, 2 Cadogan Place, SW1 (☎ 020/7235-1234 ; Métro : Knightsbridge). **The Sanctuary**, 12 Floral St., WC2 (☎ 020/7420-5151 ; Métro : Covent Garden) est un club réservé aux femmes. **The Savoy Fitness Gallery**, The Savoy, Strand, WC2 (☎ 020/7836-4343 ; Métro : Charing Cross) est aussi doté d'excellentes installations. Si vous voulez une atmosphère agréable « sans tout le tralala », essayez l'**Aquilla Health Club** qui ressemble à des bains romains, 11 Thurloe Place, SW7 (☎ 020/7225-0225 ; Métro : South Kensington).

Si vous voulez garder la forme en dansant, allez à **Danceworks**, 16 Balderton St., W1 (☎ 020/7629-6183 ; Métro : Marble Arch) qui propose une large gamme de cours de danse et de fitness. **The Life Centre**, 15 Edge St., W8 (☎ 020/7221-4602 ; Métro : Notting Hill Gate) propose des cours de yoga de tous niveaux. Pour une petite cotisation plus le prix des cours, vous pouvez prendre des cours de danse tous les jours au **Pineapple Dance Studio**, 7 Langley St., WC2 (☎ 020/7836-4004 ; Métro : Covent Garden).

Les amateurs de natation trouveront au **Brittania Leisure Centre**, petit mais moderne, 40 Hyde Rd., N1 (☎ 020/7729-4485 ; Métro : Old Street) une piscine à vagues. Le centre abrite aussi des courts de badminton et de squash, ainsi que des terrains de football et de volley-ball. Entrée : adultes 2,70 £, enfants 1,35 Ouverture du complexe : lun., mar., jeu. et ven. 9 h-22 h ; mer., sam. et 9 h-17 h 45. Le **Chelsea Sports Centre**, Chelsea Manor Street, SW3 (☎ 020/ 6985 ; Métro : Sloane Square), le **Fulham Pools**, Normand Park, Lillie Ro

(☎ 020/7385-7628 ; Métro : West Kensington) et le **Golden Lane Pool**, Golden Lane, EC1 (☎ 020/7250-1464 ; Métro : Old Street) comportent également des piscines couvertes dotées d'équipements.

ÉQUITATION La **Ross Nyde Riding School**, 8 Bathurst Mews, W2 (☎ 020/7262-3791 ; Métro : Lancaster Gate) ; des écuries sont ouvertes au public à Hyde Park. L'école possède 16 chevaux fiables, que la circulation n'effraie pas facilement. Il est recommandé d'y aller tôt le matin afin d'éviter les foules qui envahissent le parc. En semaine, sauf le lundi, les écuries ouvrent à 7 h ; une promenade est organisée toutes les heures jusqu'au crépuscule. Le week-end, départ à 10 et 11 h, le samedi à 14 et 15 h, le dimanche à 13 h 30 et 14 h 30. Prix : 25 £ l'heure. Les **Stag Lodge Stables**, Robin Hood Gate, Richmond Park, SW15 (☎ 020/8974-6066) offrent un cadre plus champêtre. Le samedi, il y a aussi un poney-club pour les enfants, les Red Riders.

ROLLER Les parcs londoniens offrent un cadre idéal pour faire du roller. Pour en louer, allez au **London Blade Skate Centre**, 229 Brompton Rd., SW3 (☎ 020/7581-2039 ; Métro : Knightsbridge) ou chez **Road Runner**, Lancaster Rd. au niveau de Portobello Rd., W11 (☎ 020/7792-0584 ; Métro : Ladbroke Grove).

JOGGING ET COURSE À PIED Les plus beaux parcours se trouvent dans les parcs royaux – Green Park, Hyde Park, Regent's Park ou St James's Park. Essayez surtout Hampstead Heath, Hyde Park et Regent's Park. La majorité des itinéraires font environ 3 km, mais on peut en faire 2 à la suite. Ils sont agréables et peu encombrés par la circulation ; certains passent par des monuments comme le palais de Buckingham ou des résidences moins célèbres mais néanmoins magnifiques. La boucle qui longe le Grand Union Canal fait partie des plus sympas. Réservé exclusivement aux coureurs, il relie Regent's Park et Little Venice en passant par St John's Wood.

Bien sûr, mieux vaut éviter le jogging après la tombée de la nuit. Pour de plus amples informations sur les parcours, téléphonez à **London Hash House Harriers** (☎ 020/8995-7879). Pour une somme modique, on vous organisera des itinéraires dans des parties intéressantes de la ville.

TENNIS **Holland Park**, Holland Park, W8 (☎ 020/7602-2226 ; Métro : Holland Park) compte six courts découverts ouverts au public. Il faut réserver en personne car les habitants du quartier sont prioritaires. **Regent's Park Tennis**, Outer Circle, Regent's Park, NW1 (☎ 020/7724-0643 ; Métro : Regent's Park) comporte un court éclairé.

9 Spectacles sportifs

La **Sportsline** (☎ 020/7222-8000) répond aux questions sur les spectacles sportifs du lundi au vendredi de 10 h à 18 h. Consultez les journaux ou appelez les lieux de manifestations sportives présentés ci-dessous pour obtenir les programmes et des informations sur l'achat des billets.

CRICKET En été, le cricket est roi ; on y joue à **Lord's**, St John's Wood Road, NW8 (☎ 020/7289-1611 ; Métro : St John's Wood) au nord de Londres, ou au moins prestigieux **Oval Cricket Ground**, The Oval, Kennington, London SE11 (☎ 020/7582-'660 ; Métro : The Oval) au sud de la Tamise. Lors des *test matches* internationaux qui ⁀osent la Grande-Bretagne à l'Australie, aux Caraïbes, à l'Inde ou à la Nouvelle-⁀de, les Britanniques entrent dans une transe collective et restent collés au poste.

'BALL La saison de foot, d'août à avril, attire des supporters farouchement ⁀s matches, qui débutent habituellement à 15 h, sont passionnants mais il peut y avoir beaucoup de chahut dans les tribunes (pensez à réserver des places). Parmi les clubs de première division du centre de Londres, on compte **Arsenal**, Arsenal Stadium, Avenell Road, N5 (☎ **020/7704-4000**, achat de billets 020/7704-4040 ; Métro : Arsenal) ; **Tottenham Hotspur**, 748 High Rd., N17 (☎ **020/8365-5000**, achat de billets 0870/840-2468 ; Métro : Seven Sisters) ; et **Chelsea**, Stamford Bridge, Fulham Road, SW6 (☎ **020/7385-5545**, achat de billets ☎ 0891/121-011 ; Métro : Fulham Broadway). Les billets coûtent entre 21 £ et 34 £. Situé à une dizaine de kilomètres du centre de Londres, le **stade de Wembley**, Wembley, Middlesex (☎ **020/8902-8833** ; Métro : Wembley Park) est le plus célèbre hors de Grande-Bretagne en raison des rencontres internationales qui s'y disputent (ou des concerts qui s'y donnent).

COURSES DE CHEVAUX Les champs de courses de chevaux à proximité de Londres sont Kempton Park, Sandown Park et le plus célèbre de tous, Epsom, où se court le Derby au début du mois de juin. Les courses ont lieu en milieu de semaine et le week-end mais pas tout le temps. Contactez **United Racecourses Ltd.** (☎ **01372/470047**) pour toute information sur les courses prévues.

TENNIS Les fans de tennis du monde entier affluent à **Wimbledon** (Métro : Southfields) au All England Lawn Tennis & Croquet Club, où vous pourrez admirer les grands joueurs mondiaux. Le célèbre tournoi a lieu de la dernière semaine de juin à la fin de la première semaine de juillet et les matches se disputent de 14 h à la tombée de la nuit (ouverture des portes à 10 h 30). Les billets coûtent normalement de 15 £ à 60 £. Ceux qui donnent accès au court central sont vendus par tirage au sort. Quelques billets pour des matches organisés sur les autres courts sont vendus à l'entrée. Pour obtenir des informations enregistrées : ☎ 020/8946-2244 ou envoyez une enveloppe timbrée libellée à votre adresse (d'août à décembre uniquement) à l'**All England Lawn Tennis & Croquet Club**, P.O. Box 98, Church Road, Wimbledon, SW19 5AE.

RUGBY Les rencontres internationales de rugby à XV se déroulent à **Twinckenham**, siège de la Rugby Football Union, Whitton Road, Twickenham, Middlesex (☎ **020/8892-8161** ; gare de Twinckenham au départ de Waterloo). Chaque année, de février à mars, le stade accueille les matches du Tournoi des VI Nations (anciennement Tournoi des V Nations) qui oppose l'Angleterre (ou « Quinze de la rose ») à l'Écosse, la France, l'Irlande, le pays de Galles et, depuis l'édition 2000, l'Italie. Les rencontres ont lieu environ tous les quinze jours ou tous les mois (selon que l'Angleterre « reçoit » son adversaire ou non), généralement le samedi après-midi mais parfois, et c'est aussi nouveau, le dimanche.

À signaler : le **musée du Rugby** propose une visite guidée (*Twichenkham Experience*) du stade et des vestiaires.

Le championnat anglais de rugby à XV se déroule de septembre à avril. Il oppose les clubs professionnels de l'« élite ». Les principales équipes londoniennes sont les **Harlequins**, les **Wasps** et les **Saracens**. Les Harlequins jouent au Stoop, près de Twinckham, les Wasps à Sudbury, et les Saracens à Cockfosters.

Se promener 7

Comme c'est le cas pour la plupart des villes, il n'est rien de mieux que les balades à pied pour découvrir Londres. Quel plaisir de se perdre dans le dédale des ruelles bordées de maisons anciennes, de flâner dans les petits *mews*, ces impasses sur lesquelles donnaient les écuries ! La plupart des principaux sites ou monuments étant concentrés dans des quartiers bien spécifiques – le Londres administratif autour de Westminster et de Whitehall, le Londres chic autour de St James etc. –, chaque promenade permet d'en « croiser » plusieurs. Nous vous suggérons ici des pistes qui nous semblent intéressantes, mais n'hésitez pas à vous perdre librement.

Pour un commentaire plus complet sur chacun des sites mentionnés ci-dessous, reportez-vous au chapitre 6.

Promenade 1
La City : aux origines de Londres

Départ : extrémité sud du London Bridge. Métro : London Bridge ou Monument.

Arrivée : St Paul's Cathedral. Métro : St Paul's.

Durée : environ 3 h, sans compter les arrêts.

Meilleur moment : le matin en semaine, quand le quartier de la finance est en activité et qu'il n'y a pas foule dans les églises.

Pire moment : le week-end quand le quartier est quasiment désert.

Le quartier qu'on appelle la City – le « mile carré » (environ 2,5 km²) où les Romains avaient établi « Londinium » – offre la plus forte densité de monuments historiques et culturels de toute la Grande-Bretagne. C'est aussi, avec Wall Street, l'une des grandes places financières mondiales.

La promenade commence sur la rive sud de la Tamise, juste à l'ouest du London Bridge.

1. Southwark Cathedral. Lors de sa construction au XIIIe siècle, cette cathédrale était un avant-poste du lointain diocèse de Winchester. Désaffectée à la suite de la réforme imposée par Henri VIII, elle abrita des boulangeries et des porcheries. L'architecture actuelle résulte pour beaucoup d'une reconstruction du XIXe siècle, hélas indispensable. L'intérieur gothique, avec ses nombreuses plaques commémoratives, donne cependant une idée de la puissance religieuse de l'église à l'époque médiévale. Sortez de la cathédrale, et traversez le pont.

2. London Bridge. Conçu en 1176 par Henry de Colechurch à la demande de Henri II, ce pont fut par la suite plusieurs fois reconstruit. Jusqu'en 1729, il était seul sur la Tamise. Au Moyen-Âge, il était bordé d'échoppes et ses abords étaient envahis de maisons. Il servit également de lieu d'exposition des têtes coupées – conservées dans le goudron – des ennemis des monarques britanniques (la plus célèbre étant celle de Sir Thomas More, le lord chancelier décapité en 1535 pour avoir élevé la voix contre les projets de Henri VIII). Le pont édifié en 1825-1831 fut racheté par des Américains et établis en 1971 à Lake Havasu en Arizona, où il constitue aujourd'hui une grande attraction touristique. Le pont actuel date de 1973.

Après avoir traversé la Tamise, suivez vers l'est Monument Street, la rue pavée qui descend en pente raide vers la droite. Faites ce petit détour pour aller lire les plaques commémoratives du Monument.

3. Monument. Élevée pour commémorer le Grand Incendie de 1666, cette haute colonne dorique est surmontée d'une sculpture représentant une urne de flammes. L'effroyable incendie démarra dans une boulangerie près de Pudding Lane, fit rage durant quatre jours et quatre nuits et détruisit 80 % de la City. L'escalier à vis qui monte au sommet paraît étroit et inquiétant. Mais si vous avez le courage d'entreprendre cette rude ascension, vous serez récompensé par une vue panoramique sur la City dont l'architecture porte, depuis sa reconstruction, la marque de Sir Christopher Wren qui avait établi les plans du Monument.

Revenez sur vos pas, puis dirigez-vous cette fois vers le nord-ouest par King William Street jusqu'à la station de métro Bank, au cœur des plus puissantes institutions financières de Londres. Vous atteignez ensuite Mansion House Place.

4. Mansion House, résidence officielle du Lord Mayor (lord-maire), fut construite entre 1739 et 1752 sur des plans de George Dance l'Ancien. La frise du fronton représente la victoire de Londres sur la Jalousie pour introduire l'Abondance. La salle égyptienne (Egyptian Hall), la plus prestigieuse de la demeure, accueille des banquets officiels, mais à moins d'être invité, vous devrez l'admirer de l'extérieur.

En quittant Mansion House, empruntez St Stephen's Row, un passage qui débouche à gauche sur Walbrook, ancien cours d'eau pollué recouvert d'un pavage à l'époque médiévale.

5. St Stephen Walbrook. Cette église est l'une des plus belles réalisations de Sir Christopher Wren, qui reprit son dôme comme modèle pour St Paul's Cathedral. L'autel en travertin, œuvre du sculpteur britannique Henry Moore, date de 1986. Traversez Walbrook pour prendre Bucklersbury et continuez jusqu'à Queen Victoria Street. Tournez à gauche, puis encore à gauche et grimpez les marches menant à l'entrée principale de Temple Court. De là, vous apercevrez sur la gauche le temple de Mithra.

6. The Temple of Mithras, joyau archéologique de Londres, dont la forme rappelle celle d'une église miniature, était consacré au culte de Mithra, originaire d'Iran et qui atteignit l'Empire romain avant le christianisme. Pour plus de détails, voir au chapitre 6 « Le Londres romain », page 231.

Revenez à la station de métro Bank. De là, suivez vers l'est Cornhill qui devient Leadenhall Street. Juste après le croisement avec Gracechurch Street, derrière la Lloyd's of London, vous atteignez le marché central de la City.

7. Leadenhall Market, d'évidence bien différent des marchés financiers du quartier, fut construit par Horace Jones en 1881. Ses arcades abritent depuis lors un pittoresque ensemble de bouchers, poissonniers, fromagers et fleuristes, ainsi que des pubs et des restaurants.

Promenade - La City

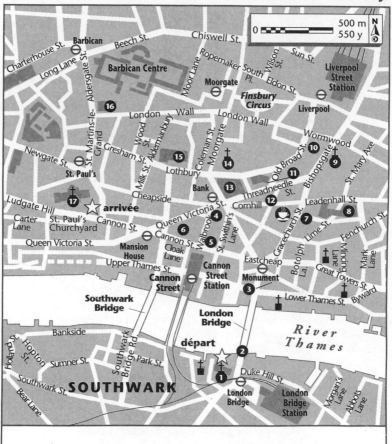

① Southwark Cathedral
② London Bridge
③ Monument
④ Mansion House
⑤ Church of
    St. Stephen Walbrook
⑥ The Temple of Mithras
⑦ Leadenhall Market
⑧ Lloyd's of London Building
⑨ St. Helen Bishopsgate

⑩ NatWest Tower
⑪ London Stock Exchange
⑫ Royal Exchange
⑬ Bank of England
⑭ St. Margaret, Lothbury
⑮ Guildhall
⑯ Museum of London
⑰ St. Paul's Cathedral

Légende
✝ Église
☕ «L'heure
    de la pause»
⊖ Métro

Une fois vos achats terminés, retournez sur Gracechurch Street et marchez vers le nord, avant de tourner à droite dans Leadenhall Street. En prenant la deuxième à droite, Lime Street, vous pourrez admirer un immense édifice d'une modernité provocante.

8. **Lloyd's of London Building.** Réalisée en 1986 par Richard Rogers, l'un des architectes du centre Georges Pompidou à Paris, cette étonnante structure en béton, acier et verre se dresse au cœur de l'ancien Londres romain. C'est le plus récent des immeubles de bureaux de la Lloyd's, compagnie d'assurance maritime fondée en 1680, sans doute aujourd'hui la plus célèbre – et la plus tumultueuse sur le plan financier – compagnie d'assurances du monde. Au début des années 1990, des sinistres entraînant de lourds remboursements ont mis ses jours en péril. La galerie d'exposition qui présentait son rôle passé et présent a été fermée depuis la violente explosion d'une bombe posée par l'IRA dans Bishopsgate en 1992.

Tout près se trouvent le **London Metal Exchange**, le **London Futures and Options Exchange**, et autres institutions financières dont l'influence se fait sentir dans le monde entier.

Prenez ensuite Lime Street pour revenir sur Leadenhall Street et tournez à gauche, puis prenez à droite Bishopsgate, et encore la deuxième à droite pour vous engager dans une ruelle connue sous le nom de Great St Helen's. Presque au bout, vous découvrirez la plus grande église médiévale qui subsiste à Londres.

9. **St Helen Bishopsgate,** fut édifiée au XVe siècle et dédiée à Sainte Hélène, la mère britannique de l'empereur romain Constantin, selon la légende. Remarquez à l'intérieur les monuments, tombeaux et inscriptions funéraires dans le style élisabéthain et de Jacques Ier.

Ressortez sur Bishopsgate et tournez à droite. Un peu plus loin, prenez à gauche Wormwood Street, puis la première à gauche, Old Broad Street. Devant vous se dresse le plus haut gratte-ciel de Grande-Bretagne et le deuxième d'Europe.

10. **NatWest Tower.** Œuvre de Richard Seifert (1981), cette tour abrite le siège de la National Westminster Bank. Ses puissantes fondations en béton reposent sur de l'argile étanche permettant à l'édifice d'osciller doucement sous l'effet du vent. Malheureusement, il n'existe pas de tour d'observation accessible au public, il faudra vous contenter de l'admirer de loin.

Continuez vers le sud sur Old Broad Street et remarquez sur votre droite la Bourse de Londres.

11. **London Stock Exchange.** Installée au début des années 1960 dans ce nouveau bâtiment plus moderne et mieux adapté, cette institution a perdu beaucoup de son animation depuis que la plupart des opérations financières de la City se sont modernisées, en 1986. Les transactions entre brokers, directement en face à face, ont cédé la place à de simples opérations sur ordinateurs.

☕ **L'HEURE DE LA PAUSE** Suivez Old Broad Street vers le sud-ouest jusqu'au croisement avec Threadneedle Street, que vous traverserez plus loin sur la gauche et tournez dans l'étroite Finch Lane. Traversez la bruyante Cornhill pour passer du côté sud de la rue, puis suivez la vers l'est jusqu'à St Michael's Alley et la **Jamaica Wine House**, St Michael's Alley, EC3 (☎ **020/7626-9496**), l'un des plus anciens cafés d'Europe. Autrefois, c'était un lieu où aimaient à se retrouver les marchands de Londres et les capitaines au long cours qui leur rapportaient des denrées. Aujourd'hui, on y sert des en-cas, du vin et de la bière brune et blonde.

Après avoir pris un verre, prenez le temps d'explorer le dédale moyenâgeux des étroites ruelles, à l'écart des bruits assourdissants du trafic de la semaine. Puis revenez sur le grand boulevard, Cornhill, près du carrefour entre cinq grandes artères.

12. Royal Exchange. Réalisé par William Tite au début des années 1840, son imposant fronton néoclassique comporte une statue du *Commerce* sculptée par Richard Westmacott. Créé par une association de marchands et de financiers à l'époque élisabéthaine, le Royal Exchange avait pour but d'attirer à Londres les opérations européennes de commerce et de banque réalisées à Anvers, alors capitale financière de l'Europe du Nord. Achats et ventes de matières premières se poursuivirent ici dans une ambiance frénétique jusqu'en 1982, date à laquelle le bâtiment devint le siège du London International Financial Futures Exchange (LIFFE).

13. Bank of England. Fondée à l'origine pour « le bien public et au profit de notre peuple », comme le dit la charte accordée en 1694 par William et Mary, la Banque d'Angleterre recèle une mine de lingots d'or, de billets de banque britanniques et d'archives historiques. L'entrée de la seule partie de cet imposant édifice ouverte au public, le **Bank of England Museum**, se situe dans une petite rue sur le côté, Bartholomew Lane (☎ 020/7601-5793 ; ouvert du lundi au vendredi de 10 h à 17 h ; entrée gratuite).

Depuis la Bank of England, suivez Prince's Street vers le nord-ouest jusqu'à Lothbury. À un coin du carrefour se dresse une autre église de Sir Christopher Wren.

14. St Margaret Lothbury. Achevée en 1690, son intérieur mérite la visite pour ses nombreuses statues d'angelots qui s'ébattent, ses grilles joliment sculptées et l'aigle qui s'élève près de l'autel.

Allez maintenant vers l'ouest sur Lothbury, qui devient Gresham Street. Après avoir longé une série de ruelles, vous verrez sur la droite les jardins et la grandiose façade historique du Guildhall.

15. Guildhall. Siège du pouvoir du Lord Mayor de Londres depuis le XIIᵉ siècle, continuellement reconstruit et agrandi, le Guildhall vit se dérouler au Moyen Âge d'interminables négociations entre les rois anglais (dont le siège se situait en dehors de la City, à Westminster) et les guildes, associations et confréries de marchands et de financiers. De nos jours, les rituels qui entourent le Lord Mayor sont presque aussi élaborés que ceux de la monarchie elle-même. Le Guildhall abrite la plus vaste crypte de Londres ; sa façade orientale fut reconstruite par Sir Christopher Wren après le Grand Incendie de 1666.

Continuez vers l'ouest sur Gresham Street et tournez à droite dans Wood Street. Marchez vers London Wall puis tournez un peu plus loin à gauche. Sur la droite s'élève un bâtiment moderne.

16. Museum of London. Situé dans un nouveau bâtiment construit en 1975, il rassemble des souvenirs de Londres provenant de plusieurs musées antérieurs ainsi qu'une magnifique collection de costumes d'époque. Édifié sur le site de la porte ouest de l'ancienne colonie romaine de Londinium, le musée possède également une très importante collection de vestiges archéologiques mis au jour au fil des siècles lors des travaux de construction de la City. Des diaporamas évoquent le Grand Incendie et les prisons victoriennes.

Suivez Aldersgate Street, qui devient bientôt St Martins-le-Grand. Après l'intersection avec Newgate Street vous verrez progressivement apparaître dans to... son ampleur le dôme de la cathédrale Saint Paul.

17. St Paul's Cathedral. Chef-d'œuvre indiscuté de Sir Christopher Wren, l'édifice vit le mariage du prince Charles et de la princesse Diana ainsi que les funérailles officielles de Nelson, Wellington ou Churchill. Pendant la seconde guerre mondiale, la cathédrale sauva la vie de toute une génération de Londoniens qui s'y réfugiaient lors des bombardements. Seule église d'Angleterre de style baroque anglais et seule cathédrale anglaise à posséder un dôme, St Paul fut aussi longtemps l'unique cathédrale du pays conçue et édifiée par un seul et même architecte.

Depuis la station de métro St Paul's, vous pouvez prendre la Central Line pour rejoindre votre prochaine destination.

Promenade 2
Le Londres officiel : Westminster et Whitehall

Départ : entrée de la Tate Britain. Métro : Pimlico.
Arrivée : National Portrait Gallery, Trafalgar Square. Métro : Charing Cross ou Leicester Square.
Durée : environ 3 h, sans compter les arrêts.
Meilleur moment : du lundi au jeudi, durant les sessions parlementaires
Pire moment : le soir et le dimanche quand le quartier devient quasiment désert, hormis les voitures qui roulent à toute vitesse.

Ce circuit vous emmènera sur un itinéraire parallèle à la Tamise, en suivant les symboles les plus manifestes de l'histoire de la monarchie et de la démocratie anglaises.

En sortant de la station Pimlico, suivez Bessborough Street, qui devient Bessborough Gardens en se dirigeant vers la Tamise et le Vauxhall Bridge. En arrivant à Millbank, en face du fleuve, prenez cette grande artère à gauche. Notre circuit part sur la gauche, en face de la grande entrée palladienne de la Tate Gallery originale.

1. Tate Britain. Édifiée en 1897 et offerte à Londres par le descendant d'un baron du sucre, la Tate Britain abrite des œuvres de presque tous les grands peintres de l'histoire britannique. Vous aurez sûrement envie de les admirer à loisir, mais pour le moment longeons vers le nord la rive ouest de la Tamise (connue ici sous le nom de Millbank) ; en face de vous se dressent les Houses of Parliament (Chambres du Parlement). Juste après le Lambeth Bridge, quittez la rive du fleuve pour prendre Dean Stanley Street.

2. Smith Square au milieu duquel se dresse **St John's Church.** Bâtie dans un style néoclassique très personnel par Thomas Archer en 1728, cette église fut gravement endommagée par les bombardements en 1941. Depuis sa reconstruction, elle sert de salle de concert.

Revenez vers la Tamise et tournez à gauche en direction des Houses of Parliament. Entrez dans le jardin verdoyant situé du côté de l'entrée sud.

3. Victoria Tower Gardens. Vous verrez là une réplique de 1915 des célèbres *Bourgeois de Calais* sculptés par Rodin vingt ans plus tôt, ainsi qu'un monument de A. G. Walker à Emmeline Pankhurst qui dirigea le mouvement des suffragettes britanniques au début du XXe siècle – engagement qu'elle paya de plusieurs séjours en prison.

Faites une petite incursion dans Great College Street, qui part sur la gauche.

4. Abbey Garden. Dépendant de la Westminster Abbey voisine et cultivé sans interruption depuis 900 ans, c'est l'un des plus anciens jardins d'Angleterre,

Promenade - Westminster et Whitehall

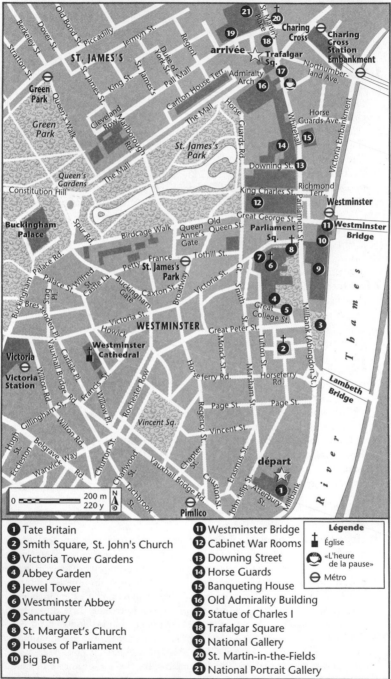

Légende

✝ Église

☕ «L'heure de la pause»

⊖ Métro

1. Tate Britain
2. Smith Square, St. John's Church
3. Victoria Tower Gardens
4. Abbey Garden
5. Jewel Tower
6. Westminster Abbey
7. Sanctuary
8. St. Margaret's Church
9. Houses of Parliament
10. Big Ben
11. Westminster Bridge
12. Cabinet War Rooms
13. Downing Street
14. Horse Guards
15. Banqueting House
16. Old Admirality Building
17. Statue of Charles I
18. Trafalgar Square
19. National Gallery
20. St. Martin-in-the-Fields
21. National Portrait Gallery

riche en lavande et en ruines ecclésiastiques. La grille est fermée à clé, mais depuis la rue, on aperçoit une partie de cette délicieuse curiosité historique.

Revenez par Great College Street jusqu'à Millbank (qui figure sur certaines cartes sous le nom de Abingdon Street) et tournez à gauche en restant sur le côté opposé aux Houses of Parliament.

5. Jewel Tower. Cette tour du Trésor est le seul vestige de la partie domestique du Palace of Westminster, jadis si imposant. Achevée en 1366, elle fut édifiée pour conserver les trésors d'Édouard III. Un petit musée évoque la construction des Houses of Parliament.

Suivez maintenant Millbank (ou Abingdon Street) vers le nord en longeant sur la gauche le chevet semi-circulaire d'un haut lieux de la religion, mais aussi de l'art et de la culture britanniques.

6. Westminster Abbey. Achevée en 1245, cette abbaye est l'un des édifices les plus majestueux et les plus visités d'Europe. Cœur spirituel de Londres, elle a tant baigné dans la tradition, la majesté, la douleur et le sang qu'elle mérite un livre à elle seule. Tournez à gauche pour contourner le flanc nord de l'édifice et pénétrer par sa façade ouest.

Après avoir visité l'abbaye, passez par les cloîtres pour sortir dans la Dean's Yard (cour du doyen), où se trouve la Westminster School. Droit devant vous sur la droite, une arcade mène à la porte ouest de l'abbaye et au Sanctuary.

7. Sanctuary. À l'époque médiévale, il comportait deux rues, appelées Grand Sanctuaire et Petit Sanctuaire, et consistait en un dédale de bâtisses et d'étroites ruelles tortueuses. Protégé par le mur d'enceinte de Westminster, il offrait asile aux opprimés et, à l'occasion, aux réfugiés politiques. Au fil du temps, le Sanctuaire acquit la réputation d'abriter une « fange d'égorgeurs, de prostituées, de pickpockets et de meurtriers ». Infesté par la maladie et la criminalité, il finit par être fermé sur ordre de Jacques Ier. Des taudis y subsistèrent durant des siècles, mais la rénovation urbaine finit par éliminer tous les vestiges de sa période malfamée.

Vous remarquerez sur votre droite, juste derrière le transept nord de l'abbaye, une église entièrement restaurée.

8. St Margaret's Church. Édifiée entre 1504 et 1523, c'est l'église paroissiale de la House of Commons (Chambre des communes). Elle abrite un bel ensemble de vitraux ainsi que le corps de Sir Walter Raleigh – qui fut décapité juste en face de son entrée. C'est aussi dans cette église que furent célébrés les mariages du poète John Milton (1656) et de Winston Churchill (1908).

En sortant de St Margaret's, on a une vision grandiose de l'architecture néo-gothique du Parlement britannique.

9. Houses of Parliament. Ce Parlement bicaméral, « mère » de tous les parlements, a été édifié entre 1840 et 1860 par les architectes Sir Charles Barry et Augustus Pugin – qui, dit-on, souffrirent tous deux de dépression nerveuse et moururent prématurément suite à la surcharge de travail et de soucis que leur imposa la construction de l'édifice. Les deux Chambres couvrent 3,24 ha et affichent avec orgueil le plus grand nombre de pierres ornées au monde. La visite (que vous préférerez peut-être faire un autre jour) commence au pied de Big Ben.

10. Big Ben. La tour de l'horloge des Houses of Parliament dresse sa haute silhouette près de l'angle nord-ouest de l'édifice (de toute façon, vous ne risquez pas de la manquer !). Comme la Tour Eiffel pour Paris, Big Ben est le symbole de Londres à travers le monde. Bâtie entre 1858 et 1859, cette tour haute de 96 m doit son nom à Sir Benjamin Hall, premier commissaire aux travaux publics et d'évidence homme aux proportions considérables... Ce n'est peut-être pas sans raison que le mécanisme de l'horloge pèse à lui seul 5 tonnes. Big Ben donna l'heure sans faillir durant 117 ans avant de succomber à une « fatigue du métal » en 1976, date à laquelle on entreprit d'importantes réparations pour qu'elle reprenne son service. Une lumière s'allume au dessus de l'horloge lorsque la Chambre des communes est réunie en séance.

11. Westminster Bridge. Construit en fonte en 1862, ce pont, parmi les plus richement ornés de Londres, offre l'une des plus belles vues sur le Parlement. Pour y accéder en venant de Big Ben, tournez à droite sur Bridge Street. La base ouest du pont – Westminster Pier – est le point de départ de nombreuses promenades en bateau sur la Tamise (voir cette rubrique au chapitre 6).

Revenez maintenant sur vos pas par Bridge Street, passez devant Big Ben et prenez la deuxième à droite, Parliament Street, artère au trafic intense. Tournez dans la première à gauche, King Charles Street, jusqu'à hauteur de Clive Steps sur la gauche.

12. Cabinet War Rooms. C'est dans ces quelques modestes pièces que se réunissait le cabinet de Churchill durant la seconde guerre mondiale ; le Premier Ministre britannique y prononça nombre de ses discours les plus émouvants. L'ensemble fut construit sous une dalle de béton de plus de 5 m pour les protéger des raids aériens allemands. Une demi-douzaine de ces cabinets sont ouverts au public.

Revenez sur Parliament Street, tournez à gauche puis encore à gauche.

13. Downing Street. Les responsables de la sécurité ne vous laisseront sans doute pas approcher de trop près le célèbre 10 Downing Street, résidence officielle du Premier Ministre. Le n° 11 est la résidence du chancelier de l'Échiquier et le n° 12, le bureau du « *chief government whip* » – le membre du Parlement chargé d'assurer la discipline et la coopération des membres du parti à la Chambre des communes.

Suivez vers le nord Parliament Street, qui devient Whitehall près de Downing Street. De part et d'autre de la rue, d'imposants édifices abritent « l'âme administrative » de la Grande-Bretagne et accueillent des réunions et des négociations de portée nationale ou internationale.

Parmi eux se trouve celui des Horses Guards.

14. Horse Guards. Construit en 1760 par William Kent, c'est l'un des édifices les plus impressionnants de Whitehall. Ici se déroule le cérémonial de la montée de la garde, première phase d'une cérémonie équestre qui s'achève par la relève de la garde, en face de Buckingham Palace (pour plus de précisions, voir au chapitre 6).

De l'autre côté de l'avenue, admirez les proportions très pures de l'un des plus beaux exemples d'architecture palladienne de Londres, la Banqueting House.

15. Banqueting House. Commandé par Jacques Ier à Inigo Jones au début du XVIIe siècle, le bâtiment fait preuve d'une perfection esthétique comme rarement ailleurs en Angleterre. Sa façade servit de toile de fond à l'un des événements marquants de l'histoire britannique, la décapitation de Charles Ier. Les magnifiques plafonds peints de la salle de réception sont de Pierre Paul Rubens.

En suivant toujours Whitehall vers le nord, vous arrivez peu après dans un lieu idéal pour faire une pause.

☕ **L'HEURE DE LA PAUSE   The Clarence Pub,** 53 Whitehall, W˙ (☎ 020/7930-4808). Ce pub, l'un des plus célèbres de Londres, fait le bonhe des parlementaires de toute l'Angleterre. Depuis son ouverture au XVIIIe sièc⌐

étanche la soif de tous les représentants du pouvoir ! Avec ses poutres en chêne, ses tables en bois marquées par le temps et entourées de bancs identiques à ceux des églises, il sert au moins une demi-douzaine de bières brunes à la pression et la nourriture de pub habituelle. Un restaurant propose une cuisine plus élaborée.

Après vous être désaltéré, reprenez votre balade vers Trafalgar Square.

16. Old Admiralty Building, Spring Gardens. Réalisé en 1725 par Sir Thomas Ripley, l'Old Admiralty Building (réservé aux affaires administratives) abrita durant près de deux siècles le quartier général de la British Navy jusqu'à son transfert après la première guerre mondiale.

Marchez toujours vers le nord jusqu'à l'une des plus belles et des plus émouvantes statues équestres de Londres.

17. Statue de Charles Iᵉʳ. Sur un îlot, en plein milieu de la circulation, elle rappelle le sort tragique de ce roi britannique. Elle indique aussi que vous arrivez à Trafalgar Square.

18. Trafalgar Square. Cette place, la plus imposante de Londres, est centrée autour d'un monument à Lord Nelson, héros de la bataille de Trafalgar qui se déroula au large des côtes espagnoles en 1805 et au cours de laquelle fut anéantie la force navale de Napoléon. Au nord de la place, on voit le bâtiment néoclassique de la National Gallery.

19. National Gallery. Il faut absolument lui consacrer une visite approfondie ; ses collections comptent parmi les plus belles de l'art occidental.

L'église du côté est de Trafalgar Square est l'une des plus célèbres de la capitale.

20. Martin-in-the-Fields. Conçue en 1726 par James Gibbs dans le style de Sir Christopher Wren, elle est ornée d'un portique corinthien et arbore un clocher dont la forme a inspiré les architectes de nombreuses églises américaines. C'est là qu'eut lieu le baptême de Charles II et que fut enterrée sa maîtresse, Nell Gwynne. L'église est également connue pour son orchestre.

Enfin, pour avoir vue d'ensemble des visages qui jouèrent un rôle clé dans l'histoire britannique – et parfois mondiale –, allez sur la droite de la National Gallery, où se trouve la plus grande galerie de portraits d'Europe.

21. National Portrait Gallery, 2 St Martin's Place. Rois, cardinaux, maîtresses, poètes, auteurs dramatiques, coquettes, dilettantes et autres personnages connus : ils sont tous là. Y compris ceux de notre temps – Paul McCartney, Sir Richard Attenborough et tant d'autres, au premier étage. Ici, on accorde davantage d'importance aux sujets des portraits qu'à leurs auteurs. Une visite d'1 ou 2 h dans ce musée est une fort agréable manière de terminer votre promenade.

Promenade 3
Le quartier aristocratique de St James

Départ : Admiralty Arch. Métro : Charing Cross.
Arrivée : Buckingham Palace. Métro : St James's Park ou Green Park.
Durée : environ 2 h sans compter les arrêts.
Meilleur moment : avant 15 h.
Pire moment : quand il fait nuit.

Cette promenade vous entraîne dans des quartiers presque exclusivement réservés ~~de~~puis leur construction à l'aristocratie britannique et vous permet de découvrir parmi ~~les p~~lus beaux sites de l'Angleterre impériale des XVIIIᵉ et XIXᵉ siècles.

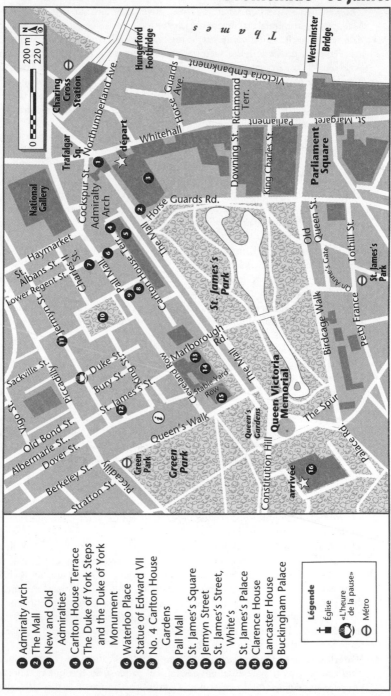

Légende

✝ Église

🅿 «L'heure de la pause»

Ⓜ Métro

1. Admiralty Arch
2. The Mall
3. New and Old Admiralties
4. Carlton House Terrace
5. The Duke of York Steps and the Duke of York Monument
6. Waterloo Place
7. Statue of Edward VII
8. No. 4 Carlton House Gardens
9. Pall Mall
10. St. James's Square
11. Jermyn Street
12. St. James's Street, White's
13. St. James's Palace
14. Clarence House
15. Lancaster House
16. Buckingham Palace

En venant de la station Charing Cross, suivez le Strand sur la gauche vers le Mall, en laissant Trafalgar Square sur la droite.

1. Admiralty Arch. Commandé par le roi Édouard VII (qui mourut avant son achèvement), fils de la reine Victoria, ce monument fut dessiné par Sir Aston Webb en 1911. Percé en son centre de cinq arches revêtues de pierre de Portland, il marque la première (et la plus vaste) étape d'un itinéraire triomphal allant de Buckingham Palace à St Paul's Cathedral, à l'est. L'arche centrale n'est ouverte que lors des cérémonies. Deux arches servent à la circulation des véhicules et les deux plus petites à celle des piétons.

Passez sous l'arche pour pénétrer dans cette immense artère qui mène jusqu'à Buckingham Palace.

2. The Mall. Bordé de rangées de platanes bien régulières, cette allée faisait à l'origine partie du jardin du St James's Palace, tout proche. Les courtisans de Charles II s'adonnaient ici à d'aristocratiques parties de « paille maille » (jeu précurseur du croquet). L'avenue doit sa forme actuelle à Sir Aston Webb, qui la dessina en hommage à la reine Victoria, peu après sa mort ; elle fut inaugurée en 1911. Souvent fermé à la circulation le dimanche, elle devient alors une extension piétonnière de St James's Park. Sa vaste étendue offre un terrain d'exercice très apprécié des cavaliers londoniens et de leurs montures.

Juste sur votre gauche (quand vous êtes dos à l'Admiralty Arch) se dressent deux bâtiments reliés l'un à l'autre.

3. New and Old Admiralties. Important centre nerveux de l'armée britannique, l'ancien et le nouveau ministères de la Marine ont connu bien des heures difficiles depuis le XVIIIe siècle.

En remontant le Mall vers le sud-ouest, vous verrez sur votre droite l'un des plus majestueux ensemble d'hôtels particuliers de Londres.

4. Carlton House Terrace. Ces immeubles ont remplacé l'ancienne magnifique demeure du prince régent du XVIIIe siècle, qui allait devenir roi sous le nom de George IV. Il fit construire, et par la suite démolir moyennant un coût fabuleux, la plus belle résidence privée de Grande-Bretagne. Seules les colonnes furent sauvées et remployées ultérieurement dans le portique de la National Gallery qui donne sur Trafalgar Square. L'ensemble de *terraces* néoclassiques de teinte ivoire est l'œuvre de l'architecte John Nash, sa dernière réalisation avant sa mort en 1835 – il était alors vivement calomnié pour un scandale financier. Aujourd'hui, Carlton House Terrace abrite des galeries d'art et des institutions culturelles ainsi que le siège de l'un des organismes scientifiques les plus renommés, la Royal Society.

La parfaite harmonie néoclassique de Carlton House Terrace est interrompue par le monument au duc d'York.

5. The Duke of York Column and Steps. Dédiée à la mémoire du second fils de George III, cette sculpture massive a été financée en retenant un jour de paie sur la solde de chaque soldat de l'Empire britannique... Œuvre de Sir Richard Westmacott (1834), la statue surmonte une colonne en granite rose. Les témoins de l'époque, sachant que le duc était mort couvert de dettes, plaisantaient en disant que le placer sur une colonne était le seul moyen de le mettre à l'abri de ses créanciers ! La colonne et la statue (qui pèse 7 tonnes) dominent la place de toute leur hauteur.

6. Waterloo Place. Œuvre prestigieuse de la planification de l'urbanisme à Londres, cette place symbolise tout à la fois l'élégance aristocratique et la nostalgie qu'avait l'Angleterre de ses grandes victoires sur Napoléon. Au n° 107, dans une bâtisse datant de 1830, superbe exemple de l'architecture néoclassique du début du XIXe siècle à Londres, se cache l'un des clubs de gentlemen les plus élitistes de Grande-Bretagne, l'Athenaeum Club.

7. Statue of Edward VII, par Sir Bertram Mackennal. Sur la même place, cette statue rend hommage à Édouard VII, l'homme qui inaugura une nouvelle époque (qui porte d'ailleurs son nom). On lui doit pour une grande part le magnifique quartier au nord-est de Buckingham Palace. Sa mère, la reine Victoria, vécut si longtemps qu'il n'accéda au trône qu'à l'âge de 60 ans et ne régna que 9 ans. Ue autre statue dédiée, elle, aux victimes de la guerre de Crimée – notamment en hommage à Florence Nightingale – lui fait face.

À l'extrémité ouest de Carlton House Terrace, Carlton House Gardens a joué un rôle important dans l'histoire française comme le rappellent les plaques apposées au n° 4.

8. N° 4 Carlton House Gardens. C'est là qu'était installé le quartier général des Forces françaises libres et de leur chef, le général de Gaulle, durant la seconde guerre mondiale. C'est de là qu'il lança, par radio, de nombreux appels à larésistance française. Cette demeure a également une façade qui donne sur le Mall, de l'autre côté du pâté de maisons.

L'une des artères qui débouche sur Waterloo Place est une avenue où abondent les clubs privés, à ne pas confondre avec The Mall, beaucoup plus longue et large.

9 Pall Mall (notez que les Londoniens prononcent « pell mell » plutôt que « paul mawl »). Certains des clubs sont si prestigieux et recherchés qu'il faut parfois, pour les plus élitistes d'entre eux, figurer jusqu'à dix ans sur la liste d'attente avant d'espérer devenir membre – sans parler des nombreux candidats qui ne seront jamais acceptés.

Suivez Pall Mall vers l'ouest (attention à la circulation en sens unique, rapide et dangereuse) et prenez la première à droite, qui mène à un élégant enclos du XVIIIe siècle.

10. St James's Square. Il fut tracé dans les années 1660 sur une terre donnée par le premier comte de St Albans, Henry Jermyn, ami du futur Charles II et de sa mère. À l'origine, de magnifiques demeures privées, occupées par des nobles désireux de vivre près de St James's Palace, siège du pouvoir royal, bordaient entièrement le *square*. Remarquez notamment au n° 10, Chatham House, la résidence privée de trois premiers ministres britanniques, dont le dernier fut William Gladstone, un libéral du temps de la reine Victoria. Au n° 32, le général Eisenhower et ses subordonnées mirent au point l'opération militaire de 1942 en Afrique du Nord et le débarquement allié de 1944 en Normandie. Au n° 16, un officier taché de sang vint annoncer l'écrasante victoire de Wellington sur les forces de Napoléon à Waterloo – ainsi que la capture des symboles de l'armée de Napoléon en forme d'aigle.

Après avoir fait le tour du *square*, sortez du côté nord par la Duke of York Street. Au coin de la rue suivante, tournez à gauche dans la rue de Londres où se trouvent les plus prestigieuses boutiques.

11. Jermyn Street. Les magasins de cette rue offrent ce qu'il y a de mieux en matière de tradition et de luxe britanniques. Elles sont prestigieuses et chères, et l'on y est bien sûr servi avec la plus grande courtoisie.

Suivez Jermyn Street jusqu'à Duke Street, où vous pourrez faire une halte.

☕ **L'HEURE DE LA PAUSE   Green's Champagne and Oyster Bar**, 36 Duke St., SW1 (☎ 020/7930-4566). Sa façade et son décor lambrissé font penser aux clubs exclusivement masculins du quartier. Cependant, il n'est pas besoin d'être membre pour se voir accueilli et de nombreuses femmes figurent parmi la clientèle. Au bar, patiné par le temps, vous pouvez commander du vin ou des alcools, mais aussi des plateaux d'huîtres, de caviar, de crevette et de crabe (à consommer au bar ou à table) – ainsi que tout un choix d'amuse-gueules et de plats. Attention, ce bar est particulièrement couru à l'heure du déjeuner.

Quittez Duke Street pour Jermyn Street, tournez à droite et continuez en longeant les boutiques. Deux pâtés de maison plus loin, tournez à gauche.

12. **St James's Street.** Encore une rue qui abrite des clubs privés, le plus à la mode étant sans conteste le **White's** au n° 37, décoré en 1788 par James Wyatt. C'est là que les amis du prince Charles organisèrent l'enterrement de sa vie de garçon, la veille de son mariage avec Lady Diana. Parmi les anciens membres célèbres figure le romancier Evelyn Waugh (1903-1966), grand satiriste anglais. Même avec toutes les recommandations possibles, il y a huit ans de liste d'attente pour devenir membre... bon courage !

Au bout (à l'extrémité sud) de St James's Street se dresse l'un des bâtiments historiques les plus importants de Londres :

13. **St James's Palace.** Lieu de naissance de nombreux monarques britanniques, ce palais fut la principale résidence royale de 1698 (date à laquelle Whitehall Palace fut ravagé par un incendie) jusqu'à l'accession au trône de Victoria – qui lui préféra Buckingham Palace – en 1837. Construit à l'origine en agrandissant une loge de style Tudor édifiée par Henri VIII pour l'une de ses reines au tragique destin, Anne Boleyn, ce palais fut profondément remanié par Sir Christopher Wren en 1703. Riche de souvenirs historiques, il a donné son nom à tout le quartier.

Le monde entier a pu le voir à la télévision en 1997 lors des funérailles de la princesse Diana. Le cortège se forma à Kensington Palace, où résidait la princesse, puis s'arrêta devant St James's Palace, l'actuelle résidence du prince Charles, pour que montent Charles, les jeunes princes Harry et William, ainsi que le prince Philippe et Earl Spencer, le frère de Diana.

La visite terminée, prenez Cleveland Row vers le sud-ouest, puis tournez à gauche dans Stable Yard Row.

14. **Clarence House.** Construite en 1829 par John Nash, c'est la résidence officielle de la reine mère. De l'autre côté de Stable Yard Row se dresse la très solennelle Lancaster House.

15. **Lancaster House.** Conçue en 1827 par Benjamin Wyatt, elle a porté le nom de York House et de Stafford House. Ici, Chopin joua ses ballades et ses nocturnes pour la reine Victoria. Édouard VIII y vécut après son abdication (condition requise pour son mariage avec une Américaine divorcée, Mrs. Simpson). Gravement endommagé par les bombardements de la seconde guerre mondiale, la demeure a été joliment restaurée et remeublée dans le style Louis XV et sert pour des dîners et autres réceptions officiels.

À quelques pas de là, vous retrouverez les platanes du Mall. Tournez alors à droite pour avoir une vue de face sur Buckingham.

16. **Buckingham Palace.** Résidence officielle de tous les monarques britanniques depuis la reine Victoria, ce palais présente tout à la fois un caractère royal, mystérieux, magique et bien vivant. Des visites ont lieu l'été (pour plus de précisions, voir au chapitre 6).

Promenade 4
Chelsea, village londonien

Départ : Sloane Square. Métro : Sloane Square.
Arrivée : National Army Museum. Métro : Sloane Square.
Durée : environ 2 h sans compter les arrêts.
Meilleur moment : du mercredi au samedi de 10 h à 16 h, quand presque tout est ouvert. Le samedi matin est le moment idéal pour faire du shopping sur King's Road.
Pire moment : après 17 h et le dimanche quand les magasins et la plupart des lieux à visiter sont fermés – même s'il y a moins de circulation le dimanche.

Artistes et écrivains qui habitaient traditionnellement le quartier ont cédé la place aux nantis, mais Chelsea reste l'un des « villages » aux dimensions les plus humaines de la capitale. Parmi les personnalités qui y ont résidé figurent Henri VIII, Henry James, J. M. W. Turner, John Singer Sargent, Thomas Carlyle, Oscar Wilde, Mick Jagger et la baronne Margaret Thatcher.

1. **Sloane Square.** À la lisière nord de Chelsea, ce *square* fut tracé en 1780 sur une terre appartenant à Sir Hans Sloane (1660-1753) dont la collection de minéraux, de fossiles et de plantes est conservée au British Museum. À quelques pas de là, sur la droite de la station de métro, le Royal Court Theatre fut inauguré en 1888. Il acquit sa célébrité en présentant des pièces de George Bernard Shaw, dont la première de *Candida* (1904). Depuis la première de *Look Back in Anger* de John Osborne en 1956, il passe pour monter des pièces nouvelles, souvent audacieuses. Revenez en arrière en passant la station de métro et continuez tout droit.

2. **Sloane Gardens.** Le nom de ces jardins rend hommage à l'ancien président de la Royal Society, Sir Hans Sloane ; ils sont entourés de splendides maisons en brique rouge. Leur promoteur, William Willett, est aussi, curieusement, à l'origine en 1889, de l'heure avancée d'été – idée qui ne fut pas extrêmement populaire auprès des travailleurs de l'époque. Parmi les innombrables personnalités qui ont habité Chelsea, Sir Philip Gibbs (1877-1962), romancier, journaliste, historien et analyste politique, vécut au 8 Sloane Gardens et Egerton Castle (1858-1920), romancier et dramaturge, à la fin de sa vie, au 49 Sloane Gardens.
   En arrivant au bout de Sloane Gardens, prenez à gauche Lower Sloane Street et, deux pâtés de maison plus loin, traversez la rue.

3. **The Old Burial Ground.** Même s'il ne subsiste que peu de tombes, on estime qu'environ 10 000 soldats ont été enterrés dans le vieux cimetière qui jouxte le Chelsea Royal Hospital. Un journal local racontait qu'au XVIIIᵉ siècle, un homme de 123 ans avait été inhumé ici. Le cimetière ne se visite pas, mais vous pouvez l'apercevoir à travers les grilles.
   Prenez ensuite à droite la Royal Hospital Road, en laissant le cimetière sur votre gauche, et parcourez une centaine de mètres.

4. **Ranelagh Gardens.** Ce jardin vallonné, sans prétention, occupe l'emplacement de la maison et des jardins de Lord Ranelagh (en 1650), trésorier général des forces armées britanniques. Il fut un temps où le beau monde se pressait dans ce jardin de plaisance, l'un des plus en vogue de la ville. L'historien Gibbon en parlait comme de « l'endroit le plus pratique pour faire sa cour quelle qu'elle fût » tandis que l'écrivain Goldsmith appréciait « la frivolité à la mode » du lieu. Seul le Chelsea Royal Hospital subsiste dans le parc, tous les autres bâtiments ayant été démolis.

Prenez à droite en quittant les jardins et revenez sur vos pas en passant sous London Gate et tournez encore à gauche dans l'entrée. De là, continuez tout droit en franchissant les portes en bois.

5. Chelsea Royal Hospital. Conçu en 1682 suite au grand incendie de Londres, l'hôpital royal de Chelsea est, après la cathédrale Saint Paul, le deuxième chef-d'œuvre de Sir Christopher Wren. Inspiré de l'hôtel des Invalides fondé par Louis XIV à Paris, et aussi grandiose que lui, il a pour mission d'accueillir les soldats blessés ou âgés. Il abrite plus de 400 anciens combattants, qui le font visiter en portant des uniformes bleus ou écarlate et un tricorne lors des grandes occasions.

Sortez par Royal Hospital Road, empruntez le passage piétonnier vers Franklin's Row, et continuez en direction du nord-ouest.

6. The Duke of York's Headquarters. Le duc d'York, second fils de Georges III, fonda cette école en 1801 pour les enfants de militaires. Chargé de réformer l'armée, le duc s'éleva contre la vente des grades d'officier jusqu'à ce qu'un scandale révèle que sa propre maîtresse était impliquée dans ce trafic et que le réformateur doive démissionner dans la honte. Aujourd'hui, c'est la National Guard (Garde nationale) qui occupe ces lieux interdits au public.

Prenez ensuite à gauche vers l'ouest, en suivant l'une des plus charmantes rues résidentielles de Londres.

7. St Leonard's Terrace. Au n° 7 vécut, à la fin des années 1970, Sir Lawrence Olivier (1907-1989). Bram Stoker (1847-1912), l'écrivain d'origine irlandaise, créateur du comte Dracula, y demeura en 1896, publiant son célèbre roman l'année suivante. Cette *terrace* recèle certaines des plus belles demeures de Londres : remarquez les n° 19, 21, 22, et surtout le n° 26, l'une des plus anciennes.

Revenez jusqu'à la demeure de Sir Lawrence Olivier, et tournez à gauche dans Royal Avenue bordée d'imposantes demeures victoriennes en brique rouge. La rue elle-même remonte à des temps plus anciens, puisqu'elle a été tracée en 1682 par Sir Christopher Wren. Au bout de l'avenue, tournez à gauche dans l'artère très animée.

8. King's Road. Avec sa profusion d'antiquaires, de libraires, de restaurants, de cafés, de salons de thé, de boutiques de créateurs et de *Sloane Rangers* ou *Sloanies* (BCBG britanniques), toujours à la pointe de la mode, King's Road se prête merveilleusement à l'observation de la comédie humaine. Mais qui se rappelle que cette rue doit son nom de « route du roi » à Charles II, qui empruntait ce chemin pour se rendre de son palais de Londres à Hampton Court Palace ?

☕ **L'HEURE DE LA PAUSE   Henry J. Bean's Bar & Grill**, 195-197 King's Rd. (☎ **020/7352-9255**). Ce bar de style « *Cheers* » ravira les Yankees dans l'âme et tous les amateurs de bons gros burgers, de hot dogs bien charnus et autres spécialités américaines. En été, on peut boire et manger dans la roseraie à l'arrière. L'*Happy hour* propose des prix réduits sur les boissons de 18 h à 20 h tous les jours sauf le dimanche.

Après un moment de détente, reprenez votre marche sur King's Road en direction du sud-ouest. À mi-chemin entre Shawfield Street et Flood Street.

9. Antiquarius, 135-141 King's Rd., SW3. En jetant un coup d'œil, vous dénicherez peut-être ce vieil objet de famille perdu il y a longtemps et dont vous ne pouviez pas vous passer...

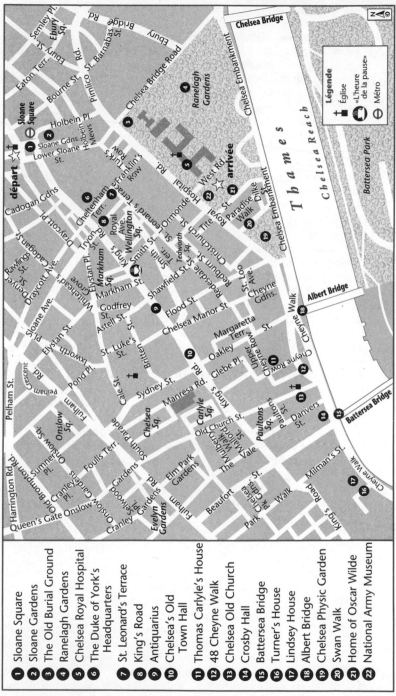

Légende

✝ ■ Église
☕ «L'heure de la pause»
Ⓜ Métro

1. Sloane Square
2. Sloane Gardens
3. The Old Burial Ground
4. Ranelagh Gardens
5. Chelsea Royal Hospital
6. The Duke of York's Headquarters
7. St. Leonard's Terrace
8. King's Road
9. Antiquarius
10. Chelsea's Old Town Hall
11. Thomas Carlyle's House
12. 48 Cheyne Walk
13. Chelsea Old Church
14. Crosby Hall
15. Battersea Bridge
16. Turner's House
17. Lindsey House
18. Albert Bridge
19. Chelsea Physic Garden
20. Swan Walk
21. Home of Oscar Wilde
22. National Army Museum

En descendant King's Road, des plaques ovales bleues et blanches indiquent les bâtiments qui présentent un intérêt particulier.

10. Chelsea's Old Town Hall. Située du côté sud de King's Road, à mi-chemin entre Chelsea Manor et Oakley Street, la vieille mairie de Chelsea attire toutes sortes de gens, depuis les marginaux qui se retrouvent là faute d'autre lieu où aller jusqu'aux couples en instance de mariage qui vont chercher des formulaires. L'édifice à la grandeur géorgienne sert aussi souvent de cadre aux photos de mariage.

Continuez vers Oakley Street jusqu'au croisement avec Upper Cheyne Row. Suivez cette artère jusqu'à Cheyne Row et arrêtez-vous au n° 24 où habita le célèbre écrivain écossais Thomas Carlyle (1795-1881) :

11. Thomas Carlyle's House. Si elle est l'une des rares du quartier ouverte au public, cette maison où vécurent le « sage de Chelsea » et sa femme Jane est surtout l'une des plus intéressantes de Londres. En dehors, bien sûr, des passionnés de littérature, elle fascinera tous ceux qui sont curieux de découvrir la vie à l'époque victorienne. Notez, dans le jardin, la petite tombe du chien favori de l'auteur.

En venant de la maison de Carlyle, continuez vers le sud en direction de la Tamise et de Cheyne Walk, l'une des plus célèbres rues de Londres pour ses nombreuses maisons luxueuses. Parmi les occupants de ces bâtisses aux élégantes proportions figurent des personnalités très connues ; ainsi au n° 48...

12. N° 48 Cheyne Walk, où vécut un temps Mick Jagger, avec pour voisins, un autre *Stones*, Keith Richards, mais aussi le magnat de l'édition Lord Weidenfeld et le petit-fils de J. Paul Getty, géant de l'industrie pétrolière et collectionneur américain. En remontant le temps, citons la romancière britannique si peu conventionnelle George Eliot (1819-1880) qui vécut et mourut au n° 41, ou encore le peintre Dante Gabriel Rossetti (1828-1882), l'un des fondateurs du mouvement préraphaélite, qui habita au n° 16, l'une des plus belles bâtisses de la rue.

Si vous vous dirigez vers l'est en direction du Battersea Bridge, vous arriverez à Old Church Street où se trouve l'église paroissiale de St Thomas More.

13. Chelsea Old Church (All Saints). Gravement endommagée par les bombardements de la seconde guerre mondiale, cette église a néanmoins retrouvé sa beauté grâce à une savante restauration. Elle abrite une chapelle exécutée en partie d'après des dessins de Hans Holbein, une urne funéraire contenant les restes de l'homme qui possédait l'essentiel de Chelsea au XVIIIe siècle, et une plaque à la mémoire du romancier américain Henry James, qui vécut longtemps dans le quartier et y mourut en 1916. La Lawrence Chapel passe pour avoir accueilli en 1536 le mariage secret de Henri VIII et Jane Seymour, plusieurs jours avant le mariage officiel.

À mi-chemin entre le trafic intense de Beauford Street et la plus calme Danvers Street (toutes deux donnant dans Cheyne Walk) se situe le Crosby Hall.

14. Crosby Hall. Aucun numéro n'indique l'emplacement de cet édifice, dont l'aile en brique et pierre à l'allure de chapelle provient d'une demeure édifiée au début du XVe siècle, qui appartenait à la fois à Richard III et à Sir Thomas More. Elle fut transportée pierre par pierre depuis Bishopsgate au début du XXe siècle, en partie grâce au soutien financier d'une Américaine, Lady Nancy Astor. Complété par une aile moderne en pierre grise construite dans les années 1950, le Crosby Hall offre des possibilités de logement et de restauration à la British Federation of University Women. On peut en visiter (gratuitement) une partie et voir ainsi des peintures de Holbein, un plafond cintré et un peu de mobilier de l'époque de Jacques Ier (du lundi au samedi, de 10 h à 12 h et de 14 h 15 à 17 h).

De retour sur Cheyne Walk, vous pouvez continuer vers l'ouest en laissant sur votre gauche le pont de Battersea.

15. Battersea Bridge. Même s'il ne présente pas d'attrait particulier, ce pont peut vous être précieux pour vous repérer dans Chelsea par rapport à la Tamise. Allez maintenant à l'ouest vers le n° 119 Cheyne Walk.

16. Turner's House. Cette haute et étroite maison abrita l'un des plus grands peintres anglais, Joseph Mallord William Turner (1775–1851), durant les dernières années de sa vie. Précurseur des impressionnistes français, ses toiles jouent déjà sur les vibrations de la lumière et les miroitements de la couleur – ne manquez pas d'aller voir le merveilleux ensemble conservé à la Tate Britain. Quand il mourut dans cette maison, ses derniers mots furent : « Dieu est Lumière.» Juste à l'est, aux n° 96-100, s'élève l'une des plus belles bâtisses de Chelsea.

17. Lindsey House. Édifiée vers 1674 par un médecin d'origine suisse de deux rois britanniques (Jacques Ier et Charles II), cette maison devint vers 1750 le siège britannique de l'église morave, d'origine tchèque. Divisée par la suite en quatre résidences distinctes, elle abrita le peintre américain James Whistler (au n° 96) entre 1866 et 1879. Sir Edwin Lutyens (1869-1944), l'architecte le plus célèbre de l'époque édouardienne dessina les jardins des n° 99 et 100.

Arrivé là, faites demi-tour pour revenir au Battersea Bridge et entamer une superbe promenade vers l'ouest en suivant Cheyne Walk, au milieu d'un quartier historique gêné par le seul bruit de la circulation sur les rives du fleuve. De l'autre côté de la Tamise s'étend Battersea, avec au loin l'un des ponts les plus photographiés de Londres.

18. Albert Bridge. Il fut conçu par R. M. Ordish en 1873, à l'apogée de la fascination victorienne pour la fonte.

Dépassez l'Albert Bridge en continuant sur Cheyne Walk jusqu'à Royal Hospital Road. Le bout de verdure de ce carrefour, qui a son entrée au n° 66 Royal Hospital Road, appartient au plus ancien jardin botanique d'Angleterre.

19. Chelsea Physic Garden (ou Chelsea Botanic Garden). The Worshipful Society of Apothecaries (Honorable Société des Apothicaires) fonda ce jardin en 1673 afin de collectionner, étudier et diffuser des plantes aux vertus médicinales. Sir Hans Sloane, botaniste et médecin du roi George II, lui assura un financement permanent en 1722. Ses 4 acres continuent à servir pour l'enseignement et la recherche. Arbres et arbustes exotiques, herbes aromatiques, jardin de rocaille, pièce d'eau et serres en font un havre délicieux pour se promener ou prendre un thé.

Continuez maintenant à marcher vers le nord-est sur Royal Hospital Road, et tournez au premier croisement à droite.

20. Swan Walk, lieu secret et charmant de Chelsea, est à découvrir pour ses merveilleuses rangées de maisons du XVIIIe siècle. Longez-les, puis prenez la première à gauche, Dilke Street, et au bout, tournez à nouveau à gauche dans Tite Street. Au 34 Tite St., une plaque rappelle qu'Oscar Wilde vécut ici.

21. Home of Oscar Wilde. Wilde y écrivit nombre de ses pièces, dont *Lady Windermere's Fan* (*L'Éventail de Lady Windermere*, 1892) et *The Importance of Being Earnest* (*De l'importance d'être constant*, 1895). Après que l'écrivain fut arrêté et mis en prison à la suite du plus célèbre procès pour homosexualité de l'histoire britannique, la maison fut vendue pour rembourser ses dettes. La plaque fut apposée en 1954, presqu'un siècle après sa naissance.

À quelques pas de là, dans la même rue, vécurent deux célèbres peintres américains : John Singer Sargent peignit beaucoup de ses portraits dans son atelier du n° 31, et James McNeill Whistler habita au n° 35.

Au bout de Tite Street, tournez à droite dans Royal Hospital Road. À quelques pas de là se dresse, telle une forteresse, le musée de l'Armée.

22. National Army Museum. Vous y verrez des salles consacrées aux armes, aux uniformes et à l'art militaires, ainsi que des dioramas des grandes batailles et divers souvenirs – comme le squelette du cheval favori de Napoléon !

La porte après le musée, vers le nord-est, donne accès à l'endroit où a lieu chaque année le Chelsea Flower Show. Pour plus de détails, voir le « Calendrier des événements londoniens » au chapitre 2.

Pour regagner la station de métro Sloane Square, suivez vers l'est la Royal Hospital Road jusqu'à Holbein Place, puis bifurquez à gauche vers le nord jusqu'à Sloane Square.

Faire des achats 8

Lorsque le maréchal prussien Blücher, vaillant allié de Wellington à Waterloo, posa pour la première fois les yeux sur Londres, on raconte qu'il se serait exclamé : « Herr Gott, quelle ville à piller ! » tant il était stupéfié par le nombre incroyable, pour ce début du XIXe siècle, de boutiques et de magasins qui s'étalaient devant ses yeux. Depuis, d'autres villes peuvent prétendre être des paradis du shopping, mais aucune n'a jamais surpassé Londres en ce domaine.

1 Le shopping londonien

L'influence américaine a bouleversé le commerce britannique, aussi bien par ses concepts – centres commerciaux, magasins d'entrepôts – que par ses marques mêmes : un *Disney Store* s'est installé à deux pas de *Hamley's*, la grande boutique de jeux et de jouets de Londres, *GAP* est partout et *Tiffany* vend aujourd'hui davantage de cadeaux de mariage qu'*Asprey*. Un conseil : laissez tomber tout ce qui est français, belge, américain ou autre pour vous concentrer sur les articles britanniques.

TAXES ET EXPÉDITIONS La VAT *(Value-Added Tax)* est la version britannique de notre TVA. Incluse dans le prix indiqué, elle se monte à 17,5 % sur la plupart des articles. Pour bénéficier de la déduction de la VAT, il faut désormais être résident dans des pays autres que ceux de l'Union européenne. Si c'est votre cas, n'oubliez pas de demander au vendeur un *VAT refund form* que vous ferez tamponner en passant la douane à votre sortie de Grande-Bretagne (ou, si vous poursuivez votre voyage en Europe, à votre sortie de l'Union). C'est le commerçant qui doit vous fournir et remplir ce formulaire – ce n'est pas à l'aéroport que vous l'obtiendrez, comme le prétendent certains d'entre eux. Pour bénéficier de ce remboursement, il faut un minimum d'achats de 50 £ (certains magasins exigent davantage : 100 £ chez *Harrods*, 75 £ chez *Selfridges*, 62 £ chez *Hermès*).

Dans les brocantes, les vendeurs ne sont pas forcément équipés pour vous fournir le *VAT refund form*. Posez-leur la question avant de vous décider pour un achat important. Sachez que la VAT s'applique également aux antiquités depuis que l'Union a obligé la Grande-Bretagne à s'aligner sur les autres pays. Avant de marchander, vérifiez si la VAT est bien incluse dans le prix.

Cette taxe ne s'applique pas aux articles expédiés par le marchand (et non par vous), et ce même si le montant des achats reste inférieur à

50 £ ; attention, le prix de l'expédition peut multiplier par deux le coût de votre achat, sans parler des taxes à acquitter dans le pays où vous résidez.

Si Londres passe pour être l'une des capitales du shopping, elle a aussi la réputation de nécessiter un portefeuille très bien garni. Pour dénicher de véritables affaires, faites comme les Londoniens, souvent plus sourcilleux sur la manière de dépenser leur argent difficilement gagné que la plupart des visiteurs : attendez les soldes ou attachez-vous à découvrir les spécialités locales.

Pour expédier vous-même vos achats par avion, vous pouvez payer un supplément de bagages ou vous adresser à des transporteurs indépendants, souvent moins chers que les compagnies aériennes. Essayez notamment : **London Baggage**, London Air Terminal, Victoria Place, SW1 (☎ 020/7828-2400 ; Métro : Victoria), ou **Burns International Facilities**, à Heathrow Airport Terminal 1 (☎ 020/8745-5301) et Terminal 4 (☎ 020/8745-7460).

HEURES D'OUVERTURE   Les horaires d'ouverture sont sensiblement les mêmes d'une boutique à l'autre, généralement de 10 h à 17 h 30, avec une nocturne le mercredi ou le jeudi jusqu'à 19 h ou 20 h. Dans certains quartiers comme Chelsea ou Covent Garden, les magasins ferment parfois un peu plus tard.

Légalement autorisés à ouvrir durant six heures le dimanche, ils choisissent généralement la tranche 11 h-17 h. Dans certains quartiers touristiques bien définis et dans les marchés aux puces, la loi autorise l'ouverture toute la journée du dimanche. Ce jour-là, la foule se presse à Covent Garden, Greenwich ou Hampstead.

2 Les meilleurs achats londoniens

ACHETEZ ANGLAIS Si vous êtes en quête de bonnes affaires, recherchez les articles fabriqués en Angleterre, ils coûtent souvent nettement moins cher que lorsqu'ils sont exportés. Cela va des produits **Body Shop, Filofax** ou **Dr Martens** aux livres rares, de toutes sortes de pulls (y compris en cashmere) à la plupart des marques de porcelaine anglaise, à l'argenterie d'occasion et autres objets plus ou moins anciens.

Brocante et antiquités   Que vous cherchiez des objets anciens de qualité ou simplement des babioles amusantes, Londres regorge de magasins, d'étals et de marchés. Certes, on n'est plus en 1969 (vous ne trouverez plus d'inestimables majoliques à 20 £), mais vous dénicherez toujours mille et une merveilles dans Portobello Road et dans la multitude des marchés.

Aromathérapie   Dans le domaine des choses indispensables, les Britanniques ont inventé l'aromathérapie : on trouve pratiquement partout des gels, des crèmes, des lotions et des potions à base d'herbes et d'huiles essentielles pour soigner tous les maux possibles et imaginables, y compris le décalage horaire. Leur efficacité demeure un problème secondaire tant que leur prix et leur conditionnement restent attirants. **The Body Shop** s'est imposé dans le genre, mais essayez aussi les marques de drugstore, en particulier les produits de **Boots The Chemist** copiés sur ceux de *Body Shop,* et leur propre ligne (vendue dans une autre partie du magasin) de gels pour les pieds.

Porcelaine tendre anglaise   En dehors des prix souvent plus avantageux, vous trouverez à Londres un choix beaucoup plus vaste que dans votre pays. Si vous n'emportez pas vos achats vous-même, méfiez-vous du coût d'expédition.

Cashmere   Il se peut que vous ayez un choc en voyant le prix des cashmeres, même en solde, surtout si vous êtes habitué aux prix des cashmeres chinois que l'on peut voir à Paris ou ailleurs. À Londres, les bonnes boutiques ne vendent pour ainsi dire que des cashmeres écossais, nettement plus chers, mais d'une toute autre qualité. Si vous savez apprécier la différence, vous trouverez leurs prix soldés à Londres très intéressants.

Cosmétiques Certaines marques de cosmétiques bon marché coûtent particulièrement peu cher à Londres. Ainsi la ligne **Bourjois** (fabriquée dans les mêmes usines que les maquillages Chanel), se vend-t-elle moins cher à Londres qu'à Paris. **Boots** a imité Chanel en créant sa marque « N° 7 ».

Vêtements de créateurs Ici, les vêtements de stylistes internationaux peuvent tout autant se vendre plus chers ou moins chers qu'ailleurs. Aussi, mieux vaut connaître les prix à l'avance ; tout dépend aussi du taux de change de la livre.

Sachez également qu'à Londres, des vêtements d'occasion Chanel ou autre se vendent à des prix plus avantageux que dans aucune grande ville.

Souvenirs de la royauté Parmi les objets de collection ayant trait à la royauté, les souvenirs kitsch s'achètent dans les marchés, mais il faut aller dans des boutiques spécialisées pour trouver de belles pièces anciennes. Si vous achetez des objets récents dans un but d'investissement, il faut qu'ils soient à l'état neuf. Quant aux souvenirs de Diana, il en existe tant qu'on ne peut guère espérer qu'ils prennent vraiment de la valeur.

Modes jeunes « Mode de rue », punk, grunge ou autre, tous les styles se retrouvent à Londres. Plusieurs quartiers de la ville, dont Carnaby Street, Covent Garden et Kensington High Street, s'adressent à l'escouade de jeunes.

SOLDES Traditionnellement, les magasins britanniques pratiquaient des soldes deux fois par an : en janvier et en juillet. Actuellement, ils en proposent à n'importe quel moment, dès qu'il ont besoin d'argent. Ceux de juillet commencent en juin, voire avant, mais ce sont véritablement les soldes de janvier qui restent *le* grand événement. Si certains magasins commencent leurs promotions dès le 27 décembre, la vraie période de soldes ne débute qu'à la fin de la première semaine de janvier. C'est là que vous pouvez espérer amortir le prix de votre voyage par une accumulation de bonnes affaires !

Les rabais pratiqués par les principaux grands magasins, tels *Harrods* ou *Selfridges* se situent entre 25 % et 50 %. *Harrods* monte l'événement à l'aide d'acheteurs spéciaux et de lots d'importation. Les meilleures affaires sont les souvenirs « *made in Harrods* », la porcelaine anglaise (les articles de deuxième qualité arrivent par camion depuis les manufactures de *Stoke-on-Trent*) et les articles de marque britannique tel que Jaeger. Mais si les soldes de *Harrods* sont les plus célèbres de Londres, la chasse peut être très bonne ailleurs : pratiquement tous les magasins, *Boots* excepté, pratiquent de grosses remises au même moment. Attention, il existe toutefois une grande différence dans la qualité des articles achetés dans des soldes authentiques, où les magasins bradent ce qu'ils avaient effectivement en rayon juste avant, et ceux qu'on achète dans les soldes « montés » et qui sont des marchandises apportées spécialement pour l'occasion.

ACHATS EN DUTY-FREE À L'AÉROPORT Pour les non-ressortissants de l'Union européenne, le Terminal 4 de Heathrow abrite un véritable centre commercial *duty-free*. Les autres terminaux ont moins de choix dans les marques. Souvenirs et confiseries coûtent souvent plus cher à l'aéroport que dans les rues de Londres, mais les articles de luxe, en revanche, y sont généralement avantageux. Des coupons ou des promotions permettent souvent de déduire encore quelques livres à la caisse. Ne gardez pas tous vos achats pour l'aéroport, et renseignez-vous à l'avance sur les prix pour savoir ce qui en vaut vraiment la peine.

Le shopping à Londres

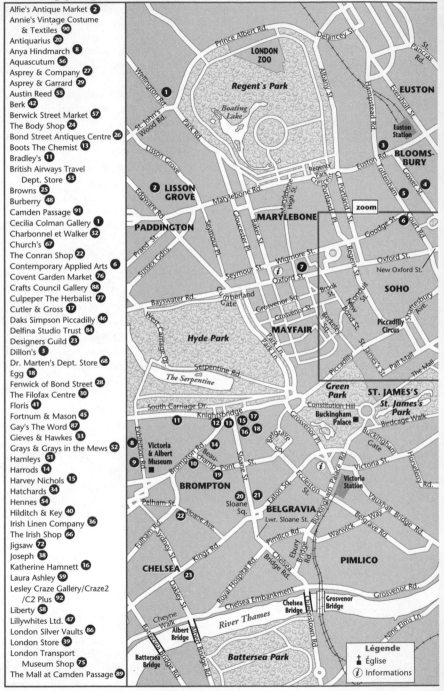

Alfie's Antique Market 2
Annie's Vintage Costume & Textiles 90
Antiquarius 20
Anya Hindmarch 8
Aquascutum 56
Asprey & Company 27
Asprey & Garrard 29
Austin Reed 55
Berk 42
Berwick Street Market 57
The Body Shop 24
Bond Street Antiques Centre 26
Boots The Chemist 13
Bradley's 11
British Airways Travel Dept. Store 53
Browns 25
Burberry 48
Camden Passage 91
Cecilia Colman Gallery 1
Charbonnel et Walker 32
Church's 67
The Conran Shop 22
Contemporary Applied Arts 6
Covent Garden Market 76
Crafts Council Gallery 88
Culpeper The Herbalist 77
Cutler & Gross 17
Daks Simpson Piccadilly 46
Delfina Studio Trust 84
Designers Guild 23
Dillon's 3
Dr. Marten's Dept. Store 68
Egg 18
Fenwick of Bond Street 28
The Filofax Centre 30
Floris 41
Fortnum & Mason 45
Gay's The Word 87
Gieves & Hawkes 33
Grays & Grays in the Mews 52
Hamleys 51
Harrods 14
Harvey Nichols 15
Hatchards 34
Hennes 54
Hilditch & Key 40
Irish Linen Company 36
The Irish Shop 66
Jigsaw 72
Joseph 38
Katherine Hamnett 16
Laura Ashley 59
Lesley Craze Gallery/Craze2 /C2 Plus 92
Liberty 58
Lillywhites Ltd. 47
London Silver Vaults 86
London Store 39
London Transport Museum Shop 75
The Mall at Camden Passage 89

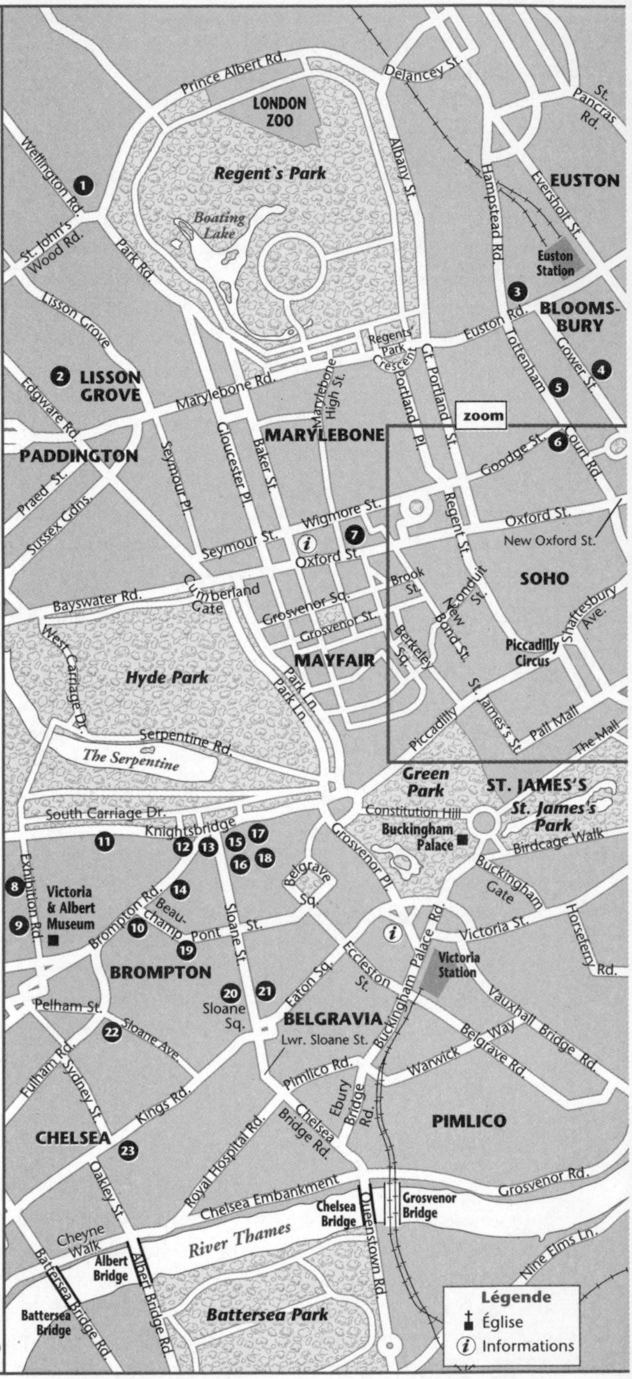

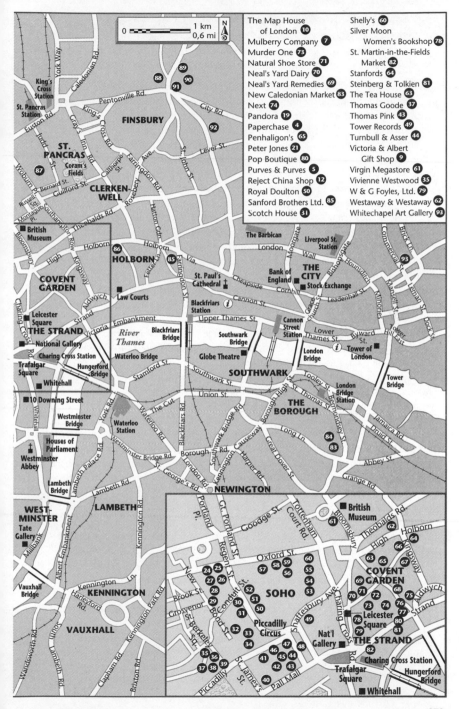

The Map House of London **10**
Mulberry Company **7**
Murder One **73**
Natural Shoe Store **71**
Neal's Yard Dairy **70**
Neal's Yard Remedies **69**
New Caledonian Market **83**
Next **74**
Pandora **19**
Paperchase **4**
Penhaligon's **65**
Peter Jones **21**
Pop Boutique **80**
Purves & Purves **5**
Reject China Shop **12**
Royal Doulton **50**
Sanford Brothers Ltd. **85**
Scotch House **31**
Shelly's **60**
Silver Moon Women's Bookshop **78**
St. Martin-in-the-Fields Market **82**
Stanfords **64**
Steinberg & Tolkien **81**
The Tea House **63**
Thomas Goode **37**
Thomas Pink **43**
Tower Records **49**
Turnbull & Asser **44**
Victoria & Albert Gift Shop **9**
Virgin Megastore **61**
Vivienne Westwood **35**
W & G Foyles, Ltd. **79**
Westaway & Westaway **62**
Whitechapel Art Gallery **93**

3 Rues et quartiers marchands

Ceux qui disposent de peu de temps apprécieront la proximité des rues où se situent les meilleurs magasins, permettant d'aller facilement d'une boutique à l'autre à pied.

LE WEST END Le West End englobe le quartier chic de Mayfair et regroupe l'essentiel des grands noms du shopping : la plupart des grands magasins, des boutiques de créateurs et de multiples chaînes s'y sont donné rendez-vous.

Les rues les plus commerçantes sont **Oxford Street** pour des achats abordables (commencez à la hauteur de la station de métro Marble Arch si vous êtes ambitieux, ou Bond Street si vous vous contentez d'un aperçu) et **Regent Street**, qui croise Oxford Street à Oxford Circus (métro : Oxford Circus). Le grand magasin **Marks & Spencer** d'Oxford Street (à la hauteur de Marble Arch) mérite une visite pour ses articles de grande qualité. Sur Regent Street, les boutiques sont plus luxueuses : vous trouverez de grands magasins haut de gamme (dont le fameux **Liberty of London**), des magasins à succursales multiples (**Laura Ashley**) et des magasins spécialisés.

Parallèle à Regent Street, **Bond Street** (métro : Bond Street), qui relie Piccadilly à Oxford Street, est synonyme de commerce de luxe. Subdivisée entre New Bond Street et Old Bond Street, la rue connaît depuis peu un renouveau. C'est « l'adresse » où les créateurs de tous pays se doivent d'avoir une boutique. (**Donna Karan** en a même deux). Quantité de grands noms internationaux, de Chanel à Ferragamo ou Versace, sont installés dans les parages.

Burlington Arcade (métro : Piccadilly Circus), le célèbre passage de style Régence qui donne sur Piccadilly, couvert d'une verrière, évoque une exposition d'époque avec sa succession de boutiques mystérieuses. Éclairés par des lampes en fer forgé et décorés de fougères et de fleurs, ses petits magasins élégants sont spécialisés dans la mode, les bijoux, le linge irlandais ou le cashmere. Si vous traînez ici jusqu'à 17 h 30, vous pourrez voir les *beadles*, ces gardiens vêtus d'une livrée noir et jaune et d'un chapeau haut de forme, mettre cérémonieusement en place les grilles de fer qui ferment le passage jusqu'au lendemain matin 9 h, heure à laquelle ils les enlèvent pour marquer le début d'une nouvelle journée d'affaires. Les trois derniers *beadles* sont les derniers représentants londoniens des plus anciennes forces de police britanniques. À 17 h 30 toujours, retentit une cloche, la *Burlington Bell*, que l'on fait sonner à la main et qui marque la fin du commerce.

Juste derrière Regent Street se trouve **Carnaby Street** (métro : Oxford Circus). Si elle ne domine plus le monde de la mode avant-gardiste comme dans les années 1960, cette rue connaît néanmoins une nouvelle vogue pour ses souvenirs bon marché, perruque violette ou petit article en cuir. On y trouve aussi une succursale de *Boots*.

Dans un genre tout à fait différent, allez vous balader sur **Jermyn Street** (métro : Piccadilly Circus), tout au bout de Piccadilly. Cette rue minuscule semble vouée aux chemisiers et aux articles de toilette pour hommes raffinés. Nombre des magasins, qui existent souvent depuis des siècles, bénéficient de la garantie royale – ainsi **Turnbull & Asser**, où sa majesté le prince Charles fait tailler ses pyjamas.

En lisière du quartier des théâtres du West End se trouvent encore deux zones commerçantes : **Soho** (métro : Tottenham Court Road), où les sex-shops se convertissent peu à peu en boutiques de créateurs branchés, et **Covent Garden** (métro : Covent Garden), une merveille dans son genre, qui attire la foule le dimanche. Le marché d'origine a débordé dans les petites rues alentour, où il est vraiment agréable de flâner et de chiner.

Comment passer un bon dimanche ?
Allez chiner à Greenwich !

Même si de nombreuses boutiques de Londres sont désormais ouvertes le dimanche, pour dénicher de bonnes occasions ce jour-là, le mieux reste quand même d'aller chiner dans les étals des brocantes de la cité royale de Greenwich, aujourd'hui officiellement banlieue de Londres.

Pour vous y rendre, l'idéal est de descendre le fleuve en bateau (embarquement à Charing Cross ou à Westminster ; les services de bateau commencent à 10 h 30 le dimanche ; voir la rubrique « Promenades en bateau sur la Tamise » au chapitre 6). Le trajet dure environ une demi-heure, avec de belles vues sur la Tour de Londres et sur une bonne partie de la ville, et un commentaire sur l'aménagement des Docklands et l'histoire de la Tamise.

Le bateau vous débarque en plein cœur de Greenwich, à quelques minutes du **marché d'artisanat** qui a lieu le samedi et le dimanche. Suivez la foule ou les signes [. . .]. Dirigez-vous ensuite vers les divers marchés à la brocante de Greenwich. Après le **Canopy Market**, où les objets de pacotille et les vieux livres s'étalent sur plusieurs aires de stationnement, on arrive dans **High Street** où se tient le plus amusant marché aux puces. Il y a parfois un autre marché à la brocante dans le **Town Hall**, de l'autre côté de la rue, mais il faut généralement payer un droit d'entrée pour y accéder.

Vous n'êtes alors qu'à quelques pas de la gare de Greenwich BritRail (trains pour le centre de Londres toutes les demi-heures).

KNIGHTSBRIDGE ET CHELSEA C'est à **Knightsbridge** (métro : Knightsbridge), le deuxième plus fameux quartier commerçant de Londres (délimité par Oxford Street), que se trouve **Harrods**. Aux abords de **Sloane Street** abondent les boutiques de créateurs, et à l'opposé, les boutiques de revente bordent **Cheval Place**.

En marchant vers Museum Row, vous arriverez bientôt à **Beauchamp Place**. Un concentré sur quelques mètres de « Sloane Ranger » ou « Sloanie, » comme diraient les Anglais pour évoquer le genre de boutiques où les jeunes aristocrates achètent leurs vêtements pour « la saison ».

King's Road (métro : Sloane Square), la principale rue de Chelsea, restera à jamais le symbole des *Swinging Sixties*. Aujourd'hui, elle est toujours fréquentée par une foule de jeunes, mais on voit moins de coupes à la mohican, de rangers et de robes de bal édouardiennes qu'auparavant. Progressivement, les marchés et les *multistores*, ces petits ou grands ensembles d'étals, de stands et d'échoppes regroupés à l'intérieur d'un même bâtiment ou d'une même enceinte, envahissent les lieux. Presque un tiers de la rue est consacré à ce type de marchés d'antiquités, un autre tiers aux *showrooms* et à des magasins pour la maison destinés aux jeunes cadres dynamiques ; le dernier tiers, lui, reste fidèle au style « ado » du quartier.

En venant de *Harrods*, si vous suivez Brompton Road vers l'ouest, vous arriverez à **Brompton Cross**, autre coin branché très couru depuis que la Michelin House a été réhabilitée par Sir Terence Conran pour abriter **The Conran Shop**.

Allez voir aussi, du côté de **Walton Street**, une minuscule rue qui serpente de Brompton Cross vers les musées et où se succèdent des boutiques de contes de fée. On y trouve des produits d'aromathérapie (chez **Jo Malone**), et de quoi faire de la tapisserie ou des bijoux fantaisie.

Enfin, du côté de South Kensington, n'oubliez pas que les musées ont tous des boutiques cadeaux.

KENSINGTON, NOTTING HILL ET BAYSWATER Kensington High Street (métro : High Street Kensington) est le lieu de rendez-vous des jeunes « bon chic bon genre » qui, après un passage vestimentaire par Carnaby Street, se tournent vers un style un peu plus élégant. Si l'on y découvre un petit éventail des basiques de la mode anglaise du coin, la plupart des magasins présentent cependant en majorité des articles en stretch, très très courts, très très serrés et très très noirs...

Après Kensington High Street, vous pouvez remonter **Kensington Church Street** qui, comme Portobello Road, est l'une des principales artères de la ville dans le domaine des objets anciens en tous genres – du mobilier aux tableaux impressionnistes.

Kensington Church Street se termine à la hauteur du métro Notting Hill Gate, la station de **Portobello Road**. Le marché qui s'y tient le week-end est à deux pas de là.

Non loin de Notting Hill Gate, **Whiteleys of Bayswater**, Queensway, W2 (☎ 020/7229-8844 ; métro : Bayswater ou Queensway) est un *mall* édouardien en grande partie occupé par Marks & Spencer. Il abrite également 75 à 85 boutiques, le plus souvent spécialisées, et tout un choix de restaurants, cafés et bars ainsi qu'un cinéma (huit salles).

4 Les marchés aux puces et autres marchés en plein air

Si les boutiques de Mayfair ne sont pas votre tasse de thé, ne vous en faites pas, vous trouverez plus amusant et bien meilleur marché en chinant dans les marchés aux puces et les marchés en plein air.

WEST END ✪ **Covent Garden Market** (☎ 020/7836-9136 ; métro : Covent Garden), le plus fameux marché de toute l'Angleterre (sinon de l'Europe) regroupe plusieurs marchés différents qui se tiennent tous les jours de 9 h à 18 h 30 (le plus amusant étant, à notre avis, celui du dimanche). Peut-être vous sentirez-vous un peu perdu en débarquant, mais n'hésitez pas : plongez et fouinez. L'Apple Market, très animé, se tient dans la cour, où l'on vend… de tout. La plupart des objets correspondent à ce que les Anglais appellent *collectible nostalgia*, c'est-à-dire tout un choix de verreries et de céramiques, d'objets en cuir, de jouets, de vêtements, de chapeaux et de bijoux. Une partie de la marchandise est vraiment insolite. De nombreux articles sont faits à la main, parfois vendus par les artisans eux-mêmes. Le lundi, ce sont les marchands d'objets anciens qui dominent. À l'intérieur, le Jubilee Market (☎ 020/7836-2139) est également consacré aux objets anciens le lundi. Tous les autres jours, c'est une sorte de brocante « hippisante » avec des vêtements et des livres bon marché. Dehors, en face, quelques tentes recèlent encore des trésors bon marché, (excepté le lundi).

Le marché lui-même (sous la halle magnifiquement restaurée) est l'une des meilleurs adresses de Londres ; on y trouve des boutiques en tous genres – de la mode à l'herboristerie, des cadeaux et jouets aux livres et aux maisons de poupée personnalisées, des cigares roulés à la main aux automates, sans oublier les librairies et les enseignes bien connues (**Hamley's, The Body Shop**). Autre avantage appréciable : les prix restent modérés.

Le **St Martin-in-the-Fields Market** (métro : Charing Cross) est destiné aux ados qui ont la flemme d'aller jusqu'au Camden Market (voir ci-dessous, « North London ») et qui trouvent leur bonheur dans des souvenirs de football local, des objets d'artisanat et des articles importés des Indes ou d'Amérique du Sud. Il se tient près de Trafalgar Square et de Covent Garden du lundi au samedi de 11 h à 17 h et le dimanche de 12 h à 17 h.

Le **Berwick Street Market** (métro : Oxford Circus ou Tottenham Court Road) est bordé de part et d'autres de clubs de strip-tease, de magasins pornos et autres repaires de films pour adultes. Que cela ne vous décourage pas pour autant. En plein cœur de Soho, 6 jours par semaine, ce marché des plus animés offre sans doute le meilleur choix de fruits et légumes – et le moins cher – de la ville. On y trouve aussi de vieux magazines, livres, cassettes et disques prêts à devenir des objets de collection. Le marché se tient du lundi au samedi de 8 h à 17 h.

Le dimanche, sur **Bayswater Road**, des artistes accrochent tableaux, collages et autres objets aux grilles qui bordent Hyde Park et Kensington Gardens, et ce sur plus d'un kilomètre et demi. S'il fait beau, allez les admirer en partant de Marble Arch ; vous pourrez aussi jeter un œil le long des grilles de **Green Park** en vous promenant sur Piccadilly le dimanche après-midi.

NOTTING HILL Le **Portobello Market** (métro : Notting Hill Gate) exerce un incroyable pouvoir d'attraction sur les collectionneurs en tous genres. Le samedi entre 6 h et 17 h reste le jour le plus prisé. Il n'est pas indispensable d'être là aux aurores, 9 h est une bonne heure. Jadis surtout connu comme marché aux fruits et légumes (on en vend d'ailleurs toujours le week-end), Portobello est devenu depuis quatre décennies synonyme d'objets anciens. Mais ne prenez pas pour argent comptant le vendeur qui vous affirme que son violon est un authentique Stradivarius que lui a légué son grand-oncle italien : il peut aussi bien avoir été « fauché » dans une boutique de prêt sur gage de l'East End ou n'être qu'un petit instrument sans prétention, bien loin de la « Rolls des violons ».

Le marché se subdivise en trois grandes parties : celle des objets anciens, qui va de Colville Road et Chepstow Villas vers le sud, est la plus courue (attention aux pickpockets, particulièrement nombreux dans le coin) ; la plus ancienne, le marché aux fruits et légumes, *fruit and veg market*, qui s'étend entre Westway et Colville Road et enfin celle où se tient le marché aux puces, où les Londoniens vendent tout un bric-à-brac dont ils ne veulent plus. C'est amusant d'aller y jeter un coup d'œil.

Les vrais collectionneurs peuvent se procurer le guide officiel, très utile, *Saturday Antique Market : Portobello Road & Westbourne Grove,* qui donne la liste des endroits où trouver tout et n'importe quoi, depuis les boîtes à musique et photos du XIXᵉ siècle jusqu'aux dentelles en passant par les souvenirs militaires.

À noter : quelque 90 boutiques d'art et d'antiquités sont ouvertes en semaine quand le marché en plein air est fermé. C'est en fait le meilleur moment pour chiner quand on est un vrai collectionneur : les vendeurs sont plus disponibles et on n'est pas distrait par l'orgue de Barbarie.

SOUTH BANK Situé sur la rive sud et ouvert seulement le vendredi, le **New Caledonian Market** est plus connu sous le nom de Bermondsey Market, du fait de son emplacement à l'angle de Long Lane et de Bermondsey Street (métro : London Bridge, puis bus 78, ou à pied en suivant Bermondsey Street). À l'extrême East End, qui commence à la hauteur de Tower Bridge Road, c'est l'un des plus fabuleux marchés en plein air d'Europe, tant pour le nombre que pour la qualité des objets proposés. Bon nombre des emplacements sont occupés par des marchands de province. Les prix pratiqués sont généralement inférieurs à ceux de Portobello et des autres marchés. Le déballage commence à 5 h, les bonnes affaires sont finies dès 9 h, et le marché s'arrête à 12 h. Si vous venez aux aurores, n'oubliez pas votre lampe torche.

NORTH LONDON Le Camden Passage (☎ 020/7359-9969 ; métro : Angel) à Islington, est un marché d'objets anciens haut de gamme qui débute au Camden Passage et s'étend dans les rues avoisinantes. Il a lieu le mercredi de 8 h à 16 h et le samedi de 9 h à 17 h.

Ne confondez pas le Camden Passage avec le **Camden Market** (métro : Camden Town) qui, lui, s'adresse plus aux ados et autres amateurs de *body piercing*, de cheveux bleus (eh oui, encore !) et de vêtements rétros. Les vrais collectionneurs de vêtements anciens auront peut-être envie d'y chiner en semaine, en évitant la cohue. Le marché ouvre tous les jours de 9 h 30 (ou 10 h selon les endroits) à 17 h 30.

5 Les grands magasins

En dehors de *Harrods,* Londres compte une quantité de grands magasins – n'oublions pas que ce sont les Britanniques qui ont inventé ce concept. Ils sont le plus souvent situés à Mayfair et visent chacun une clientèle bien spécifique.

Daks Simpson Piccadilly. 34 Jermyn St., W1. ☎ **020/7734-2002.** Métro : Piccadilly Circus.

Lancé en 1936 comme la maison des vêtements DAKS, *Simpson* n'a cessé de s'agrandir depuis. Il est surtout réputé pour l'habillement pour hommes – le rayon de chaussures au sous-sol est un modèle en matière de qualité – ainsi que pour la mode et la lingerie féminines, la parfumerie et la bijouterie. La plupart des vêtements sont soigneusement confectionnés et bien adaptés à l'élégance de tous les jours. La collection Simpson côtoie des créateurs internationaux tels qu'Armani et Yves Saint Laurent.

Fenwick of Bond Street. 63 New Bond St., W1. ☎ **020/7629-9161.** Métro : Bond St.

Fenwick, ouvert en 1891, est un magasin de mode qui offre un excellent choix de vêtements pour femmes – tenues de grands couturiers ou prêt-à-porter plus abordable.

✪ **Fortnum & Mason.** 181 Piccadilly, W1. ☎ **020/7734-8040.** Métro : Piccadilly Circus.

L'une des plus élégantes épiceries du monde remonte à 1707. Voisine du Ritz, *Fortnum & Mason* draine une clientèle haut de gamme venue de Mayfair à Belgravia chercher ses conserves raffinées – foie gras, hure de sanglier… L'élégance et le style du magasin en font un modèle du genre, qui correspond parfaitement à l'idée que l'on se fait d'un magasin bénéficiant de trois garanties royales. Dès l'entrée, on est transporté dans un autre monde : moquettes rouges, lustres en cristal, majestueux escaliers en bois et discrets vendeurs en queue de pie entretiennent le mythe.

Le rayon épicerie est réputé pour son choix impressionnant de denrées venues du monde entier : les meilleurs champagnes français, les plus fameux chocolats belges, le succulent saumon fumé d'Écosse… Au hasard des quatre niveaux, on peut examiner les porcelaines anglaises et les verreries taillées à la main, trouver le cadeau parfait dans les rayons papeterie ou maroquinerie ou réfléchir à l'évolution de l'histoire du mobilier et de la décoration dans le rayon antiquités. Pour déjeuner, le choix se fera entre le **Patio**, le **St James Restaurant** (réaménagé récemment), **The Fountain Restaurant** et le tout nouveau **Salmon and Champagne Bar** (pour les plaisirs exquis de l'heure du thé, voir « Teatime » au chapitre 5). Après avoir investi pas moins de 14 millions de livres dans de nouveaux aménagements, *Fortnum & Mason* offre maintenant tout un choix d'exclusivités et de spécialités pour la maison, la beauté et la mode, pour hommes et pour femmes.

❂ Harrods. 87-135 Brompton Rd., Knightsbridge, SW1. ☎ **020/7730-1234.** Métro : Knightsbridge.

Harrods est une institution aussi profondément ancrée dans la vie britannique que Buckingham Palace et les courses d'Ascot. Ce grand magasin sophistiqué est bien souvent aussi fascinant qu'un musée. Non seulement certains articles sont des œuvres d'art, mais les 300 rayons eux-mêmes tiennent aussi de l'œuvre d'art. Le choix, la variété et la quantité de marchandises sont étonnants. La devise reste : « Tout pour tout le monde, partout ».

Le cinquième étage, entièrement consacré aux sports et aux loisirs, offre un vaste choix d'équipement et de matériel. Le royaume du jouet et l'habillement pour enfants sont au quatrième étage ; l'*Egyptian Hall*, au rez-de-chaussée, vend du cristal Lalique, du Baccarat et de la porcelaine ; sans oublier le salon de beauté pour hommes, l'immense rayon bijouterie et un rayon mode d'avant-garde pour la jeune clientèle. Au delà de l'abondance, les détails architecturaux et décoratifs font décidément de *Harrods* un très bel endroit. Pour faire une pause, vous avez le choix entre 18 bars et restaurants. Notre préférence va aux *Food Halls*, qui offrent une diversité de plats impressionnante et plusieurs cafés. *Harrods* a commencé en 1849 en tant qu'épicerie, et l'épicerie reste le cœur de son commerce.

Au sous-sol sont installés une banque, un service de réservation de spectacles et une agence de voyages. Si vous cherchez des cadeaux à l'effigie du magasin, allez au rayon *Harrods Shop* au rez-de-chaussée.

Harvey Nichols. 109-125 Knightsbridge, SW1. ☎ **020/7235-5000.** Métro : Knightsbridge.

Les gens du coin l'appellent *Harvey Nicks*. Jadis favori de Lady Di, il est très grand mais ne rivalise guère avec *Harrods* du fait de son image beaucoup plus haut de gamme. On y trouve ce qu'il y a de mieux en matière de création de meubles, de cadeaux et de mode pour tous – notamment dans le domaine de l'habillement féminin. Son *food hall* réjouira les gourmets, tout comme son restaurant de luxe, *The Fifth Floor* (voir au chapitre 5).

Liberty. 214-220 Regent St., W1. ☎ **020/7734-1234.** Métro : Oxford Circus.

Ce célèbre magasin britannique doit sa renommée à ses *Liberty Prints*, de superbes tissus imprimés (souvent de motifs floraux), appréciés des décorateurs pour la touche typiquement *british* qu'ils apportent à un intérieur. La façade sur Regent Street ne laisse pas supposer que plusieurs parties du magasin ont été restaurées dans toute la splendeur du style Tudor, avec colombages et lambris. Les six étages sont consacrés à la mode, à la porcelaine et à l'ameublement – et donc aux fameux tissus imprimés, déclinés en tissus d'ameublement, écharpes, cravates, bagages et cadeaux.

Peter Jones. Sloane Sq., SW1. ☎ **020/7730-3434.** Métro : Sloane Sq.

Fondé en 1877 puis reconstruit en 1936, Peter Jones doit sa réputation à ses articles pour la maison : tissus d'ameublement, tapis, rideaux, porcelaines et verrerie. Le rayon « linge de maison » est l'un des meilleurs de Londres.

6 Le shopping de A à Z

ALIMENTATION

En matière d'alimentation, l'Angleterre offre nombre de délices typiques, que vous serez ravis de découvrir et de rapporter chez vous. Ne manquez pas le *Food Halls* de *Harrods* ; s'il est envahi par une horde de touristes, rabattez-vous sur le *Fifth Floor* de *Harvey Nicks*, qui n'est pas mal quand même. **Fortnum & Mason** jouit également d'une réputation internationale en la matière. Voir ci-dessus la rubrique « Les grand magasins ».

Charbonnel et Walker. 1 The Royal Arcade, 28 Old Bond St., W1. ☎ **020/7491-0939.** Métro : Green Park.

Charbonnel et Walker est célèbre pour ses chocolats chauds en hiver (qui s'achètent en boîte) et ses chocolats à la crème et aux framboises pendant ce que l'on appelle « la saison ». La maison peut envoyer des messages de remerciement ou autre écrits sur les chocolats eux-mêmes.

Neal's Yard Dairy. 17 Shorts Gardens, WC2. ☎ **020/7379-7646.** Métro : Covent Garden.

Goûtez avec délice aux fromages et autres délices, parfaits pour des en-cas ou des pique-niques… de quoi vous ravir un dimanche après-midi à Covent Garden.

ANTIQUITÉS

Alfie's Antique Market. 13-25 Church St., NW8. ☎ **020/7723-6066.** Métro : Marylebone ou Edgware Rd.

Installé dans le cadre d'un ancien grand magasin construit au XIXe siècle, c'est le regroupement d'antiquaires le plus grand de Londres et le mieux approvisionné. Avec plus de 370 stands, salles d'exposition et ateliers, il s'étend sur plus de 3 000 m². Vous trouverez ici la plus grande collection de Susie Cooper (l'un des grands créateurs de Wedgwood). Tout un quartier d'antiquaires s'est développé alentour, sur Church Street.

Antiquarius. 131-141 King's Rd., SW3. ☎ **020/7351-5353.** Métro : Sloane Sq.

Redécoré depuis peu, *Antiquarius* reflète la diversité artistique de King's Road. La majorité de ces quelque 120 marchands est spécialisée dans des objets de petites et moyennes dimensions : bijoux anciens, porcelaine, argenterie, éditions originales de livres, boîtes, horloges, estampes, peintures. Quelques-uns seulement vendent du mobilier ancien. Vous trouverez aussi ici quantité d'objets des années 1950.

Bond Street Antiques Centre. 124 New Bond St., W1. ☎ **020/7351-5353.** Métro : Bond St. ou Green Park.

Situé au cœur du plus beau quartier commerçant, ce centre d'antiquaires passe pour vendre le must en matière d'argenterie, de montres, de porcelaines, de verreries, de bijoux anciens, mais aussi de peintures et d'antiquités asiatiques.

Grays & Grays in the Mews. 58 Davies St., et 1-7 Davies Mews, W1. ☎ **020/7629-7034.** Métro : Bond St.

Ces anciens marchés forment désormais une zone piétonnière regroupant des stands tenus par des marchands indépendants qui vendent de ravissants bijoux anciens, de l'orfèvrerie, des cartes et des estampes, des armes et des armures, des jouets victoriens et édouardiens, du mobilier, des objets Art nouveau et Art déco, des dentelles anciennes, des instruments scientifiques, des outils d'artisanat ainsi que des poteries asiatiques, perses et islamiques, de la porcelaine, des miniatures et des antiquités. Chaque bâtiment abrite un café ; essayez notamment le *Victory Café* de Davies Street, de style 1950, pour ses délicieux gâteaux maison.

The Mall at Camden Passage. Islington, N1. ☎ **020/7351-5353.** Métro : Angel.

Ce *mall* abrite l'une des plus fortes concentrations d'antiquaires de toute l'Angleterre. Installés dans des ensembles de boutiques individuelles, vous découvrirez 35 marchands spécialisés dans l'orfèvrerie, la porcelaine et le mobilier. Le marché s'étend également en plein air le mercredi et le samedi.

ART ET ARTISANAT

ACAVA (☎ 020/7603-3039) représente quelque 250 artistes et artisans de West London. Téléphonez pour connaître les heures d'ouverture individuelles de chaque atelier, ainsi que la date du week-end « portes ouvertes » *(Open Studios weekend)* qui a lieu une fois par an.

Cecilia Colman Gallery. 67 St. John's Wood High St., NW8. ☎ **020/7722-0686.** Métro : St John's Wood.

Cette galerie d'artisanat, l'une des mieux établies de Londres, présente des œuvres en céramique, en verrerie ou en métal, et des bijoux. On peut y voir des sculptures en verre de Lucien Simon, des bijoux de Caroline Taylor ou des poteries de Simon Rich. Vous y trouverez aussi un vaste choix de miroirs et des créations originales de flacons de parfum.

Contemporary Applied Arts. 2 Percy St., W1. ☎ **020/7436-2344.** Métro : Goodge St.

Cette association cherche à promouvoir à la fois l'artisanat traditionnel et l'artisanat contemporain d'avant-garde. Nombre des meilleurs artisans bien connus en Angleterre ainsi que d'autres, moins connus mais au talent prometteur, exposent ici un vaste éventail de verreries, céramiques, textiles, objets en bois ou en métal, bijoux et mobilier à des prix allant de 12 £ à 10 000 £. Le programme des expositions spéciales, notamment individuelles ou en petit groupe, met l'accent sur l'innovation en matière d'artisanat ; elles se renouvellent environ toutes les six semaines.

Crafts Council Gallery. 44A Pentonville Rd., Islington, N1. ☎ **020/7278-7700.** Métro : Angel.

La plus grande galerie d'artisanat dépend du *Crafts Council*, l'organisme national chargé de la promotion de l'artisanat contemporain. Vous découvrirez ici des œuvres parmi les plus originales de nos jours. La galerie abrite aussi une boutique spécialisée dans les publications et objets d'artisanat, une banque d'images, une bibliothèque de référence et un café. Fermée le lundi.

Delfina Studio Trust. 50 Bermondsey St., SE1. ☎ **020/7357-6600.** Métro : London Bridge.

Financé par des dons officiels, le *Delfina Studio Trust* procure des ateliers à 35 peintres, photographes et sculpteurs de Grande-Bretagne ou d'ailleurs. La galerie n'a pas d'horaires fixes, mais elle organise des expositions périodiques durant lesquelles elle reste ouverte le week-end, ainsi que des journées portes ouvertes deux fois par an. Téléphonez pour connaître la liste des artistes invités et les programmes d'expositions ou avoir des renseignements sur les conditions de vente – toutes les œuvres sont à vendre, à des prix qui démarrent en général autour de 250 £. Le trust ne prend pas de commission.

England & Co. 216 Westbourne Grove, W11. ☎ **020/7221-0417**. Métro : Notting Hill Gate.

Sous l'égide de la dynamique Jane England, cette galerie est spécialisée dans l'*Outsider Art* (artistes sans formation professionnelle) et dans l'*Art in Boxe*, qui consiste à incorporer une structure de boîte dans la composition ou dans le cadre d'une œuvre en trois dimensions. Elle remet aussi en lumière des artistes oubliés de l'après-guerre, tels que Tony Stubbings et Ralph Romney. Les expositions individuelles et groupées se renouvellent fréquemment et permettent à de nombreux jeunes artistes d'exposer.

✪ **Whitechapel Art Gallery.** 80-82 Whitechapel High St., E1. ☎ **020/7522-7888 ou 7878 (message enregistré).** Métro : Aldgate East.

Depuis qu'elle a ouvert ses portes – au style Art nouveau - en 1901, cette galerie de l'East End n'a cessé de susciter l'intérêt des collectionneurs à l'affût de tout ce qui était novateur dans le monde de l'art. Toujours à la pointe de l'avant-garde, elle sert parfois de « chambre d'incubation » à des artistes parmi les plus talentueux de l'East London. Amusantes, branchées, souvent érotiques, les collections ne laissent en tout cas jamais indifférent.

BAGAGES

Mulberry Company. 11-12 Gees Court, W1. ☎ **020/7493-2546**. Métro : Bond St.

Ce magasin Mulberry, le plus important de Londres, offre toute la collection de bagages de la marque anglaise. Les prix de ces bagages au cuir caractéristique, commencent à 150 £. Mulberry est également en train de se faire un nom dans le prêt-à-porter pour hommes et femmes (style « campagne anglaise ») et présente également quelques objets et accessoires pour la maison, notamment des couvre-lits et des coussins en chenille et damas.

BAIN ET SOINS DU CORPS

✪ **The Body Shop.** 375 Oxford St., W1. ☎ **020/7409-7868**. Métro : Bond St. Plusieurs magasins à Londres.

Il existe un *Body Shop* dans tous les quartiers commerçants et toutes les zones touristiques de Londres. Certains sont plus grands que d'autres, mais tous regorgent de produits politiquement et écologiquement corrects : beauté, bain, aromathérapie... Il existe toute une ligne pour les enfants, une autre pour les hommes, sans oublier tous les produits adaptés au voyage. Les couleurs acidulées et les formes ludiques rappellent celles des confiseries.

✪ **Boots The Chemist.** 72 Brompton Rd., SW3. ☎ **020/7589-6557**. Métro : Knightsbridge. Plusieurs magasins à Londres.

Parmi un million de succursales, nous avons une préférence pour celle située face à *Harrods*, pour sa dimension et son côté pratique. Les produits de beauté créés par la maison sont généralement les meilleurs, qu'il s'agisse des simples produits Boots (essayez le *cucumber facial scrub*, gommage du visage au concombre), ou des imitations du *Body Shop* (les deux lignes *Global* et *Naturalistic*) et des maquillages Chanel (N° 7). *Boots* vend aussi des pellicules photos, des collants, des sandwiches et autres petits articles de nécessité courante.

Culpeper the Herbalist. 8 The Piazza, Covent Garden, WC2. ☎ **020/7379-6698**. Métro : Covent Garden.

Il existe un autre magasin à Mayfair (21 Bruton St., W1 ; ☎ **020/7629-4559**) mais ses horaires sont moins pratiques. Celui de Covent Garden manque un peu d'espace mais vous y trouverez tous les produits pour le bain, d'aromathérapie, des huiles essentielles ou encore des oreillers de rêve, des bougies, des sachets de senteurs subtiles et des diffuseurs d'arômes aux mille vertus pour la maison et la voiture.

۞ Floris. 89 Jermyn St., SW1. ☎ **020/7930-2885.** Métro : Piccadilly Circus.

Vous découvrirez ici tout un choix d'articles de toilettes et de fragrances disposés dans les meubles en acajou qui vont du sol au plafond et constituent à eux seuls une curiosité. Ils ont été installés en 1851, relativement tard dans l'histoire de cet établissement – bien après qu'il eut bénéficié des fameuses garanties royales en tant que fournisseur de la famille royale.

Neal's Yard Remedies. 15 Neal's Yard, WC2. ☎ **020/7379-7222.** Métro : Covent Garden.

Dans leur beaux flacons bleu cobalt, ces produits d'aromathérapie, de beauté et de bain sont des must pour ceux qui trouvent le *Body Shop* trop commun.

۞ Penhaligon's. 41 Wellington St., WC2. ☎ **020/7836-2150.** Métro : Covent Garden.

Fondée en 1870, cette parfumerie victorienne bénéficie des garanties royales du duc d'Édimbourg et du prince de Galles. Elle vend exclusivement ses produits, parmi lesquels un vaste choix de parfums, après-rasages, savons et huiles pour le bain. On y trouve également de bonnes idées de cadeaux : flacons de parfum anciens en argent, accessoires de toilette et nécessaires de voyage en cuir.

BIJOUTERIE

Asprey & Garrard. 167 New Bond St., W1. ☎ **020/7493-6767.** Métro : Green Park.

Autrefois connu sous le nom de *Garrard & Co.*, ce bijoutier est spécialisé dans les bijoux et l'argenterie aussi bien anciens que modernes. Les créateurs maison réalisent aussi des pièces sur commande et effectuent les réparations. Les prix démarrent à seulement 60 £ pour des boucles d'oreilles en perle ou des boutons de manchette en argent... puis ils s'envolent.

Lesley Craze Gallery/Craze 2/C2 Plus. 33-35 Clerkenwell Green, EC1. ☎ **020/7608-0393 (Gallery), 020/7251-0381 (Craze 2), 020/7251-9200 (C2 Plus).** Métro : Farringdon.

Ce complexe a établi sa réputation en tant que vitrine des meilleurs créateurs britanniques contemporains en matière de bijouterie et de textile. La *Gallery* est spécialisée dans les matériaux précieux et vend des pièces de créateurs connus, tel Wendy Ramshaw. Les premiers prix se situent autour de 50 £. *Craze 2* propose des bijoux fantaisie, en papier ou en bronze, à partir de 12 £. *C2* Plus vend des créations textiles contemporaines, allant des tentures murales aux écharpes et aux cravates d'artistes tels Jo Barker, Dawn DuPree et Victoria Richards. C2 Plus dispose d'une nouvelle galerie qui permet d'exposer, suspendus, ses textiles et ses tentures. Le magasin s'affiche désormais comme « la seule galerie de textiles contemporains de Londres ».

Sanford Brothers Ltd. Old Elizabeth Houses, 3 Holborn Bars, EC1. ☎ **020/7405-2352.** Métro : Chancery Lane.

Fondée en 1923, cette entreprise familiale vend des bijoux de tous styles, aussi bien modernes que victoriens, toute sorte d'argenterie et un belle sélection de montres et d'horloges.

BOUTIQUES DE MUSÉES

London Transport Museum Shop. Covent Garden, WC2. ☎ **020/7379-6344.** Métro : Covent Garden.

Cette boutique offre un grand choix d'affiches de voyages anciennes et de reproductions à des prix raisonnables, ainsi qu'une foule de cadeaux et souvenirs amusants. On y trouve les cartes du Métro londonien que l'on voit dans toutes les stations.

Victoria & Albert Gift Shop. Cromwell Rd., SW7. ☎ **020/7938-8500.** Métro : South Kensington.

Dépendant du *Craft Council,* c'est la meilleure boutique de ce type à Londres. Elle vend des cartes, une fabuleuse sélection de livres d'art, les objets habituels et, bien sûr, des reproductions des trésors du musée.

CADEAUX ET SOUVENIRS

Asprey & Company. 167 New Bond St., W1. ☎ **020/7493-6767.** Métro : Green Park.

C'est « l'adresse » incontournable en Angleterre pour ceux qui désirent faire un cadeau de luxe. À titre indicatif, *Asprey & Company* compte dans sa clientèle le sultan de Brunei et la reine Élisabeth – certains de ses bijoux viennent d'ici. Répartis sur les quatre étages d'un majestueux édifice victorien, vous trouverez des antiquités, de la porcelaine, de la maroquinerie, de la cristallerie, des pendules et suffisamment d'objets d'une élégance peu courante pour remplir une maison de campagne anglaise.

The Irish Shop. 14 King St., WC2. ☎ **020/7379-3625.** Métro : Covent Garden.

Depuis 1964, cette affaire familiale vend toutes sortes d'articles en provenance directe d'Irlande. Vous trouverez un large choix de pulls de couleur et de pulls de pêcheurs des îles d'Aran, tricotés à la main, ainsi que du linge de maison irlandais traditionnel et des bijoux celtiques.. Il y a un petit peu de tout ici, même des articles Guinness…

CHAUSSURES

Voir aussi le **Dr Marten's Department Store** dans la rubrique « Mode : les classiques ».

Church's. 1-4 King St., WC2. ☎ **020/7497-1460.** Métro : Covent Garden.

Symboles des cadres nantis des quartiers de la finance de Londres et d'ailleurs, ces chaussures sont fabriquées par *Church's* depuis 1873. On dit que tous les maîtres d'hôtel de la ville les reconnaissent de loin, ce qui leur permet d'apprécier la richesse de leurs clients.

Natural Shoe Store. 21 Neal St., WC2. ☎ **020/7836-5254.** Métro : Covent Garden.

Leurs chaussures pour hommes et femmes sont connues pour leur confort et leur qualité, depuis les Birkenstock jusqu'aux meilleures marques classiques anglaises. Le magasin effectue également des réparations.

Shelly's. 266-270 Regent St., W1. ☎ **020/7287-0939.** Métro : Oxford Circus. Autres emplacements à Londres.

C'est la boutique-mère de toutes les boutiques de chaussures de Londres, où l'on vend de tout : depuis les minuscules chaussures branchées pour les tout-petits jusqu'aux chaussures et bottes pour les grands, à des prix abordables. La boutique est connue pour ses Dr Martens, mais elle recèle bien d'autres choses…

FILOFAX

Les principaux grands magasins vendent tous des Filofax, mais pour voir la gamme complète, il faut aller dans les magasins Filofax où les soldes sont d'ailleurs intéressants.

The Filofax Centre. 21 Conduit St., W1. ☎ **020/7499-0457.** Métro : Oxford Circus. Également 69 Neal St., WC2 (☎ **020/7836-1977** ; Métro : Covent Garden).

Allez si possible dans la boutique du West End, plus grande et plus amusante que celle de Covent Garden ; vous y trouverez l'assortiment complet d'agendas et de recharges.

JOUETS

✪**Hamleys.** 188-196 Regent St., W1. ☎ **020/7494-2000.** Métro : Oxford Circus. Également à Covent Garden et à l'aéroport d'Heathrow.

Paradis du jouet, peut-être le plus fabuleux qui soit dans le genre, le magasin *Hamleys* de Regent Street propose sur sept étages plus de 35 000 jeux et jouets : animaux en peluche (si doux qu'on a envie de les câliner tout de suite), poupées, voitures téléguidées, trains, maquettes, jeux de société et de plein air, jeux d'ordinateur, etc. De quoi rêver et s'amuser, tant pour les grands que les petits !

LAINE ET CASHMERE

London Store. Ritz Hotel, 150 Piccadilly, London W1. ☎ **020/7404-2606.** Métro : Green Park or Piccadilly Circus.

Vous trouverez ici des pulls en provenance de toutes les îles britanniques, y compris les fameux shetlands écossais. Certains, faits à la main, sont de créateurs souvent bien connus. On en trouve avec des motifs classiques de tweed britannique et d'autres plus modernes.

Scotch House. 84-86 Regent St., W1. ☎ **020/7734-0203.** Métro : Piccadilly Circus.

Pour les pulls et les vêtements en laine de grande qualité, allez à la *Scotch House,* renommée pour son choix très complet de cashmeres et pulls en laine pour femmes, hommes et enfants. On y trouve aussi toutes sortes de tartans et d'accessoires, ainsi que des tweeds écossais classiques.

Westaway & Westaway. 64-65 et 92-93 Great Russell St. (en face du British Museum), WC1. ☎ **020/7405-4479.** Métro : Tottenham Court Rd.

Si vous ne prévoyez pas tout de suite un voyage en Écosse, arrêtez-vous ici : vous trouverez un vaste choix de kilts, écharpes, gilets, capes, robes de chambre et plaids faits dans les authentiques tartans des clans écossais ; le personnel vous expliquera les subtils symboles des différents clans. Vous trouverez également des pulls en cashmere, en poil de chameau et en shetland ainsi que les fameuses vestes Harris tweed, des imperméables Burberry et des manteaux en cashmere pour hommes.

LINGE DE MAISON

Irish Linen Company. 35-36 Burlington Arcade, W1. ☎ **020/7493-8949.** Métro : Green Park ou Piccadilly Circus.

Cette boutique, qui bénéficie de la garantie royale, vend des articles irlandais en lin, notamment des mouchoirs, du linge de table et des draps brodés à la main.

LINGERIE

Bradley's. 57 Knightsbridge, SW1. ☎ **020/7235-2902.** Métro : Knightsbridge ou Hyde Park Corner.

Bradley's est le magasin de lingerie le plus réputé de Londres et compte certains membres de la famille royale parmi ses clients. Fondé dans les années 1950 et très à la mode aujourd'hui, il fournit « toutes les tailles » en lingerie de soie, de coton, de dentelle ou autre.

LIVRES, CARTES ET ESTAMPES
En plus des librairies spécialisées citées ici, il existe des succursales de la chaîne **Dillon** (bien approvisionnées) dans toute la ville, et notamment une au 82 Gower St. (Métro : Euston Square).

Children's Book Centre. 237 Kensington High St., W8. ☎ **020/7937-7497.** Métro : High St. Kensington.

Riche de milliers de titres, c'est la meilleure librairie pour enfants. Les fictions sont classées selon les âges, jusqu'à 16 ans ; on y trouve également des vidéos et des jeux.

Gay's The Word. 66 Marchmont St., WC1. ☎ **020/7278-7654.** Métro : Russell Sq.

Principale librairie gay et lesbienne d'Angleterre, elle offre un vaste choix de livres, guides, magazines et cartes à jouer et possède un rayon de livres d'occasion.

Hatchards. 187 Piccadilly, W1. ☎ **020/7439-9921.** Métro : Piccadilly Circus ou Green Park.

Situé sur le côté sud de Piccadilly, cette librairie est réputée pour son vaste éventail de livres sur tous les sujets : fiction, biographie, voyages, cuisine, jardinage, art, mais aussi histoire et finance. En outre, le rayon concernant la royauté est le mieux fourni qui soit.

The Map House of London. 54 Beauchamp Place, SW3. ☎ **020/7589-4325.** Métro : Knightsbridge.

C'est le lieu idéal pour dénicher un souvenir un peu inédit. La *Map House* vend des cartes anciennes, des estampes et toute une sélection d'illustrations de Londres et de l'Angleterre, tant des originaux que des reproductions. Une gravure originale du XIXe siècle peut coûter seulement 6 £.

Murder One. 71-73 Charing Cross Rd., WC2. ☎ **020/7734-3483.** Métro : Leicester Sq.

La librairie de Maxim Jakubowski est spécialisée dans les histoires de crime, la science-fiction et l'horreur, mais aussi les romans d'amour. On y trouve également des magazines spécialisés dans ces thèmes, parfois peu connus.

Silver Moon Women's Bookshop. 64-68 Charing Cross Rd., WC2. ☎ **020/7836-7906.** Métro : Leicester Sq.

Cette librairie possède un stock impressionnant de titres écrits par ou à propos des femmes, des vidéos, des bijoux et une vaste sélection de livres sur l'homosexualité féminine.

Stanfords. 12-14 Long Acre, WC2. ☎ **020/7836-1321.** Métro : Leicester Sq. ou Covent Garden.

Fondé en 1852, *Stanfords* est le plus grand magasin de cartes au monde. Nombre d'entre elles, dont des cartes touristiques du monde entier, des plans et des relevés, sont introuvables ailleurs. C'est aussi la meilleure librairie de voyage de Londres.

W & G Foyle, Ltd. 113-119 Charing Cross Rd., WC2. ☎ **020/7439-8501.** Métro : Tottenham Court Rd.

W & G Foyle a la prétention d'être la plus grande librairie du monde. Il est vrai qu'elle offre un choix impressionnant de livres, de cartes touristiques, de disques, de cassettes vidéo et de partitions musicales.

LUNETTES

Cutler & Gross. 16 Knightsbridge Green, SW1. ☎ **020/7581-2250.** Métro : Knightsbridge.

Voici le meilleur opticien de Londres : ses montures, faites à la main, valent entre 90 et 110 £. Il offre également un vaste choix de teintes pour les lentilles correctrices (les commandes sont généralement satisfaites dans un délai de 5 jours).

MOBILIER ET DÉCORATION

The Conran Shop. Michelin House, 81 Fulham Rd., SW3. ☎ **020/7589-7401.** Métro : South Kensington.

Du grand style à des prix plus ou moins raisonnables, voilà ce qu'a inventé Sir Terance Conran en Angleterre. Un magasin génial pour les cadeaux et la maison, de l'ameublement aux arts de la table... ou tout simplement pour regarder.

☉ Designers Guild. 267-271 et 275-277 King's Rd., SW3. ☎ **020/7351-5775.** Métro : Sloane Sq.

Souvent copié, jamais dépassé. Avec plus de 26 ans d'expérience, la directrice artistique Tricia Guild et ses jeunes créateurs restent en tête pour le brio et la fantaisie. Aux n° 267-271, vous verrez une collection de meubles et d'accessoires, et à côté, aux n° 275-277 des papiers peints et plus de 2 000 tissus. Les couleurs sont toujours aussi vives et les créations toujours aussi audacieuses. *Designers Guild* propose aussi de la vaisselle et de la coutellerie ainsi que des jeux et des accessoires pour enfants.

Purves & Purves. 80-81 et 83 Tottenham Court Rd., W1. ☎ **020/7580-8223..** Métro : Tottenham Court Rd. Ou Goodge St.

Ce magasin présente une collection variée de mobilier moderne d'Angleterre et de différents pays d'Europe. De nombreuses pièces sont réalisées individuellement par les créateurs eux-mêmes. La présentation aérée et lumineuse met en valeur le mobilier, les éclairages, tissus, tapis et lits exposés. Deux portes plus loin, le magasin d'accessoires vend de tout, que ce soit des horloges ou des boutons de manchette.

MODE : LES BRANCHÉS

Anya Hindmarch. 91 Walton St., SW3. ☎ **020/7584-7644.** Métro : South Kensington.

Bien que ses sacs soient en vente chez *Harvey Nichols, Liberty* et *Harrods* et presque partout en Europe, c'est la seule adresse où l'on puisse voir l'ensemble des créations d'Anya Hindmarch – sacs à main, sacs à linge, portefeuilles, porte-monnaie et porte-clés. Les prix commencent à 42 £ pour les plus petits articles ; les premiers sacs à main sont à 150 £, ceux en alligator étant les plus chers. Le magasin vous propose de personnaliser vos accessoires : pour assortir un sac à une tenue, apportez un échantillon du tissu.

☉ Browns. 23-27 S. Molton St., W1. ☎ **020/7491-7833.** Métro : Bond St.

C'est le seul endroit de Londres où trouver les créations d'Alexander McQueen, l'une des grandes stars de la couture et aujourd'hui à la tête de la maison Givenchy à Paris. McQueen fait réaliser ses propres cotons, soies et plastiques, pour des modèles auda-

288 Faire des achats

cieux de haute couture et de prêt à porter pour femme. Il a lancé depuis peu une ligne de vêtements pour hommes, qui a été bien accueillie. McQueen a établi sa réputation en jouant sur l'effet choc des vêtements qu'il présente – et qui sont plus souvent photographiés que portés. Dernièrement, des critiques ont toutefois reconnu que ses ensembles « tenaient davantage compte du consommateur ». *Browns* a lancé récemment *Browns Living*, un éventail éclectique de produits pour tous les styles de vie.

Egg. 36 Kinnerton St., SW1. ☎ **020/7235-9315.** Métro : Hyde Park Corner ou Knightsbridge.

Cette boutique très très branchée présente des vêtements originaux de la créatrice indienne Asha Sarabhai, et des lainages d'Eskandar. Les créations sont faites à partir de textiles tissés à la main en Inde : on trouve aussi bien des manteaux et des robes de tous les jours que des manteaux en soie brodés à la main (les prix commencent à 60 £). *Egg* vend aussi des objets d'artisanat et des céramiques. Le magasin est fermé le dimanche et le lundi.

Hennes. 261-271 Regent St., W1. ☎ **020/7493-4004.** Métro : Oxford Circus.

Vous trouverez ici des copies de modèles vus dans les plus récents défilés, mais à des prix abordables. N'épiloguons pas sur la qualité, l'intérêt réside dans les prix ! En matière de vêtements « jetables » à la pointe de la mode, on ne fait pas mieux.

Hype DF. 48-52 Kensington High St., W8. ☎ **020/7937-3100.** Métro : High St. Kensington.

Ce détaillant a exposé de jeunes stylistes depuis 1983, mais dans un lieu différent connu sous le nom de *Hyper-Hyper*. Plusieurs gammes proposent des créations pour hommes et femmes, du vêtement de sport à la tenue de soirée, en passant par une multitude d'accessoires, y compris les chaussures. Il y en a pour toutes les bourses, certains articles ne sont pas bon marché, d'autres très abordables. *Hype DF* va faire parler de lui.

Joseph. 23 Old Bond St., W1. ☎ **020/7629-3713.** Métro : Green Park. Également 16 Sloane St., SW1 (☎ **020/7235-1991** ; Métro : Sloane Sq.) ; 26 Sloane St., SW1 (☎ **020/7235-5470** ; métro : Sloane Sq.) ; et 77 Fulham Rd., SW3 (☎ **020/7823-9500** ; métro : South Kensington).

Dans le monde de la mode, Joseph Ettedgui, détaillant né à Casablanca, est un non-conformiste renommé pour ses créations audacieuses et son aptitude à attirer auprès de lui bon nombre des plus talentueux stylistes. Parmi ses cinq magasins de Londres, le principal, celui de Bond Street, présente sa collection pour hommes et femmes : ensembles, lainages, daim et cuir. Son jean en stretch qui descend à la cheville est la meilleure vente de la marque.

Le magasin situé 16 Sloane St. ne distribue que les articles pour femmes, celui du 26 Sloane St. propose toutes les productions de Joseph et possède en stock toute la ligne masculine ; enfin, le magasin de Fulham Road présente aussi des collections pour hommes et femmes d'autres stylistes, dont Prada, Gucci, Marni, Misoni et Anne Deimunister.

Katharine Hamnett. 20 Sloane St., SW1. ☎ **020/7823-1002.** Métro : Knightsbridge.

Katharine Hamnett, l'un des grands noms du stylisme outre-Manche, est surtout connue pour ses T-shirts à slogans. Ses robes dites « de souillon » lui ont valu le titre de mauvaise fille de la mode britannique. Bien qu'accueillies avec un enthousiasme délirant par les médias, ses dernières collections continuent à faire l'objet de critiques mitigées. Vous en jugerez par vous-même en jetant un coup d'œil sur sa ligne complète pour hommes et femmes. Ardente partisane de la protection de l'environnement, elle est aussi connue pour ses matières « respectueuses de la nature ».

Paul Smith's Westbourne House. 122 Kensington Park Rd. W11. ☎ **020/7727-3553.** Métro : Notting Hill Gate.

D'une majestueuse maison de ville à trois étages de style édouardien, Paul Smith a fait la vitrine de ses vêtements très chic. Ses créations pour hommes – et dans une moindre mesure pour femmes et pour enfants –, bien faites, semblent défier les idées préconçues de Savile Row. Parmi ses couleurs de prédilection figurent les gris, les bruns et les noirs, à quelques exceptions – par exemple un méli-mélo de velours imprimés inspirés de la Carnaby Street des années 1960. Vêtements et accessoires pour femme se trouvent dans la partie située au niveau de la rue, ceux pour hommes aux deux étages au dessus. Les costumes pour hommes démarrent à 600 £ et peuvent grimper jusqu'à 1 600 £ ; l'important, c'est que, quoi que vous choisissiez ici, vous serez très, très à la mode.

✪ **Vivienne Westwood.** 6 Davies St., W1. ☎ **020/7629-3757.** Métro : Bond St. Autres magasins : World's End, 430 King's Rd., SW3 (☎ **020/7352-6551** ; Métro : Sloane Sq.) ; et Vivienne Westwood, 44 Conduit St., W1 (☎ **020/7439-1109** ; Métro : Oxford Circus).

Rien n'arrête Vivienne Westwood, la plus « hot » des couturiers britanniques ! Même si l'on peut se procurer certains de ses vêtements ailleurs, on ne peut vraiment voir l'ensemble de ses créations que dans ses boutiques anglaises. Sa principale enseigne est essentiellement consacrée à sa ligne couture, *The Gold Label*. En puisant dans tous les styles et genres uniquement britanniques, Vivienne Westwood crée des vestes, des jupes, des pantalons, des chemisiers et des robes pour la journée et pour le soir. Sa dernière collection présentait des robes de bal en taffetas, des chemises cintrées faites sur mesure et même quelques plaids du Highland. Comme si cela ne suffisait pas, elle a sorti son parfum en 1997 – mais qui ne le fait pas ?

Le magasin *World's End* propose des tenues décontractées – T-shirts, jeans et autres vêtements de sport ; celui de Conduit Street, un peu de tout : *The Gold Label,* sa deuxième ligne féminine, *The Red Label* et *The Man Label,* sa collection pour hommes. Parmi les accessoires, on trouve des chaussures pour hommes et pour femmes, des ceintures et des bijoux.

MODE : LES CLASSIQUES

Tous les grands stylistes de renommée internationale ont une boutique à Londres, mais les achats les plus intéressants sont ceux, typiquement britanniques, qui restent inusables et indémodables.

Aquascutum. 100 Regent St., W1. ☎ **020/7734-6090.** Métro : Piccadilly Circus.

Vous trouverez ici la quintessence du style britannique, presque autant que du côté de Savile Row. Sur quatre étages, vous trouverez uniquement des vêtements britanniques ou importés de grande qualité (y compris pour les loisirs).

Austin Reed. 103-113 Regent St., W1. ☎ **020/7734-6789.** Métro : Piccadilly Circus.

Austin Reed s'est imposé depuis longtemps pour la coupe parfaite et la très grande qualité de ses vêtements. Les costumes Chester Barrie, par exemple, ont la réputation de tomber aussi bien que s'ils étaient faits sur mesure. Très courtois, les vendeurs ont l'honnêteté de vous dire ce qui vous va vraiment. Le magasin dispose toujours d'un vaste et excellent choix de vestes et de costumes ; les hommes peuvent s'y habiller entièrement de la robe de chambre au pardessus. Le rayon femme propose une bonne sélection de tailleurs, manteaux, pulls, chemisiers et accessoires.

Berk. 46 Burlington Arcade, Piccadilly, W1. ☎ **020/7493-0028.** Métro : Piccadilly Circus ou Green Park.

Ce magasin se vante d'offrir l'un des plus vastes éventails de pulls en cashmere de Londres, du moins en ce qui concerne les grandes marques. Il vend aussi des capes, des étoles, des écharpes et des pulls en poil de chameau.

✪ **Burberry.** 18-22 Haymarket, SW1. ☎ **020/7930-3343.** Métro : Piccadilly Circus. Le nom est synonyme d'imperméable depuis qu'Édouard VII demanda publiquement à son valet de lui « apporter [son] Burberry ». Le personnel vous proposera non seulement les fameux imperméables, mais aussi de très belles chemises pour hommes, des pulls en laine, des vêtements de sport et des accessoires. Les prix sont élevés, mais justifiés par la qualité et le prestige de la marque.

Dr Marten's Department Store. 1-4 King St., WC2. ☎ **020/7497-1460.** Métro : Covent Garden.

Le fameux Docteur Marten, plus connu sous le nom de Doc Marten, a créé une marque de chaussures devenue si populaire qu'elle occupe aujourd'hui tout un grand magasin. Outre ces chaussures déclinées dans toutes sortes de styles et de couleurs, on trouve des accessoires, des cadeaux et même un rayon vêtements de plus en plus étendu. Les jeunes pour qui « *ugly is beautiful* » (le laid est beau) adorent ce magasin pour son choix et ses prix beaucoup plus avantageux que ceux pratiqués ailleurs en Europe.

Gieves & Hawkes. 1 Savile Row, W1. ☎ **020/7434-2001.** Métro : Piccadilly Circus ou Green Park.

Adresse prestigieuse qui compte le prince de Galles parmi ses clients, *Gieves & Hawkes* n'en pratique pas pour autant des tarifs prohibitifs comme les autres établissements de la rue. Certes ils sont élevés, mais la qualité suit, qu'il s'agisse des chemises en coton, des cravates en soie, des pulls en shetland ou des costumes, généralement sur mesure et, exceptionnellement, en prêt à porter.

Hilditch & Key. 37 et 73 Jermyn St., SW1. ☎ **020/7734-4707.** Métro : Piccadilly Circus ou Green Park.

Hilditch & Key est réputé pour ses chemises d'homme, particulièrement belles, depuis 1899. Les deux boutiques de la rue proposent des vêtements pour hommes (dont un service de chemises sur mesure) et des chemisiers pour femmes en prêt-à-porter, et offrent un choix exceptionnel de cravates. Durant les deux périodes de soldes de l'année, les hommes affluent de loin pour acheter les chemises à moitié prix.

Jigsaw. 21 Long Acre, WC2. ☎ **020/7240-3855.** Métro : Covent Garden. Également 9-10 Floral St., WC2 (☎ **020/7240/5651**) et ailleurs dans Londres.

Cette chaîne de prêt-à-porter possède tant de succursales qu'on ne saurait les mentionner toutes ici. Le magasin de Long Acre présente pour sa part des vêtements pour femmes et pour enfants, de moyenne gamme, mais toujours « branchés ». À deux pas de là, le magasin de Floral Street vend des vêtements pour hommes, dont un vaste éventail d'articles en velours de couleur.

Laura Ashley. 256-258 Regent St., W1. ☎ **020/7437-9760.** Métro : Oxford Circus. Plusieurs magasins dans Londres.

Cette enseigne est la plus importante de cette société dont le style symbolise le charme de la campagne anglaise. On y trouve un large choix de vêtements pour femmes et de tissus d'ameublement.

Next. 19-20 Long Acre, WC2. ☎ **020/7836-1516.** Métro : Covent Garden. Autres succursales dans Londres.

Cette chaîne de magasin de mode abordable a connu ses heures de gloire dans les années 1980 en mettant la mode à la portée de tous. Si elle n'a plus le même succès aujourd'hui, elle mérite néanmoins un arrêt ; elle conserve en effet un caractère très contemporain de style européen, tant pour les hommes que pour les femmes ou les enfants.

○ **Thomas Pink.** 85 Jermyn St., SW1. ☎ **020/7930-6364.** Métro : Green Park.

Cette boutique de chemises de Jermyn Street tient son nom d'un tailleur de Mayfair du XVIIIe siècle, à qui l'on doit les expressions hunting pink (rouge chasseur) et to be in the pink (se porter comme un charme). *Thomas Pink* a une réputation prestigieuse en matière de chemises en coton pour hommes et de chemisiers pour femmes. Les uns et les autres sont réalisés dans les plus belles popelines de coton double égyptien et de coton longues fibres et généreusement taillés, avec des pans extra longs et, au choix, des poignets simples ou des mousquetaires. Un petit carré rose dans les pans dit tout.

Turnbull & Asser. 71-72 Jermyn St., SW1. ☎ **020/7808-3000.** Métro : Piccadilly Circus.

Au fil des ans, de David Bowie à Ronald Reagan, toutes les personnalités ont été vues dans une chemise sur mesure de *Turnbull & Asser.* Elles se reconnaissent à leur perfection et à la simplicité de leur ligne, même sous des couleurs audacieuses. Le magasin vend aussi des chemisiers et des corsages pour femmes et accueille aussi bien Jacqueline Bisset que Candice Bergen… Notez que *T & A* ne propose qu'une longueur de manche, ce qui ne convient pas à tout le monde. Pour le sur mesure, il faut commander au moins une demi-douzaine de chemises à la fois et compter 10 à 12 semaines de délai.

PORCELAINE, VERRERIE ET ARGENTERIE

○ **Royal Doulton.** 154 Regent St., W1. ☎ **020/7734-3184.** Métro : Piccadilly Circus or Oxford Circus.

Fondé dans les années 1930, ce magasin possède l'un des plus grands stocks de porcelaine d'Angleterre avec un grand choix de porcelaines anglaises, de cristallerie, mais aussi d'argenterie. L'établissement est spécialisé dans les porcelaines Royal Doulton, bien sûr, mais aussi Minton, Royal Crown Derby et Aynsley, les figurines Lladró, David Winter Cottages, Border Fine Arts et autres grands noms. On peut faire d'excellentes affaires lors des soldes de janvier et de juillet.

London Silver Vaults. Chancery House, 53-63 Chancery Lane, WC2. ☎ **020/7242-3844.** Métro : Chancery Lane.

Ne laissez pas sa position un peu excentrée ou le manque de charme de sa façade vous rebuter. En descendant les escaliers, on débouche sous une quarantaine de voûtes abritant un choix incroyable d'argenterie ainsi qu'une collection de bijoux. De l'ancien au moderne, la sélection est ahurissante, les prix tout à fait intéressants et les vendeurs sympathiques !

Reject China Shop. 183 Brompton Rd., SW3. ☎ **020/7581-0739.** Métro : Knightsbridge. Plusieurs magasins dans Londres.

Ne comptez pas trop sur les rebuts *(reject)* ni sur les bonnes affaires, malgré le nom du magasin. Il vend parfois des pièces de second choix mais aussi de premier choix en matière de porcelaines de grand nom – Royal Doulton, Spode ou Wedgwood. Vous pouvez aussi découvrir divers articles en cristal, en verre et de la vaisselle plate. Le magasin se charge éventuellement de l'expédition moyennant une redevance.

Thomas Goode. 19 S. Audley St., W1. ☎ **020/7499-2823.** Métro : Bond St. ou Green Park.

Ce grand magasin, l'un des plus fameux d'Angleterre, mérite une visite ne serait-ce que pour son architecture et son charme désuet. Construit à l'origine en 1876, *Goode* possède 14 salles remplies de porcelaine, de bougies, d'argenterie et de vaisselle ainsi qu'un musée privé. Il y a aussi un salon de thé-restaurant (voir « Teatime » au chapitre 5).

MUSIQUE

Les collectionneurs iront chiner à Notting Hill : il y a une série de bonnes boutiques près de la station de métro Notting Hill Gate. Allez aussi fouiner à Soho, du côté de Wardour Street, près de la station Tottenham Court Road ; enfin, des marchands de musique viennent aussi parfois à Covent Garden le week-end.

Allez aussi jeter un coup d'œil dans les *Our Price,* une chaîne de magasins de musique omniprésente qui propose les « Tops du jour », souvent à des prix tout à fait intéressants.

Tower Records. 1 Piccadilly Circus, W1. ☎ **020/7439-2500.** Métro : Piccadilly Circus. Plusieurs magasins dans Londres.

Les foules de piétons se bousculent dans ce quartier où se dresse *Tower Records,* l'un des plus grands magasins de vinyles et CD d'Europe. Sur quatre étages, c'est quasiment une attraction touristique à part entière. Outre une immense sélection de la plupart des styles musicaux jamais enregistrés, on y trouve aussi tout ce qui est à la pointe de la technologie, notamment en matière de matériel interactif, équipement et logiciels, CDRoms et disques laser.

Virgin Megastore. 14-16 Oxford St., W1. ☎ **020/7631-1234.** Métro : Tottenham Court Rd. Également dans le Kings Walk Shopping Centre, Kings Rd., Chelsea SW3 (☎ **020/7591-0957**). Métro : Sloane Sq.

Dès la sortie d'un disque, et si vous voulez l'écouter aussitôt, vous avez toutes les chances de le trouver ici. Dans ce géant de la distribution sont installés des postes qui permettent d'écouter les CD avant de les acheter. Même les stars du rock viennent y chercher les nouveautés. Bien fourni dans le domaine du classique et du jazz, Virgin vend aussi des logiciels informatiques et des jeux vidéos. Entre deux sélections, vous pouvez faire une pause au café ou acheter un billet d'avion au comptoir *Virgin Atlantic.*

PAPETERIE

Paperchase. 213 Tottenham Court Rd., W1. ☎ **020/7580-8496.** Métro : Goodge St. Ou Tottenham Court Rd. Plusieurs magasins dans Londres.

La plus grande enseigne de ce magasin occupe trois étages où elle présente de multiples articles de papeterie – en particulier des boîtes de rangement, des papiers faits à la main, des papiers d'emballage, des rubans, des cadres et une incroyable collection de cartes de vœux très originales. Dans le genre, c'est ce qu'il y a de mieux à Londres.

SACS

Bill Amberg's. 10 Chepstow Rd., W2. ☎ **020/7727-3560.** Métro : Notting Hill Gate.

Très connu pour ses sacs dépourvus de logo, *Amberg* a ouvert sa propre boutique et développé sa collection pour y inclure des bagages, des cadres et du mobilier. Parmi les grands amateurs de ses créations figurent Donna Karan, Romeo Gigli, Jerry Hall et Christy Turlington. Détail non négligeable, les prix sont intéressants, la plupart des articles s'échelonnant entre 65 £ et 265 £.

SPORT

✪ **Lillywhites Ltd.** 24-36 Lower Regent St., Piccadilly Circus, SW1. ☎ **020/7915-4000.** Métro : Piccadilly Circus.

Le plus grand, et peut-être le plus célèbre magasin de sports d'Europe présente étage après étage des équipements, chaussures et vêtements de sport. Il propose aussi des collections de vêtements de loisirs à la mode pour hommes et femmes.

THÉ

N'oubliez surtout pas d'aller aussi chez Fortnum & Mason (voir plus haut la section « Les grands magasins »).

The Tea House. 15 Neal St., WC2. ☎ **020/7240-7539.** Métro : Covent Garden.

Vous trouverez ici tout ce qui a un rapport avec le thé et l'heure du thé. La maison se vante de proposer plus de 70 qualités de thés et tisanes, notamment parfumés au fruit entier, les meilleurs thés de Chine (Gunpowder, jasmin avec des fleurs), d'Inde (feuilles d'Assam, choix de Darjeeling), du Japon (thé vert Genmaicha) et du Sri Lanka (pur Ceylan), ainsi que des thés parfumés qui ont depuis toujours la faveur des Anglais comme l'Earl Grey. *The Tea House* vend entre autres des mugs et des théières « dernier cri ».

VÊTEMENTS RÉTROS OU D'OCCASION

Attention, il n'existe pas de remboursement de VAT sur les vêtements d'occasion.

Annie's Vintage Costume and Textiles. 10 Camden Passage, N1. ☎ **020/7359-0796.** Métro : Angel.

Spécialisée dans les robes des années 1920 et 1930, cette boutique offre aussi un choix de vêtements et de tissus des années 1880 jusqu'aux années 1960. Pour une robe entièrement brodée de perles des années 1920, comptez autour de 400 £, mais vous trouverez aussi des écharpes à 10 £, des camisoles à 20 £ et un choix de pièces exceptionnelles entre 50 et 60 £. Les vêtements sont vendus au niveau principal ; les textiles tels que dentelles, draps et tapisseries anciens sont à l'étage.

Pandora. 16 Cheval Place, SW7. ☎ **020/7589-5289.** Métro : Knightsbridge.

Institution londonienne depuis les années 1940, *Pandora* se situe dans le quartier chic de Knightsbridge, à deux pas de *Harrods*. Plusieurs fois par semaine, des chauffeurs s'arrêtent ici avec des baluchons d'effets emballés anonymement par la *gentry* anglaise. Il y a quelques années, une femme désignée par vote comme la plus élégante à Ascot portait une robe achetée ici d'occasion. Les prix tournent généralement autour du tiers ou de la moitié de celui des boutiques. Les marques Chanel et Anne Klein sont les plus représentées ; les articles ne datent généralement pas de plus de deux saisons.

Pop Boutique. 6 Monmouth St., WC2. ☎ **020/7497-5262.** Métro : Covent Garden.

Pour dénicher les meilleurs modèles de streetwear des années 1950, 1960 et 1970, il n'y a pas mieux. Située juste à côté de l'élégant Covent Garden Hotel, cette boutique propose de fabuleuses pièces rétros à des prix accessibles. Des vestes en cuir qui se vendraient 250 à 300 $ dans les boutiques *vintage* de New York ne valent ici que 45 £.

Steinberg & Tolkien. 193 King's Rd., SW3. ☎ **020/7376-3660.** Métro : Sloane Sq.
C'est la principale boutique de vêtements et de bijoux fantaisie rétros de Londres. Elle vend aussi quelques vêtements de stylistes d'occasion, pas suffisamment anciens pour être considérés comme rétros, mais qui peuvent intéresser les collectionneurs.

VOYAGES

British Airways Travel Department Store. 156 Regent St., W1. ☎ **020/7434-4700.** Métro : Piccadilly Circus ou Oxford Circus.
Cette agence British Airways, la plus importante, ne se contente pas de proposer des billets pour le monde entier, elle abrite aussi toutes sortes de services et de boutiques, dont un service de vaccination, une pharmacie, un bureau de change, un service des passeports et des visas et un guichet de réservation pour les spectacles. Au rez-de-chaussée sont vendus des bagages, des guides de voyage, des cartes et autres articles. Les passagers qui n'ont qu'un bagage à main peuvent même venir enregistrer ici pour les vols British Airways. L'agence s'occupe aussi des assurances, des réservations d'hôtel et des locations de voiture.

Sortir la nuit 9

Le rythme de la vie nocturne de Londres est le plus intense d'Europe. Si les pubs ferment toujours à 23 heures, le reste de la ville se couche plus tard. Dans un nombre croissant de clubs, la fête bat son plein jusqu'au petit matin.

Londres a le vent en poupe, spécialement dans le domaine de la musique et de la danse ; la musique techno et électronique en vogue (dont le hip-hop, la house tribale et la drum and bass que les rockers vieillissants comme Bowie et U2 se sont appropriés) provient principalement des clubs londoniens. Les styles musicaux lancés par Tricky et Aphex Twin ne résonnent pas seulement à Londres mais sur tout le continent européen et de l'autre côté de l'Atlantique. C'est la culture des jeunes qui domine ; les branchés du centre-ville se pressent dans les dernières boîtes à la mode où l'on aperçoit régulièrement les superstars de la pop.

La vie nocturne de Londres est en constante mutation. Ce qui est « tendance » aujourd'hui est souvent ce qui vient d'ouvrir et de nombreuses boîtes ont l'espérance de vie d'une mouche à vinaigre. **Groucho**, 44 Dean St., W1 (☎ **020/7439-4685**) demeure le club branché, mais il est toujours réservé à ses membres. Le *Marquee*, club légendaire où s'étaient produits les Rolling Stones lorsqu'ils n'étaient pas encore très recommandables, a malheureusement fermé ses portes. Toutefois, des éternels comme *Ronnie Scott's* marchent toujours fort.

Mais la vie nocturne de Londres ne se limite pas à la musique et aux discothèques. Cette ville abonde en théâtres excellents, en pubs au charme historique et en bien d'autres lieux de sorties.

COMMENT S'INFORMER SUR LES PROGRAMMES ET MANIFESTATIONS

On trouve dans les hebdomadaires comme *Time Out* et *Where* les informations les plus complètes et les plus à jour pour les programmes de spectacles, manifestations culturelles et autres. Ils couvrent la musique *live* et les clubs ainsi que le théâtre, qui est extrêmement varié à Londres, des productions à gros budgets du West End aux œuvres expérimentales. Les quotidiens, notamment le *Times* et le *Daily Telegraph*, offrent également les programmes. La section consacrée aux arts de l'édition du week-end de *The Independent* est également une bonne référence.

Si vous souhaitez profiter pleinement de la richesse culturelle de Londres, informez-vous avant de partir, même des mois à l'avance. Pour vous faire une idée assez précise des programmes et manifestations, rendez-vous sur le **site web de *Time Out*** à **www.timeout.co.uk**. Si vous n'avez pas accès à Internet, vous trouverez *Time Out* dans de nombreuses librairies internationales. À Londres, il est vendu partout.

1 Comme il vous plaira : le théâtre à Londres

Londres est une grande ville du théâtre mondial. En effet, la qualité et la variété des productions, l'excellence des metteurs en scène et des acteurs sont difficiles à égaler. La scène londonienne accueille des productions classiques et d'avant-garde à des prix très abordables.

À Londres, le théâtre est un loisir des plus divertissants et gratifiants. On pourrait passer son séjour à se gaver de pièces de théâtre et de comédies musicales.

ACHETER DES BILLETS

Une place de spectacle coûte entre 18 et 60 £ selon la salle et la place choisie. Les billets pour des spectacles en matinée, du mardi au samedi, sont moins coûteux que pour des spectacles en soirée, et une place de théâtre ne s'achète plus, comme dans le passé, pour une bouchée de pain.

Les représentations du soir commencent entre 19 h 30 et 20 h 30, les matinées en semaine à 14 h 30 ou 15 h et le samedi à 17 h 45. Les théâtres de West End sont fermés le dimanche. Dans de nombreux théâtres, des bars sont ouverts pendant l'entracte.

les théâtres prennent généralement les réservations par téléphone au prix normal si elles sont garanties avec une carte bancaire. Vous pourrez retirer les places ainsi retenues le soir du spectacle en montrant votre carte bancaire au guichet du théâtre.

AGENCES DE RÉSERVATIONS Si voulez voir un spectacle spécifique coûte que coûte, surtout l'un des grands succès, il convient de réserver.
Téléphonez à **What's on Stage** (☎ 129/345-37-23). Moyennant une commission, vous pouvez réserver vos billets immédiatement au moyen d'une carte de crédit et les retirer le jour de la représentation. Si vous êtes internaute, visitez plutôt **www.what-sonstage.com**. Non seulement vous pouvez y réserver votre billet en ligne mais vous bénéficiez aussi des dernières informations concernant les spectacles. Quand vous êtes sur la page d'accueil de What's on Stage, cliquez sur « *Open Ticketshop* » et laissez-vous guider. Vous pouvez également appeler le **Harrods ticket desk**, 87–135 Brompton Rd. (☎ 020/7589-9109). Vos billets vous seront envoyés, une confirmation de la réservation vous sera faxée ou encore vos billets vous attendront au guichet du théâtre le jour du spectacle. Il est possible de demander une confirmation immédiate à un tarif spécial « étranger » pour la plupart des spectacles. Une commission qui peut atteindre 20 % du prix du billet est perçue en sus.

BILLETS À TARIFS RÉDUITS ET AU DERNIER BALCON Il arrive que les places du poulailler (les moins chères) soient uniquement mises en vente le jour du spectacle ; vous serez obligé de les acheter au guichet assez tôt dans la journée et, comme les places ne sont pas numérotées, de revenir une heure avant le spectacle pour faire la queue. De nombreux grands théâtres proposent aux étudiants des places en stand-by à prix réduit. S'il en reste, les billets sont vendus une demi-heure avant le lever de rideau. Mettez-vous dans la file d'attente assez tôt pour les spectacles à succès car les billets en stand-by disparaissent très vite. Vous devrez bien sûr montrer votre carte d'étudiant.

Situé à Leicester Square, le **guichet de vente de billets à prix réduits** de la **Society of London Theatre** (☎ **020/7557-6700**) propose des billets à moitié prix pour de nombreux spectacles, avec une commission de 2 £. Les billets (quatre par personne au maximum) sont mis uniquement en vente le jour du spectacle, ils ne sont pas repris et les cartes bancaires ne sont pas acceptées. Ouvert tlj. 12 h-18 h 30.

PRINCIPAUX THÉÂTRES ET COMPAGNIES

L'avenir d'un des théâtres légendaires de Londres, l'**Old Vic** à Waterloo Rd., SE1 (☎ **020/7928-7616**), est incertain. C'est dans ce lieu extraordinaire que John Gielgud fit ses débuts en 1921, et Laurence Olivier y passa une grande partie de sa carrière comme acteur et directeur du National Theatre avant le déménagement de ce dernier. L'Old Vic est à vendre et on ignore ce qu'il deviendra (il pourrait même être transformé en discothèque).

Hormis la liste ci-dessous, qui présente surtout les théâtres de répertoire, consultez *Time Out* pour toute information concernant les théâtres de West End et les spectacles qui tiennent l'affiche depuis longtemps.

Barbican Theatre–Royal Shakespeare Company. Au Barbican Centre, Silk St., Barbican, EC2. ☎ **020/7638-8891.** Barbican Theatre 5 £-26 £. Matinées et soirées au Pit 11 £-18,50 £. Guichet tlj. 9 h-20 h. Métro : Barbican ou Moorgate.

Le Barbican est le siège londonien de la Royal Shakespeare Company, l'une des plus grandes troupes de théâtre. Son répertoire de base, les pièces de Shakespeare, n'a bien sûr pas changé. Mais elle offre une programmation variée dans ses deux théâtres. Le Barbican Theatre, un auditorium de 2 000 places dotées chacune d'une bonne visibilité grâce à ses places d'orchestre en pente, présente toutes les semaines trois productions de son répertoire. Quant au Pit, un théâtre plus petit, il accueille les nouvelles créations de la compagnie. La Royal Shakespeare Company se produit dans ce théâtre et à Stratford-upon-Avon. En hiver, elle est en résidence à Londres ; en été, elle part en tournée en Angleterre et à l'étranger.

Open-Air Theatre. Inner Circle, Regent's Park, NW1. ☎ **020/7486-2431**. Billets 8 £-21 £. Métro : Baker St.

Ce théâtre en plein air se trouve à Regent's Park : cadre idyllique, répartition des places et acoustique excellentes. On y voit surtout des pièces de Shakespeare, souvent en costumes de l'époque. Le bar du théâtre, qui a le plus long comptoir de Londres, offre des boissons et des plats cuisinés. S'il pleut le jour d'un spectacle, les spectateurs reçoivent des billets pour une représentation ultérieure. La saison s'étend de la fin mai à la mi-septembre, du lundi au samedi à 20 h, avec des matinées à 14 h 30 le mercredi, le jeudi et le samedi.

Royal Court Theatre. Sloane Sq., SW1. ☎ **020/7565-5000**. Métro : Sloane Sq.

Ce théâtre, constamment à la pointe du progrès dans la production de pièces d'avant-garde, a rouvert récemment ses portes. Dans les années 50, il avait monté les pièces du groupe des « jeunes hommes en colère », notamment *Un bon patriote,* de John Osborne, qui fit sensation à l'époque ; c'est aussi là que les pièces de George Bernard Shaw avaient été présentées pour la première fois. Plus récemment, le théâtre a produit *The Beauty Queen of Leenane,* qui a remporté un Tony à Broadway. L'English Stage Company, constituée pour promouvoir l'excellence dans l'écriture théâtrale, est en résidence dans ce théâtre. Les places coûtent généralement de 5 £ à 19,50 £ ; téléphoner pour obtenir les dernières informations.

○ **Royal National Theatre.** South Bank, SE1. ☎ **020/7452-3400.** Billets 9 £-27 £ ; les matinées en milieu de semaine, le samedi et les avant-premières sont meilleur marché. Métro : Waterloo, Embankment ou Charing Cross.

Le Royal National Theatre, qui abrite l'une des plus grandes compagnies théâtrales, est composé de trois salles : l'Olivier, qui rappelle un amphithéâtre grec avec sa scène ouverte, le Lyttelton, plus traditionnel, et le Cottesloe, dont la scène et les places sont modulables. Le National présente parmi les meilleures pièces de théâtre au monde, du répertoire classique aux nouvelles œuvres primées, en passant par les comédies, les comédies musicales et les spectacles pour la jeunesse. À tout moment, on a le choix entre au moins six pièces. C'est également un centre théâtral à part entière qui est doté d'une variété incroyable de bars, de cafés, de restaurants, avec de la musique et des expositions gratuites dans les foyers, de courts spectacles en début de soirée, des librairies, des visites des coulisses, des promenades le long du fleuve, et des terrasses. Vous n'aurez que l'embarras du choix : entrée-plat-dessert à la *Mezzanine,* le restaurant du National, repas léger au café brasserie *Terrace* ou snack dans l'un des coffee bars.

Shakespeare's Globe Theatre. New Globe Walk, Bankside, SE1. ☎ **020/7902-1500.** Guichet : 020/7401-9919. Billets : places debout (groundlings) 5 £, galerie 5 £-25 £. Métro : Mansion House.

En mai 1997, le nouveau Globe Theatre, copie conforme du théâtre de l'époque élisabéthaine jusqu'au toit de chaume, a produit ses deux premières pièces, *Henri V* et *Le conte d'hiver* sur le site même du théâtre original du XVIᵉ siècle où Shakespeare avait monté ses productions.

Le style et le cadre des productions sont variés ; les pièces ne sont pas toutes jouées en costumes élisabéthains. Pour rester fidèle au cadre historique, l'éclairage n'est pas uniquement braqué sur la scène mais les projecteurs illuminent le théâtre tout entier pour simuler la lumière du jour car, au temps de Shakespeare, les représentations avaient lieu l'après-midi. Les spectateurs sont assis sur des bancs en bois comme au temps jadis, dans des galeries recouvertes d'un toit de chaume, rien de moins, mais de nos jours il est possible de louer un coussin. Environ 500 *groundlings* peuvent assister à la représentation debout, dans l'espace en plein air autour de la scène, exactement comme au temps du dramaturge. Mark Rylane, directeur artistique du Globe, souhaitait que les spectateurs vivent le spectacle théâtral de la façon la plus authentique ; il a d'ailleurs déclaré à la presse qu'il serait enchanté que le public lance des fruits sur les acteurs comme il le faisait à l'époque de Shakespeare.

De mai à septembre, des représentations sont prévues du mardi au samedi à 15 h et à 19 h, et le dimanche à 16 h. Les programmes d'hiver sont plus limités. S'agissant d'un théâtre en plein air, ils peuvent être modifiés en toute saison à cause de la météo.

Avertissement

Méfiez-vous des agences de vente de billets. Vous pourriez payer un billet 28 £ alors qu'il en vaut 16 £. Conformément à la loi, l'acheteur doit être informé de la valeur nominale d'un billet vendu avec un supplément au moment de l'achat. Mais cette règle semble difficilement applicable. La Society of London Theatre (☎ **020/7557-6700**) reçoit fréquemment des plaintes à cet égard. Elle recommande donc de réserver son billet au guichet du théâtre par téléphone ou en personne.

Méfiez-vous également des vendeurs à la sauvette qui traînent devant les théâtres. Même si les billets qu'ils revendent sont valables, car beaucoup sont des faux, ils vous feront payer le prix fort.

Théâtres du centre de Londres

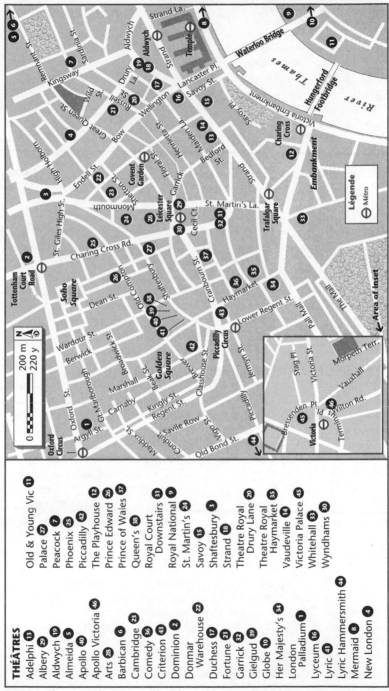

Fausses réductions

De nombreuses agences peu scrupuleuses près de Leicester Square proposent des billets « à prix réduits » qui ne le sont pas du tout. Vous pourriez payer de 18 £ à 21 £ un billet « à prix réduit » qui est vendu 15 £ au guichet du théâtre.

Selon la pièce, les représentations durent entre 2 h 30 et 4 h.

Un deuxième théâtre est en projet, l'**Inigo Jones Theatre**, fondé sur les plans architecturaux des années 1600, où seront produites des pièces toute l'année. Pour obtenir de plus amples informations sur l'exposition qui retrace fidèlement l'histoire du Globe et sur les visites guidées du théâtre, voir « Le centre historique » au chapitre 6.

Theatre Royal Drury Lane. Catherine St., Covent Garden, WC2. ☎ **020/7494-5060.** Billets 8 £-35 £. Guichet lun.-sam. 10 h-20 h. Représentations : soirées lun.-sam. 19 h 45, matinées mer. et sam. 15 h. Métro : Covent Garden.

Drury Lane est l'un des plus anciens et plus prestigieux théâtres de Londres, dont la longue tradition n'est pas toujours empreinte de respectabilité. Ce théâtre, le quatrième construit en ce lieu, remonte à 1812 ; le premier avait été édifié en 1663. Nell Gwynne, Londonienne à la langue fourchue qui devint la maîtresse de Charles II, vendait des oranges sous la longue colonnade devant le théâtre. Pratiquement toutes les vedettes du théâtre londonien ont joué sur ces planches. Le théâtre est doté d'un répertoire très varié plutôt orienté vers la comédie musicale, notamment les grands succès qui tiennent l'affiche depuis longtemps. Une visite guidée des coulisses et du reste du théâtre est organisée presque tous les jours à 10 h 30 et 12 h 30. ☎ **020/7494-5091** pour obtenir de plus amples informations.

THÉÂTRE D'AVANT-GARDE

À Londres, des dizaines de théâtres d'avant-garde proposent d'excellentes productions : théâtre alternatif, reprises, pièces contemporaines et comédies musicales. Ces spectacles tendent à être plus audacieux que les productions établies de West End et ils coûtent aussi moins cher. Vous paierez une place entre 5 £ et 22 £. La plupart des théâtres offrent des tarifs réduits aux étudiants et aux seniors.

Ces théâtres expérimentaux sont éparpillés dans Londres. Vérifiez les programmes hebdomadaires de *Time Out* pour connaître les programmes et les horaires. La liste de certains des théâtres les plus en vogue situés au centre de Londres est présentée ci-dessous ; téléphonez pour obtenir des informations sur les spectacles à l'affiche.

✪ **Almeida Theatre.** Almeida St., N1. ☎ **020/7359-4404.** Billets 6,50 £-19,50 £. Guichet lun.-sam. 9 h 30-19 h 30. Métro : Angel ou Highbury & Islington.

L'Almeida, qui accueille tous les ans le Festival of Contemporary Music (appelé également l'Almeida Opera) de mi-juin à mi-juillet, est également célèbre pour ses mises en scène audacieuses de pièces classiques ou nouvelles. La réputation légendaire du théâtre est constamment confirmée par ses productions de qualité à des prix inférieurs à la moyenne. Parmi les pièces récemment présentées et couronnées de succès, on compte *Hamlet* avec Ralph Fiennes et *Médée* avec dame Diana Rigg (elles ont été ultérieurement produites à Broadway). Les représentations ont habituellement lieu du lundi au samedi.

The Gate. Au Prince Albert Pub, 11 Pembridge Rd., Notting Hill, W11. ☎ **020/7229-0706.** Billets plein tarif 10 £, étudiants et seniors 6 £. CB. Guichet lun.-ven. 10 h-18 h. Métro : Notting Hill Gate.

Cette toute petite salle située au-dessus d'un pub de Notting Hill accueille parmi les meilleures pièces d'avant-garde de Londres. Très apprécié des connaisseurs du quartier, ce théâtre se spécialise dans les œuvres de dramaturges étrangers traduites en anglais. Les représentations ont lieu du lundi au samedi à 19 h ou 19 h 30. Téléphonez pour obtenir les programmes et les heures des spectacles.

ICA Theatre. The Mall, SW1. ☎ **020/7930-3647.** Prix des billets en moyenne 7 £-10 £. Guichet tlj. 12 h-21 h 30. Métro : Charing Cross ou Piccadilly Circus.

Hormis son cinéma, son café, sa librairie et ses deux galeries, l'Institute of Contemporary Arts (ICA) abrite l'un des meilleurs théâtres expérimentaux. Ses subventions gouvernementales lui permettent de monter des productions de grande qualité. Le bar est ouvert du mardi au samedi de midi à 1 h du matin, le dimanche de midi à 21 h ; les galeries sont ouvertes tous les jours de midi à 19 h 30 et les représentations ont lieu tous les jours à 17 h, 19 h et 21 h.

The King's Head. 115 Upper St., N1. ☎ **020/7226-1916.** Billets 7 £-12 £. Guichet lun.-ven. 10 h-18 h, sam. 10 h-20 h, dim. 10 h-16 h. Métro : Angel.

Sans doute le théâtre d'avant-garde le plus célèbre, le King's Head est aussi le plus ancien théâtre/pub de Londres. En dépit de sa scène minuscule, on y voit beaucoup de comédies musicales parmi lesquelles certaines passent maintenant à *West End*.

Les matinées ont lieu le samedi et le dimanche à 15 h 30, les représentations du soir du mardi au samedi à 20 h.

Young Vic. 66 The Cut, Waterloo, SE1. ☎ **020/7928-6363.** Billets adultes 5 £-20 £, étudiants et enfants 5 £-10 £. Représentations lun.-sam. 19 h ou 19 h 30, matinée sam. 14 h. Métro : Waterloo.

Le Young Vic présente des pièces classiques et modernes pour des spectateurs de tous les âges et milieux, mais il est surtout axé sur les jeunes adultes. Parmi ses récentes productions, on compte Shakespeare, Ibsen, Arthur Miller et des pièces commanditées spécialement pour les enfants. Appeler pour obtenir les horaires car ils peuvent changer.

2 Musique classique et danse

Actuellement, Londres abrite cinq grands orchestres, le **London Symphony**, le **Royal Philharmonic**, le **Philharmonia Orchestra**, le **BBC Symphony** et le **BBC Philharmonic**, plusieurs chorales et de nombreuses formations plus modestes de musique de chambre et ensembles instrumentaux historiques. Informez-vous sur les programmes de la **London Sinfonietta**, de l'**English Chamber Orchestra** et bien sûr, de l'**Academy of St. Martin in the Fields**. Le South Banks Arts Centre et le Barbican proposent eux aussi des représentations. Pour assister à de plus petits récitals, consultez les programmes du Wigmore Hall et du St. John's Smith Square.

Le **British Music Information Centre**, 10 Stratford Place, W1 (☎ **020/7499-8567**), est le centre d'information sur la musique classique. Il est ouvert du lundi au vendredi de 12 h à 17 h et donne des informations (par téléphone et sur place) sur les manifestations en cours et à venir. Les places pour les récitals d'œuvres classiques britanniques du XXe siècle coûtent jusqu'à 5 £ ; ces récitals ont lieu sur place chaque semaine, habituellement le mardi et le jeudi à 19 h 30. Téléphonez pour avoir confirmation du jour et de l'heure. La capacité étant limitée à 40 places, il est préférable de vérifier à l'avance. Métro : Bond Street.

✪ **Barbican Centre—London Symphony Orchestra** (et davantage). Silk St., the City, EC2. ☎ **020/7638-8891.** Billets 6,50 £-32 £. Guichet tlj. 9 h-20 h. Métro : Barbican ou Moorgate.

Spacieux et confortable, le complexe du Barbican est le plus grand centre d'art et d'expositions d'Europe de l'Ouest. C'est un cadre idéal pour la musique et le théâtre. Le Barbican Hall abrite le **London Symphony Orchestra** et accueille des orchestres et interprètes de musique classique, jazz, folk, world music...

Hormis le Hall et les deux théâtres de la Royal Shakespeare Company, le Barbican Centre compte la Barbican Art Gallery, vitrine des arts visuels, la Concourse Gallery, des espaces d'expositions dans les foyers, les Cinemas One and Two qui programment des films récents en exclusivité et des séries cinématographiques, la Barbican Library, une bibliothèque généraliste axée notamment sur les arts, la Conservatory, l'une des plus grandes serres de Londres, et des restaurants, cafés et bars.

Contemporary Dance. À The Place, 17 Duke's Rd., WC1. ☎ **020/7387-0031.** Billets 10 £, étudiants et seniors 7 £. Guichet lun.-ven. 10 h 30-20 h, sam. 12 h-18 h, dim. 12 h-18 h (les jours de représentation). Métro : Euston.

Cette salle offre habituellement de bonnes productions à petits prix. L'espace n'est pas grand et les miroirs et barres aux murs indiquent qu'il sert d'école de danse durant la journée.

English National Opera. London Coliseum, St. Martin's Lane, WC2. ☎ **020/7632-8300.** Billets deuxième balcon 5 £-10 £, premier balcon, corbeille ou orchestre 12,50 £-55 £ ; une centaine de places de deuxième balcon sont vendues à un tarif réduit le jour de la représentation à partir de 10 h. Métro : Charing Cross ou Leicester Sq.

Construit en 1904 comme théâtre de variétés puis transformé en 1968 en opéra, le London Coliseum est le plus grand théâtre de la ville. L'English National Opera (l'une des deux compagnies nationales d'opéra) y exécute une vaste gamme d'œuvres, des grands classiques de Gilbert et Sullivan à des œuvres nouvelles et expérimentales, avec une mise en scène talentueuse et imaginative. Un répertoire composé de 18 à 20 productions est présenté 5 ou 6 fois par semaine pendant 11 mois (relâche en juillet). Si les fauteuils de deuxième balcon sont moins chers, de nombreux spectateurs semblent préférer la corbeille ou le premier balcon.

Dance Umbrella. 20 Chancellor's St., W6. ☎ **020/8741-4040.** Billets 10 £-30 £. Métro : Hammersmith.

La production d'automne de cette compagnie est devenue le grand événement en matière de danse contemporaine à Londres. Pendant sa saison, qui dure 6 semaines, on peut voir dans différents théâtres les nouvelles œuvres de chorégraphes prometteurs.

Royal Albert Hall. Kensington Gore, SW7. ☎ **020/7589-8212.** Billets 3 £-130 £ en fonction du spectacle. Guichet tlj. 9 h-21 h. Métro : South Kensington.

Inauguré en 1871 et dédié à la mémoire du prince Albert, consort de Victoria, cet édifice circulaire compte l'un des plus célèbres auditoriums. Avec 5 200 places, il est très prisé pour les concerts de vedettes telles qu'Eric Clapton et Shirley Bassey. Les rares manifestations sportives (surtout la boxe) qu'il accueille rencontrent beaucoup de succès.

Depuis 1941, le hall programme les BBC Henry Wood Promenade Concerts, **The Proms,** une série de concerts sur une période de 8 semaines, de mi-juillet à mi-septembre. Les Proms sont une tradition britannique depuis 1895. Si la majorité du public dispose de places réservées, les vrais amateurs optent habituellement pour des places debout dans la fosse d'orchestre d'où l'on peut voir les musiciens de près. C'est souvent là qu'ont lieu les premières de nouvelles œuvres commanditées. Le dernier soir des Proms est le plus traditionnel, les grands favoris Jérusalem et Land of Hope and Glory résonnent alors dans tout l'édifice. Pour acheter des billets, appelez directement TicketMaster (☎ 020/7344-4444).

✪ **Royal Festival Hall.** Sur la South Bank (rive sud), SE1. ☎ **020/7960-4242.** Billets 5 £-50 £. Guichet tlj. 9 h-21 h. Métro : Waterloo ou Embankment.

Peu après la seconde guerre mondiale, la principale scène musicale de Londres a déménagé au sud de la Tamise. Trois des salles de concert les plus parfaites d'un point de vue acoustique y ont été construites entre 1951 et 1964. Il s'agit du Royal Festival Hall, du Queens Elizabeth Hall et de la Purcell Room. À elles trois, elles accueillent plus de 1 200 représentations par an, dont de la musique classique, de la danse classique et contemporaine, du jazz et de la pop. La Hayworth Gallery, connue dans le monde entier, s'y trouve aussi (se reporter au chapitre 6).

Le Royal Festival Hall, ouvert tous les jours à partir de 10 heures, offre toute une gamme de distractions, dont des expositions gratuites dans les foyers et de la musique à 12 h 30 (gratuit). Le vendredi, les sessions Commuter Jazz dans le foyer (17 h 15-18 h 45) sont gratuites. La Poetry Library (bibliothèque) est ouverte de 11 h à 20 h et les magasins proposent une large variété de livres, de disques et d'objets artisanaux. Le *Festival Buffet* offre un menu varié à des prix raisonnables et des bars se trouvent dans les foyers. On peut déjeuner et dîner avec vue sur la Tamise au *People's Palace*. Il est recommandé de réserver au ☎ **020/7928-9999.**

✪ **The Royal Opera House—The Royal Ballet & the Royal Opera.** Bow St., Covent Garden, WC2. ☎ **020/7212-9123.**

Les représentations du Royal Opera sont habituellement données dans la langue originale mais des surtitres sont projetés pour permettre au public de suivre le livret. Le Royal Ballet, comparable au Kirov et à l'Opéra de Paris, propose un répertoire plutôt classique, dont des œuvres de ses anciens chorégraphes-directeurs Frederick Ashton et Kenneth MacMillan.

Sadler's Wells Theatre. Rosebery Ave., EC1. ☎ **020/7314-8800.** Billets 7,50 £-60 £. Représentations habituellement à 20 h. Guichet lun.-sam. 12 -20 h. Métro : Angel.

C'est une des principales salles consacrées au théâtre et à la danse. Un théâtre avait été construit à cet endroit en 1683, sur le site d'une source très appréciée pour ses pouvoirs de guérison. Au début des années 1990, ce vieux théâtre désuet du début du XXe siècle a été démoli et remplacé par un édifice novateur terminé en 1998. Si la façade d'origine a été conservée, l'intérieur a été complètement réaménagé dans un style avant-gardiste chic.

Le nouveau théâtre proposera des spectacles de danse classique et expérimentale dans deux salles : celle, nouvelle et dernier cri, bâtie sur le site d'origine, et celle du Peacock (productions associées) que le Sadler's Wells Trust continuera à louer pendant quelque temps.

Wigmore Hall. 36 Wigmore St., W1. ☎ **020/7935-2141.** Billets 6 £-20 £. Représentations tous les soirs, le dimanche matin (Morning Coffee Concerts) et à 16 h ou 19 h. Métro : Bond St. ou Oxford Circus.

L'auditorium intime du Wigmore Hall propose d'excellents récitals de chant, de piano et de musique de chambre, médiévale, baroque et de jazz. Vous obtiendrez au Wigmore une liste gratuite des programmes du mois. Il y a un café-bar-restaurant sur place où vous pouvez commander un dîner froid si vous assistez à un concert.

DANS LES QUARTIERS PÉRIPHÉRIQUES

Kenwood Lakeside Concerts. Kenwood, Hampstead Lane, Hampstead Heath, London NW3 7JR. ☎ **020/7413-1443.** Billets adultes 9 £ pour des sièges sur la pelouse, 11 £-16 £ pour des chaises longues numérotées. Réductions de 12,5 % pour les étudiants et les plus de 60 ans. Tous les samedis à 19 h 30 de juillet à début septembre. Métro : Golders Green ou Archway puis prendre le bus 210.

Depuis 50 ans qu'ils existent, ces concerts de troupes et d'orchestres organisés dans la partie nord de Hampstead Heath sont devenus une tradition. Ces dernières années, des spectacles laser et des feux d'artifice sont venus s'ajouter au répertoire varié qui compte des versions entraînantes de l'*Ouverture de 1812*, du jazz et des opéras tels que *Carmen*. Le dernier concert de la saison présente toujours l'une des marches Pomp and Circumstance, de Sir Edward Elgar, compositeur impérial apprécié de tous. On entend la musique jusqu'au lac qui vient agrémenter les fêtes sur l'herbe.

3 Les concerts et les clubs

Par nature, les clubs et les salles de musique *live* vont et viennent à une vitesse alarmante, et les modes ont tendance à changer brutalement. *Time Out* est la meilleure source d'information pour se tenir au courant.

COMÉDIE ET CABARET

Comedy Spot. The Spot, Maiden Lane, WC2. ☎ 020/7379-5900. Entrée payante 5 £ ven.-sam. après 22 h, dim. après 20 h ; 9 £ repas compris ou 7 £ lun. Lun.-jeu. 12 h-24 h, ven.-sam. 12 h-1 h, dim. 19 h-22 h 30.

Ce bar-restaurant fait place aux DJ du mardi au samedi, aux chanteurs le dimanche et à la *spotlight comedy* (la comédie en vedette) le lundi : un présentateur et trois comédiens (des débutants avec des professionnels). Si vous aimez la comédie en solo à l'anglaise, le Comedy Spot est l'un des meilleurs endroits pour en voir.

The Comedy Store. 1A Oxendon St. qui part de Piccadilly Circus, SW1. ☎ **020/7344-0234.** Entrée 11 £-13 £. Tlj. à partir de 18 h 30. Métro : Leicester Sq. ou Piccadilly Circus.

Cette salle est la plus en vue pour les spectacles de talents comiques établis ou prometteurs. Puisant son inspiration dans les *comedy clubs* américains, ce club londonien a donné leur première chance à de nombreux acteurs comiques. Beaucoup d'entre eux sont devenus des personnalités de la télévision. Même si les noms ne vous disent rien, vous serez diverti par la spontanéité des spectacles comiques destinés à un public britannique. Il convient d'avoir au moins 18 ans et le code vestimentaire est décontracté. Réservez par l'intermédiaire de TicketMaster (☎ **020/7344-4444**) ; le club ouvre une heure et demie avant le spectacle. Le truc des initiés : allez-y le mardi car l'humour est plus avant-gardiste et les numéros traitent de sujets d'actualité.

MUSIQUE GRECQUE

Elysée. 13 Percy St., W1. ☎ **020/7636-4804.** Entrée lun.-jeu. 3 £, ven.-sam. 4 £. Déjeuner/dîner lun.-ven. 12 h-15 h, lun.-sam. 19 h 30-4 h. Métro : Goodge St. ou Tottenham Court Rd.

Elysée est destiné aux passionnés de *Jamais le dimanche* qui aiment le son du bouzouki sur fond d'assiettes qu'on casse en les jetant par terre. Les frères Karegeorgis, Michael, Ulysse et l'incomparable Georges, proposent un franc divertissement à des prix raisonnables. Vous pouvez danser tous les soirs sur la musique d'un orchestre grec.

Deux spectacles de cabaret sont présentés (le dernier à 1 h). Vous pouvez réserver une table au premier ou au deuxième étage mais le jardin sur le toit est vivement conseillé en été. La cuisine est bonne, notamment la spécialité de la maison, la moussaka, et les brochettes cuites au feu de bois.

MUSIQUE LIVE

Bagley's Studios. King's Cross Freigh Depot, près de York Way, N1. ☎ **020/7278-2777.** Entrée 10 £-20 £. Toujours ouvert ven.-dim. 22 h-7 h. Les autres jours, l'ouverture dépend de la location de la salle par des organisateurs de concerts ou de soirées. Métro : King's Cross.

Les locaux sont vastes, ils résonnent, ils sont un peu crasseux et le tout ressemble à un entrepôt. Situé dans un quartier industriel morne derrière la gare de King's Cross, cet espace se métamorphose totalement trois nuits par semaine le temps d'une rave party animée. Ses deux étages de la taille d'un terrain de foot sont divisés chacun en trois salles dotées d'une ambiance et d'une sono différentes. Baladez-vous de salle en salle pour trouver celle qui convient le mieux à votre forme du moment. Parmi les choix qui seront proposés, vous trouverez sans doute de la garage, des classiques de night-clubs qu'on entend à la radio, de la banging (house dure) et de la dance « pétillante » et enthousiaste. Si vous êtes à Londres en semaine, ne supposez pas que ce lieu est fermé car de nombreuses associations le louent pour des manifestations diverses dont certaines sont ouvertes au public. Les fêtes Freedom du samedi soir sont les plus sympas.

Barfly Club. Au Falcon Pub, 234 Royal College St., NW1. ☎ **020/7482-4884.** Entrée 7 £-11 £. Tous les soirs 19 h 30-2 h ou 3 h, les concerts commencent souvent à 20 h 15. Métro : Camden Town.

Situé dans un quartier résidentiel peu engageant du nord de Londres, ce pub d'apparence traditionnelle se distingue par sa programmation de groupes de rock qui viennent de tout le Royaume-Uni pour la bière et la musique dynamique. Une annonce enregistrée présente les programmes des différentes soirées et explique comment arriver jusqu'au pub dans un dédale de rues étroites. Attendez-vous à tout dans cet endroit, c'est d'ailleurs ce qui ajoute du piquant. Oasis est l'un des groupes qui ont été « découverts » ici. En général, vous entendrez trois groupes par soirée.

The Bull & Gate. 389 Kentish Town Rd., NW5. ☎ **020/7485-5358.** Entrée 4 £. Métro : Kentish Town.

Situé en périphérie, plus petit, plus abordable et souvent plus animé et moins touristique que nombre de ses concurrents, le Bull & Gate est le siège officieux du rock londonien. Des groupes de rock indépendants et relativement inconnus passent fréquemment les uns après les autres (souvent 6 groupes par soir) dans ce vieux pub victorien un peu délabré. Si vous aimez les soirées rock'n roll (bière renversée et sol gluant), c'est l'un des endroits les plus authentiques de Londres, hors des sentiers battus. Parmi les groupes qui ont débuté ici, on compte Madness, Blur, Pulp et cette excentricité des années 80, Sigue-Sigue-Sputnik. Les horaires sont ceux des pubs et les groupes jouent tous les soirs de 21 h à minuit.

The Rock Garden. 6-7 The Piazza, Covent Garden, WC2. ☎ **020/7836-4052.** Entrée 5 £-10 £ ; on y entre gratuitement si on y dîne. Lun.-jeu. 17 h-3 h, ven. sam. 17 h-4 h, dim. 19 h-24 h. Métro : Covent Garden. Bus : tous les bus de nuit qui partent de Trafalgar Square.

Établi depuis longtemps, le Rock Garden compte un bar et une scène au sous-sol ainsi qu'un restaurant au niveau de la rue. Le sous-sol, appelé The Venue, a accueilli entre

Pubs légendaires

Prendre une pinte de *real ale* ou de *bitter* au pub du coin est le meilleur moyen d'appréhender les particularités des différents villages qui composent Londres. Vous y entendrez les accents et l'argot du coin, et vous pourrez constater combien les aristocrates de Kensington sont éloignés des cols bleus de Wapping. Tenez-vous au courant des derniers ragots, des résultats de foot et, bien sûr, dégustez les meilleurs ales, stouts, cidres et purs malts.

Au cœur de Londres Le centre regorge de pubs historiques formidables aussi variés que la ville elle-même.

Le **Cittie of Yorke**, 22 High Holborn, WC1 (☎ 020/7242-7670 ; Métro : Holborn ou Chancery Lane), abrite le comptoir le plus long de Grande-Bretagne, des chevrons énormes et une longue rangée de tonneaux à vin immenses, tout cela conférant au pub l'apparence d'une grande salle médiévale, ce qui est parfaitement justifié puisqu'un pub existe à cet endroit depuis 1430. La Samuel Smith est vendue à la pression et des nouveautés sont proposées comme la vodka parfumée au chocolat et à l'orange.

Dickens fréquenta le **Lamb & Flag**, 33 Rose St. qui part de Garrick Street, WC2 (☎ 020/7497-9504 ; Métro : Leicester Sq.) dont la salle a peu changé depuis l'époque où il traînait dans le quartier. Ce pub a une histoire étonnante et quelque peu scandaleuse. En décembre 1679, Dryden fut pratiquement tué devant par une bande de voyous ; et le pub acquit le surnom de « seau de sang » pendant la Régence (1811–20) en raison des rixes qui y éclataient régulièrement. Parmi les bières pression, on compte la Courage Best, la Directors, l'Old Speckled Hen, la John Smiths et la Wadworths 6X.

L'**Olde Mitre**, Ely Place, EC1 (☎ 020/7405-4751 ; Métro : Chancery Lane), est l'homonyme d'un pub ouvrier construit en ce lieu en 1547, à l'époque où les évêques d'Ely dirigeaient le quartier. C'est un petit pub fréquenté par un mélange bizarre de clients. La Friary Meux, l'Ind Coope Burton et la Tetleys sont vendues à la pression.

Le **Seven Stars**, 53 Carey St., WC2 (☎ 020/7242-8521 ; Métro : Holborn), est minuscule et modeste mais il possède une belle collection de chopes à effigies humaines et d'objets d'art liés à la profession juridique, ces derniers s'expliquant par la situation du pub derrière les tribunaux (Law Courts) et par les nombreux avocats qui le fréquentent. C'est un endroit idéal pour apprendre le jargon des tribunaux. On y trouve de la Courage Best et de la Directors à la pression ainsi qu'une bonne sélection de purs malts.

Le **Black Friar**, 174 Queen Victoria St., EC4 (☎ 020/7236-5650 ; Métro : Blackfriars), vous fait remonter le temps jusqu'au début des années 1900. Ce pub en angle respire l'Art nouveau : marbre et bronze, bas-reliefs de moines fous, voûte basse en mosaïque et sièges taillés dans des renfoncements de marbre doré. Il rencontre beaucoup de succès à la sortie des bureaux et offre de l'Adams, de la Wadsworth 6X, de la Tetleys et de la Brakspears à la pression.

Dans le sud de Londres Vous pourrez suivre les pas de Shakespeare et de Dickens en vous désaltérant à l'*Anchor*, 34 Park St., Bankside, SE1 (☎ 020/7407-1577 ; Métro : Barnes Bridge). Si la littérature vous laisse de marbre, vous serez peut-être content de savoir que Tom Cruise y a pris une ou deux pintes pendant le tournage de *Mission impossible*. Reconstruit au XVIIIe siècle pour remplacer un pub qui avait résisté au grand incendie de 1666, ses salles sont usées mais confortables. À la pression, vous avez le choix entre la Greenalls Best et la Youngs Special.

Si vous recherchez une ambiance encore plus surannée, retranchez-vous au **Cutty Sark**, Ballast Quay, qui part de Lassell Street, SE10 (☎ 020/8858-3146 ; train : Maze Hill). Il est installé dans une demeure du XVIe siècle en pavés, avec ses tonneaux en guise de tables, ses cheminées et ses murs en brique qui en ont vu de toutes les couleurs. Ce pub dégage une telle atmosphère de vieux Londres que vous finirez peut-être par voir la racaille du temps de Dickens après quelques pintes de Bass ou de Worthington's Best.

Autre pub historique, le **George**, au niveau du 77 Borough High St., SE1 (☎ 020/7407-2056 ; Métro : Borough ou London Bridge). Entretenue par le National Trust, la structure actuelle fut construite pour remplacer le pub d'origine qui avait été détruit au cours du grand incendie. Sa bonne réputation remonte à 1598, année à laquelle on avait estimé que c'était une « auberge honnête pour accueillir les voyageurs ». Ce n'est plus une auberge mais c'est toujours un endroit agréable pour goûter à la Flowers Original, la Boddingtons et la Whitbread Castle Eden à la pression.

Dans l'ouest de Londres Vous pouvez vous détendre sur les rives de la Tamise au **Dove**, 19 Upper Mall, W6 (☎ 020/8748-5405 ; Métro : Ravenscourt Park), là où James Thomson composa « Rule Britannia » et une partie de « The Seasons », moins connu. Pour trinquer à la santé du vieil empire, prenez une Fullers London Pride ou une ESB, puis poursuivez jusqu'au **Churchill Arms**, 119 Kensington Church St., W8 (☎ 020/7727-4242 ; Métro : Notting Hill Gate ou High St. Kensington), pour fêter la fin de l'empire. Rempli de souvenirs de Churchill, ce pub organise une semaine entière de festivités jusqu'au jour de son anniversaire le 30 novembre. Si vous y allez à cette période, on vous recrutera peut-être pour participer à la décoration du pub ; les visiteurs y sont aussi bien accueillis que les habitués. Halloween, Noël et la Saint-Patrick sont autant d'occasions de décorer le pub et de faire la fête, ce qui contribue à faire de cet établissement l'un des plus accueillants de Londres.

Le **Ladbroke Arms**, 54 Ladbroke Rd., W11 (☎ 020/7727-6648 ; Métro : Holland Park), a reçu le prix du *Meilleur pub de l'année pour dîner de Londres*. C'est l'un des rares pubs qui soit connu pour sa cuisine. Au menu, très varié, vous pourrez déguster le blanc de poulet farci à l'avocat et le steak à l'ail dans sa sauce au poivre rose. Avec du jazz en musique de fond et des expositions de gravures souvent renouvelées, ce lieu se démarque quelque peu des pubs traditionnels mais il est agréable et on y mange bien. On peut y boire l'excellente Eldridge Pope Royal, la John Smiths et la Courage Directors à la pression ainsi que plusieurs purs malts.

Dans le nord de Londres Poursuivant votre visite dans le sens des aiguilles d'une montre, allez respectivement au **Olde White Bear**, Well Rd., NW 31 (☎ 020/7435-3758 ; Métro : Hampstead) et au **Holly Bush**, Holly Mount, NW3 (☎ 020/7435-2892; Métro : Hampstead), pour une touche d'ère victorienne et d'années 1900. Décoré de gravures, de dessins et de meubles de l'époque victorienne, le premier, qui est fréquenté par des habitués, est très accueillant. La Greene King Abbott et la Youngs Bitter sont proposées à la pression. Le *Holly Bush* est un vrai de vrai : authentiques lampes à gaz d'époque, cheminées, tables intimes et Benskins, Eldridge Pope et Ind Coope Burton à la pression.

Dans l'est de Londres Terminant votre balade en territoire *cockney*, allez au **Grapes**, 76 Narrow St., E14 (☎ 020/7987-4396 ; Métro : Shadwell), un pub rustique du XVIe siècle qui inspira Dickens pour ses « Six Jolly Fellowship Porters » (Six camarades portiers joviaux) dans *Notre ami commun*. Inspiré par la vue sur le fleuve, Whistler le fréquentait aussi. Parmi les bières à la pression, on compte la Friary Meux et la Tetleys, et il y a également plusieurs purs malts.

Le **Town of Ramsgate**, 62 Wapping High St., E1 (☎ 020/7264-0001 ; Métro : Wapping), est un autre pub du vieux monde qui surplombe les King Edward's Stairs (escaliers du roi Édouard) et la Tamise. Vous pourrez prendre de la Bass et de la Fullers London Pride à la pression.

autres Dire Straits, Police et U2 avant qu'ils ne deviennent célèbres. Aujourd'hui, les groupes sont très divers, des nouveaux venus pleins de promesses à ceux qu'on oublie à tout jamais. Le restaurant propose une cuisine simple de style américain.

Wag Club. 35 Wardour St., W1. ☎ **020/7437-5534.** Entrée 5 £-10 £. Mar.-jeu. 22 h-3 h., ven. 22 h-4 h, sam. 22 h-5 h, fermé le dim. Pas de cartes bancaires. Métro : Leicester Sq. ou Piccadilly Circus.

Installé sur deux niveaux, le Wag Club est une salle de musique *live* assez chic. La scène d'en bas accueille généralement des groupes de rock d'avant-garde qui viennent de décrocher un contrat et un DJ passe habituellement de la dance en haut. Les videurs sont parfois sélectifs à l'entrée.

MUSIQUE FOLK

Cecil Sharpe House. 2 Regent's Park Rd., NW1. ☎ **020/7485-2206.** Entrée gratuite. Métro : Camden Town.

CSH a été au cœur de la renaissance de la musique folk dans les années 60 et continue à favoriser et promouvoir ce style. Vous trouverez ici toute une gamme de musiques et de danses traditionnelles d'Angleterre. Téléphonez pour connaître les programmes.

JAZZ ET BLUES

Ain't Nothing But Blues Bar. 20 Kingly St., W1. ☎ **020/7287-0514.** Entrée payante après 21 h 30. Lun.-jeu. 17 h 30-1 h, ven. sam. 18 h-3 h, dim. 18 h-24 h. Métro : Oxford Circus ou Piccadilly Circus.

Ce club, qui se targue d'être le seul véritable club de blues de Londres, programme des groupes locaux et parfois des groupes américains en tournée. Soyez prêt à faire la queue le week-end. En sortant de la station Oxford Circus, prenez Regent Street vers le sud, tournez à gauche dans Great Marlborough Street puis tournez immédiatement à droite dans Kingly Street.

Bull's Head. 373 Lonsdale Rd., Barnes, SW13. ☎ **020/8876-5241.** Entrée 3 £-8 £ Lun.-sam. 11 h-23 h, dim. 12 h-22 h 30. Métro : Hammersmith, puis prendre le bus 9A jusqu'à Barnes Bridge et revenir sur ses pas sur 200 m ; ou prendre le Hounslow Look train au départ de Waterloo Station et descendre à l'arrêt Barnes Bridge, vous serez à 5 mn à pied du club.

Tous les soirs, ce club programme du jazz modern *live* depuis plus de 30 ans. C'est l'une des plus anciennes auberges du quartier qui était au XIXe siècle un relais de ravitaillement où les voyageurs qui se rendaient à Hampton Court pouvaient se restaurer, se désaltérer et se reposer pendant qu'on changeait les chevaux de la diligence. Jazz *live* le dimanche de 14 h à 16 h 30 et de 20 h à 22 h 30 ; du lundi au samedi 20 h 30 à 23 h. On peut déjeuner au Carvery du *Saloon Bar* ou dîner au *Stable Restaurant*, qui date du XVIIe siècle.

Jazz Café. 5 Parkway, NW1. ☎ **020/7916-6060.** Entrée 5 £-25 £. Entrée gratuite si vous réservez une table pour le dîner. Métro : Parkway.

Les fans de jazz afro-latin connaissent bien ce club qui accueille des formations musicales du monde entier. Le week-end, qu'un client appelle les « nuits jazzy-funky agitées », est le meilleur moment pour constater ce que cela signifie. Téléphonez pour obtenir le programme, pour connaître le prix de l'entrée et réserver votre table (le cas échéant) ; les horaires sont variables.

100 Club. 100 Oxford St., W1. ☎ **020/7636-0933.** Entrée ven. membres et non-membres 8 £. ; sam. membres 8 £, non-membres 9 £ ; dim. membres et non-membres

6 £. Lun.-ven. 20 h 30-3 h, sam. 19 h 30-1 h, dim. 19 h 30-23 h 30. Métro : Tottenham Court Rd. ou Oxford Circus.

Moins luxueux et moins cher que certains clubs de jazz, le 100 Club n'en demeure pas moins un concurrent sérieux. Parmi les nombreux groupes qui y passent, on compte les meilleurs musiciens britanniques et quelques-uns de leurs homologues américains. Du rock, de la new jack et du blues y sont aussi joués.

❍ **Pizza Express.** 10 Dean St., W1. ☎ **020/7439-8722.** Entrée 8,50 £-20 £. Tlj. 19 h 45-minuit. Métro : Tottenham Court Rd.

Ne vous laissez pas berner par le nom. Ce bar-restaurant offre l'un des meilleurs jazz de Londres avec le concours de musiciens établis. Vous pouvez, tout en dégustant une pizza italienne à pâte fine, écouter un groupe local ou en tournée, souvent en provenance des États-Unis. Bien que le club ait été agrandi, il est vivement conseillé de réserver.

❍ **Ronnie Scott's Club.** 47 Frith St., W1. ☎ **020/7439-0747.** Entrée membres 4 £-8 £, non-membres 15 £-20 £. Lun.-sam. 20 h 30-3 h. Métro : Leicester Sq. ou Piccadilly Circus.

Demandez où l'on peut écouter du jazz à Londres et on vous répondra immédiatement Ronnie Scott's, qui est depuis longtemps en Europe à l'avant-garde en matière de jazz moderne. Seules les meilleures formations anglaises et américaines, menées souvent par un chanteur de premier plan, sont programmées dans ce club. Immanquablement, les programmes offrent une soirée entière de jazz d'excellente qualité. Situé en plein Soho, Ronnie Scott's est à 10 minutes à pied de Piccadilly Circus en passant par Shaftesbury Avenue. Dans la Main Room, vous pouvez assister au concert installé au bar ou à une table (où vous pouvez dîner). Le Downstairs Bar est plus intime ; parmi les habitués, vous côtoierez peut-être des musiciens très célèbres. Le week-end, il y a une discothèque séparée dans l'Upstairs Room, le Club Latino.

606 Club. 90 Lots Rd., SW10. ☎ **020/7352-5953.** Entrée dim.-jeu. 4,75 £, ven. sam. 5,45 £. Lun.-sam. 20 h 30-2 h, dim. 20 h 30-24 h. Bus : 11, 19, 22, 31, 39 ou C3. Métro : Earl's Court.

Situé dans un sous-sol discret, le 606 propose de la musique *live* tous les soirs. On y écoute principalement du modern jazz, du traditionnel au contemporain. Des musiciens locaux et de très grands noms s'y produisent, qu'il s'agisse de spectacles programmés ou de bœufs auxquels ils participent une fois leur spectacle terminé ailleurs. C'est un véritable restaurant-club de jazz aux fins fonds de Fulham ; le 606 Club n'est autorisé à servir de l'alcool que s'il accompagne un repas.

DANCE, DISCO ET MUSIQUE ÉCLECTIQUE

Bar Rumba. 26 Shaftesbury Ave., W1. ☎ **020/7287-2715.** Entrée 3 £-12 £. Lun.-jeu. 17 h-3 h 30., ven. 17 h-4 h, dim. 20 h-1 h 30. Métro : Piccadilly Circus.

Même s'il se trouve sur Shaftesbury Avenue, ce bar/boîte latino dont on se passe l'adresse de bouche à oreille devrait figurer dans un livre sur le « Londres underground ». Il est plutôt orienté jazz fusion pur certains soirs et bon funk en d'autres occasions. Il compte deux bars et programme des soirées à thèmes différentes tous les soirs. Le mardi et le mercredi sont sans doute les seuls jours où vous ne ferez pas la queue pour entrer. La soirée du lundi, « *That's How It Is* », présente du jazz, du hip-hop et de la drum & bass ; le « *KAT Klub* » du vendredi vous entraîne sur des rythmes de soul, de new jack et de swing ; la « *Garage City* » du samedi résonne aux sons de la house et de la garage. En semaine, il faut avoir au moins 18 ans pour entrer, 21 ans le samedi et le dimanche.

Camden Palace. 1A Camden High St., NW1. ☎ **020/7387-0428.** Entrée mar. 5 £, ven. sam. 7 £-20 £. Mar. 22 h-2 h., ven. 22 h-6 h, sam. 22 h-8 h. Métro : Camden Town ou Mornington Crescent.

Installé dans un ancien théâtre des années 10, le Camden Palace attire une clientèle branchée de plus de 18 ans. La vitalité dominante varie en fonction du soir de la semaine, tout comme la musique. Mieux vaut appeler pour vérifier quel programme convient le mieux à vos goûts. Des groupes *live* passent uniquement le mardi. Il y a un restaurant pour le cas où vous auriez un petit creux.

The Cross. The Arches, Kings Cross Goods Yard, York Way, N1. ☎ **020/7837-0828.** Entrée 10 £-15 £. Ven. 22 h-4 h 30, sam. 22 h 30-6 h. Métro : Kings Cross.

Dans un petit coin perdu de Kings Cross, ce club est à la mode depuis 1993. C'est ici que le tout-Londres branché vient aux soirées privées organisées par Rough Trade Records ou Red Or Dead, ou tout simplement pour danser sous les voûtes en brique de ce club. C'est toujours la fête ici. Téléphonez pour savoir quel groupe est programmé.

Diva. 43 Thurloe St., SW7. ☎ **020/7584-2000.** Entrée 1,50 £. Lun.-sam. 18 h-3 h., jui.-sept. dim. 12 h-15 h. Métro : South Kensington.

Diva est un excellent restaurant italien doté d'une discothèque. Terminez vos raviolis, digérez sur la piste ! La gastronomie est principalement napolitaine et vous dînerez pour 25 £ à 30 £ par personne. Seuls les clients du restaurant ont accès à la discothèque (pas de musique *live*).

Equinox. Leicester Sq., WC2. ☎ **020/7437-1446.** Entrée 5 £-12 £ en fonction du soir de la semaine. Lun-jeu. 21 h-3 h, ven. sam. 21 h-4 h. Métro : Leicester Sq.

Construit en 1992 à l'endroit où se trouvait le London Empire, une gigantesque discothèque qui participa à l'évolution de la danse comme activité sociale depuis les années 1700, l'Equinox s'est imposé comme un éternel favori. Il comporte neuf bars, la plus grande piste de danse de Londres et un restaurant décoré à la manière d'un restaurant américain des années 50. À l'exception de la rave, ce night-club passe tous les styles de musique dansante, y compris la dance hall, la pop, le rock et la musique latino. Le cadre est somptueusement éclairé grâce au système de projecteurs le plus important d'Europe et la clientèle est à l'image de la diversité de Londres.

Ces derniers temps, l'Equinox a entrepris de nombreux projets parmi lesquels recevoir les talents les plus en vogue du Royaume-Uni comme les Spice Girls, qui sont le groupe préféré du prince Harry. Ceux qui visitent Londres en été profiteront des soirées à thèmes qui sont axées sur un public international. Vous pourrez, par exemple, vous trémousser une fois par mois toute la nuit sur une piste de danse recouverte de mousse, c'est la fête de la mousse « Ibiza ». De 17 h à 19 h, les consommations coûtent 1,50 £.

Hanover Grand. 6 Hanover St., W1. ☎ **020/7499-7977.** Entrée 5 £-15 £. Mer.-sam. 22 h 30-5 h 30 . Métro : Oxford Circus.

Les jeudis sont branchés et il y a une ambiance à la *Dirty Dancing*. Le vendredi et le samedi, les clients se parent de leurs plus beaux atours de discothèque, collants pour faire ressortir les formes ou look punk pour faire ressortir les idées politiques. Les pistes de danse sont toujours bondées et la foule semble faire de constantes allées et venues entre les deux niveaux. Il est parfois difficile de déterminer l'âge et le sexe de la clientèle de cette boîte ultra avant-gardiste.

Hippodrome. Intersection de Cranbourn St. et Charing Cross Rd., WC2. ☎ **020/7437-4311.** Entrée 4 £-12 £. Lun.-sam. 21 h-3 h. Métro : Leicester Sq.

Situé à proximité de Leicester Square, l'Hippodrome est un vétéran parmi les night-clubs de Londres : c'est un espace très grand, doté d'une excellente sono et d'un éclairage à sa mesure. C'était la boîte préféré de Lady Di dans sa jeunesse. Ringard et touristique, le Drome est bondé le week-end.

Iceni. 11 White Horse St., W1. ☎ **020/7495-5333.** Entrée ven. 12 £, sam. 10 £. Ven. sam. 22 h-3 h 30. Métro : Queen's Park.

Ce night-club très branché occupe trois étages et attire une clientèle de 20 et quelques années le vendredi et les 18-25 ans le samedi. Vous pouvez y voir des films, jouer à des jeux de société, vous faire tirer les cartes et danser au rythme du swing, de la soul, du hip-hop et de la new jack. Vous pouvez même vous faire manucurer.

Limelight. 136 Shaftesbury Ave., WC2. ☎ **020/7434-0572.** Entrée 6 £ avant 22 h, 4 £-12 £ après 22 h. Lun-ven. 22 h-3 h (ven. 3 h 30), sam. 21 h-3 h 30, dim. 18 h-23 h. Métro : Leicester Sq.

Si elle a ouvert dès 1985, cette grande boîte de nuit située dans une ancienne chapelle galloise qui date de 1754 n'a obtenu ses lettres de noblesse que récemment. Les pistes de danse et les bars sont installés dans de nombreux recoins gothiques. Les DJ passent les derniers tubes de house.

○ Ministry of Sound. 103 Gaunt St., SE1. ☎ **020/7378-6528.** Entrée 12 £-15 £. Ven. 22 h 30-6 h, sam. minuit-9 h. Métro : Elephant & Castle.

Éloigné du centre-ville, ce club super branché marche toujours très fort après toutes ces années. Doté d'un grand bar et d'une sono encore plus grande, il propose de la garage et de la house à fond à une clientèle très dynamique qui envahit les deux pistes. Si toutes les stimulations du club vous montent à la tête, vous pouvez décompresser dans la salle de cinéma. Remarque : l'entrée coûte cher et les videurs ont toute autorité pour choisir qui est assez branché pour entrer. Alors oubliez le jean et les tennis et enfilez vos fringues les plus à la mode.

The Office. 3–5 Rathbone Place, W1. ☎ **020/7636-1598.** Entrée 7 £-9 £. Lun. mar. 12 h-23 h 30, mer.-ven. 12 h-3 h, sam. 21 h 30-3 h. Métro : Tottenham Court Rd.

Une boîte éclectique dotée d'un nom bureaucratique dont l'une des soirées les plus courues est la « *Double Six Club* » du mercredi où l'on écoute de la musique pop douce et où l'on peut jouer à des jeux de société de 18 h à 2 h du matin. Les autres soirs, The Office passe de la musique enregistrée plus classique : pop, rock, soul et disco. L'ambiance l'emporte sur le décor.

Stringfellows. 16–19 Upper St. Martin's Lane, WC2. ☎ **020/7240-5534.** Entrée 10 £-15 £. Lun.-jeu. 19 h 30-3 h 30, ven. sam. 20 h-3 h 30, fermé le dim. Il est conseillé de réserver si on veut y dîner. Métro : Leicester Sq. ou Covent Garden.

Ce club qui voudrait être prestigieux accueille une clientèle variée dans une ambiance tout velours et tout lustre. En théorie, il est strictement réservé à ses membres mais, à la discrétion de la direction, les non-membres peuvent aussi y entrer. La discothèque compte une piste de danse en verre et un système son et lumière éblouissant. Le restaurant est ouvert très tard et si vous y dînez, l'entrée au club est gratuite.

Subterania. 12 Acklam Rd., W10. ☎ **020/8960-4590.** Entrée 8 £-10 £. Ven. sam. 22 h 30-3 h, horaires variables les autres soirs. Métro : Ladbroke Grove.

Abordable, sans prétention et sans façon, l'atmosphère de cette boîte change au gré des groupes qui s'y produisent. Téléphonez pour connaître le programme. Au rez-de-chaussée, les danseurs se pressent sur la piste et, à l'étage, ils se détendent au bar-mezzanine. L'orange, le violet et le bleu composent un décor énergique et, si ces couleurs ne vous gênent pas, vous trouverez sûrement les sofas recouverts de fausse peau de léo-pard à votre goût. Plus au moins régulièrement, le vendredi est dominé par la soul, la funk, le hip-hop et le swing. Le samedi est consacré à la house. Les autres soirs, on s'en remet au sort.

The Velvet Room (anciennement The Velvet Underground). 143 Charing Cross Rd., WC2. ☎ **020/7734-4687.** Entrée 6 £-10 £. Mer. jeu. 21 h-3 h, ven. sam. 21 h-4 h. Métro : Tottenham Court Rd.

Le Velvet Underground a été pendant des années un haut lieu des nuits londoniennes. Les temps ont changé et la clientèle a mûri, d'où la naissance du Velvet Room au cadre plus luxueux sans être ennuyeux. Carl Cox et d'autres DJ passent des tubes dansants et plus décontractés qui reflètent la nouvelle ambiance. Le Velvet Room n'a pas sacri-fié un soupçon de son élégance et sert toujours de référence à la génération prochaine des bars de Soho.

✪ **Zoo Bar.** 13–18 Bear St., WC2. ☎ **020/7839-4188.** Entrée 3 £-5 £ après 23 h. Lun.-sam. 16 h-3 h 30, dim. 16 h-22 h 30. Métro : Leicester Sq.

Ses propriétaires ont investi des millions de livres pour doter leur club du cadre le plus brillant, le plus clinquant et le plus psychédélique de Londres. Si vous recherchez la véritable ambiance nocturne londonienne, avec jeunes filles au pair superbes et jeunes hommes branchés, n'allez pas plus loin. En haut, le Zoo Bar ressemble à une ménage-rie d'animaux en mosaïque installée sous un dôme en verre. En bas, la musique est suf-fisamment envahissante pour transformer toute conversation en un exercice futile. La clientèle est âgée de 18 à 35 ans et le look androgyne est de rigueur.

MUSIQUE LATINO

Cuba. 11 Kensington High St., W8. ☎ **020/7938-4137.** Entrée 2 £-7 £. Lun.-sam. 12 h-2 h., dim. 14 h-23 h. Métro : High St. Kensington.

Ce bar-restaurant cubano-espagnol doté d'un club au sous-sol programme des groupes musicaux cubains, brésiliens, espagnols et d'autres pays d'Amérique du Sud. Aussi curieux que cela puisse paraître, la clientèle est répartie assez également entre les clients du restaurant, ceux qui prennent un verre en sortant du travail, les latinophiles et les danseurs. Des cours de salsa sont proposés le lundi, mardi et mercredi de 20 h 30 à 21 h 30 (4 £ le lundi, 5 £ le mardi et le mercredi). Du lundi au samedi, il y a une Happy Hour de midi à 20 h 30.

Salsa. 96 Charing Cross Rd., WC2. ☎ **020/7379-3277.** Entrée ven. sam. 4 £ après 21 h. Lun.-sam. 17 h 30-2 h. Métro : Leicester Sq.

Ce bar-restaurant et night-club animé et fréquenté par des aficionados de musique lati-no programme principalement des groupes d'Amérique centrale et du Sud. Des cours de danse sont organisés tous les soirs à partir de 18 h 30, la musique *live* commence à 21 h. C'est ici que certains des meilleurs danseurs de Londres viennent se défouler.

ÉTABLISSEMENTS DE JEUX

Bien avant Monte Carlo, quand Las Vegas n'était qu'une poussière dans la galaxie des machines à sous, Londres était une ville de jeux de hasard. Toutefois, ils furent tant réprimés durant l'époque victorienne qu'aucun barman n'aurait osé poser le moindre cornet à dés sur le comptoir de son bar. Ce n'est qu'en 1960, avec le vote de la loi sur les paris et les jeux d'argent, que les jeux de hasard ont retrouvé leur légitimité.

Rien que dans West End, il existe plus de 25 établissements de jeux, et bien d'autres sont éparpillées dans la périphérie. Mais la loi britannique interdit aux casinos de faire de la publicité. Ainsi, si vous souhaitez risquer votre budget bière pendant votre séjour, le plus sûr est de demander à un concierge d'hôtel bien informé. Vous serez obligé de devenir membre et d'attendre 24 heures avant de pouvoir jouer. On joue uniquement avec des espèces, et généralement à la roulette, au black-jack, au Punto Banco et au baccara.

Les messieurs doivent porter veste et cravate dans tous les établissements présentés ci-dessous. Les clubs sont ouverts tous les jours de 14 h à 4 h du matin.

Parmi les clubs de jeux très fréquentés, on compte **Crockford's**, ouvert depuis 150 ans, qui accueille une clientèle très internationale. Il se trouve au 30 Curzon St., W1 (☎ 020/7493-7771 ; Métro : Green Park). On y joue à la roulette américaine, au Punto Banco et au black-jack. Le **Golden Nugget**, 22 Shaftesbury Ave., W1 (☎ 020/7439-0099 ; Métro : Piccadilly Circus), qui propose black-jack, Punto Banco et roulette, est aussi très fréquenté. Enfin, le **Sportsman Casino**, 3 Tottenham Court Rd., W1 (☎ 020/7414-0061 ; Métro : Tottenham Court Rd.), comporte une table pour les jeux de dés et propose la roulette américaine, le black-jack et le Punto Banco.

4 Bars de luxe et bars d'hôtels

Pour obtenir la liste complète des pubs et bars à vins recommandés, reportez-vous au chapitre 5 et à l'encadré « Pubs légendaires » de ce chapitre.

American Bar. Au *Savoy*, The Strand, WC2. ☎ **020/7836-4343.** Décontracté élégant, ni jean, ni tennis, ni tee-shirt. Métro : Charing Cross, Covent Garden ou Embankment.

Le barman de ce lieu de rencontres sophistiqué est célèbre pour ses étranges cocktails, la « *Savoy Affair* » et le « *Prince of Wales* » ainsi que pour son Martini réputé pour être le meilleur de Londres. Du lundi au samedi, on y entend du piano jazz de 19 h à 23 h. Situé à proximité de nombreux théâtres de West End, c'est un endroit idéal pour prendre un verre avant ou après le théâtre.

Beach Blanket Babylon. 45 Ledbury Rd., W11. ☎ **020/7229-2907.** Entrée libre. Métro : Notting Hill Gate.

Allez-y si vous recherchez un bar de célibataires branché et fréquenté par une clientèle de la vingtaine à la trentaine. Cet établissement de Portobello, qui tire son nom d'une revue kitsch de San Francisco, est un bon lieu de rencontre. La décoration est un peu ringarde et c'est sûrement l'œuvre d'un émule de Salvador Dalí qui avait décidé de représenter une grotte de contes de fées (ou voulait-il faire un cachot médiéval ?). Ce bar se situe près du marché aux puces de Portobello. Il faut y aller le samedi et le dimanche, jours les plus branchés car les foules se pressent pour participer aux bacchanales.

The Dorchester Bar. Au *Dorchester*, Park Lane. ☎ **020/7629-8888.** Métro : Hyde Park Corner ou Marble Arch.

Situé au niveau du hall de l'hôtel, ce bar sophistiqué et moderne accueille une clientèle internationale sûre de son bon goût et de ses privilèges. Le barman connaît très bien son métier. On peut y prendre des snacks, y déjeuner ou y dîner (gastronomie italienne). Un pianiste joue tous les soirs après 19 h.

The Library. Au *Lanesborough Hotel,* 1 Lanesborough Place, SW1. ☎ **020/7259-5599.** Métro : Hyde Park Corner.

Si vous voulez essayer l'un des bars les plus snobs de Londres, rendez-vous à cet hôtel de luxe doté de hauts plafonds, de canapés en cuir, de peintures à l'huile respectables et de magnifiques fenêtres. Sa collection de vieux cognacs millésimés est inégalée à Londres.

Lillie Langtry Bar. Au *Cadogan Hotel*, Sloane St., SW1. ☎ **020/7235-7141.** Métro : Sloane Sq. ou Knightsbridge.

Situé à côté du *Langtry's Restaurant*, ce bar de style années 20 incarne le charme et l'élégance de son époque. Lillie Langtry, actrice et belle femme de la haute société dans ces années-là (maîtresse notoire d'Edouard VII), vécut ici. Le Hock and Seltzer, la boisson favorite d'Oscar Wilde (qui fut par ailleurs arrêté dans ce même bar) figure au menu en son hommage. Le poème de John Betjeman, « L'arrestation d'Oscar Wilde au Cadogan Hotel », relate toute l'histoire. Le Cadogan Cooler serait la boisson préférée de ces lieux. Le restaurant attenant sert un menu international.

The Lobby Bar. À l'*Hotel One Aldwych*, 1 Aldwych, WC2. ☎ **020/7300-1000.** Métro : Temple.

Ce bar et celui du restaurant *Axis* se trouvent à l'intérieur de l'hôtel 5 étoiles le plus récent de Londres. Le *Lobby Bar* occupe l'espace à hauts plafonds de ce qui fut la réception magnifique d'un grand quotidien de Londres (construite en 1907, c'est la seule partie de l'intérieur de cet hôtel chargé d'histoire qui n'a pas été démolie lors d'une rénovation de prestige en 1998). Si ce cadre ne vous dit rien, essayez le bar tout en pierre, bois et cuir du restaurant *Axis*. Le *Lobby Bar* est ouvert tous les jours de 6 h à 23 h et le bar *Axis* aux mêmes heures que le restaurant.

The Met. Au *Metropolitan Hotel*, 10 Old Park Lane, W1. ☎ **020/7447-1000.** Membres uniquement et clients de l'hôtel. Lun.-sam. 9 h 30-15 h, dim 9 h 30-22 h 30. Métro : Hyde Park Corner.

C'est le bar à visiter car il est devenu très branché. Mêlez-vous à l'élite du monde de la mode, de la télévision et de la musique. On y aperçoit des célébrités américaines siroter un Martini, de Demi Moore à Courtney Cox. En dépit du calibre de la clientèle, ce bar conserve une atmosphère détendue et sans prétention.

5 Lieux de sorties gays et lesbiens

Le **Lesbian and Gay Switchboard** (☎ 020/7837-7324) constitue la source d'information la plus fiable sur les clubs, les activités et les lieux fréquentés par les gays et les lesbiennes. Ouvert 24/24 h. *Time Out* offre également des informations concernant les clubs. **Prowler Soho**, 3–7 Brewer St. Soho W1 (☎ 020/7734-4031 ; Métro : Piccadilly Circus), le plus grand magasin de Londres destiné aux gays, est également un bon endroit où se renseigner sur ce qui est branché (on peut aussi y acheter toutes sortes de choses : des bijoux aux CD et aux livres, en passant par les vêtements à la mode et les accessoires sexuels). Il est ouvert jusqu'à minuit le vendredi et le samedi.

Bar Code. 3–4 Archer St. Soho, W1. ☎ **020/7734-3342.** Entrée libre. Lun.-sam. 13 h-1 h, dim. 13 h-22 h 30. Métro : Piccadilly Circus.

C'est un bar très détendu et sympathique, le plus grand de Soho, un quartier parfois beaucoup trop à la mode. Fréquenté par une clientèle de tout poil, du skinhead au « gros ringard », on sent que c'est un bar d'habitués. Le *Code* est plutôt destiné aux hommes mais les femmes peuvent le fréquenter sans problème.

The Box. 32–34 Monmouth St. (à Seven Dials), WC2. ☎ **020/7240-5828.** Tlj. 10 h-23 h 30. Métro : Covent Garden.

Jouxtant l'une des intersections les plus connues de Covent Garden, Seven Dials, ce bar sophistiqué de style méditerranéen attire davantage de lesbiennes que nombre de ses concurrents. L'après-midi, c'est surtout un restaurant qui propose de copieuses salades, des club sandwiches et des soupes. Le service s'arrête brusquement à 17 h 30, heure à partir de laquelle cet endroit se mute en un lieu de rendez-vous sympathique et à la mode de la communauté gay, lesbienne et alternative de Londres. *The Box* se considère comme un « bar estival » car il ouvre portes et fenêtres pour installer quelques tables, ce qui ne manque pas d'attirer du monde au moindre rayon de soleil.

Candy Bar. 4 Carlisle St., W1. ☎ **020/7494-4041.** Entrée 2 £-5 £. Lun.-jeu. 17 h-24 h, ven. 17 h-2 h, sam. 14 h-2 h, dim. 17 h-23 h. Métro : Tottenham Court Rd.

C'est actuellement le bar de lesbiennes le plus à la mode. Il accueille une clientèle extrêmement mélangée, des « mecs » aux super féminines et des jeunes aux plus âgées. Il y a un bar et un night-club au sous-sol. La décoration est simple : couleurs vives et nombreux miroirs en haut, plus tamisé et propice au flirt en bas. Les hommes sont les bienvenus à condition d'être accompagnés d'une femme.

The Complex. 1-5 Parkfield St., Islington, N1. ☎ **020/7738-2336.** Entrée 8 £. Ven. 22 h-4 h. Métro : Angel.

Le vendredi, cette boîte de quatre étages accueille *Pop Starz*, l'une des soirées les plus branchées de Londres. On y écoute un mélange de musique de labels indépendants, de pop britannique, de trash des années 80 et de funk. Créée au départ pour se démarquer des éternelles fêtes gays fréquentées par des éphèbes musclés, cette soirée hebdomadaire attire une clientèle très mélangée et fidèle.

Comptons of Soho. 53 Old Compton St., W1. ☎ **020/7479-7961.** Lun.-sam. 12 h-23 h, dim. 12 h-22 h 30. Métro : Leicester Sq.

Cette institution londonienne est si établie qu'on dit parfois que c'est le bar officiel des gays à Soho. C'est aussi une mine d'informations sur les dernières nouvelles gays de Londres. Faites-y un saut en début de soirée pour savoir quelles sont les dernières manifestations gays de la ville. Crânes rasés et cuirs noirs ne sont pas du tout déplacés ici. Ce lieu attire des clients de tous les âges et on y drague sec, c'est en fait un vrai festin des sens.

The Edge. 11 Soho Sq., W1. ☎ **020/7439-1313.** Entrée libre. Lun.-sam. 11 h-1 h, dim. 12 h-22 h 30. Métro : Tottenham Court Rd.

Peu de bars à Londres sont capables d'égaler celui-ci en matière de tolérance et de sophistication sexuelle. Les deux premiers étages sont décorés d'accessoires qui, comme un jardin anglais, changent avec les saisons. Aux étages inférieurs, bondés et animés, vous trouverez de la dance music ; les étages supérieurs conviennent mieux aux conversations intimes. Ce bar offre trois menus différents : un menu branché durant la journée, un menu snack et un menu de fin de soirée. On commence à danser vers 19 h 30. La clientèle variée se compose de gays flamboyants mais aussi d'hétéros venus s'encanailler.

First Out. 52 St. Giles High St., W1 ☎ **020/7240-8042.** Lun.- sam. 10 h-23 h, dim. 12 h-22 h 30. Métro : Tottenham Court Rd.

First Out s'enorgueillit d'être le premier (ouvert en 1986) coffee shop totalement gay de Londres. Situé dans un édifice du XIXe siècle dont les panneaux en bois sont peints aux couleurs de l'arc-en-ciel gay, ce bar intime (entendez par là qu'on n'y drague pas trop) propose un menu uniquement végétarien (en moyenne 3,50 £ le plat). Cappuccino et whisky sont les consommations favorites ; curries, *potted pies* dans leur phyllo (pâte légère et feuilletée) et salades sont les plats de choix. N'escomptez pas une ambiance tapageuse, certains clients y amènent leur grand-mère. Un tableau affiche les prospectus et cartes de visite d'entreprises gays ou qui font bon accueil aux gays.

Heaven. The Arches, intersection de Villiers st. et de Craven st., WC2. ☎ **020/7930-2020.** Entrée 3 £-10 £. Métro : Charing Cross ou Embankment.

Situé dans les caves voûtées de la gare de Charing Cross, ce club est une institution londonienne. *Heaven* appartient aux investisseurs qui ont lancé Virgin Atlantic et c'est l'un des plus grands clubs gays de Grande-Bretagne. Peint tout en noir et rappelant un abri anti-aérien, il est divisé en quatre espaces qui sont reliés les uns aux autres par un dédale d'escaliers en fer, de passerelles et de couloirs. Chaque espace a sa propre activité. *Heaven* organise aussi des soirées à thèmes qui, en fonction du soir, sont fréquentées par des gays, des lesbiennes ou par une clientèle principalement hétéro. Le jeudi semble particulièrement ouvert à tous, mais le samedi est strictement réservé aux gays. Téléphonez avant de vous y rendre.

Madame Jo Jo's. 8 Brewer St., W1. ☎ **020/7734-2473.** Entrée 6 £-22,50 £. Tlj. 22 h-3 h. Métro : Piccadilly Circus.

Caché parmi les lieux érotiques les plus osés de Soho, *Madame Jo Jo's* présente aussi des « filles ». La salle de spectacles de travestis la plus en vogue de Londres, dotée d'une décoration hallucinante de style Art nouveau décadent, attire des metteurs en scène tels que Stanley Kubrick qui y a tourné des scènes d'*Eyes Wide Shut* avec Tom Cruise. D'autres célébrités, notamment Hugh Grant et Mick Jagger, ont déjà assisté aux spectacles de travestis de *Jo Jo's*. Ces derniers sont organisés le jeudi et le samedi soir ; les autres jours, des promoteurs extérieurs produisent des spectacles.

Royal Vauxhall Tavern. 372 Kennington Lane, SE11. ☎ **020/7582-0833.** Entrée jeu.-dim. 2 £-4 £. Lun.-sam. 21 h-2 h, dim. 12 h-minuit. Métro : Vauxhall.

Ouvert depuis les années 1880, ce pub de music-hall fréquenté par des ouvriers de l'East End de Londres était depuis longtemps un bastion de l'humour graveleux. C'est devenu un pub gay à la fin de la seconde guerre mondiale. La taverne connut son heure de gloire lorsque, dit-on, le carrosse des grandes occasions de la reine Élisabeth fut endommagé et qu'elle y prit une tasse de thé. Dès lors, on ajouta avec jubilation l'adjectif « royal » au nom de l'établissement. L'une des plus grandes brasseries d'Angleterre, *Charington,* vient d'acquérir ce pub gay et fier de l'être.

Le bar en forme d'amphithéâtre comporte une vaste scène et on y organise des soirées à thèmes gays le week-end. Le vendredi soir est réservé aux femmes. Le samedi est « spécial spectacles gays » et le pub se remplit de gays qui viennent admirer leurs numéros de cabaret favoris.

Substation Soho. 1A Dean St., W1. ☎ **020/7287-9608.** Mar.-jeu. 22 h 30-3 h 30, ven. 22 h-5 h, sam. 22 h-6 h. Métro : Tottenham Court Rd.

C'est une enclave gigantesque, et pourtant souvent bondée, qui comporte trois bars, une piste de danse animée par des DJ différents selon les soirées, des écrans vidéo, des billards et un environnement où il est parfaitement légitime de se trouver un inconnu pour partenaire. Environ 80 % des clients sont des hommes gays âgés de 18 à 50 ans ; les autres sont des femmes, lesbiennes et hétéros, qui apprécient l'atmosphère permissive des lieux. L'entrée coûte entre 3 £ et 8 £ en fonction du jour de la semaine.

Turnmills on Clerkenwell. 63B Clerkenwell Rd., EC1. ☎ **020/7250-3409.** Entrée : Trade 8 £-12 £ ; Melt 5 £-10 £. Trade dim. 4 h-13 h ; Melt dim 22 h-6 h 30. Métro : Faringdon.

Pour le noctambule gay qui ne plaisante pas, ces deux soirées dans ce club (hétéro les autres jours de la semaine) sont un must. *Trade,* qui ouvre ses portes quand tout le monde est rentré chez soi depuis belle lurette, offre une atmosphère de grande fête dansante avec de la musique techno heavy dans une marée d'hommes torse nu bâtis comme des adonis. Le dimanche soir, *Melt* offre une version un peu plus détendue que *Trade*, tendance house branchée. D'une capacité de 700 personnes, ce club est doté de deux pistes de danse.

Il n'y a pas que Londres en Angleterre, loin s'en faut. Et s'il est vrai qu'une année entière, voire toute une vie, ne suffirait à explorer la capitale anglaise, il serait fort dommage de ne pas s'en éloigner un jour ou deux, afin de découvrir les sites mémorables qui l'entourent.

1 Windsor et Eton

34 km à l'ouest de Londres

La ville de Windsor, site du plus grand et du plus célèbre château d'Angleterre, ainsi que de son illustre école de garçons, Eton, est fascinante et ne doit pas sa réputation à la seule présence de la famille royale. En été, toutefois, les hordes de touristes tendent à occulter son charme.

Depuis le terrible incendie de 1992, fort heureusement, les choses vont s'améliorant au château de Windsor. Le dimanche, dans le **Windsor Great Park** et le **Ham Common**, on peut voir le prince Charles jouer au polo et le prince Phillip servir d'arbitre sous les yeux de la reine. C'est également dans ce parc que la reine effectue ses promenades à cheval. Le dimanche, elle fréquente la petite église située près de la Royal Lodge. Généralement, elle s'y rend seule en voiture, avant de retourner au château pour le déjeuner dominical. Pour plus d'informations, appelez le **Tourist Information Centre** (☎ **01753/ 743900**).

INFORMATIONS PRATIQUES

COMMENT S'Y RENDRE Le train au départ des gares de Waterloo ou Paddington à Londres effectue le trajet en 30 mn, avec un changement à Slough pour prendre la navette Slough-Windsor. Il y a plus de dix trains par jour, et les prix commencent à 6,50 £ l'aller ou 6,70 £ l'aller-retour dans la journée. Pour tout renseignement, appelez le ☎ **0345/484950** (au Royaume-Uni uniquement) ou le **01603/764776**.

Les bus Green Line (☎ **0181/668-7261**) n°s 700 et 702, qui partent de Hyde Park Corner, à Londres, mettent environ 1 h 30. L'aller-retour dans la journée coûte 6,50 £. Le bus vous déposera près du Town Guildhall, dont Wren a donné les dernières touches. Il suffit ensuite de remonter Castle Hill jusqu'aux principaux sites.

Si vous êtes motorisé, prenez la M4 à l'ouest de Londres.

INFORMATIONS TOURISTIQUES Vous trouverez un **Tourist Information Centre** en face du château, sur High Street (☎ **01753/743900**). Il y a aussi un kiosque d'information dans l'office de tourisme du Windsor Coach Park. Les deux sont ouverts tous les jours de 10 h à 16 h, les samedi et dimanche de 10 h à 17 h.

CASTLE HILL

✪ **Windsor Castle. Castle Hill.** ☎ **01753/831118.** Entrée 10 £ (adultes), 7,50 £ (étudiants et personnes âgées), 5 £ (enfants jusqu'à 16 ans inclus), 22,50 £ (famille de 4 personnes), 18,5 £ le dim., quand la chapelle St. George est fermée au public. Mars-oct. tous les jours de 10 h à 17 h, nov.-fév. tous les jours de 10 h à 16 h. Dernières entrées 1 h environ avant la fermeture. Fermé épisodiquement en avr., juin et déc. quand la famille royale y séjourne.

Quand Guillaume le Conquérant fit bâtir le château de Windsor, il fonda une résidence royale qui allait connaître maintes vicissitudes : le roi Jean sans Terre y fit le pied de grue en attendant d'apposer sa signature sur la *Magna Carta* non loin de là à Runnymede, Charles Ier y fut emprisonné avant d'être décapité, la reine Bess y fit faire des travaux de rénovation, Victoria y pleura son cher Albert, décédé dans le château, et la famille royale y passa une grande partie de la Seconde Guerre mondiale.

Dotée de 1 000 pièces, Windsor est la plus grande forteresse habitée du monde. Aujourd'hui, quand la reine Élisabeth II y séjourne, la bannière royale est hissée. Le château abrite un grand nombre d'œuvres d'art, de la porcelaine, des armures, des meubles, trois plafonds de Verrio et plusieurs sculptures de Gibbons du XVIIᵉ siècle. Quelques œuvres de Rubens ornent la *King's Drawing Room* (salon du roi), et l'on trouve un Dürer dans la petite *King's Dressing Room* (chambre du roi), en compagnie d'un Rembrandt et du triple portrait de Charles Iᵉʳ par Van Dyck. De tous les appartements, la *Grand Reception Room* (grand salon de réception), avec ses tapisseries des Gobelins, est le plus spectaculaire.

En novembre 1992, un incendie endommagea grandement une partie de Windsor Castle. Mais le château a aujourd'hui rouvert ses portes, et toutes les salles devraient être à nouveau accessibles en 2000.

À notre avis, la **relève de la garde** de Windsor est beaucoup plus intéressante que celle de Londres. Les gardes traversent la ville même quand la famille royale n'est pas là, arrêtant la circulation pour entrer au château au son d'une fanfare militaire au grand complet. Quand la reine n'est pas là, c'est un orchestre de tambours et de cornemuses qui joue. De mai à août, la cérémonie a lieu du lundi au samedi à 11 h. En hiver, la garde est relevée toutes les 48 heures du lundi au samedi. Appelez le ☎ 01753/868286 pour savoir quels jours la cérémonie a lieu.

Queen Mary's Doll's House. Windsor Castle. ☎ **01753/831118.** Entrée incluse dans le billet pour le château. Ouvert aux mêmes jours et heures que le château (voir ci-dessus).

Véritable palais miniature, la Doll's House (maison de poupée) fut offerte à la reine Mary en 1923, en signe de bienveillance. La maison, dessinée par Sir Edwin Luytens, fut réalisée à l'échelle 1/12. Il fallut 3 ans pour l'achever et compter sur le travail de 1 500 artisans et artistes. Chaque objet est un véritable chef-d'œuvre miniature, chaque pièce est somptueusement meublée, le tout scrupuleusement reproduit à l'échelle. Des ascenseurs s'arrêtent à tous les étages, les cinq salles de bains ont l'eau courante et toute la maison bénéficie de l'électricité.

✪ **St. George's Chapel.** The Cloisters, Windsor Castle. ☎ **01753/865538.** Entrée incluse dans le billet pour le château. Lun-sam. 10 h-16 h. Services dominicaux ouverts au public, mais fermés aux visites guidées. Fermé pendant les services en janv. et quelques jours à la mi-juin.

Cette chapelle de style perpendiculaire partage avec l'abbaye de Westminster la distinction d'être un panthéon de monarques anglais. L'actuelle chapelle St. George fut fondée à la fin du XVᵉ siècle par Édouard IV, à l'emplacement de la chapelle de l'ordre de la Jarretière d'origine. Au centre, on trouve une tombe plate sous laquelle reposent le roi décapité Charles Iᵉʳ, ainsi qu'Henri VIII et sa troisième femme, Jane Seymour. Parmi les autres rois enterrés ici figurent George V, George VI et Édouard IV. Le monument dédié à la princesse Charlotte symbolise à lui seul la fatalité de l'Histoire : si elle avait survécu après sa naissance en 1817, c'est Charlotte, et non sa cousine Victoria, qui aurait régné sur l'empire britannique.

ETON

Eton se trouve à quelques pas de Windsor, de l'autre côté du pont Thames Bridge. Suivez Eton High Street jusqu'au college.

Eton College (☎ **01753/671177**) a été fondé en 1440 par un Henri VI encore adolescent. Cette école a vu se succéder certaines des plus grandes personnalités d'Angleterre, dont le duc de Wellington. Vingt premiers ministres y ont usé leurs fonds de culotte, ainsi que des grands noms de la littérature comme George Orwell, Aldous Huxley, Ian Fleming et Percy Bysshe Shelley qui, pendant sa scolarité à Eton (de 1804 à 1810), était surnommé Mad Shelley (Shelley le fou) par ses camarades.

L'histoire de cette prestigieuse école est retracée depuis sa création au **Museum of Eton Life**, situé dans les caves voûtées au-dessous de College Hall. Le musée abrite une salle de classe du début du XXᵉ siècle, des livres scolaires, des trophées de sport, des cannes utilisées par les garçons les plus âgés pour punir leurs cadets et des bâtons de bouleau réservés aux professeurs pour ce même usage. On y trouve également des lettres d'élèves décrivant leur vie quotidienne à leurs parents, ainsi que des revues éditées par les élèves au cours des siècles. Bon nombre des objets exposés ont été offerts par d'anciens élèves. Si elle est ouverte, jetez un œil aux tableaux du XVᵉ siècle et à la reconstitution des voûtes en éventail de la **Perpendicular Chapel**.

L'entrée à l'école et au musée s'élève à 2,60 £ (adultes). Les visites guidées coûtent 3,80 £. Eton College est ouvert du 19 mars au 14 avril et du 27 juin au 3 septembre tous les jours de 10 h 30 à 16 h 30, du 15 avril au 26 juin et du 2 septembre au 4 octobre tous les jours de 14 h à 16 h 30. Appelez à l'avance car Eton peut fermer pour certaines occasions. Ces dates varient chaque année en fonction des trimestres et des vacances scolaires, mieux vaut se renseigner.

VISITES GUIDÉES DE WINDSOR ET D'ETON

PROMENADES EN CALÈCHE On peut effectuer une promenade d'une demi-heure en calèche sur la route bordée de sycomores qui longe le château. Les attelages attendent à côté du château et vous feront payer environ 40 £ pour 4 passagers au maximum.

EXCURSIONS EN BATEAU Les bateaux partent de The Promenade, Barry Avenue, pour une excursion de 35 mn jusqu'à Boveney Lock. Vous pouvez aussi monter à bord du Lucy Fisher, une réplique de bateau à roues de l'époque victorienne, qui vous fera faire un tour de 35 mn au départ de Runnymede. Les deux excursions coûtent 3,60 £ (adultes), et moitié prix pour les enfants. Une balade de 2 heures par le Boveney Lock et quelques belles demeures au bord de l'eau, les studios de cinéma Bray, Queens Eyot et Monkey Island vous en coûtera 5,80 £ (adultes) et moitié prix pour les enfants. En outre, des excursions plus longues reliant Maidenhead à Hampton Court sont organisées. Les bateaux servent des rafraîchissements, possèdent tous un bar bien approvisionné et sont dotés de protections en cas de pluie. Contactez *French Brothers, Ltd.*, Clewer Boathouse, Clewer Court Road, Windsor (☎ **01753/851900**).

SE RESTAURER

WINDSOR

✪ **Stroks Riverside Restaurant.** Au sein du Sir Christopher Wren's House Hotel, Thames St. ☎ **01753/861354.** Plats principaux 11-18 £. CB. Tous les jours 12 h 30-14 h 30, lun-sam. 18 h 30-22 h, dim. 18 h 30-21 h 30. FRANÇAIS/NOUVELLE CUISINE BRITANNIQUE.

À 3 mn à pied du château, cet élégant et charmant restaurant est doté de jardins en terrasse et d'un jardin d'hiver. La salle à manger est un peu conçue comme une serre, et un pianiste accompagnera votre dîner. Essayez le pigeonneau rôti et les gnocchi au chèvre, les rosettes d'agneau aux haricots verts, aux artichauts grillés et au *Yorkshire pudding*, ou bien un classique chateaubriand accompagné d'un assortiment de légumes. Le chef, Phillip Wild, s'est fait la main dans des restaurants suisses de deux et trois étoiles, et cuisine avec passion et intensité. Chaque plat est préparé avec des ingrédients locaux (si possible) de la toute dernière fraîcheur. L'agneau et le bœuf sont servis saignants, et les légumes al dente.

ETON

Eton Wine Bar. 82-83 High St. ☎ **01753/854921.** Réservation conseillée. Plats principaux 8,95-13,50 £. CB. Lun-mar. 12 h-14 h 30 et 18 h-22 h, mer-jeu. et dim. 12 h-22 h 30, ven-sam. 12 h-23 h. NOUVELLE CUISINE BRITANNIQUE.

En face de Windsor, sur l'autre rive, cet agréable bar à vins se cache parmi les magasins d'antiquités de la rue principale d'Eton. À l'intérieur, on trouve des tables en pin et d'anciens bancs et chaises d'église, ainsi qu'un jardin d'hiver. Une armée de huit cuisiniers s'emploie à concocter une cuisine britannique moderne et raffinée. Les entrées incluent généralement plusieurs soupes bien préparées et une tarte au poivron grillé. Parmi les plats principaux figurent un risotto aux pignons et aux épinards garni de peccorino et un filet d'agneau aux pommes boulangères et aux légumes. Pour le dessert, essayez la créative tarte tatin.

House on the Bridge. 71 High St. ☎ **01753/860914.** Réservation conseillée. Plats principaux à partir de 13,50 £, menus à 19,95 £ (déjeuner) et à 29,95 £ (dîner), dim. déjeuner à 21,95 £. CB. Tous les jours 12 h-15 h et 18 h-23 h. ANGLAIS/INTERNATIONAL.

Ce charmant restaurant occupe un joli bâtiment victorien en briques rouges et terre cuite, adjacent au pont tout au bout d'Eton. Près des tables en terrasse, les plantes d'un jardin très pentu tombent dans la Tamise. Parmi les plats principaux, citons le caneton farci accompagné de pommes pochées et le poulet Wellington garni de bacon, de stilton et de sauce au xérès. Quelques spécialités, comme le carré d'agneau aux fines herbes, sont servies uniquement pour deux. Bien que traditionnelles, les préparations dénotent quelques touches contemporaines, et les ingrédients sont toujours frais. Pour le dessert : crêpes suzette ou flambées.

2 Oxford, la cité des flèches

87 km au nord-ouest de Londres

Une promenade le long de The High, l'une des plus belles rues d'Angleterre, une pinte de cidre dans un vieux pub estudiantin, le chant des choristes de la Magdalen Tower à l'aube du Premier Mai, la cloche Great Tom de la Tom Tower, dont les 101 carillons indiquent la fermeture des portes des collèges, des tours et des flèches qui percent les nuages, des péniches qui descendent paresseusement la Tamise, le naturalisme à Parson's Pleasure, le son du canon qui marque le départ des courses d'aviron, une petite librairie poussiéreuse où vous dénicherez une édition originale... tout est harmonie à Oxford, site de l'une des plus prestigieuses universités du monde.

La romantique Oxford existe toujours, mais pour la trouver, il faut traverser la foule et l'animation qui s'est développée tout autour. Un cortège interminable de bus polluants et de piétons empressés peut donner l'impression de se trouver à Londres plutôt que dans une petite ville universitaire.

À tout moment de l'année, vous pourrez visiter les collèges, dont beaucoup figurent parmi les plus beaux d'Angleterre. Le **Oxford Tourist Information Centre** (voir cidessous) organise tous les jours des visites guidées pédestres.

INFORMATIONS PRATIQUES

COMMENT S'Y RENDRE Les trains au départ de Paddington Station (☎ **0345/484950** ou 01603/764776) relient Oxford en 1 h 15, toutes les heures. Le billet aller-retour dans la journée ne coûte que 14,20 £.

Le bus **X90 London Express** relie tous les jours Victoria Station (☎ **0990/808080**) à la gare routière d'Oxford. Les bus partent généralement toutes les 20 mn, et mettent 1 h 45. Le billet aller-retour dans la journée coûte 7 £.

On peut aussi prendre le **Oxford Tube**, un bus qui relie Oxford à Londres en 90 mn. Ces bus partent toutes les 20 mn, 24/24 h. L'aller simple coûte 7 £ et l'aller-retour en 24 h 7,50 £. Pour les horaires, appelez le ☎ **01865/772250**.

En voiture, prenez la M40 à l'ouest de Londres et suivez les panneaux. Sachez toutefois qu'il est très difficile de se garer à Oxford. Il y a 4 parkings *Park and Ride* bien signalés au nord, au sud, à l'est et à l'ouest de la rocade. Le stationnement est gratuit, ou coûte 50 ou 60 p selon le parking, mais à partir de 9 h 30 et toute la journée du samedi, vous devrez payer 1,50 £ pour prendre le bus vers le centre-ville, jusqu'à St. Aldate's Cornmarket ou Queen Street. Les bus circulent toutes les 8 ou 10 mn dans les deux sens, du lundi au samedi. Les parkings se trouvent sur Woodstock Road près du rond-point de Peartree, sur Botley Road en direction de Farringdon, sur Abingdon Road au sud-est et sur la A40 en direction de Londres.

INFORMATIONS TOURISTIQUES Le **Oxford Tourist Information Centre** se trouve au Old School Gloucester Green, en face de la gare routière (☎ **01865/726871**). Le centre vend une gamme complète de cartes et de brochures, ainsi que le célèbre T-shirt « Oxford University », et peut vous réserver un hôtel pour 2,50 £. Ouvert du lundi au samedi de 9 h 30 à 17 h et du dimanche de Pâques à octobre et les jours fériés de 10 h à 15 h.

L'UNIVERSITÉ D'OXFORD

L'université d'Oxford se compose de 35 collèges très disséminés. Les visiter tous serait interminable : mieux vaut se concentrer sur quelques-uns des établissements les plus réputés.

The Oxford Story, 6 Broad St. (☎ **01865/790055**), a réuni les complexités d'Oxford en un parcours audiovisuel concis et divertissant à travers la ville. Il recense certaines des caractéristiques architecturales et historiques que les visiteurs pressés auront manquées, inclut une excursion dans un ancien entrepôt de 3 étages et remonte plus de 8 siècles d'histoire. Vous en apprendrez également beaucoup sur la vie dans les collèges et sur les élèves qui les ont fréquentés. La présentation audiovisuelle a lieu du lundi au vendredi de 10 h à 16 h 30, le samedi et le dimanche de 10 h à 17 h. Les tickets coûtent 5,50 £ (adultes) et 4,50 £ (enfants). Un ticket familial pour 2 adultes et 2 enfants revient à 16,50 £.

VISITES GUIDÉES

La meilleure façon de bénéficier d'un commentaire sur les principaux sites est de suivre la visite guidée pédestre de 2 heures qui parcourt la ville et les collèges. Les départs ont lieu tous les jours de l'Oxford Tourist Information Centre à 11 h et 14 h. Le tarif est de 4 £ (adultes) et 2,50 £ (enfants). New College et Christ Church ne sont pas inclus.

Pour bien vous orienter, **Guide Friday** (bureau à la gare ferroviaire, ☎ 01865/790522) propose des visites d'Oxford de 1 heure en bus découvert. L'hiver, les bus partent toutes les demi-heures à partir de 9 h 30 et leur fréquence s'accélère à mesure que l'été approche. Les tickets sont valides pour une journée et s'achètent auprès du conducteur. Ils coûtent 8 £ (adultes), 6,50 £ (étudiants et personnes âgées) et 2,50 £ (enfants). Un ticket familial pour 2 adultes et 2 enfants vous en coûtera 18,50 £.

PANORAMA DEPUIS LA CARFAX TOWER

Pour avoir une vue générale des collèges, gravissez la Carfax Tower (Tour Carfax), située au cœur de la ville. Cette tour est tout ce qu'il reste de l'église St. Martin, où William Shakespeare servit de parrain au dramaturge William Davenant. La tour était plus haute, mais elle fut abaissée après 1340 pour éviter que les habitants de la ville ne jettent des pierres et des flèches enflammées aux étudiants. L'entrée est à 1,20 £ (adultes) et 60 p (enfants). De novembre au 31 mars, la tour est ouverte tous les jours de 10 h à 15 h 30. Le reste de l'année, elle ouvre tous les jours de 10 h à 17 h 30. Elle ferme de la veille de Noël au 2 janvier. Pour plus de renseignements, appelez le ☎ 01865/792653.

LES COLLÈGES

✪ **CHRIST CHURCH** Bâti par le cardinal Wolsey sous le nom de Cardinal College en 1525, Christ Church (☎ 01865/276499), surnommé The House, fut rebaptisé par Henri VIII en 1546. Faisant face à St. Aldate's Street, Christ Church possède la cour la plus vaste de tous les collèges d'Oxford.

La **Tom Tower** abrite Great Tom, une cloche de 8 tonnes qui sonne tous les soirs à 21 h 05 pour indiquer la fermeture des portes des collèges. Ses 101 carillons correspondent au nombre d'étudiants qui y résidaient au moment de la fondation de Christ Church. Bien que les effectifs aient considérablement augmenté, la tradition perdure. Dans le grand hall du XVIᵉ siècle, on peut admirer plusieurs portraits, notamment par Gainsborough et Reynolds. Les murs sont tapissés de premiers ministres, Christ Church en ayant abrité 13. Le collège possède également une galerie de portraits indépendante.

La **chapelle du collège**, qui est également la cathédrale d'Oxford, fut érigée au XIIᵉ siècle et achevée quelques centaines d'années plus tard. Elle se distingue surtout par ses piliers normands du XVᵉ siècle et sa voûte. À l'extérieur, au centre de la grande cour, se dresse une statue de Mercure au milieu d'un bassin. Le collège et la chapelle sont ouverts de 9 h à 17 h 30. L'entrée est de 3 £ (adultes) et 2 £ (enfants). Le ticket familial coûte 6 £.

MAGDALEN COLLEGE Magdalen (prononcez *Maud*-line) College, High Street (☎ 01865/276000), fut fondé en 1458. Wolsey et Wilde, entre autres, y ont étudié.

Oxford

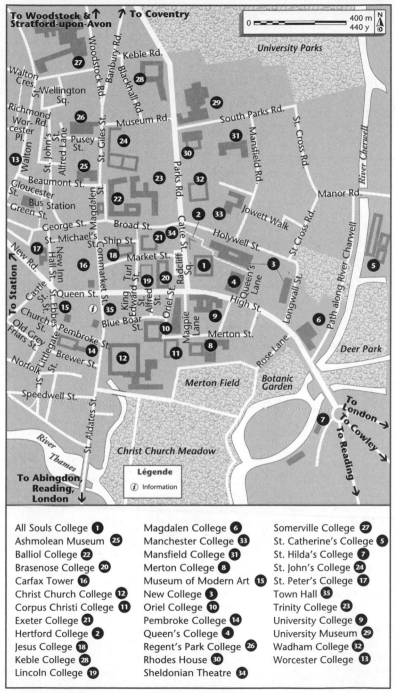

To Woodstock & Stratford-upon-Avon ↑

↗ To Coventry

University Parks

0 ——— 400 m
——— 440 y

N

Walton Cres.
Wellington Sq.
Richmond Rd.
Worcester Pl.
Walton St.
St. John's St.
Alfred Lane
Pusey St.
Keble Rd.
Woodstock Rd.
Banbury Rd.
Blackhall Rd.
Museum Rd.
St. Giles St.
South Parks Rd.
Mansfield Rd.
St. Cross Rd.
Manor Rd.
River Cherwell
Beaumont St.
Gloucester St.
Green St.
Bus Station
Magdalen St.
Parks Rd.
Jowett Walk
George St.
Broad St.
St. Michael's St.
Ship St.
Holywell St.
Catte St.
St. Cross Rd.
Path along River Charwell
New Rd.
New Inn Hall St.
Cornmarket St.
Market St.
Turl St.
King Edward St.
Alfred St.
Radcliffe Sq.
Oriel St.
Queen's Lane
Longwall St.
High St.
To Station
Castle St.
Queen St.
Church St.
Ebbes St.
Pembroke St.
Old Grey Friars St.
Littlegate St.
Brewer St.
Blue Boar St.
Magpie Lane
Merton St.
Rose Lane
Deer Park
Norfolk St.
Speedwell St.
St. Aldates St.
Merton Field
Botanic Garden
To London →
To Cowley →
To Reading →
River Thames
Christ Church Meadow
To Abingdon, Reading, London ↓

Légende
ⓘ Information

All Souls College ❶
Ashmolean Museum ㉕
Balliol College ㉒
Brasenose College ⑳
Carfax Tower ⑯
Christ Church College ⑫
Corpus Christi College ⑪
Exeter College ㉑
Hertford College ❷
Jesus College ⑱
Keble College ㉘
Lincoln College ⑲

Magdalen College ❻
Manchester College ㉝
Mansfield College ㉛
Merton College ❽
Museum of Modern Art ⑮
New College ❸
Oriel College ⑩
Pembroke College ⑭
Queen's College ❹
Regent's Park College ㉖
Rhodes House ㉚
Sheldonian Theatre ㉞

Somerville College ㉗
St. Catherine's College ❺
St. Hilda's College ❼
St. John's College ㉔
St. Peter's College ⑰
Town Hall ㉟
Trinity College ㉓
University College ❾
University Museum ㉙
Wadham College ㉜
Worcester College ⑬

En face du **jardin botanique** (le plus vieux d'Angleterre), se trouve le **clocher**, où les choristes chantent en latin le matin du Premier Mai. Cette tour du XVe siècle se reflète majestueusement dans les eaux de la Cherwell (prononcez *Kar*-woll). Renseignez-vous sur l'ouverture du hall et des autres lieux dignes d'intérêt. Le jardin de Magdalen est le plus grand de tout Oxford : il comprend même un parc à cerfs. Les visites sont autorisées de Pâques à septembre, tous les jours de 14 h à 18 h. Entrée 2 £ (adultes) et 1 £ (enfants).

MERTON COLLEGE Fondé en 1264, Merton College (☎ 01865/276310) est l'un des trois plus anciens collèges de l'université. Il se trouve près de Corpus Christi College sur Merton Street, l'unique survivante des rues pavées médiévales d'Oxford. Merton College est réputé pour sa bibliothèque, bâtie entre 1371 et 1379 et censée être la plus ancienne bibliothèque universitaire d'Angleterre. Elle recèle entre autres un astrolabe (instrument astronomique servant à mesurer l'altitude du soleil et des étoiles), qui aurait appartenu à Chaucer. Il vous en coûtera 1 £ pour visiter la bibliothèque ancienne, incluant l'entrée à la **Max Beerbohm Room**, une salle dédiée au caricaturiste anglais mort en 1956. La bibliothèque et le collège sont ouverts du lundi au vendredi de 14 h à 16 h et les samedi et dimanche de 10 h à 16 h. Merton College ferme une semaine à Pâques et à Noël.

Une promenade réputée est celle d'**Addison's Walk**, qui longe les prairies. Elle doit son nom à un ancien élève, Joseph Addison, essayiste et dramaturge du XVIIIe siècle réputé pour ses contributions à de célèbres journaux de l'époque.

UNIVERSITY COLLEGE University College, High Street (☎ 01865/276602), est le plus ancien collège d'Oxford. Il fut érigé en 1249 grâce à la donation de l'ecclésiastique William of Durham (l'hypothèse selon laquelle le vrai fondateur serait Alfred le Grand est fausse). Toutes les structures d'origine ont disparu ; c'est l'architecture du XVIIe qui domine aujourd'hui, avec ses rajouts de l'époque victorienne ou plus récents. Le plus célèbre élève du collège, Shelley, fut renvoyé pour avoir participé à la rédaction d'un pamphlet sur l'athéisme. Mais son succès poétique le racheta, si l'on en croit le mémorial érigé en son honneur en 1894, à peine 72 ans après sa mort. Le hall et la chapelle du collège sont ouverts tous les jours pendant les vacances de 14 h à 16 h pour 1,50 £ (adultes) ou 60 p (enfants). Les services religieux ont lieu tous les jours à 16 h et 18 h.

NEW COLLEGE New College, New College Lane, une rue qui donne sur Queen's Lane (☎ 01865/279555), fut fondé en 1379. La grande cour, qui date d'avant la fin du XIVe siècle, fut la première a être construite à Oxford et servit de modèle architectural à de nombreux autres collèges. Dans l'avant-corps de la chapelle se trouve une remarquable sculpture moderne de Lazare par Sir Jacob Epstein, ainsi qu'une belle étude de saint Jacques par Le Greco. L'un des trésors du collège est une crosse (bâton pastoral d'évêque) ayant appartenu au père fondateur. Dans le jardin se dressent les vestiges de l'ancienne muraille d'Oxford. Le collège (entrée sur New College Lane) se visite de Pâques à septembre tous les jours de 11 h à 17 h, hors saison tous les jours de 14 h à 16 h. Entrée libre.

LA BODLEIN LIBRARY

Cette illustre bibliothèque, sur Catte Street (☎ 01865/277165), fut inaugurée en 1602 après avoir été fondée par Sir Thomas Bodley. Elle abrite quelque 50 000 manuscrits et plus de 5 millions de livres. Au fil des ans, la bibliothèque s'est agrandie, et la Old Library est aujourd'hui entourée de nouveaux bâtiments, dont le Radcliffe Camera. Le meilleur moyen de la découvrir est de suivre une visite guidée, qui part de la Divinity School, en face de l'entrée principale. En été, il y a quatre visites par jour du lundi au vendredi, et deux le samedi et le dimanche. En hiver, les visites sont réduites au nombre de deux par jour. Téléphonez pour les horaires.

✪ UN TOUR DE PUNT SUR LA CHERWELL

Les balades en *punt* (barque à fond plat manœuvrée par une longue perche et une petite rame) sur la Cherwell constituent l'un des passe-temps favoris des Oxfordiens. À la **Punt Station**, Cherwell Boathouse, Bardwell Road (☎ **01865/515978**), on peut louer une barque pour 8 à 10 £ de l'heure, moyennant une caution de 40 à 50 £. Chaque barque peut contenir jusqu'à 6 personnes. **Magdalen Bridge Boathouse** applique les mêmes tarifs. Les barques se louent de mars à mi-juin et de fin août à octobre tous les jours de 10 h au crépuscule. Un plus grand nombre de barques est disponible de mi-juin à fin août tous les jours de 10 h à 22 h, mais les horaires sont peu fiables : vous n'êtes jamais sûr que quelqu'un sera là pour vous louer une barque, même si vous en voyez une amarrée à l'embarcadère.

SE LOGER

L'**Oxford Tourist Information Centre**, Gloucester Green, en face de la gare routière (☎ **01865/726871**), propose un service de réservation d'hôtels toute l'année pour 2,50 £, plus une caution remboursable. Si vous préférez chercher un hébergement vous-même, le centre dispose d'une liste de logements, de cartes et de guides.

PRIX ÉLEVÉS

✪ **Old Parsonage Hotel.** 1 Banbury Rd., Oxford OX2 6NN. ☎ **01865/310210.** Fax 01865/311262. E-mail : oldparsonage@dial.pipex.com. 30 chambres. TV. Tél. 145-170 £ la double, 195 £ la suite. Petit déjeuner anglais inclus. CB.

Cet hôtel considérablement rénové près de St. Giles Church et de Keble College est tellement vieux (1660) qu'il semble attenir à l'un des anciens collèges. Servant d'hôpital au XIIIᵉ siècle, il fut restauré au début du XVIIᵉ siècle. Oscar Wilde y séjourna quelque temps ; il aurait même dit : « Soit c'est le papier peint qui part, soit c'est moi. » Au XXᵉ siècle, une aile moderne fut ajoutée et, en 1991, l'établissement fut entièrement transformé en hôtel de luxe. Les chambres récemment rénovées ne sont pas bien grandes, mais elles sont toutes décorées différemment et ont la TV. par satellite, et même un téléphone dans la salle de bains. Toutes les suites et quelques chambres doubles ont des canapés-lits confortables, et toutes donnent sur des jardins privés. Le *Parsonage Bar* sert toutes sortes de boissons. On peut commander un bon plat continental ou anglais de 7 h à « tard le soir ». *Room service* 24/24 h.

PRIX MOYENS

Dial House. 25 London Rd., Headington, Oxford, Oxfordshire OX3 7RE. ☎ et fax **01865/769944.** www.oxfordcity.co.uk/accom/dialhouse. 8 chambres. TV. 50-60 £ la double. CB. Bus : 7, 7A, 2, 2A ou 22.

Cette maison de campagne, bâtie dans les années 20, repose près de l'autoroute pour Londres, à 3 km à l'est du cœur d'Oxford. Ornée de colombages pseudo-Tudor et d'un

Avertissement

Afin de ne pas distraire les étudiants, Oxford a limité les visites à certaines plages horaires et à des groupes de 6 personnes au maximum. En outre, l'accès à certaines parties est interdit. L'office de tourisme vous dira où et quand visiter les sites de cette grande institution.

imposant cadran solaire bleu, elle propose des chambres spacieuses et rénovées, toutes équipées d'un service à thé et de matelas fermes. Les salles de bains sont petites mais bien équipées. La plupart n'ont qu'une douche, mais certaines ont aussi une baignoire. Il est interdit de fumer dans l'hôtel. Les propriétaires, Julie et Tony Lamb, servent le petit déjeuner dans la salle à manger uniquement.

Eastgate Hotel. 23 Merton St., The High, Oxford, Oxfordshire OX1 4BE. ☎ **01865/248244.** Fax 01865/791681. 64 chambres. TV. Tél. 130 £ la double, 155 £ la suite. CB.

Eastgate, élevé sur le site d'une structure du XVIIᵉ siècle, se trouve en face des anciens Examination Halls, près de Magdalen Bridge, à quelques pas du centre-ville. Récemment rénové, il conserve toutefois un petit air de maison de campagne anglaise. Les chambres vieillottes mais confortables sont petites ou moyennes. Toutes ont la radio et un service à café. Les matelas sont remplacés régulièrement, et les petites salles de bains sont propres. Le **Shires Restaurant** sert une cuisine continentale, et le bar attire une clientèle d'étudiants.

River Hotel. 17 Botley Rd., Oxford OX2 0AA. ☎ **01865/243475.** Fax 01865/723406. 21 chambres (19 avec salle de bains). 67,50 £ la double avec salle de bains. Petit déjeuner inclus. CB. Bus : 4C ou 52.

Cet hôtel se trouve à 400 m à l'ouest du quartier commerçant d'Oxford et ses tarifs sont moins élevés que ceux de ses concurrents du centre. Il fut construit vers 1900 par un respectable artisan du coin, dont les fenêtres à battant et les jardinières sont toujours là. Environ un quart des chambres se trouvent dans une annexe confortable de l'autre côté de la rue. L'hôtel compte un bar, un restaurant simple et des chambres agréablement meublées. Celles-ci sont régulièrement rénovées et disposent de services à café et de radio-réveils. Les salles de bains sont petites mais dotées de sèche-cheveux. Il y a trois chambres simples sans salle de bains à 45 £.

Tilbury Lodge Private Hotel. 5 Tilbury Lane, Eynsham Rd., Botley, Oxford, Oxfordshire OX2 9NB. ☎ **01865/862138.** Fax 01865/863700. www.oxfordcity.co.uk/ hotel/tilbury. 9 chambres. TV. Tél. 60-68 £ la double, 75 £ la double avec lit à baldaquin. Petit déjeuner anglais et TVA compris. CB. Bus : 42, 45, 45A, 45B ou 109.

Ce petit hôtel est situé dans une rue tranquille à 3 km à l'ouest du centre d'Oxford et à moins de 1,5 km de la gare. Eddie et Eileen Trafford accueillent leurs clients dans des chambres confortables et bien meublées (la plus chère a un lit à baldaquin). Elles sont de taille variable, mais relativement spacieuses et dotées de matelas fermes. Les petites salles de bains sont bien tenues et comprennent une cabine de douche. L'hôtel possède aussi un jacuzzi et accueille les enfants. Si vous n'êtes pas motorisé, Eddie peut venir vous chercher à la gare. Le bus peut aussi vous y emmener.

SE RESTAURER

PRIX MOYENS

Bath Place Hotel. 4-5 Bath Place (au coin d'Holywell St.), Oxford OX1 3SU. ☎ **01865/791812.** Fax 01865/791834. www.oxlink.co.uk/oxford/hotels.bath.html. E-mail : bathplace@compuserve.com. Réservation conseillée. Plats principaux 18-23 £, menu dîner (6 plats) 28 £. CB. Mer-sam. 12 h-14 h, dim. 12 h 30-14 h 30, dim-jeu. 19 h-22 h, ven-sam. 19 h-22 h 30. Bus : 7. ANGLAIS/ITALIEN.

Formé de quatre cottages communiquants du XVIIᵉ siècle, cet établissement est connu depuis 1989 pour sa cuisine raffinée. Doté également de 10 chambres confortables, il fait office de « restaurant avec chambres », les convives pouvant monter à l'étage directement après le dîner. La carte, qui change généralement tous les mois, inclut des plats végétariens et un agréable mélange de mets anglais et italiens. On pourra commander du perdreau en pâte avec de la sauce au vin rouge et des légumes de saison, un filet de bœuf écossais rôti et nappé de sauce aux fines herbes avec des champignons et des mini-légumes, ou encore un risotto au safran avec du ris de veau et des beignets de fruits de mer et de légumes. Les chambres non-fumeur de l'étage ont toutes la télé et le téléphone. Une double coûte 95 à 135 £, petit déjeuner inclus.

Cherwell Boathouse Restaurant. Bardwell Rd. ☎ **01865/552746.** Réservation conseillée. Plats principaux 9-17 £, menu dîner à partir de 19,50 £, menu déjeuner 17,50 £. CB. Mar. 18 h-23 h 30, mer-sam. 12 h-14 h et 18 h-23 h 30, dim. 12 h-14 h. Fermé du 24 au 30 déc. Bus : Banbury Rd. Bus : 7. ANGLAIS/NOUVELLE CUISINE FRAN-ÇAISE.

Ce restaurant très visible sur la Cherwell est dirigé par Anthony Verdin. Le menu change toutes les 2 semaines pour tirer le meilleur profit des légumes, poissons et viandes de saison. Le soir, vous pourrez goûter à des entrées comme la terrine de gibier sauce Cumberland ou la salade chaude au boudin noir et au bacon. En plat principal, vous pourrez choisir un blanc de pintade à la tapenade ou, si vous êtes végétarien, un gratin d'aubergines à la crème de safran et un ragoût de haricots. Pour le dessert, régalez-vous du soufflé au chocolat aux prunes alcoolisées et à la crème fraîche. Le restaurant propose également des vins de qualité à prix raisonnable. L'été, le dîner est servi en terrasse. Avant de passer à table, vous pouvez faire un tour de barque en vous rendant à l'agence de location en face du restaurant (voir « Un tour de *punt* sur la Cherwell », plus haut).

Elizabeth. 82 St. Aldate's St. ☎ **01865/242230.** Réservation conseillée. Plats principaux 13,25-18,75 £, déjeuner 17 £. CB. Mar-sam. 12 h 30-14 h 30 et 18 h 30-23 h, dim. 19 h-22 h 30. Fermé le week-end de Pâques et la semaine de Noël. Bus : 7. FRAN-ÇAIS/CONTINENTAL.

Malgré les portraits de la reine qui décorent l'entrée de cette demeure ornée de pierres, en face de Christ Church College, le restaurant doit son nom à la maîtresse femme qui le fonda dans les années 30. Aujourd'hui, on y trouve un personnel qualifié venu d'Espagne, qui sert des plats à la française très joliment présentés. La plus grande des deux salles à manger respire la dignité ; la plus petite a pour thème *Alice au pays des merveilles*. Parmi les plats servis, on compte divers steaks écossais, du poulet royal, de la sole, du loup de mer à la sauce au vin blanc ou au citron et de la piperade basque.

PETITS PRIX

Al-Shami. 25 Walton Crescent. ☎ **01865/310066.** Réservation conseillée. Plats principaux 7,50-12 £, menu 15 £. CB. Tous les jours 12 h-24 h. Bus : 7. LIBANAIS.

Idéal pour les repas pris l'après-midi ou tard le soir, ce restaurant libanais a réveillé les papilles endormies d'Oxford. La plupart des convives ne vont pas au-delà des amuse-gueule (il y en a plus de 35 variétés, chaudes ou froides), qui vont des falafels à la salade de cervelle. Côtes d'agneau, poulet et bœuf grillés constituent l'essentiel des plats principaux, servis avec des crudités. Le plateau des desserts termine le repas. *Al-Shami* sert également des repas végétariens.

✪ Munchy Munchy. 6 Park End St. ☎ **01865/245710.** Réservation conseillée. Plats principaux 4,85-8,25 £. CB. Mar-sam. 12 h-14 h et 17 h 30-22 h. Fermé 2 semaines en sept. et 3 semaines en déc. Bus : 52. ASIE DU SUD-EST/INDONÉSIE.

D'après certains étudiants, cet établissement offre le meilleur rapport qualité-prix d'Oxford. La carte dépend du marché. Ethel Ow, experte en fines herbes et assaisonnements, utilise souvent des fruits frais dans ses plats inventifs, tels que les gambas sautées à la coriandre et la purée d'ananas frais aux cinq épices, ou l'agneau épicé aux pistaches broyées. De temps en temps, une longue queue se forme devant la porte, surtout les vendredis et samedis. Les enfants de 5 ans ou moins ne sont pas admis les vendredis et samedis soir.

PUBS

The Bear Inn. Alfred St. ☎ **01865/721783.** Snacks et repas rapides 2-6 £. CB non acceptées. Lun-sam. 12 h-23 h, dim. 12 h-15 h et 19 h-22 h 30. Bus : 2A ou 2B. ANGLAIS.

Non loin de The High, donnant sur la face nord de Christ Church College, ce pub de village est une véritable institution. Son enseigne représente les anciens insignes des comtes de Warwick, qui furent ses premiers clients. Maints étudiants et résidents célèbres d'Oxford y ont fait ribote depuis le XIIIe siècle, ce qui lui a valu une place non négligeable dans la littérature anglaise. *The Bear* a joué un rôle important dans l'abolition des barrières sociales, drainant une grande variété d'individus dans son cadre décontracté. Vous pourrez aussi bien converser avec un raja indien qu'avec un professeur d'université, un membre de l'aristocratie ou le dernier des propriétaires qui se succèdent depuis 700 ans. Certains d'entre eux ont même lancé une mode : celle d'accrocher des cravates au mur. Tout autour de la salle de bar, on trouve les restes de milliers de cravates avec le nom de leur propriétaire. Pour ceux qui souhaiteraient perpétuer cette tradition, demandez aux clients du bar de vous couper le bas de votre cravate. Après cette initiation, libre à vous de participer aux chansons plus ou moins paillardes des étudiants.

The Turf Tavern. 4 Bath Place (en sortant d'Holywell St.). ☎ **01865/243235.** Plats principaux 3-5 £. CB. Lun-sam. 11 h-23 h, dim. 12 h-22 h 30. Bus : 52. ANGLAIS.

Cette taverne du XIIIe siècle, la plus vieille d'Oxford, se trouve dans un passage très étroit près de la Bodleian Library. Elle servit d'inspiration à Thomas Hardy pour Jude l'Obscur, et accueillit Burton et Taylor alors qu'ils séjournaient à Oxford pour un tournage. Les clients actuels consistent essentiellement en étudiants et enseignants de l'université. Pendant ses études à Oxford, Bill Clinton fréquenta assidûment ce pub. L'été, on peut choisir une table dans l'un des trois jardins qui entourent l'établissement. L'hiver, des braseros sont allumés dans la cour et dans les jardins.

Un comptoir vitré expose les mets du jour. Présentez-vous à l'employé derrière le comptoir et rapportez le plat à votre table. Parmi les snacks proposés figurent des salades, des soupes, des sandwiches et des plats traditionnels comme la tourte au bœuf, le chili con carne, le porc au cidre et le poulet Kiev. On sert aussi des bières locales (dont la redoutable Headbanger), ainsi que divers vins. On peut manger tous les jours de 12 h à 20 h. Le pub est accessible *via* St. Helen's Passage, qui s'étend entre Holywell Street et New College Lane (vous vous perdrez sûrement, mais n'importe quel étudiant pourra vous guider).

3 La quête du savoir : Cambridge

88 km au nord de Londres, 128 km au nord-est d'Oxford

La ville universitaire de Cambridge est un véritable kaléidoscope d'images : le pont des Soupirs, les flèches et les tourelles, les saules, les librairies d'occasion, la scansion des madrigaux élisabéthains, les ruelles jadis fréquentées par Darwin, Newton et Cromwell, les jardins verdoyants des collèges, les rives enchanteresses de la Cam, les *punters*, les étudiants pressés dont les toges élimées flottent au vent...

Avec Oxford, Cambridge est l'un des plus anciens berceaux du savoir. L'histoire des deux villes se ressemble à maints égards, mais au-delà de l'université, Cambridge se distingue par un secteur industriel de pointe. Oui, nous parlons bien de Bill Gates. Et tandis qu'Oxford évoque l'art, Cambridge est résolument tournée vers la science. C'est là qu'Isaac Newton et Stephen Hawking ont fait leurs études, ainsi que des milliers d'autres génies scientifiques.

Cambridge recèle beaucoup de trésors : donnez-vous le temps de bien la visiter.

INFORMATIONS PRATIQUES

COMMENT S'Y RENDRE Des trains relient fréquemment les gares Liverpool Street et King's Cross de Londres à Cambridge, en 1 heure. Pour tout renseignement, appelez le **0345/484950** (au Royaume-Uni uniquement) ou le 01603/764776. Un aller-retour dans la journée (en période creuse) vous coûtera 13,50 £, contre 16,10 £ en période de pointe. Un aller-retour sur plusieurs jours (5 jours au maximum) revient à 18,40 £.

Les bus **National Express** relient toutes les heures la gare routière London's Victoria Coach Station et la Drummer Street Station de Cambridge, en 2 heures. Un aller simple coûte 6 £, un aller-retour dans la journée 8 £. Si vous préférez revenir 1 ou 2 jours plus tard, il vous en coûtera 11 £. Appelez le **0990/808080** pour les horaires et autres informations.

En voiture à partir de Londres, prenez la M11 vers le nord.

INFORMATIONS TOURISTIQUES Le **Cambridge Tourist Information Centre**, Wheeler Street (☎ **01223/322640**), à l'arrière du *Guildhall*, offre toutes sortes d'informations. D'avril à octobre, il est ouvert du lundi au vendredi de 10 h à 18 h, le samedi de 10 h à 17 h toute l'année, et le dimanche de 11 h 30 à 16 h 30 (de Pâques à décembre seulement). En juillet et en août, ouvert tous les jours de 10 h à 19 h. De novembre à mars, ouvert du lundi au vendredi de 10 h à 17 h 30, le samedi de 10 h à 17 h.

Un centre d'accueil touristique pour Cambridge et le Cambridgeshire est géré par **Guide Friday Ltd.**, dans le hall de la gare de Cambridge (☎ **01223/362444**). Ce centre vend des brochures et des cartes, et réserve des hôtels. Il est ouvert tous les jours en été de 9 h 30 à 19 h 30 (il ferme à 16 h en hiver).

SE DÉPLACER Le centre de Cambridge étant réservé aux piétons, garez votre voiture dans l'un des nombreux parkings (le prix augmente à mesure que vous vous rapprochez du centre) et promenez-vous au milieu des collèges. Suivez les cours qui mènent aux Backs (jardins des collèges) et ne manquez pas de visiter Trinity College (où le prince Charles a fait ses études) ni St. John's College, où se trouve le pont des Soupirs.

Le vélo offre une autre façon appréciable de se déplacer. **Geoff's Bike Hire**, 65 Devonshire Rd. (☎ **01223/365629**), loue des bicyclettes pour 4 £ les 3 heures, 6 £ la journée ou 12 £ la semaine. Une caution de 25 £ vous sera demandée. Ouvert tous les jours en été de 9 h à 18 h, hors saison du lundi au samedi de 9 h à 17 h 30.

Stagecoach Cambus, 100 Cowley Rd. (☎ **01223/423554**), gère un réseau de bus dont les prix varient de 60 p à 1,80 £. L'office de tourisme vous donnera les horaires.

VISITES GUIDÉES

Si vous séjournez dans la région de Cambridge, n'hésitez pas à faire appel à Mrs Isobel Bryant, qui dirige **Heritage Tours** depuis son ancestrale demeure, Manor Cottage, Swaffham Prior CB5 0JZ (☎ **01638/741440**). Spécialiste de la région, elle peut organiser des visites au départ de votre hôtel ou de la gare, pour Lavenham, un village aux toits de chaume, pour les belles églises médiévales des villages du Suffolk, pour la cathédrale d'Ely ou pour l'une des grandes demeures environnantes. Il vous en coûtera 110 £ la journée pour 4 passagers au maximum, tous frais de transport et de guide inclus. Le déjeuner dans un pub de village et les droits d'entrée ajouteront 3 à 6 £ par personne. Mrs Bryant propose également des visites pédestres dans les collèges de Cambridge ; celles-ci coûtent 40 £ par petit groupe et durent environ 2 heures.

Guide Friday, Ltd., dans le hall de la gare ferroviaire (☎ 01223/362444), propose des visites guidées de Cambridge à bord de bus à impériale découverts. En été, les bus partent toutes les 30 mn de 9 h 45 à 14 h 45. Les départs sont moins fréquents en saison creuse, en fonction de la demande. Les visiteurs peuvent descendre à n'importe quel arrêt et remonter quand ils le souhaitent. Les tickets, valables toute la journée, coûtent 8 £ (adultes), 6,50 £ (personnes âgées et étudiants) et 2 £ (enfants de 5 à 12 ans). Gratuit pour les moins de 5 ans. Un ticket familial pour 2 adultes et 4 enfants coûte 18,50 £. Le bureau ouvre de 9 h 30 à 16 h tous les jours en hiver et de 9 h 30 à 19 h 30 en été.

L'UNIVERSITÉ

Cambridge est moins ancienne qu'Oxford, mais fut fréquentée dès le début du XIIIᵉ siècle par des étudiants. L'université fut partiellement reconnue par Henri III, et sa cote de popularité varia selon l'humeur des monarques successifs. Elle consiste en 31 collèges mixtes. Les collèges sont fermés pendant les périodes d'examen, de mi-avril à fin juin.

La liste suivante n'est qu'un échantillon des collèges les plus intéressants. Si vous avez l'intention de rester un certain temps à Cambridge, vous pourrez également visiter **Magdalene College**, Magdalene Street, fondé en 1542, **Pembroke College**, Trumpington Street, fondé en 1347, **Christ's College**, St. Andrew's Street, fondé en 1505 et **Corpus Christi College**, Trumpington Street, qui date de 1352.

❂ **KING'S COLLEGE** Le jeune Henri VI fonda King's College sur King's Parade (☎ 01223/331212) en 1441. La plupart des bâtiments actuels datent du XIXᵉ siècle, mais son joyau, la **King's College Chapel** de style perpendiculaire, fut construite au Moyen Âge et constitue l'un des plus beaux monuments d'Angleterre. En raison des caprices de la royauté, elle ne fut achevée qu'au début du XVIᵉ siècle.

L'écrivain Henry James considérait cette chapelle comme « la plus belle d'Angleterre ». Ses caractéristiques les plus spectaculaires sont sa magnifique voûte en éventail, toute en pierre, et ses grands vitraux, dont la plupart ont été fabriqués par des artisans flamands entre 1517 et 1531 (les vitraux ouest datent de la fin du XIXᵉ siècle). Dans des tons de rouge, bleu et ambre, la longue rangée de vitraux au fond de la chapelle représente la Naissance de la Vierge, l'Annonciation, la Naissance du Christ, la Vie, le Sacerdoce et la Mort du Christ, la Résurrection, l'Ascension, les Actes des Apôtres et l'Assomption. La rangée supérieure illustre des épisodes de l'Ancien Testament. La chapelle contient également une *Adoration des rois mages,* de Rubens, et un jubé du début du XVIᵉ siècle. Elle est réputée pour ses chorales et ses concerts.

La chapelle est ouverte pendant les vacances du lundi au samedi de 9 h 30 à 16 h 30, et le dimanche de 10 h à 17 h. Pendant l'année scolaire, le public peut assister aux services chantés du lundi au samedi à 17 h 30 et le dimanche à 10 h 30 et 15 h 30, et la chapelle est ouverte au public du lundi au samedi de 9 h 30 à 15 h 15 et le dimanche de 13 h 15 à 14 h 15 et de 17 h à 17 h 30. Elle est fermé du 23 décembre au 1ᵉʳ janvier. Elle peut fermer à d'autres moments pour des enregistrements, des émissions, des concerts ou autres événements spéciaux.

Une exposition dans la septième chapelle collatérale nord retrace l'histoire de la chapelle. L'entrée au collège et à la chapelle, exposition incluse, est de 3 £ (adultes), 2 £ (étudiants et enfants de 12 à 17 ans), et gratuite pour les moins de 12 ans.

PETERHOUSE COLLEGE Situé sur Trumpington Street, Peterhouse College (☎ 01223/338200) serait le plus ancien collège de Cambridge. Il fut fondé en 1284 par Hugh de Balsham, évêque d'Ely. Des bâtiments d'origine, il ne reste que le hall, restauré au XIXe siècle et doté de vitraux de William Morris. La Old Court, bâtie au XVe siècle, a été rénovée en 1754, et la chapelle date de 1632. Demandez au gardien la permission d'entrer.

TRINITY COLLEGE Situé sur Trinity Street, Trinity College (à ne pas confondre avec Trinity Hall) est le plus grand collège de Cambridge. Il fut fondé en 1546 par Henri VIII, qui consolida certains des petits collèges qui existaient alors. La cour, construite sous Thomas Nevile, est la plus vaste de la ville. La bibliothèque est l'œuvre de Sir Christopher Wren. Pour entrer, présentez-vous à la loge du gardien ou appelez le ☎ 01223/338400 pour plus d'informations. L'entrée coûte 1,75 £ de mars à novembre.

EMMANUEL COLLEGE Occupant St. Andrew's Street, Emmanuel College (☎ 01223/334274) fut fondé en 1584 par Sir Walter Mildmay, ministre des Finances d'Élisabeth Ire. John Harvard, fondateur de la célèbre université américaine, y fit ses études. On peut faire une jolie promenade dans les jardins et visiter la chapelle conçue par Sir Christopher Wren et consacrée en 1677. La chapelle et le collège sont ouverts tous les jours du lever au coucher du soleil.

QUEENS' COLLEGE Situé sur Queens' Lane, Queens' College (☎ 01223/335511) est le plus joli collège de Cambridge. Datant de 1448, il fut fondé par deux reines anglaises : Marguerite d'Anjou, épouse d'Henri VI, et Élisabeth Woodville, épouse d'Édouard IV. Le deuxième cloître, flanqué par la President's Lodge à colombage du début du XVIe siècle, est le plus intéressant. L'entrée est de 1 £, gratuite pour les enfants de moins de 12 ans. Un petit guide est publié. De novembre au 19 mars, le collège est ouvert tous les jours de 13 h 45 à 16 h 30, du 20 mars au 15 mai ouvert du lundi au vendredi de 13 h 45 à 16 h 30, les samedi et dimanche de 10 h à 16 h 45, fermé du 17 mai au 19 juin. Du 20 juin au 19 septembre, ouvert du lundi au vendredi de 10 h à 16 h 30, les samedi et dimanche de 10 h à 16 h 45, du 20 septembre au 31 octobre ouvert du lundi au vendredi de 13 h 45 à 16 h 30, les samedi et dimanche de 10 h à 16 h 45. On y accède par l'ancienne loge de gardien sur Queens' Lane. L'ancien hall et la chapelle sont généralement ouverts au public quand ils ne sont pas en service.

ST. JOHN'S COLLEGE Établi sur St. John's Street, ce collège (☎ 01223/338600) fut fondé en 1511 par Lady Margaret Beaufort, mère du roi Henri VII qui avait fondé Christ's College quelques années auparavant. L'impressionnante grille porte le blason Tudor, et la Second Court (deuxième cour) est un bel exemple du style Tudor. Le monument le plus réputé, toutefois, est le **Bridge of Sighs** (pont des Soupirs) qui enjambe la Cam. Construit au XIXe siècle, il s'inspire du pont éponyme de Venise. Il relie la partie ancienne du collège à New Court, une cour de style néogothique située sur la rive opposée, d'où l'on jouit d'une vue splendide sur les fameux Backs. Le pont des Soupirs est fermé aux visiteurs, mais peut se voir depuis le pont Kitchen Bridge. Le collège, qui compta Wordsworth parmi ses élèves, est ouvert de mars à octobre tous les jours de 9 h 30 à 17 h. L'entrée est de 1,75 £ (adultes) et de 1 £ (enfants). Pendant les mois d'hiver, il n'y a pas de changement, et, en fonction des activités universitaires, le public est autorisé à se promener dans le jardin. Les visiteurs peuvent assister aux services (avec chorale) de la chapelle.

AUTRES CURIOSITÉS

✪ **Fitzwilliam Museum.** Trumpington St., près de Peterhouse. ☎ **01223/332900.** Entrée libre. Mar-sam. 10 h-17 h, dim. 14 h 15-17 h. Visites guidées dim. à 14 h 30. Fermé les 1er janv., vend. saint, 1er mai et du 24 au 31 déc.

Ce musée est l'un des plus beaux d'Angleterre. Fondé grâce au legs fait par le septième vicomte Fitzwilliam of Merrion à l'université de Cambridge en 1816, il abrite de remarquables antiquités égyptiennes, grecques et romaines. Des galeries récentes sont consacrées à l'art romain et romano-égyptien, et d'autres contiennent des œuvres d'art orientales et occidentales. La partie *Fitzwilliam's Applied Arts* (arts appliqués) rassemble des poteries et verreries anglaises et européennes, des meubles, des horloges, des armures, des éventails, des tapis et broderies, de jades chinois et de céramiques japonaises et coréennes. Le musée a également regroupé une rare collection médiévale de pièces de monnaie et des médailles créées à partir de la Renaissance. Toutefois, le *Fitzwilliam* est surtout réputé pour ses tableaux, qui incluent des chefs-d'œuvre de la Renaissance au XXe siècle.

Great St. Mary's. King's Parade. ☎ **01223/350914.** Accès à la tour 1,50 £ (adultes) et 50 p (enfants). Tour ouverte lun-sam. 10 h-16 h 30, dim. 12 h 30-16 h 30. Église ouverte tous les jours 9 h-18 h.

Étroitement associée aux événements de la Réforme, cette église universitaire fut élevée en grande partie en 1478 à l'emplacement d'une église du XIe siècle. L'étoffe qui couvrait le corbillard d'Henri VII est exposé dans l'église. Le sommet de la tour offre une belle vue sur Cambridge.

EXCURSIONS EN BARQUE SUR LA CAM

Remonter la Cam sur des barques à fond plat inspirées des gondoles vénitiennes est une tradition ancestrale de Cambridge. En aval, la Cam serpente au milieu des Backs tapissés de lierre des collèges, le long de beaux jardins verdoyants. Trois kilomètres plus haut, on découvre **Grantchester**, l'un des plus jolis villages du comté, avec sa vieille église et ses jardins bordés de paisibles prairies. L'élite littéraire fréquente assidûment le pub *Green Man* de Grantchester (voir « Pubs », plus bas), que l'on peut atteindre par bateau ou en empruntant le chemin qui longe la Granta pendant moins de 1 heure jusqu'aux Grantchester Meadows (prairies). La petite ville se trouve à 1,5 km environ des prairies.

L'été, les badauds qui se prélassent sur les berges de la Cam s'amusent à jauger et à ridiculiser les néophytes qui tentent tant bien que mal de manœuvrer leur *punt* avec une perche de 5 m de long. Le lit de la rivière est boueux, et l'on ne compte plus les perches perdues dans l'eau ombragée par les saules. Si votre perche reste coincée, mieux vaut la laisser où elle est et ne pas risquer un plongeon (et davantage de rires) en essayant de la retirer trop violemment.

Scudamore's Boatyards, Granta Place (☎ 01223/359750), près de l'*Anchor Pub,* est en activité depuis 1910. Des *punts*, des canoës et des barques sont à louer pour 1 £ l'heure. Une caution de 50 £ est exigée. Comptez 6 personnes au maximum par *punt*. Le magasin est ouvert de mars à fin septembre ou octobre tous les jours de 9 h au crépuscule, selon la météo et le nombre de clients. Si vous voulez que quelqu'un manœuvre votre bateau, il vous faudra compter 25 £ au minimum pour 2 personnes, plus 5 £ par personne supplémentaire.

Cambridge

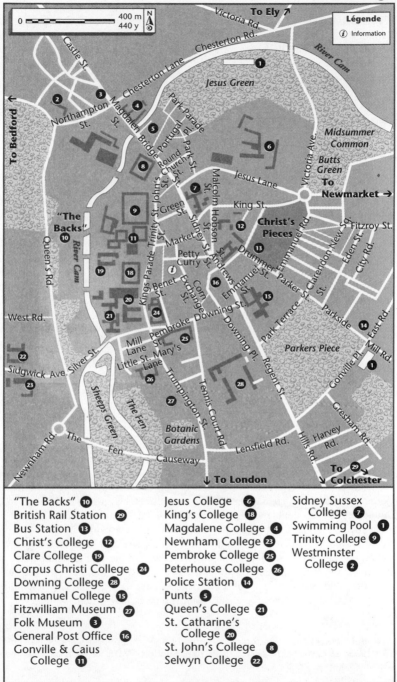

(i) Information

Castle St.
To Ely ↗
Victoria Rd.
Chesterton Rd.
Chesterton Lane
Jesus Green
River Cam
To Bedford ←
Northampton St.
Magdalen St.
Magdalen Bridge
Park Parade
Portugal Pl.
Park St.
St. John's St.
Round Church St.
Jesus Lane
King St.
Midsummer Common
Butts Green
To Newmarket →
Victoria Ave.
Malcolm St.
Hobson St.
Green St.
Trinity St.
Sidney St.
St. Andrews St.
Christ's Pieces
Fitzroy St.
New Sq.
Clarendon St.
Eden St.
City Rd.
"The Backs"
River Cam
Queen's Rd.
Market St.
Petty Curry
Corn Exchange St.
Benet St.
Kings Parade
Drummer St.
Emmanuel St.
Emmanuel Rd.
Parker St.
West Rd.
Downing St.
Downing Pl.
Regent St.
Park Terrace
Parkside
Parkers Piece
East Rd.
Mill Rd.
Gonville Pl.
Sidgwick Ave.
Silver St.
Mill Lane
Pembroke St.
Little St. Mary's Lane
St. Mary's Lane
Trumpington St.
Tennis Court Rd.
Sheeps Green
The Fen
Newnham Rd.
The Fen
Causeway
Botanic Gardens
Lensfield Rd.
Hills Rd.
Harvey Rd.
Gresham Rd.
↓ To London
To Colchester ↘

0 — 400 m / 440 y
N

"The Backs" ⑩	Jesus College ⑥	Sidney Sussex College ⑦
British Rail Station ㉙	King's College ⑱	Swimming Pool ①
Bus Station ⑬	Magdalene College ④	Trinity College ⑨
Christ's College ⑫	Newnham College ㉓	Westminster College ②
Clare College ⑲	Pembroke College ㉕	
Corpus Christi College ㉔	Peterhouse College ㉖	
Downing College ㉘	Police Station ⑭	
Emmanuel College ⑮	Punts ⑤	
Fitzwilliam Museum ㉗	Queen's College ㉑	
Folk Museum ③	St. Catharine's College ⑳	
General Post Office ⑯	St. John's College ⑧	
Gonville & Caius College ⑪	Selwyn College ㉒	

Cambridge Punt Company, à l'extérieur de l'*Anchor Pub,* Silver Street
(☎ **01223/327280**), propose des excursions guidées en barque de 45 mn, vivement
recommandées. Un guide (généralement un étudiant de Cambridge) coiffé d'un cano-
tier conduit un groupe de 6 personnes au maximum tout en commentant. Les excursions coûtent 25 £ pour 2, plus 5 £ par adulte supplémentaire ou 2,50 £ par enfant de
5 à 12 ans (gratuit pour les moins de 5 ans). Le personnel de l'*Anchor Pub* peut faire
venir un guide à votre table. Pour les indépendants, les bateaux sans rameur se louent
à 10 £ l'heure, avec une caution de 50 £ (espèces ou CB). L'agence est ouverte tous les
jours de 9 h au crépuscule, mais il n'y a plus personne quand il pleut ou quand il fait
trop froid.

SE LOGER

PRIX MOYENS

Gonville Hotel. Gonville Place, Cambridge, Cambridgeshire CB1 1LY. ☎ **800/528-
1234** ou 01223/366611. Fax 01223/315470. www.hotelnet.co.uk. 64 chambres. TV.
Tél. 107-150 £ la double. Petit déjeuner anglais compris. CB.

Cet hôtel et son jardin se trouvent en face de Parker's Piece, à 5 mn à pied seulement
du centre-ville. Le *Gonville* a été très rénové ces dernières années, et a maintenant tout
pour plaire, bien qu'il ne soit pas tout à fait à la hauteur du *University Arms* (voir ci-
dessous). Il évoque une maison de campagne couverte de lierre, ombragée par des
arbres et dotée d'une entrée pour les voitures. Les chambres rénovées et de taille
moyenne sont confortables et meublées dans un style moderne, avec en prime des
matelas fermes et des services à café. Les salles de bains sont petites mais bien équipées.
Il y a le chauffage central dans tout l'établissement, et la climatisation dans le restaurant. Pour quelques livres de plus, des services de blanchisserie, pressing et secrétariat
sont disponibles.

University Arms Hotel. Regent St., Cambridge, Cambridgeshire CB2 1AD.
☎ **01223/351241.** Fax 01223/315256. www.devere.com. E-mail : devere-
uniarms@airtime.co.uk. 116 chambres. TV. Tél. 135 £ la double, 270 £ la suite. Petit
déjeuner anglais compris. CB. Parking gratuit. Bus : 1.

Bâti en 1834, cet hôtel a conservé son cachet édouardien et la plupart de sa structure
d'origine, en dépit de modernisations successives. Situé près du centre et de l'université, il propose des chambres joliment décorées avec chauffage central et radio, en
excellent état. Quatre-vingts chambres ont été récemment rénovées, avec de nouveaux
rideaux et matelas. Les chambres en façade sont plus petites que celles du fond, mais
insonorisées par un double vitrage. Les petites salles de bains sont dotées d'une bai-
gnoire/douche et d'un sèche-cheveux. Outre des presses à pantalon, les clients des
suites trouveront des fleurs fraîches, des fruits et du chocolat. L'*Octagon Lounge,* avec
son plafond en vitrail et son feu de cheminée, est très agréable pour le thé. Le vaste restaurant lambrissé propose des repas « table d'hôte » ou à la carte. Le portier organise
des visites guidées de la ville. Tous les services attendus dans un hôtel de ce standing
sont prodigués : room service, pressing, blanchisserie et baby-sitting.

PETITS PRIX

Arundel Hotel. Chesterton Rd., Cambridge, Cambridgeshire CB4 3AN.
☎ **01223/367701.** Fax 01223/367721. 105 chambres. TV. Tél. 65-91 £ la double. Petit
déjeuner compris. CB. Bus : 3 ou 5.

Occupant l'un des plus beaux sites de Cambridge, cet hôtel consistait, jusqu'à une
époque récente, en 6 maisons victoriennes accolées, toutes identiques et ornées de

Avertissement

En raison du dérangement provoqué par les touristes venus visiter l'université, Cambridge a dû limiter ou interdire l'entrée des visiteurs dans plusieurs secteurs. Dans certains cas, un droit d'entrée peu élevé est exigé. Les petits groupes de 6 personnes au maximum sont généralement admis sans problème. Renseignez-vous auprès de l'office de tourisme pour connaître les horaires de visite (voir « Informations pratiques »).

briques locales jaune foncé. En 1994, après l'acquisition de deux maisons supplémentaires, l'hôtel s'est agrandi et amélioré pour donner l'établissement de bonne tenue qu'il est devenu aujourd'hui. S'il n'est pas aussi bien aménagé que le *University Arms*, il peut parfaitement rivaliser avec le *Gonville*. D'ailleurs, son restaurant est le meilleur des trois. Les chambres qui donnent sur la Cam et Jesus Green sont plus chères, ainsi que celles des étages inférieurs (il n'y a pas d'ascenseur). Toutes sont propres, simples et confortables, dotées de matelas fermes, de fauteuil tapissés, de moquette et de petites salles de bains bien tenues. On trouve un bar et un restaurant sur place, un jardin avec des tables pour se désaltérer l'été et une laverie automatique (à pièces).

Regent Hotel. 41 Regent St., Cambridge, Cambridgeshire CB2 1AB. ☎ **01223/351470.** Fax 01223/566562. www.regentHotel.co.uk. E-mail : reservations@regenthotel.co.uk. 25 chambres. TV. Tél. 82,50 £ la double. Petit déjeuner compris. CB.

Cet hôtel est l'un des plus agréables de sa catégorie. Situé en plein centre-ville, et donnant sur Parker's Piece, le bâtiment fut construit dans les années 1840 pour constituer le Newham College. Il se transforma en hôtel quand le collège se développa. Les jolies chambres confortables, petites à moyennes, ont la radio, un service à café et des presses à pantalon. Certaines sont en cours de rénovation. Les salles de bains sont petites mais bien équipées, avec étagères et sèche-cheveux. Au rez-de-chaussée, le bar à cocktail est ouvert jusqu'à 23 h 45 tous les soirs.

SE RESTAURER

PRIX MOYENS

Arundel House Restaurant. Chesterton Rd. ☎ **01223/367701.** Réservation conseillée. Plats principaux 8,95-14,95 £, menu déjeuner (2 plats) 10,75 £, menu déjeuner (3 plats) 11,95 £, déjeuner dominical 11,95 £, menu dîner (2 plats) 13,50 £, menu dîner (3 plats) 15,95 £. CB. Tous les jours 12 h 15-13 h 45 et 18 h 30-21 h 30. Bus : 3 ou 5. INTERNATIONAL.

L'un des restaurants les plus réputés de Cambridge occupe cet hôtel donnant sur la Cam et Jesus Green, à quelques minutes du centre-ville. Plusieurs fois lauréate, l'excellente cuisine offre un très bon rapport qualité-prix. Le chaleureux décor Louis XV comprend des chaises de style et de grandes tables. La carte change souvent, et l'on peut dîner à la carte ou choisir un menu. Il y a aussi un menu enfants à 2,25 £ au maximum. Les entrées incluent une soupe maison aux pois et au jambon ou un cocktail au rhum et au fruit de la passion. Parmi les poissons, le carrelet et le saumon n'ont rien à envier au caneton rôti ou au pavé d'autruche.

Midsummer House. Midsummer Common. ☎ **01223/69299.** Réservation indispensable. Menu déjeuner (3 plats) 19,50 £, déjeuner dominical 25 £, menu dîner (3 plats) 39,50 £. CB. Mar-ven. et dim. 12 h-13 h 45, mar-sam. 19 h-21 h 45. CONTINENTAL.

Le Fitzwilliam Museum organise de temps à autre des événements musicaux, dont des concerts nocturnes, dans la salle III. Tout au long de l'année, il accueille également certaines des meilleures conférences d'Angleterre. Pour plus de détails, appelez le ☎ **01223/332900**.

Situé près de la Cam dans un cottage 1900, ce restaurant est une des agréables surprises de Cambridge. La salle à manger principale est une élégante serre, mais l'on peut aussi dîner à l'étage. Les menus ne sont pas trop copieux, et la qualité et le raffinement semblent être de rigueur, malgré les fréquents changements de chefs. Les serveurs vous aideront à faire votre choix entre les plats proposés, qui comptent parmi les meilleurs et les plus frais de Cambridge.

✪ **Twenty Two**. 22 Chesterton Rd. ☎ **01223/351880**. Réservation indispensable. Menu 23,50 £. CB. Mar-sam. 7 h 30-22 h. ANGLAIS/CONTINENTAL.

Qui s'attendrait à trouver l'un des meilleurs restaurants de Cambridge dans ce paisible quartier résidentiel ? À proximité de Jesus Green, c'est une adresse jalousement gardée par la population locale. La salle à manger victorienne, élégante et « cosy », propose un menu unique, mais changeant tout le temps, à base de produits frais. Les propriétaires David Carter et Louise Crompton aiment allier la tradition et leurs propres inspirations. Parmi les plats proposés figurent le filet de thon grillé au pesto, aux oignons nouveaux et au piment, ainsi que le suprême de poulet au risotto d'orge perlé et à l'aubergine grillée.

PETITS PRIX

Browns. 23 Trumpington St. ☎ **01223/461655**. Plats principaux 7,55-14-95 £. CB. Lun-sam. 11 h-23 h 30, dim. 12 h-23 h 30. Bus : 2. ANGLAIS/CONTINENTAL.

Apprécié de longue date à Oxford, *Browns* a fait sensation à Cambridge il y a quelques années. Construit en 1914 en face du Fitzwilliam Museum pour accueillir le service des consultations externes d'un hôpital dédié à Édouard VII, il conserve son cachet d'époque, notamment grâce à sa colonnade néoclassique. Il abrite aujourd'hui un restaurant très convivial, doté de chaises en osier, de hauts plafonds, de boiseries du début du siècle et d'un long bar garni de bouteilles de vin. Parmi les nombreux plats, citons diverses préparations de pâtes, des salades fraîches, un grand choix de viandes et de poissons (du gigot grillé au romarin au poisson frais de saison), des sandwiches chauds et des plats du jour. Si vous passez par là l'après-midi, goûtez aux milk-shakes ou aux jus de fruits naturels. Quand il fait beau, les tables en terrasse sont prises d'assaut.

PUBS

Cambridge Arms. 4 King St. ☎ **01223/505015**. Snacks 2-6,25 £. CB. Lun-sam. 11 h-17 h, dim. 12 h-15 h. Pub lun-sam. 11 h-23 h, dim. 12 h-22 h 30. ANGLAIS.

Ce pub bien comme il faut au cœur de la ville ne manque pas d'ambiance et sert des plats au comptoir. Parmi ceux-ci figurent des plats du jour, des steaks grillés, des repas végétariens et toutes sortes de mets froids ou chauds.

Récemment rénové, le pub a opté pour un thème musical. Des guitares et autres accessoires musicaux ornent dorénavant ses murs.

✪ **The Green Man**. 59 High St., Grantchester. ☎ **01223/841178**. Plats principaux 3,50-8 £. CB. Tous les jours 12 h-14 h 30 et 18 h-21 h, dim. 12 h-22 h 30. Pub lun-sam. 11 h-15 h et 17 h-23 h, dim. 12 h-22 h 30. Bus : 118 au départ de Cambridge. MEXICAIN/INDIEN/ANGLAIS.

Impressions

Trois heures moins dix, nous dit le clocher ?
Reste-t-il du miel pour le thé ?

- Rupert Brooke, *The Old Vicarage,* Grantchester (1912).

Baptisé en l'honneur de Robin des Bois, cette taverne vieille de 400 ans est le pub le plus réputé des environs de Cambridge. Il se trouve sur la A604, à 3 km au sud de Cambridge, dans le hameau de Grantchester, rendu célèbre par le poète Rupert Brooke (voir plus haut). Même si le nom de Brooke ne vous dit rien, vous apprécierez sûrement la promenade vespérale qui commence par l'église et se termine immanquablement au Green Man. En hiver, un feu de cheminée vous accueille, tandis qu'en été, les tables du beer garden, à proximité de la Cam, sont plus tentantes. Commandez au comptoir et l'on vous portera votre repas à table. La cuisine est un mélange éclectique de saveurs indiennes, mexicaines et anglaises. On trouve des currys indiens, des burritos, des fajitas ainsi que quelques spécialités anglaises et des plats végétariens.

4 Canterbury

90 km au sud-est de Londres

C'est sous l'arche de l'ancienne West Gate (porte ouest) que défilèrent les pittoresques personnages de Chaucer – chevaliers, vendeurs d'indulgences, nonnes, cavaliers, prêtres, marchands, meuniers, etc. – en direction de la tombe de Thomas Becket, archevêque de Canterbury, assassiné par quatre chevaliers d'Henri II le 29 décembre 1170 dans la cathédrale. Pour la petite histoire, le roi dut faire pénitence en marchant pieds nus de Harbledown à la tombe de son ancien ami, sous les coups de fouet. La tombe fut finalement détruite en 1538 par Henri VIII, lors de sa campagne visant à démolir les monastères et autres lieux catholiques de pèlerinage. Trop tard : Canterbury était inexorablement fixé dans l'imagination des pèlerins.

Cette petite ville du Kent au bord de la Stour est la capitale ecclésiastique de l'Angleterre. La cité était autrefois entourée de murs, dont il reste maints vestiges malgré le Blitz de 1941. Aujourd'hui, Canterbury continue à attirer les foules, mais ce sont les touristes, plus que les pèlerins, qui visitent ses monuments. Il s'agit d'une ville universitaire active (les étudiants viennent essentiellement du Kent), dotée d'un grand nombre de pubs et commerces. Si possible, visitez Canterbury tôt le matin ou en début de soirée, quand les visiteurs se font rares.

INFORMATIONS PRATIQUES

COMMENT S'Y RENDRE De nombreux trains relient les gares de Victoria, Charing Cross, Waterloo et London Bridge à Canterbury. Le trajet dure 1 h 30. Pour les horaires et autres informations, appelez le ☎ **0345/484950** ou le 01603/764776.

Les bus au départ de la gare routière Victoria Coach Station mettent 2 à 3 heures et partent deux fois par jour. Pour les horaires et autres informations, appelez le ☎ **0990/808080**.

En voiture depuis Londres, prenez la A2, puis la M2. Canterbury est signalé tout au long de la route. Le centre-ville est fermé aux voitures, mais les parkings ne sont pas très éloignés de la cathédrale.

INFORMATIONS TOURISTIQUES Le **Visitors Information Centre** se trouve au 34 St. Margaret's St. (☎ 01227/766567), près de l'église St. Margaret. Ouvert d'avril à octobre du lundi au samedi de 9 h 30 à 17 h 30 (ferme à 17 h de novembre à mars).

VISITE DES MONUMENTS

✪ Canterbury Cathedral. 11 The Precincts. ☎ **01227/762862.** Entrée 3 £ (adultes) et 2 £ (enfants, étudiants et personnes âgées). Visites guidées (à la demande) 3 £ (adultes) et 2 £ (enfants, étudiants et personnes âgées). Lun-sam. 9 h-17 h, dim. 12 h 30-14 h 30 et 16 h 30-17 h 30.

La fondation de cette splendide cathédrale remonte à l'époque de son premier archevêque, saint Augustin, de retour de Rome en 597, mais la partie la plus ancienne de l'édifice actuel est la grande crypte romane bâtie vers 1100. Le chœur monastique érigé en même temps fut détruit par un incendie en 1174, quatre ans seulement après que Thomas Becket fut assassiné par un lugubre soir de décembre dans le transept nord. Le chœur fut immédiatement remplacé par une magnifique structure gothique, la première en son genre en Angleterre.

La cathédrale est réputée pour les tombes royales médiévales du roi Henri IV et d'Édouard le Prince noir, ainsi que celles de nombreux archevêques. L'édifice se dresse au milieu des vestiges du monastère – cloîtres, salle capitulaire et château d'eau normand – qui ont survécu à la Réforme d'Henri VIII.

Bien qu'Henri VIII ait détruit l'autel de Becket, son site continue à être honoré dans la Trinity Chapel (chapelle de la Trinité), près du maître-autel. Le saint aurait réalisé des miracles, qui sont relatés sur de superbes vitraux. Le plus grand miracle, peut-être, est le fait que ces vitraux aient survécu aux ravages d'Henri VIII, aux briseurs d'idoles d'Oliver Cromwell et au Blitz (les bombes allemandes détruisirent plusieurs vitraux de la cathédrale, mais des gardiens avisés avaient mis ceux de Becket à l'abri). Derrière le maître-autel se dresse la St. Augustine Chair (siège de saint Augustin), symbole de l'autorité archidiocésaine et de l'histoire du christianisme en Angleterre.

The Canterbury Tales. 23 St. Margaret's St. (en quittant High St., près de la cathédrale). ☎ **01227/454888.** Entrée 5,25 £ (adultes), 4,50 £ (étudiants et personnes âgées), 4 £ (enfants de 5 à 16 ans), gratuit jusqu'à 4 ans. Tous les jours 9 h 30-17 h 30.

Ce musée très populaire recrée les pèlerinages de l'Angleterre de Chaucer par une série de tableaux médiévaux. Les visiteurs sont munis d'écouteurs qui racontent cinq des Contes de Canterbury, ainsi que l'histoire du meurtre de saint Thomas Becket dans la cathédrale. La visite complète dure environ 45 mn.

EXCURSIONS GUIDÉES À PIED ET EN BATEAU

De Pâques à début novembre, des visites guidées de Canterbury sont organisées tous les jours par le **Guild of Guides**, Arnett House, Hawks Lane (☎ 01227/459779), pour la somme de 3,50 £ (adultes), 3 £ (étudiants et enfants de moins de 14 ans) et 8,50 £ (ticket familial). Les visites partent de l'office de tourisme (34 St. Margaret's St., dans la zone piétonne près de la cathédrale) à 14 h de fin mars à fin octobre. De juillet à août, un autre départ a lieu à 11 h 30 du lundi au samedi.

Juste en dessous de la Weavers House, **Weavers River Trip**, Weavers House, 1 St. Peter's St. (☎ 01227/464660), propose des excursions d'une demi-heure en bateau avec un commentaire sur l'histoire des bâtiments rencontrés au fil de l'eau. Les bateaux partent toutes les 30 mn de 13 h au crépuscule, de mars à octobre. Les tickets coûtent 4 £ (adultes) et 3 £ (enfants). Des parapluies sont distribués par temps de pluie.

SE LOGER

PRIX MOYENS

County Hotel. High St., Canterbury, Kent CT1 2RX. ☎ **01227/766266.** Fax 01227/451512. www.macdonaldhotels.co.uk/county/index. E-mail : info@county-macdonaldhotels.co.uk. 73 chambres. TV. Tél. 106-120 £ la double, 190 £ la suite. CB. Parking 3 £.

Ce bâtiment sert d'hôtel depuis la fin du règne de Victoria, mais son histoire remonte à la fin du XIIᵉ siècle. L'ambiance un peu désuète est particulièrement manifeste dans le salon lambrissé du premier étage. L'hôtel entièrement rénové est le meilleur qui soit au centre de Canterbury. Chaque chambre possède une salle de bains carrelée bien équipée. Certaines ont des lits à baldaquin de style géorgien ou Tudor, et toutes ont des matelas fermes. En 1999, 30 chambres ont été rénovées. Pour dîner, gagnez le *Sully's Restaurant*, entièrement climatisé (voir « Se restaurer », plus bas). Pour un snack rapide, des spécialités végétariennes, des salades et des plats chauds, optez pour le café. Il y a également un bar Tudor, où l'on peut prendre un apéritif ou un digestif.

✪ **Howfield Manor.** Chartham Hatch, Canterbury, Kent CT4 7HQ. ☎ **01227/ 738294.** Fax 01227/731535. 16 chambres. TV. Tél. 95 £ la double, 105 £ la suite. Petit déjeuner anglais inclus. CB. Prendre la A28 jusqu'à 3,5 km de Canterbury.

La famille Towns gère actuellement cet établissement, qui fait office d'auberge depuis 1181. Jadis inclus dans le domaine du prieuré de Saint-Grégoire, ce manoir est l'un des plus charmants alentour. C'est une adresse fiable, caractérisée par ses poutres et ses recoins, sans oublier ses nombreux feux de cheminée. Situé dans un parc de 2 ha, l'établissement propose des chambres petites à moyennes, meublées avec goût et dotées de réveille-matin, de presses à pantalon et de matelas fermes. Les petites salles de bains impeccables sont bien équipées. Les chambres dans la demeure d'origine ont des poutres apparentes et plus de caractère. Celles de la nouvelle aile sont plus grandes et meublées de chêne massif. Le restaurant, *Old Well*, est excellent (voir « Se restaurer », plus bas). *Howfield Manor* est situé à 3 km de Canterbury, sur la route d'Ashford A28.

PETITS PRIX

Cathedral Gate Hotel. 36 Burgate, Canterbury, Kent CT1 2HA. ☎ **01227/464381.** Fax 01227/462800. E-mail : cgate@cgate.demon.co.uk. 24 chambres (dont 12 avec salle de bains). TV. Tél. 51 £ la double sans salle de bains, 76,50 £ la double avec salle de bains. Petit déjeuner inclus. CB.

Cathedral Gate s'adresse aux pèlerins des temps modernes qui souhaitent se reposer non loin de la cathédrale. Construit en 1438, l'hôtel est adjacent à Christchurch Gate et donne sur le Buttermarket. Les petites chambres confortables et modestement meublées ont un bon matelas, un service à café et une petite salle de bains équipée. Les planchers en pente, les poutres en chêne et les couloirs sinueux sont autant de vestiges moyenâgeux. La carte du restaurant évoque elle aussi un passé lointain : *Lancashire hotpot* (sorte de ragoût), ragoût de bœuf à la bière, tourte au bœuf et aux rognons et génoise à la mélasse nappée de crème. Un bar sert toutes sortes de boissons aux clients, et un petit jardin offre une vue sur la cathédrale. L'hôtel est à 10 mn à pied de la gare.

✪ **Ebury Hotel.** 65-67 New Dover Rd., Canterbury, Kent CT1 3DX. ☎ **01227/768433.** Fax 01227/459187. 15 chambres. TV. Tél. 65-75 £ la double, 85 £ la triple, 95 £ la quadruple. Petit déjeuner anglais inclus. CB. Fermé 21 déc.-12 janv. Suivre les panneaux en direction de la A2, Dover Rd sur L.H.S. au sud de la ville.

L'un des meilleurs hôtels B&B de Canterbury. Cette demeure victorienne à pignons se trouve à l'extrémité de la ville, en retrait de la New Dover Rd., dans 1 ha de jardin et à quelques pas du centre-ville. Érigée en 1850, elle se compose de deux maisons séparées, réunies il y a quelques années. Il est essentiel de réserver, car cet hôtel familial spacieux et bien meublé est très prisé. Les chambres petites à moyennes sont régulièrement refaites. Les matelas sont fermes et la moquette de qualité. Chaque chambre a un service à café, et certaines possèdent un lit à baldaquin. Les petites salles de bains sont propres et bien équipées. L'hôtel dispose d'une piscine couverte chauffée et d'un jacuzzi, ainsi que d'un grand salon et d'un restaurant qui prépare des repas à base de légumes frais. Les grillades et les recettes familiales sont particulièrement savoureuses, notamment les côtelettes d'agneau au cresson. L'hôtel loue aussi des appartements à la semaine.

Three Tuns Inn. 24 Watling St. (une rue donnant sur Castle St.), Canterbury, Kent CT1 2UD. ☎ **01227/767371.** Fax 01227/785962. 5 chambres. TV. Tél. 42,50-50 £ la double. CB.

Située dans le centre-ville, cette auberge rétro vit essentiellement de l'activité exceptionnelle de son pub. Toutefois, beaucoup apprécient les quelques chambres au charme désuet situées à l'étage de ce bâtiment du XVe siècle. Chaque petite chambre confortable dans la plus pure tradition des pubs anglais est dotée d'un bon lit et d'un matelas ferme, ainsi que d'une assez petite salle de bains avec douche. William et Mary, futurs roi et reine d'Angleterre, y firent une halte en 1679 : vous pouvez suivre leur exemple et dormir dans la même chambre qu'eux. Le pub au rez-de-chaussée sert des plats standard tous les jours de 11 h à 23 h. Les nombreux clients se réfugient dans une pièce latérale, le *Chapel Restaurant,* où des messes catholiques illicites étaient tenues pendant la guerre civile. La salle conserve encore l'entrée d'un passage secret, qui permettait aux fidèles de s'enfuir rapidement.

SE RESTAURER

Prix moyens

Duck Inn. Pett Bottom, près de Bridge. ☎ **01227/830354.** Réservation conseillée. Plats principaux 7,45-9,95 £, menu déjeuner (2 plats) lun-ven. 9-11 £, menu dîner (3 plats) 14-20 £. CB. À 8 km de Canterbury, près du village de Bridge sur la route de Douvres. ANGLAIS.

Situé dans la vallée de Pett Bottom, cet établissement du XVIe siècle reste fidèle à la gastronomie anglaise. En été, le dîner est servi à l'intérieur ou dans le jardin à l'anglaise. La carte change toutes les semaines, mais quelques plats restent les mêmes. Commencez par une soupe maison, aux légumes ou au céleri et stilton, et poursuivez, par exemple, par une tourte au gibier (en saison) ou des moules marinières. Il y a toujours un plat de canard. Pour le dessert, goûtez la spécialité locale, le pudding à la datte sauce caramel. Avis aux fans de James Bond : d'après le film *On ne vit que deux fois,* 007 aurait vécu juste à côté du Duck Inn.

Old Well Restaurant. Howfield Manor, Chartham Hatch. ☎ **01227/738294.** Réservation conseillée. Plats principaux 9,95-16,95 £. CB. Tous les jours 12 h-14 h et 19 h 30-21 h. CONTINENTAL/FRANÇAIS.

Dans ce manoir champêtre (voir « Se loger », plus haut), les repas sont servis dans la chapelle, qui date de 1181. À côté, le vieux puits (qui donne son nom à l'hôtel) d'où les moines tiraient leur eau est encore debout. Le chef cuisinier, James Weaklands et sa brigade servent une cuisine fraîche, préparée au jour le jour. Soutenu par une atmosphère conviviale, un service sympathique et une bonne carte des vins, Weaklands vous invite à goûter ses petites merveilles culinaires, comme les ravioli de crevettes et noix

Canterbury

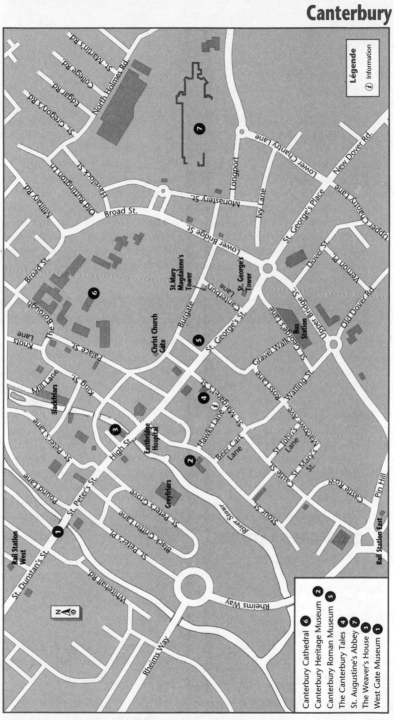

St. Martin's Rd.
College Rd.
Edgar Rd.
St. Gregory's Rd.
North Holmes Rd.
Military Rd.
Old Ruttington Ln.
Havelock St.
Broad St.
Broad St.
Knots Lane
The Borough
Palace St.
King St.
Mill Lane
Blackfriars
St. Peter's Lane
Pound Lane
St. Peter's St.
St. Peter's Pl.
Black Griffin Lane
St. Peter's Grove
Whitehall Rd.
St. Dunstan's St.
High St.
Greyfriars
River Stour
Stour St.
Rheims Way
Rheins Way

Longport
Lower Chantry Lane
New Dover Rd.
Upper Chantry Lane
Vernon Pl.
Old Dover Rd.
Monastery St.
Ivy Lane
St. George's Place
Dover St.
Lower Bridge St.
St. Mary Magdalene's Tower
Canterbury Lane
St. George's Tower
Burgate
Christ Church Gate
St. George's St.
Upper Bridge St.
Bus Station
Gravel Walk
St. George's Lane
Watling St.
Ross Lane
Castle Row
Pin Hill
St. John's Lane
Marlowe Ave.
Castle St.
St. Mary's St.
Beer Cart Lane
Hawks Lane
St. Margaret's St.
Eastbridge Hospital

Rail Station West
Rail Station East

N

7 7
6 6
5 5
4 4
1 1
3 3
2 2

Canterbury Cathedral **6**
Canterbury Heritage Museum **2**
Canterbury Roman Museum **5**
The Canterbury Tales **4**
St. Augustine's Abbey **7**
The Weaver's House **3**
West Gate Museum **1**

de Saint-Jacques arrosés d'huile de langouste. De nombreux plats principaux sauront vous allécher, tels les médaillons de venaison grillés sur leur lit de chou rouge au jus de genièvre, ou le steak de flétan braisé aux agrumes et aux fines herbes. Arrivez tôt pour prendre un verre au Priory Bar, dont vous admirerez les peintures en trompe l'œil et l'authentique priesthole (le barman se fera un plaisir de vous expliquer de quoi il s'agit).

Sully's. Dans le County Hotel, High St. ☎ **01227/766266.** Réservation conseillée. Menu déjeuner (2 plats) 17 £, menu déjeuner (3 plats) 19 £, menu dîner 24,95 £. CB. Tous les jours 12 h 30-14 h 30 et 19 h-22 h. ANGLAIS/CONTINENTAL.

Le restaurant le plus chic de Canterbury est situé, logiquement, dans l'hôtel le plus chic de la ville (voir « Se loger », plus haut). Malgré l'absence de fenêtres et un décor tout droit sorti des années 60, cet établissement est de toute première classe, et d'un bon rapport qualité-prix. Vous trouverez toujours un choix de plats traditionnels anglais, mais laissez-vous tenter par l'une des créations maison. Les spécialités de saison sont également recommandées. Commencez, par exemple, par une soupe poireau-pomme de terre à la crème de ciboulette ou une rosette chaude de saumon fumé sur salade et sauce au beurre pimenté, que vous ferez suivre par un faisan poêlé à la pomme caramélisée ou par un *Scottish eyesteak* grillé.

5 Stratford-upon-Avon : le berceau de Shakespeare

146 km au nord-ouest de Londres, 64 km au nord-ouest d'Oxford

Chaque été, des hordes de touristes envahissent cette petite ville sise sur l'Avon. Il faut dire que Stratford se garde bien de taire ses liens avec Shakespeare et que tous les habitants semblent vouloir tirer profit de cet heureux hasard. S'il revenait aujourd'hui, le dramaturge serait bien surpris par les T-shirts à son effigie, les cottages miniature d'Anne Hathaway et les Big Mac, et chercherait peut-être à finir ses jours dans un endroit plus tranquille... Non moins grande serait sa surprise de se voir ainsi revu et corrigé dans le film à succès *Shakespeare in Love*.

Ce qui attire essentiellement les visiteurs d'aujourd'hui est le Royal Shakespeare Theatre, où se produisent les acteurs les plus en vue d'Angleterre. Mais hormis son théâtre, Stratford n'a pas de quoi sustenter les affamés de culture, et l'on regrette vite l'activité londonienne une fois que l'on a visité les hauts lieux littéraires et assisté à une pièce. Si possible, visitez Stratford en hiver, quand les touristes sont moins nombreux.

INFORMATIONS PRATIQUES

COMMENT S'Y RENDRE Curieusement, il n'y a aucun train direct depuis Londres. Au départ de la gare de Paddington, on peut prendre un train pour Leamington Spa, puis changer pour Stratford-upon-Avon. Le trajet dure 3 heures environ et coûte 22,50 £ aller-retour. Appelez le ☎ **0345/484950** ou le 01603/764776 pour plus d'informations. La gare de Stratford est située sur Alcester Road. Elle est fermée le dimanche d'octobre à mai ; il vous faudra alors prendre le bus.

Huit bus **National Express** (☎ **0990/808080**) partent tous les jours de la gare Victoria et relient Stratford en 3 h 15. Le ticket aller-retour dans la journée coûte 11 £.

En voiture depuis Londres, prenez la M40 vers Oxford et continuez jusqu'à Stratford-upon-Avon par la A34.

INFORMATIONS TOURISTIQUES Le **Tourist Information Centre**, Bridgefoot, Stratford-upon-Avon, Warwickshire CV37 6GW (☎ **01789/293127**) vous fournira tous les renseignements nécessaires. Il est ouvert de mars à octobre du lundi au samedi de 9 h à 18 h, le dimanche de 11 h à 17 h. De novembre à février, il est ouvert du lundi au samedi de 9 h à 17 h.

Pour contacter le **Shakespeare Birthplace Trust**, qui gère la plupart des sites, envoyez une enveloppe à votre adresse et un coupon-réponse international à : Director, the Shakespeare Centre, Henley Street, Stratfor-upon-Avon, Warwickshire CV37 6QW (☎ **01789/204016**).

VISITER LES HAUTS LIEUX

Outre les attractions situées à sa périphérie, Stratford compte de nombreux bâtiments élisabéthains et jacobéens. Un ticket combiné – à 11 £ (adultes), 10 £ (personnes âgées et étudiants), 5,50 £ (enfants) ou 26 £ (famille de 2 adultes et 3 enfants) – vous permettra de visiter les cinq maisons officielles du Shakespeare Birthplace Trust : Shakespeare's Birthplace, Anne Hathaway's Cottage, New Place/Nash's House, Mary Arden's House et Hall's Croft. Procurez-vous ce ticket si vous avez l'intention de tout visiter (en vente au premier site visité).

○ **Shakespeare's Birthplace.** Henley St. ☎ **01789/204016**. Entrée 4,90 £ (adultes), 2,20 £ (enfants). 20 mars-19 oct. lun-sam. 9 h-17 h, dim. 9 h 30-17 h, hors saison lun-sam. 9 h 30-16 h, dim. 10 h-16 h. Fermé 23-26 déc.

Fils d'un gantier et tanneur, le chantre d'Avon naquit le jour de la saint Georges, le 23 avril 1564, et mourut le même jour 52 ans plus tard. Remplie d'objets liés à Shakespeare, cette demeure du Trust, et maison natale de Shakespeare, est une structure à colombage datant de la première moitié du XVIᵉ siècle. Elle fut rachetée par des donateurs publics en 1847 qui en firent un musée national. Vous visiterez la chambre où Shakespeare serait né, une cuisine entièrement équipée de l'époque (cherchez le babyminder, ou nourrice), et un musée Shakespeare illustrant sa vie et son époque. Puis vous pourrez déambuler dans le jardin, planté de toutes les fleurs mentionnées dans ses pièces. Vous ne serez pas seul : on estime à 660 000 le nombre de visiteurs qui passent ici chaque année.

Construit juste à côté pour commémorer le 400ᵉ anniversaire de la naissance du dramaturge, le **Shakespeare Centre** fait à la fois office de siège administratif du Trust et de bibliothèque et centre d'études. Une annexe abrite un office de tourisme, qui sert de salle d'accueil à tous ceux qui viennent visiter la maison natale. Il se trouve au centre-ville, près de la poste adjacente à Union Street.

○ **Anne Hathaway's Cottage.** Cottage Lane, Shottery. ☎ **01789/292100**. Entrée 3,90 £ (adultes), 1,60 £ (enfants). 20 mar-19 oct. lun-sam. 9 h-17 h, dim. 9 h 30-17 h, hors saison lun-sam. 9 h 30-16 h, dim. 10 h-16 h. Fermé 23-26 déc. Prendre un bus depuis Bridge St., ou suivre le chemin signalisé qui part d'Evesham Place à Stratford, et traverse la prairie jusqu'à Shottery.

Avant d'épouser Shakespeare, Anne Hathaway vivait dans cette petite maison en clayonnage et torchis coiffée d'un toit de chaume, située dans le bourg de Shottery, à 1,5 km de Stratford. C'est le site le plus intéressant et le plus photographié des propriétés du Trust. Les Hathaway étaient des francs-tenanciers, et leurs descendants habitèrent ce cottage jusqu'en 1892. Conséquemment, il ne fut jamais rénové et offre un rare aperçu de la vie d'une famille à l'époque de Shakespeare. Le poète n'avait que 18 ans lorsqu'il épousa Anne, qui était nettement plus âgée. Bon nombre des meubles d'origine, dont la causeuse et plusieurs ustensiles, ont été conservés. Après la visite, prenez le temps de vous promener dans le jardin et le verger.

New Place/Nash's House. Chapel St. ☎ **01789/204016.** Entrée 3,30 £ (adultes), 1,60 £ (enfants). 20 mars-19 oct. lun-sam. 9 h 30-17 h, dim. 10 h-17 h, hors saison lun-sam. 10 h-16 h, dim. 10 h 30-16 h. Fermé 23-26 déc. Descendre High St. vers l'ouest ; Chapel St. est le prolongement de High St.

Shakespeare, devenu prospère selon les critères de l'époque, se retira à New Place en 1610 et y mourut 6 ans plus tard. Hélas, la maison fut détruite et il ne reste plus que le jardin. Un mûrier planté par le tragédien poussait dans le jardin, mais il avait tellement de succès auprès des visiteurs que l'acariâtre propriétaire décida de le couper. Celui que l'on voit aujourd'hui serait une bouture du mûrier d'origine. On entre dans le jardin par la Nash's House (Thomas Nash épousa Elizabeth Hall, une des petites-filles de Shakespeare), qui rassemble des pièces du XVIᵉ siècle et une exposition relatant l'histoire de Stratford. Le ravissant **Knott Garden** contigu au site rappelle le style d'un jardin élisabéthain à la mode.

Mary Arden's House & le Shakespeare Countryside Museum. Wilmcote. ☎ **01789/204016.** Entrée 4,40 £ (adultes), 2,20 £ (enfants). 20 mars-19 oct. lun-sam. 9 h 30-17 h, dim. 10 h-17 h, hors saison lun-sam. 10 h-16 h, dim. 10 h 30-16 h. Fermé 23-26 déc. Prendre la A34 (Birmingham) pendant 5,5 km.

Cette ferme Tudor, avec son vieux colombier de pierre et ses nombreux communs, aurait été la demeure de la mère de Shakespeare, du moins selon un entrepreneur du XVIIIᵉ siècle. La maison contient des meubles rustiques et des ustensiles domestiques, tandis que les granges, les écuries, les étables et le jardin renferment une vaste collection d'outils de ferme relatant la vie et le travail des paysans de l'époque de Shakespeare à nos jours.

Hall's Croft. Old Town. ☎ **01789/292107.** Entrée 3,30 £ (adultes), 1,60 £ (enfants) et 18 £ (ticket familial pour les trois maisons de la ville). 20 mars-19 oct. lun-sam. 9 h 30-17 h, dim. 10 h-17 h, hors saison lun-sam. 10 h-16 h, dim. 10 h 30-16 h. Ouvert à 13 h 30 le 1ᵉʳ janv. et fermé 24-26 déc. Descendre High St. vers l'ouest (elle devient Chapel St. puis Church St.). Au croisement avec Old Town St., prendre à gauche.

Cette demeure sur Old Town St. se trouve non loin de l'église paroissiale, Holy Trinity. C'est là que la fille de Shakespeare, Susanna, aurait vécu avec son mari, le Dr John Hall. Hall's Croft est une très belle maison Tudor avec un jardin muré, meublé dans le style d'une famille bourgeoise de l'époque. Le Dr Hall était très respecté, et il fit construire un vaste cabinet médical dans le secteur. Des objets fascinants illustrent la théorie et la pratique médicale de l'époque.

Holy Trinity Church (tombeau de Shakespeare). Old Town. ☎ **01789/266316.** Entrée libre à l'église. Donation de 60 p (adultes), 40 p (étudiants) pour le tombeau de Shakespeare. Mars-oct. lun-sam. 8 h 30-18 h, dim. 14 h -17 h, nov-fév. lun-sam. 9 h-16 h (jeu. jusqu'à 17 h), dim. 14 h-17 h. Continuer pendant 4 mn au-delà du Royal Shakespeare Theatre, en gardant la rivière à gauche.

Dans un joli cadre au bord de l'Avon se dresse l'église où Shakespeare est enterré (avec la célèbre épitaphe : « Et maudit soit celui qui bougera mes os. »). L'église paroissiale est l'une des plus belles du genre en Angleterre.

Sise sur les rives de l'Avon, l'église, dont l'entrée est bordée d'une avenue de citronniers verts, date du XIIIᵉ siècle. Pour voir la tombe de Shakespeare, dirigez-vous vers le chœur, reconstruit de 1465 à 1491 dans le style perpendiculaire, jusqu'à la tombe illuminée par les vitraux. Cette place privilégiée dans l'église n'est pas due aux talents littéraires du dramaturge mais plutôt à sa position de recteur laïque de Stratford. En 1623, Gerald Janse créa un buste en marbre du poète, que l'on peut voir sur le mur nord du sanctuaire, au-dessus des marches de l'autel. Dans le chœur, on trouve également la tombe d'Anne Hathaway, l'épouse de Shakespeare, de leur fille Susanna et du mari de cette dernière, John Hall. Le registre paroissial fait état de la date de baptême du poète (1564) et de sa notice funéraire (1616).

Harvard House. High St. ☎ **01789/204507.** Entrée libre. Mars-oct. mar-sam. 10 h-16 h 30, dim. 10 h 30-16 h. Fermé le lundi.

Harvard House, la maison la plus décorée de Stratford, est un bel exemple de style élisabéthain. Reconstruite en 1596, elle fut la demeure de Katherine Rogers, mère de John Harvard, fondateur de Harvard College. En 1909, la demeure fut rachetée par un millionnaire de Chicago, Edward Morris, qui en fit don à la célèbre université américaine. Les pièces sont remplies de mobilier d'époque, et les sols sont en dalles locales. Repérez la Bible Chair, une chaise utilisée pour cacher la Bible à l'époque de la persécution Tudor.

VISITES GUIDÉES

Les visites guidées de Stratford-upon-Avon partent près du **Guide Friday Tourism Centre**, Civic Hall, Rother Street (☎ **01789/294466**). En été, des double-deckers (bus à impériale) découverts partent toutes les 15 mn de 9 h à 17 h 30, tous les jours (de 10 h à 15 h en hiver). On peut faire un tour de 1 heure sans arrêt, ou s'arrêter à une ou plusieurs des maisons du Shakespeare Trust. Bien que les arrêts soient clairement marqués le long du trajet historique, le point de départ le plus logique se fait devant le Pen & Parchment Pub, à Bridgefoot, en bas de Bridge Street. Les tickets sont valides toute la journée et permettent de monter et descendre du bus à tout moment. Ils coûtent 8 £ (adultes), 6,50 £ (personnes âgées et étudiants) et 2,50 £ (enfants de moins de 16 ans). Le ticket familial se vend à 18,50 £ (gratuit pour les enfants de moins de 5 ans).

✪ ASSISTER AUX PIÈCES DE THÉÂTRE

Situé sur les berges de l'Avon, le **Royal Shakespeare Theatre**, Waterside, Stratford-upon-Avon CV37 6BB (☎ **01789/295623**), sert de vitrine prestigieuse à la Royal Shakespeare Company. Capable d'accueillir 1 500 personnes, la troupe comprend certains des plus grands acteurs anglais. En moyenne, cinq pièces de Shakespeare sont jouées par saison. La saison 2000 commence le 8 mars et se termine le 5 octobre.

Il est généralement nécessaire de réserver. Deux périodes de réservation se succèdent, chacune ouvrant environ 2 mois à l'avance. On peut réserver par le biais d'une agence de voyages anglaise. Un petit nombre de billets est vendu le jour même de la représentation, mais vous ne serez pas sûr de trouver une bonne place. Les billets peuvent aussi s'acheter directement auprès du bureau de location du théâtre avec une carte de crédit. Le bureau de location est ouvert du lundi au samedi de 9 h à 20 h, mais ferme à 18 h les jours sans spectacle. Le prix des billets varie de 7 à 49 £. On peut réserver par carte de crédit et venir chercher les billets le jour de la pièce, mais il faut annuler au moins 2 semaines à l'avance pour se faire rembourser.

Inauguré en 1986, le **Swan Theatre** ressemble un peu à son grand frère, et partage le même bureau de location, la même adresse et le même numéro de téléphone. Il peut accueillir 430 spectateurs sur trois côtés de la scène, un peu comme cela se faisait à l'époque. Le Swan possède un répertoire d'environ cinq pièces par saison, avec des billets de 9 à 30 £.

Le dernier ajout en date au complexe du Royal Shakespeare est **The Other Place**, un petit théâtre minimaliste situé sur Southern Lane, à 300 m environ des autres. Il fut reconçu en 1996 comme un atelier théâtral expérimental sans scène permanente, avec des sièges amovibles. Parmi quelques récentes représentations, on peut citer une

« promenade » de *Jules César* dans laquelle les acteurs se déplaçaient librement parmi les spectateurs debout. Les billets se vendent au bureau de location principal et coûtent généralement de 12 à 21 £, sous réserve de modification.

Le Swan Theatre possède une **galerie de peinture** (☎ 01789/412602) rassemblant une collection de portraits d'acteurs célèbres et de scènes de pièces de Shakespeare, réalisés par des artistes des XVIIIe et XIXe siècles. La galerie accueille aussi de petites expositions temporaires et offre un service de visites commentées des théâtres. Les visites n'ont pas lieu tous les jours et dépendent de la programmation des pièces. Appelez à l'avance pour connaître les horaires. Ces visites, qui incluent un arrêt dans la boutique de souvenirs, coûtent 4 £ (adultes) et 3 £ (étudiants et personnes âgées).

SE LOGER

Pendant la longue saison théâtrale, il est préférable de réserver. Toutefois, le **Tourist Information Centre** (qui fait partie du service Book-a-Bed-Ahead permettant aux visiteurs de réserver) vous aidera à trouver un logement selon votre budget. Il vous en coûtera 10 % du prix de la première nuitée (tarif B&B uniquement), déductible de la note totale.

PRIX TRÈS ÉLEVÉS

✪ **Welcombe Hotel.** Warwick Rd., Stratford-upon-Avon, Warwickshire CV37 ONR. ☎ **01789/295252.** Fax 01789/414666. www.welcombe.co.uk. E-mail : sales@welcombe.co.uk. 68 chambres. TV. Tél. 175 £ la double, 250-295 £ la suite. Petit déjeuner anglais inclus. CB. Prendre la A439 sur 2,5 km vers le nord-est du centre-ville.

En matière d'hôtel haut de gamme historique, on ne fait pas mieux à Stratford. Occupant l'une des plus belles maisons de campagne jacobéennes d'Angleterre, cet hôtel se trouve à 10 mn en voiture du cœur de Stratford. Sa principale particularité est son golf de 18 trous. Ceint d'un parc de 63 ha, il est accessible par Warwick Road, par un chemin majestueux menant à l'entrée principale. Les hôtes se rassemblent pour le thé ou l'apéritif sur la terrasse arrière, entourée d'un jardin à l'italienne et de parterres de fleurs. Les salles sont immenses, dotées de hautes fenêtres à meneaux donnant sur le parc. Les chambres standard (dont certaines sont aussi vastes qu'un court de tennis) sont luxueusement meublées. Celles de l'aile côté jardin sont petites mais confortables. Quelques chambres disposent d'élégants lits à baldaquin et toutes ont des matelas et des draps de qualité. Les somptueuses salles de bains ont des peignoirs à monogramme, le téléphone et de jolis articles de toilette.

Restauration : le restaurant de l'hôtel propose un mélange traditionnel de plats français et anglais, mais la cuisine n'est pas son atout essentiel.

Agréments : room service 24/24 h, service blanchisserie et pressing, baby-sitting, voiture à la disposition des clients, terrain de golf 18 trous de 5 600 m, courts de tennis, green.

PRIX ÉLEVÉS

Alveston Manor Hotel. Clopton Bridge, Stratford-upon-Avon, Warwickshire CV37 7HP. ☎ **800/225-5843** ou 01789/204581. Fax 01789/414095. www.stratforduponavon.co.uk/alveston.htm. 114 chambres. TV. Tél. 140-160 £ la double, 180-240 £ la suite. CB.

Ce manoir Tudor, situé à 2 mn à pied de l'Avon à la sortie de la B4066, sied parfaitement aux amateurs de théâtre. L'*Alveston* est l'une des adresses les plus pittoresques du centre-ville. Il regorge de cheminées et de pignons, et recèle un belvédère élisabéthain ainsi que des fenêtres « Queen Ann ». Mentionné dans le *Domesday Book* (recueil cadastral établi au XIe siècle), le bâtiment est antérieur à l'arrivée de Guillaume le

Impressions

J'étais fier, tout de même, d'avoir vu les cendres de Shakespeare.

- Washington Irving, *The Sketch Book*, (1820).

Conquérant. Les chambres du manoir raviront ceux qui savent apprécier le charme désuet des sols inclinés, des poutres apparentes et des meubles antiques. Certaines chambres triples ou quadruples sont disponibles dans la partie moderne, reliée au manoir par un chemin couvert traversant le jardin arrière. Là, les chambres ont des placards encastrés et un décor en tons assortis : 15 d'entre elles sont non fumeur. Votre avis sur l'hôtel dépendra entièrement de la chambre qu'on vous aura assignée : grand luxe dans les chambres d'origine garnies de meubles en noyer importés, ou confort standard dans les doubles ordinaires sans grand charme. Chaque chambre, toutefois, est équipée de bons matelas et d'une salle de bains avec baignoire et douche. Les salons se trouvent dans le manoir ; on y jouit d'une vue sur l'arbre ancestral qui domine le jardin (jardin qui aurait servi de décor à la première représentation du *Songe d'une nuit d'été*). Un feu ronronne dans la cheminée Tudor du salon principal, tapissé d'étoffe pliée.

Restauration : les repas sont servis sous les poutres, les verres cathédrale et l'éclairage tamisé du **Manor Grill**.. Ne vous attendez cependant pas à un restaurant intime et raffiné (des cars touristiques s'y arrêtent). Mais le bar, lambrissé de chêne du XVIe siècle, ne ferme jamais et constitue l'un des meilleurs endroits de Stratford pour prendre un verre.

Agréments : *room service* 24/24 h, concierge, blanchisserie, salle de conférence. À proximité, on trouve un centre de remise en forme et un service de massage (payants).

Stratford Moat House. Bridgefoot, Stratford-upon-Avon, Warwickshire CV37 6YR. ☎ **01789/279988.** Fax 01789/298589. 251 chambres. TV. Tél. 120 £-140 £ la double. CB.

Moat House domine 2 ha de pelouses parfaitement entretenues au bord de l'Avon, près de Clopton Bridge. Bien qu'il n'ait pas le charme de l'Alveston Manor, cet hôtel moderne est aussi bien classé que le *Welcombe*. Construit au début des années 70 et rénové en 1995, c'est l'un des établissements phares de la chaîne d'hôtels anglaise *Queens Moat Houses*. L'hôtel, qui accueille de nombreuses conférences, est rarement vide. Les chambres de taille moyenne sont d'un très grand confort, et les salles de bains sont très bien équipées.

Restauration : le restaurant propose une carte anglaise et continentale standard, ainsi que des plats de viande découpée à table. Vous pourrez prendre un verre au *Tavern Pub* et au *Terrace Nightspot*, une discothèque ouverte le vendredi et le samedi de 22 h à 2 h. L'entrée s'élève à 2,50 £ après 22 h 30.

Agréments : *room service* 24/24 h, blanchisserie et centre de loisirs avec piscine.

PRIX MOYENS

The Arden Thistle Hotel. 44 Waterside, Stratford-upon-Avon, Warwickshire CV37 6BA. ☎ **01789/294949.** Fax 01789/415874. www.stratforduponavon.uk.ardenhtm. E-mail : stratford.uponavon@thistle.co.uk. 63 chambres. TV. Tél. 122 £ la double. CB.

Cet hôtel situé en face de l'entrée principale des théâtres Royal Shakespeare et Swan attire tous les férus de théâtre. La chaîne Thistle a entièrement rénové l'intérieur de l'Arden, acquis en 1993. Le corps principal en briques rouges date de la Régence anglaise, mais plusieurs annexes ont été ajoutées ultérieurement, ainsi qu'une aile moderne sans grand charme. Aujourd'hui, l'intérieur comprend un salon et un bar capitonnés, une salle à manger munie de *bow-windows,* une terrasse couverte et d'étroites mais confortables chambres dotées de presses à pantalon et de services à thé ou café. En dépit de leur petite taille, les chambres ont un coin salon avec fauteuils et tables rondes, des lits jumeaux (la plupart du temps) et des matelas fermes. Certaines sont dotées d'un lit à baldaquin. Les salles de bains, petites mais correctes, sont équipées d'une baignoire/douche et d'un sèche-cheveux. Le restaurant propose des plats continentaux et anglais, qui n'ont rien d'extraordinaire.

Dukes. Payton St., Stratford-upon-Avon, Warwickshire CV37 6UA. ☎ **01789/269300.** Fax 01789/414700. www.astanet.com/get/dukeshtl. 22 chambres. TV. Tél. 69,50-100 £ la double. Petit déjeuner anglais inclus. CB.

Situé au nord de Guild Street au centre de Stratford, ce petit hôtel de charme est le produit de la réunion et de la restauration de deux maisons géorgiennes. C'est une bonne adresse pour échapper aux foules qui envahissent d'autres hôtels, comme le *Falcon.* L'établissement familial dispose d'un grand jardin et se trouve à proximité de la maison natale de Shakespeare. Les salles et les chambres sont jolies et particulièrement accueillantes et confortables. Les meubles de goût sont d'époque, pour la plupart. Les chambres petites à moyennes sont régulièrement rénovées et restent haut de gamme ; elles sont dotées de matelas fermes, de services à café et de salles de bains bien équipées. *Dukes* sert aussi une bonne cuisine anglaise et continentale. Les enfants de moins de 12 ans ne sont pas acceptés dans l'hôtel. Malgré ses prix raisonnables (du moins pour l'Angleterre), l'hôtel propose la plupart des services que l'on trouverait dans un établissement plus cher : *room service,* concierge, blanchisserie et pressing.

Falcon. Chapel St., Stratford-upon-Avon, Warwickshire CV37 6HA. ☎ **01789/279953.** Fax 01789/414260. 84 chambres. TV. Tél. 110 £ la double, 130 £ la suite. CB.

Le *Falcon* conjugue le très vieux et le très neuf. L'auberge en bois noir et blanc a été habilitée un quart de siècle après la mort de Shakespeare. Une annexe dépourvue de charme, et reliée à l'hôtel par un passage vitré, a été ajoutée en 1970. Située en plein cœur de Stratford, l'auberge fait face à la Guild Chapel et aux jardins de New Place. On arrive par l'arrière pour décharger les bagages, tout comme les diligences d'antan déchargeaient leurs passagers. Les chambres récemment améliorées de la partie ancienne ont des poutres, des verres cathédrale, quelques antiquités de bonnes reproductions, ainsi que la radio, des presses à pantalon électriques et des services à café, mais ne sont pas suffisamment insonorisées. Les lits se distinguent par leurs têtes de lit sculptées et leur matelas fermes. Les salles de bains n'ont rien d'exceptionnel ; certaines ont un sol en lino brun et un revêtement de baignoire en plastique.

Les salons confortables, récemment rénovés, font partie des plus raffinés des Middlands. Dans l'intime *Merlin Lounge,* on trouve une cheminée avec une hotte en cuivre, où des feux sont préparés sous des poutres issues d'anciens navires (les murs offrent un bon exemple de clayonnage enduit de torchis, typique de l'époque de Shakespeare). L'*Oak Bar* est une forêt de poutres élimées, et chaque côté de la cheminée est lambrissé de panneaux provenant de la dernière maison du poète, New Place. La plupart des repas sont à la carte, à moins que vous n'optiez pour les assiettes garnies proposées au bar.

Grosvenor House Hotel. 12-14 Warwick Rd., Stratford-upon-Avon, Warwickshire, CV 37 6YT. ☎ **01789/269213.** Fax 01789/266087. 67 chambres. TV. Tél. 85 £ la double. CB.

Deux demeures géorgiennes, construites en 1832 et 1843 respectivement, ont été réunies pour former cet hôtel de deuxième catégorie, de même standing que le *Dukes*

Stratford-upon-Avon

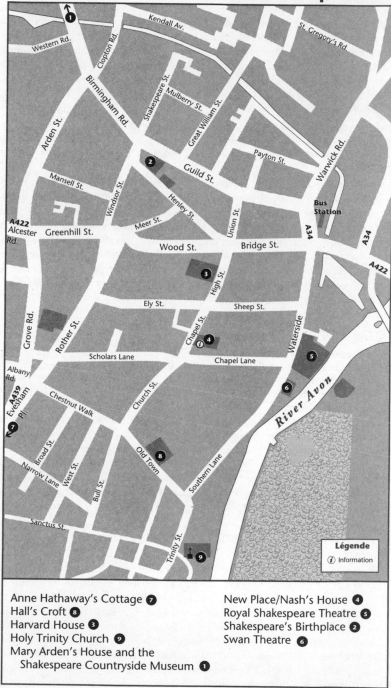

Anne Hathaway's Cottage **7**
Hall's Croft **8**
Harvard House **3**
Holy Trinity Church **9**
Mary Arden's House and the
  Shakespeare Countryside Museum **1**

New Place/Nash's House **4**
Royal Shakespeare Theatre **5**
Shakespeare's Birthplace **2**
Swan Theatre **6**

351

ou l'*Arden Thistle.* Situé au centre de la ville, et ceint de pelouses et de jardins, il n'est qu'à quelques pas de l'intersection de Bridge Street et Waterside, ce qui permet un accès facile à l'Avon, aux Bancroft Gardens et au Royal Shakespeare Theatre. Toutes les chambres petites à moyennes ont des presses à pantalon et des matelas fermes, ainsi que des services à thé ou café. Les petites salles de bains sont bien tenues et correctement équipées. Le bar convivial (ouvert jusqu'à minuit) et la terrasse invitent à se détendre avant ou après le repas pris dans le grand restaurant, dont les immenses fenêtres donnent sur le jardin.

White Swan. Rother St., Stratford-upon-Avon, Warwickshire CV37 6NH. ☎ **01789/297022.** Fax 01789/268773. 41 chambres. TV. Tél. 90 £ la double, 110 £ la suite. Gratuit pour les enfants de moins de 17 ans dans la chambre des parents. Petit déjeuner anglais compris. CB.

Cet hôtel intime et « cosy » est le plus ancien bâtiment de Stratford, d'où son inégalable cachet. En activité depuis plus d'un siècle avant l'existence de Shakespeare, il rivalise sans peine avec le *Falcon* pour son atmosphère désuète. La façade médiévale à pignons ne produirait guère d'effet sur le dramaturge, mais l'intérieur tout confort aurait de quoi le surprendre, même si un grand nombre des chambres ont été préservées. Des tableaux de 1550 ornent les murs du salon. Toutes les chambres sont très bien équipées : radio, presse à pantalon, service à café et matelas ferme. Les salles de bains sont petites mais bien aménagées, avec baignoire/douche et sèche-cheveux. L'hôtellerie renferme un restaurant spacieux qui sert une bonne cuisine. Le bar orné de poutres en chêne est un lieu de rendez-vous populaire (voir « Pubs », plus bas).

PETITS PRIX

Sequoia House. 51-53 Shipston Rd., Stratford-upon-Avon, Warwickshire CV37 7LN. ☎ **01789/268852.** Fax 01789/414559. www.stratford-upon-avon.co.uk/sequoia.htm. E-mail : infor@sequoiahotel.co.uk. 24 chambres (dont 20 avec baignoire ou douche). TV. Tél. 65-75 £ la double sans salle de bains, 75-82,50 £ la double avec salle de bains. Petit déjeuner anglais inclus. CB.

Cet hôtel privé possède un ravissant jardin de l'autre côté de l'Avon, en face du théâtre et non loin des principaux sites shakespeariens. Les travaux de rénovation ont beaucoup amélioré l'établissement, qui se compose de deux bâtiments de la fin du XIXe siècle. Les chambres sont de taille variable et régulièrement rénovées. Elles sont dotées de bons lits et joliment décorées. Les salles de bains sont petites : 7 ont une baignoire/douche, les autres une cabine de douche. Les clients se rassemblent dans un salon doté d'un bar et d'une cheminée ancienne.

✪ **Stratheden Hotel.** 5 Chapel St., Stratford-upon-Avon, Warwickshire CV37 6EP. ☎ **01789/297119.** Fax 01789/297119. 9 chambres. TV. Tél. 60-66 £ la double. Petit déjeuner anglais inclus. CB.

Situé non loin du Royal Shakespeare Theatre, cet hôtel bâti sur un terrain mentionné dans un acte de propriété de 1333 occupe une situation privilégiée. Construit en 1673, il est l'unique survivant des bâtiments de brique du centre-ville. Il possède un petit jardin arrière et des chambres mansardées au dernier étage. Tenu par la famille Wells depuis un quart de siècle, il vient de bénéficier d'un nouveau coup de jeune, sous la forme de peinture fraîche, de rideaux neufs et de bons lits. Des services à thé ou à café vous permettront de vous désaltérer à n'importe quel moment de la journée ou de la nuit. Les chambres petites à moyennes ont des lits confortables et une petite salle de bains équipée d'un sèche-cheveux. Trois chambres ont une baignoire, les autres une douche. La salle à manger, avec sa *bow-window,* renferme un énorme buffet ayant jadis appartenu à Marie Corelli, une excentrique romancière, poète et mystique très appréciée de la reine Victoria. Corelli avait la passion des décors et des objets d'art champêtres, comme en témoigne le lit à baldaquin en acajou massif de la chambre n° 4.

SE RESTAURER

PRIX MOYENS

The Box Tree Restaurant. Dans le bâtiment du Royal Shakespeare Theatre, Waterside. ☎ **01789/293226.** Réservation indispensable. Déjeuner « matinée » 16,50 £, dîner 25,50-28 £. CB. Jeu-sam. 12 h-14 h 30, lun-sam. 17 h 45-24 h. FRANÇAIS/ITALIEN/ANGLAIS.

Ce restaurant jouit de la meilleure situation de la ville – au sein même du théâtre –, et ses cloisons de verre offrent une vue panoramique sur les cygnes de l'Avon. À l'entracte, on peut prendre un snack de saumon fumé et champagne, ou bien dîner aux chandelles après le spectacle. De nombreuses entrées, telle la soupe de pomme et de panais, sont résolument vieille Angleterre ; d'autres, plus continentales, incluent une polenta frite avec filets de pigeon et bacon. Pour le plat principal, choisissez entre la sole, le salami de sanglier, le faisan ou le filet de porc rôti. Les desserts maison comprennent généralement une crème brûlée, la grande spécialité du *Box Tree*. Dans le foyer, vous trouverez un téléphone spécialement conçu pour les réservations.

Greek Connection. 1 Shakespeare St. ☎ **01789/292214.** Réservation conseillée. Plats principaux 8,50-17,50 £. CB. Tous les jours 17 h 30-22 h 30. GREC/INTERNATIONAL.

Situé au cœur de Stratford, à 3 mn à pied de la maison natale de Shakespeare, *Greek Connection* occupe les salles voûtées de ce qui fut une chapelle méthodiste datant de 1854, puis un musée de l'automobile. Le restaurant sert une cuisine grecque authentique, accompagnée tous les soirs de musique et de danses grecques. Les chefs Spiros et George servent une variété de plats grecs et internationaux, à la carte. Leur moussaka est divine : couches alternées de viande fraîchement hachée et épicée, d'aubergine, de courgettes et de pommes de terre en rondelles, le tout surmonté d'une onctueuse béchamel qui gonfle à la cuisson (la version végétarienne existe aussi). L'agneau, le porc et le poulet sont grillés à la cuisine, au feu de bois. Les entrées vont des feuilles de vigne farcies au célèbre *avgolemono* (soupe de poulet et de riz liée aux œufs et aromatisée au citron). Beaucoup optent pour la *mezedakia*, un assortiment de hors-d'œuvre grecs. Le samedi soir, après le dîner, les tables sont repoussées pour laisser la place à une piste de danse.

PETITS PRIX

✪ **Hussain's.** 6A Chapel St. (en face du Shakespeare Hotel et de la maison historique New Place). ☎ **01789/267506.** Réservation conseillée. Plats principaux 5,95-11,50 £. CB. Tous les jours 12 h 30-14 h 30 et 17 h-24 h. INDIEN.

Évoquant une maison particulière indienne, ce restaurant compte beaucoup d'admirateurs et, d'après certains, illuminerait le paysage culinaire quelque peu terne de Stratford. Le propriétaire a choisi un personnel alerte, aimable et compétent. On a le choix entre divers tandooris de l'Inde du Nord et plusieurs currys d'agneau ou de crevettes. Il y a un menu déjeuner (3 plats) de 12 h 30 à 14 h 30 à 5,95 £, ainsi qu'un menu dîner et un menu « après théâtre ».

The Opposition. 13 Sheep St. ☎ **01789/269980.** Réservation conseillée. Plats principaux 5,95-19,95 £. CB. Tous les jours 12 h-14 h et 17 h 30-23 h. INTERNATIONAL.

Situé en plein centre de Stratford dans un édifice du XVIᵉ siècle, cet établissement sans prétention attire une clientèle nombreuse et fidèle grâce à ses bons petits plats et ses prix raisonnables. On trouve notamment du poulet farci à la mangue et au curry avec des épinards, ou du poulet cajun, du saumon grillé ou poché servi avec une sauce hollandaise et de l'aloyau ou du filet de bœuf grillé. Si vous vous demandez ce qu'est la *Banoffi pie* (une spécialité de la maison), sachez qu'elle est faite de *toffee* (caramel), de banane, de biscuits et de crème fouettée.

PUBS

The Black Swan (« The Dirty Duck »). Waterside. ☎ **01789/297312.** Réservation indispensable pour le dîner. Plats principaux 7-12 £, snacks 3,50-7,25 £. CB (restaurant uniquement). Pub lun-sam. 11 h-23 h, dim. 12 h-22 h 30. Restaurant mar-dim. 12 h-14 h, lun-sam. 18 h-23 h 30. ANGLAIS.

Affectueusement surnommé le *Dirty Duck* (canard sale), ce pub est populaire depuis le XVIIIᵉ siècle. Le mur est tapissé de photos signées de clients célèbres, comme Laurence Olivier. La salle de devant et le bar sont propices à la conversation ; au printemps et à l'automne, un feu réchauffe l'atmosphère. La *Grill Room* propose des grillades typiquement anglaises, ainsi qu'une dizaine d'entrées très copieuses. Les plats principaux incluent de la *goose pie* (tourte à l'oie), du poulet rôti ou du canard au miel. L'été, on peut prendre un verre dans le jardin et regarder les cygnes glisser sur l'Avon.

The Garrick Inn. 25 High St. ☎ **01789/292186.** Plats principaux 5-10 £, CB. Repas tous les jours 12 h-20 h 30. Pub lun-sam. 11 h-23 h, dim. 12 h-22 h 30. ANGLAIS.

Près de Harvard House, ce pub élisabéthain noir et blanc datant de 1595 se distingue par son charme discret. Le bar de devant est décoré de banquettes en tapisserie, d'une vieille table de réfectoire en chêne et d'une cheminée autour de laquelle se retrouvent les habitués. Le bar du fond dispose d'une cheminée circulaire avec hotte en cuivre et de souvenirs de théâtre. Les tourtes maison (à base de viande) sont la spécialité.

White Swan. À l'intérieur du White Swan Hotel, Rother St. ☎ **01789/297002.** Réservation conseillée pour le dîner. Snacks 2-6 £, menu dîner (3 plats) 16,95 £. CB. Café matinal tous les jours 10 h-12 h, snacks au bar self-service tous les jours 12 h 30-14 h, thé tous les jours 14 h-17 h 30, dîner lun-jeu. 18 h-21 h, ven-sam. 18 h-21 h 30, dim. 19 h-21 h. ANGLAIS.

Occupant le plus ancien bâtiment de la ville, ce pub est l'un des plus agréables de Stratford. À peine entré, vous voici projeté dans un univers de fauteuils en cuir capitonnés, de veilles banquettes en chêne, de lambris et de cheminées. Shakespeare lui-même le fréquentait, du temps où l'établissement s'appelait le *Kings Head*. Pour le déjeuner, vous trouverez des plats du jour, ainsi que des salades et des sandwiches.

6 Salisbury et Stonehenge

145 km au sud-ouest de Londres

Fidèle aux toiles de Constable, la flèche de la cathédrale de Salisbury se détache à l'horizon bien avant que l'entrée de la ville ne soit en vue. Cette flèche de 123 m, de style gothique primitif anglais, est la plus haute d'Angleterre. Salisbury, ou New Sarum, repose dans la vallée de l'Avon, et constitue un bon point de départ pour des excursions comme Stonehenge. Remplie d'auberges et de salons de thé Tudor, la petite ville a servi de modèle à Melchester, de Thomas Hardy, et à Barchester, d'Anthony Trollope.

Aujourd'hui, Salisbury n'est souvent considéré que comme une halte ou une escale par les visiteurs impatients de visiter Stonehenge. Or, ce bourg ancien est une destination à part entière. L'autre motif pour lequel les touristes passent par l'unique véritable ville du Wiltshire est que son nombre de pubs par habitant est le plus élevé du pays.

INFORMATIONS PRATIQUES

COMMENT S'Y RENDRE   Un train **Network Express** part toutes les heures de la gare Waterloo à Londres pour Salisbury (durée du trajet : 2 h). Pour tout renseignement, appelez le ☎ **0345/484950** ou le 01603/764776.

Cinq bus **National Express** par jour partent de Londres du lundi au vendredi. Les samedi et dimanche, 4 bus relient la gare Victoria à Salisbury (durée du trajet : 2 h 30). Pour tout renseignement, composez le ☎ **0990/808080**.

En voiture depuis Londres, prenez la M3 jusqu'au bout vers l'ouest, puis poursuivez par la A30.

INFORMATIONS TOURISTIQUES   Le **Tourist Information Centre** se trouve à Fish Row (☎ **01722/334956**, fax 01722/422059). D'octobre à avril, il est ouvert du lundi au samedi de 9 h 30 à 17 h, en mai du lundi au samedi de 9 h 30 à 17 h et le dimanche de 10 h 30 à 16 h 30, en juin et septembre du lundi au samedi de 9 h 30 à 18 h et le dimanche de 10 h 30 à 16 h 30, et en juillet et août du lundi au samedi de 9 h 30 à 19 h, le dimanche de 10 h 30 à 17 h.

VISITER LES SITES

✪ **Salisbury Cathedral.** The Close. ☎ **01722/555120.** Donation suggérée de 3 £. Mai-août tous les jours 9 h-20 h 15, sept-avr. tous les jours 9 h-18 h 15.

Vous aurez beau chercher dans tout le pays, vous ne trouverez pas plus bel exemple de style gothique primitif anglais que la cathédrale de Salisbury. Sa construction débuta en 1220 et se termina 38 ans plus tard, ce qui est relativement rapide à une époque où les cathédrales se bâtissaient en plus d'un siècle. Malgré une rénovation inappropriée réalisée au XVIIIe siècle, l'intégralité de la cathédrale demeure.

La belle salle capitulaire octogonale, du XIIIe siècle, renferme l'un des quatre textes restants de la *Magna Carta* (grande charte), ainsi que des trésors du diocèse de Salisbury et des manuscrits et objets appartenant à la cathédrale. Les cloîtres ajoutent à la beauté de la cathédrale, et son enclos exceptionnellement vaste, comprenant au moins 75 bâtiments, la mettent parfaitement en valeur.

✪ **Wilton House.** À 5 km à l'ouest de Salisbury sur la A30. ☎ **01722/746729.** Entrée 6,75 £ (adultes), 4 £ (enfants de 5 à 15 ans), gratuit pour les moins de 5 ans. Pâques-oct. tous les jours 10 h 30-17 h 30. Dernière entrée 16 h 30.

La ville de Wilton abrite l'un des grands domaines provinciaux du pays, qu'habitent les comtes de Pembroke. Wilton House date du XVIe siècle, mais elle est surtout réputée pour ses salles du XVIIe siècle, réalisées par l'illustre architecte Inigo Jones. Maintes célébrités y ont vécu ou séjourné ; on dit même que la troupe de Shakespeare s'y produisit. Les préparations du débarquement en Normandie eurent lieu ici, sous la direction d'Eisenhower et de ses conseillers, avec pour seuls témoins les tableaux de Van Dyck ornant la *Double Cube Room*.

La demeure est remplie de meubles parfaitement bien conservés et d'œuvres d'art de grande valeur, dont des toiles de Van Dyck, de Rubens, de Brueghel et de Reynold Un film dynamique présenté et commenté par Anna Massey relate l'histoire de famille depuis 1544, date à laquelle Henri VIII leur octroya le terrain. On peut en visiter une reconstitution de cuisine Tudor et une buanderie victorienne, ainsi que *The Wareham Bears,* une collection de 200 ours en peluche miniatures.

Le parc de 8,5 ha abrite des cèdres du Liban géants, dont les plus vieux furent plantés en 1630. Le Palladian Bridge est un pont qui fut construit en 1737 par le neuvième comte de Pembroke et Roger Morris. Le parc renferme également une roseraie et un jardin aquatique, ainsi que des sentiers traversant bois et rivière et un immense terrain de jeux pour enfants.

✪ Stonehenge. Au croisement de la A303 et de la A344/A360. ☎ **01980/624715.** Entrée 4 £ (adultes), 3 £ (étudiants et personnes âgées), 2 £ (enfants). Ticket familial 10 £. 16 mars-mai et sept-15 oct. tous les jours 9 h 30-18 h, juin-août tous les jours 9 h-19 h, 16 oct-15 mars tous les jours 9 h 30-16 h. Bus : Stonehenge.

À 3 km à l'ouest d'Amesbury et à 14 km environ au nord de Salisbury repose le célèbre site de Stonehenge, que l'on pense être âgé de 3 500 à 5 000 ans. Cet immense cercle de trilithes et de mégalithes forme le monument préhistorique le plus important de Grande-Bretagne. Si l'on ressent une légère déception devant ce regroupement de pierres entourées d'une clôture, il faut se souvenir qu'une grande partie d'entre elles, en particulier les *bluestones* (pierres bleues), ont été extraites et déplacées de sites aussi éloignés que le sud du pays de Galles, à une époque bien antérieure aux chariots élévateurs, aux camions et à la dynamite.

L'opinion partagée par les Romantiques des XVIIIᵉ et XIXᵉ siècles selon laquelle Stonehenge aurait été créé par les druides est sans fondement. Les blocs de pierre, en effet, dont certains font plusieurs tonnes, seraient antérieurs à l'arrivée des Celtes en Grande-Bretagne. Des fouilles récentes continuent à étayer les hypothèses qui entourent l'origine et la fonction de Stonehenge. D'après Gerald S. Hawkins et John B. White, auteurs de *Stonehenge Decoded,* le site aurait été un observatoire astronomique, c'est-à-dire une « machine à calculer » néolithique capable de prévoir les éclipses.

Le billet permet de franchir la clôture qui entoure le site afin de le protéger des vandales et des amateurs de souvenirs. Un sentier modulaire a été installé pour traverser l'artère principale du site, qui relie le *Heel Stone* (pierre du Talon) au cercle de pierres. Cela permet au visiteur de suivre un circuit complet des pierres et de bénéficier d'une des meilleures vues sur un secteur achevé de Stonehenge. Cela complète parfaitement la visite guidée audio mise en place en 1995.

SE LOGER

PRIX MOYENS

✪ Grasmere House. 70 Harnham Rd., Salisbury, Wiltshire SP2 8JN. ☎ **01722/338388.** Fax 01722/333710. 20 chambres. TV. Tél. 95-125 £ la double. Petit déjeuner anglais inclus. CB. Depuis le centre-ville, prendre la A3094 sur 2,5 km.

Grasmere se trouve près du confluent de la Nadder et de l'Avon, sur un terrain de 6 000 m². Construite en 1896 pour des marchands de Salisbury, la demeure ressemble encore à une maison de famille. De nombreux objets ont été conservés, notamment une boîte pour appeler les domestiques, dans la salle à manger. Trois chambres de luxe donnent sur la cathédrale, ainsi que le récent bar aménagé dans un jardin d'hiver. La demeure d'origine compte 4 chambres, les autres se trouvent dans la nouvelle aile. La plupart des chambres sont spacieuses, et 2 ont été aménagées pour les personnes handicapées. Chacune est dotée d'un matelas ferme, d'un service à café et d'une presse à ʳantalon. Les salles de bains sont petites mais bien arrangées, avec sèche-cheveux. ʰôtel a également un restaurant, apprécié des clients et de la population locale. Les ⁿks sont leur spécialité, qu'ils soient flambés ou au poivre.

La région de Salisbury

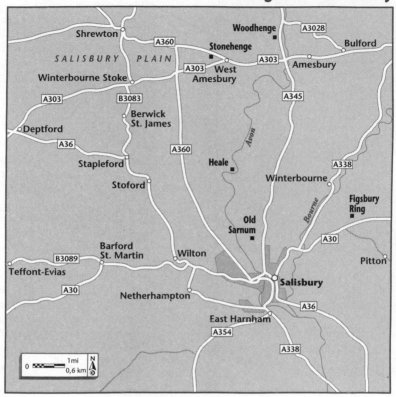

○ The Rose and Crown. Harnham Rd., Salisbury, Wiltshire SP2 8JQ. ☎ **01722/399955.** Fax 01722/339816. 28 chambres. TV. Tél. 135-145 £ la double, 160-165 £ la suite. CB. Depuis le centre-ville, prendre la A3094 sur 2,5 km.

Cette auberge à colombage du XIIIᵉ siècle se trouve tout au bord de l'Avon ; du fait de sa situation plus calme, nous la préférons au *White Hart* ou au *Red Lion*. De l'autre côté de la rivière, on aperçoit la flèche de la cathédrale, et l'on peut rejoindre le centre de Salisbury en 10 mn à pied environ, en passant sous le pont de pierre. Les pelouses et les jardins entre l'hôtel et la rivière sont ombragés par de vieux arbres, et des chaises ont été installées afin qui vous puissiez apprécier la vue et compter les cygnes. L'hôtel, qui fait partie de la chaîne *Queens Moat House Hotels,* dispose d'une aile ancienne et d'une annexe récente. L'aile ancienne a plus de cachet, avec ses pans mansardés et ses cheminées et meubles antiques. Chaque chambre possède la radio, un service à café, un matelas ferme et une presse à pantalon. Certaines ont un lit à baldaquin. Les chambres plus récentes ont un mobilier ordinaire. Les salles de bains sont petites et bien équipées. On peut prendre un repas anglais en admirant la rivière. De l'autre côté de la cour, deux tavernes vous attendent ; l'une et l'autre sont dotées de poutres en chêne et de cheminées. L'hôtel propose des services de room service et de blanchisserie.

White Hart. 1 St. John St., Salisbury, Wiltshire SP1 2SD. ☎ **01722/32747** 01722/412761. 68 chambres. TV. Tél. 107-136 £ la double. CB.

Conjuguant le meilleur du neuf et de l'ancien, le *White Hart* conserve sa réputation depuis l'époque géorgienne. Sa façade classique, dont les hautes colonnes couronnent une effigie grandeur nature de cerf (*hart* veut dire « cerf »), est intacte. Les chambres anciennes sont plus traditionnelles, et une annexe récente, dotée de chambres modernes mais sans caractère, a été aménagée à l'arrière, devant un grand parking. Les chambres sont de taille variable et beaucoup sont meublées façon maison de campagne anglaise, à la Laura Ashley. Les plus agréables sont les trois chambres dotées d'un lit à baldaquin. Toutes, cependant, ont des matelas fermes et un mobilier de bon goût. Les petites salles de bains sont ordonnées et bien équipées. L'hôtel a été entièrement rénové en 1995. On peut prendre l'apéritif au *White Hart*, puis le dîner au *White Hart Restaurant*, pour 10 à 17 £.

PETITS PRIX

✪ **The New Inn & Old House.** 39-47 New St., Salisbury, Wiltshire SP1 2PH. ☎ **01722/327679.** 7 chambres. TV. 49,50-69,50 £ la double. Petit déjeuner inclus. CB. Parking gratuit.

En dépit de son nom, ce B&B haut de gamme, l'un des meilleurs de Salisbury, n'a rien de neuf. C'est un bâtiment du XVe siècle doté d'un jardin muré qui s'étend jusqu'au Cathedral Close Wall. Ses chambres ornées de poutres sont bien aménagées et évoquent le temps jadis. Petites mais confortables, elles sont toutes dotées d'un bon lit. Les petites salles de bains ont de vieilles tuyauteries qui fonctionnent encore à merveille. Le centre de l'auberge est occupé par le bar, adjacent à trois pièces extérieures : un petit salon, une taverne meublée de banquettes à haut dossier et d'une cheminée et un grand salon. Le restaurant sert des plats à prix raisonnables. Juste à côté du bâtiment principal se trouvent un bar-café et une boutique de cadeaux. Ce B&B fut le premier établissement non fumeur du pays.

SE RESTAURER

Les meilleurs restaurants ne se trouvent pas dans l'enceinte de Salisbury mais dans ses environs : le *Silver Plough* à Pitton (voir plus bas) ou le *Howard's House* à Teffont Evias.

Harper's Restaurant. 7-9 Ox Row, Market Sq. ☎**01722/333118.** Réservation conseillée. Plats principaux 5,90-12,50 £, menu déjeuner (2 plats) 7 £, menu dîner 8,50 £. CB. Lun-sam. 12 h-14 h et 18 h-21 h 30 (sam. jusqu'à 22 h), dim. 18 h-21 h. Fermé dim. oct-mai. ANGLAIS/INTERNATIONAL.

Le propriétaire/chef cuisinier de cet établissement se targue de servir de la « vraie cuisine », c'est-à-dire une cuisine maison, simple et saine. Le restaurant joliment décoré se trouve à l'étage d'un bâtiment de brique à l'arrière du plus grand parking de Salisbury, au centre-ville. Les plats de résistance varient du canard de Barbarie rôti servi sur un confit de vin rouge et de prune au gingembre et à la badiane, au diavolo de pâtes végétarien en passant par le saumon poché nappé de sauce hollandaise au citron et à la ciboulette. Terminez par une mousse au chocolat. Dans cette région considérée comme un désert gastronomique, ce restaurant sort de l'ordinaire.

Salisbury Haunch of Venison. 1 Minster St. ☎**01722/32204.** Plats principaux 9-12 £, assiettes déjeuner, dîner léger et snacks 4-6 £ au bar. CB. Restaurant tous les jours 12 h-14 h 30, lun-sam. 19 h-21 h 30. Pub lun-sam. 11 h-23 h et dim. 19 h-23 h. Fermé Noël et à Pâques. ANGLAIS.

...é en plein cœur de Salisbury, ce restaurant à colombage de 1320 sert une excel-...cuisine. Ses spécialités de rôtis et grillades ne vous décevront pas. Vous pouvez ...ncer, par exemple, par une salade chaude de saucisses de venaison aux croûtons à l'ail, puis continuer par la spécialité de la maison : le cuissot de venaison rôti à l'ail et au baies de genièvre. Parmi les autres plats anglais traditionnels, citons le méli-mélo de poissons et crustacés ou les côtes d'agneau grillées au *bubble and squeak* (chou et pommes de terre). La patine des siècles a laissé son empreinte sur les meubles en chêne, et des années de polissage ont usé le cuivre. Un escalier tortueux mène à de confortables salons, dont l'un ne peut asseoir que quatre personnes. Deux des fenêtres du restaurant donnent sur les cloîtres de St. Thomas.

À PITTON

Silver Plough. White Hill, Pitton, près de Salisbury. ☎ **01722/712266.** Réservation conseillée. Plats principaux 6,95-11,95 £, assiettes du bar 3,50-8 £. CB. Restaurant tous les jours 12 h-14 h, lun-sam. 19 h-22 h. Pub lun-sam. 11 h-15 h et 18 h-23 h, dim. 12 h-15 h et 19 h-22 h 30. Fermé pour certains repas 25-26 déc. et 1er janv. Suivre la A30 sur 8 km à l'est de Salisbury : le restaurant est à l'extrémité sud du hameau de Pitton. ANGLAIS.

Occupant une ferme bâtie il y a 150 ans, le *Silver Plough* est aujourd'hui un charmant pub champêtre avec un restaurant spécialisé dans le poisson et le gibier. Aux poutres du plafond sont suspendues toutes sortes d'objets campagnards. Les snacks sont disponibles au bar. Dans la salle à manger, le chef prépare des plats tels que des gambas cuites dans du beurre d'ail et de citron, du magret de canard au poivre et à la sauce à l'orange et des noisettes d'agneau nappées de sauce à la menthe et au miel. Le *Silver Plough* a accueilli de nombreuses célébrités, mais hormis la lettre signée de la reine Victoria pour remercier les femmes d'Angleterre de leur témoignage de sympathie après la mort du roi Albert, la direction préfère s'en tenir à son ambiance bucolique et conviviale.

Repères culturels

Depuis l'arrivée de Tony Blair à la tête du gouvernement britannique, les touristes du monde entier se pressent à Londres. Le Millennium Dome (dôme du millénaire), dans la banlieue de Greenwich, n'est sans doute pas étranger à ce phénomène. Si bien qu'aujourd'hui plus que jamais Londres déborde de vie.

1 Une ville moderne

À l'instar de New York, Londres est désormais une ville très cosmopolite.

En apparence, la ville est peut-être moins « British » qu'autrefois, mais la tradition reste très vivace. Ainsi, les émissions du matin de la BBC sont encore consacrées à l'art du *tea time* ou de la culture des roses.

Certains critiques prétendent que la modernité de la Grande-Bretagne n'est qu'une façade, un vernis superficiel. Mais, si certaines modes actuelles sont à l'évidence vouées à une disparition prochaine, la mutation est, dans une large mesure, réelle.

Quoi qu'on en pense, l'arrivée du très charismatique Tony Blair à la tête du gouvernement britannique n'est pas étrangère à ce changement. La longue crise économique qu'a traversée l'Angleterre est en passe de se résorber. Aujourd'hui, Tony Blair dirige l'un des pays les mieux portants d'Europe sur le plan économique. Certaines industries culturelles, telles que la musique, les arts graphiques, le spectacle et le cinéma, connaissent un rayonnement mondial. En l'espace de quelques années, le pays est passé de la social-démocratie à l'économie de marché. Les privatisations se multiplient, les industries traditionnelles sur le déclin – comme la sidérurgie – laissent la place à de nouvelles entreprises plus florissantes.

Outre l'anglais pur et dur, les rues de la capitale retentissent d'une multitude de langues étrangères : l'espagnol, l'allemand, l'italien, le français et l'ourdou, la langue du Pakistan.

Même le très sérieux *New York Times Magazine* a fait récemment sa couverture avec une photo de la reine Victoria en train de verser une larme. Dans un article titré « La fin du Royaume-Uni », le journaliste Andrew Sullivan faisait l'observation suivante : « La Grande-Bretagne telle que nous la connaissions est en train de disparaître. L'Écosse et le pays de Galles font désormais cavaliers seuls, la Chambre des lords est de plus en plus contestée, la monarchie et la Constitution sont en train d'être réinventées, et la livre sterling risque d'être remplacée. »

Difficile d'imaginer un monde sans la livre sterling, non ? Jusqu'ici, la Grande-Bretagne s'est opposée à la mise en place de la monnaie européenne. Mais, sans l'euro, peut-elle encore espérer prétendre au titre de capitale financière de l'Europe ?

Il y a du changement dans l'air. Mais, à l'aube du XXIᵉ siècle, la Grande-Bretagne saura-t-elle résister à toutes ces évolutions ?

Au fond qu'importe, puisque Londres est aujourd'hui l'une des destinations les plus intéressantes d'Europe.

Tous ces changements sont en effet synonymes d'un regain de vitalité consécutif à plusieurs décennies de déclin. La plupart des Londoniens y sont favorables, quoique certains membres du Parti conservateur redoutent que leur pays devienne une sorte de Disneyland dans lequel la reine ne servirait qu'à divertir les clients !

La monarchie est le meilleur indicateur des évolutions de la société britannique. À la suite du décès de Diana, certains prédisaient l'abdication de la reine et le démantèlement de la monarchie. Mais le cinquantième anniversaire du mariage de la reine et du prince Philippe a fait l'objet d'une large couverture médiatique, et Charles a aujourd'hui acquis grâce à ses œuvres charitables la popularité qui lui manquait.

Pour ceux qui seraient tentés de comparer cette période aux folles années soixante, regardons de plus près les différences majeures entre les deux contextes. Si Londres est à nouveau ouverte et dynamique comme dans les années soixante, elle se veut plus prudente qu'auparavant, moins « folle », plus terre à terre. Bien que l'on en parle rarement dans la presse, le sida y est certainement pour quelque chose.

Ce qui rend la capitale anglaise si intéressante de nos jours, c'est la diversité des cultures qui y sont représentées. À l'heure actuelle, un cinquième de la population de Londres est constitué de minorités ethniques et, si les tendances se confirment, celles-là représenteront un tiers de la population londonienne d'ici 2010. Grâce à l'Eurostar, Londres est parfaitement accessible aux Européens. Aujourd'hui, il est tout à fait envisageable de faire l'aller-retour Paris-Londres dans la journée afin de faire des emplettes et de goûter à la cuisine britannique !

Il y a quelques ombres au tableau. D'abord, la circulation, toujours aussi difficile. Ensuite, la pollution, responsable d'un taux croissant d'asthme chez les enfants. Quant au taux de chômage, il est encore aujourd'hui beaucoup trop élevé, et les effets de la surpopulation (la tension raciale notamment) se font vivement ressentir.

Mais, tant que la Tamise continue de couler, que la reine reste installée sur son trône et que les *Beefeaters* gardent la Tour de Londres, tout va bien ! Chaque samedi soir, quelque 500 000 jeunes fréquentent les boîtes de nuit londoniennes, des milliers de pubs servent de la bière à flots, voire des repas exquis. Et, parfois, il fait même beau…

2 L'histoire

Chronologie

- **55 av. J.-C.** Jules César envahit l'Angleterre ; il débarque à proximité de l'emplacement actuel de Londres.
- **43 ap. J.-C.** Les armées romaines mettent les

Les Celtes, les Romains et le début du Moyen Âge

Les premières références à la ville de Londres datent de l'époque de l'occupation romaine, où les Romains s'emparent du nom celte « Llyn Din » et le latinisent pour créer le mot « Londinium ».

Les armées de Jules César envahissent l'Angleterre en 55 et en 54 av. J.-C. En 61 ap. J.-C., Londinium est déjà un port florissant. Cette même

Au printemps 1997, la reine Élisabeth II a créé l'événement en lançant le premier site Web royal officiel. Plus de 150 pages d'histoire, d'informations et de potins sur les Windsor et la monarchie britannique sont désormais disponibles en ligne sur **www.royal.gov.uk**.

année, lançant une attaque contre une partie de l'armée romaine, un groupe de tribus celtes menées par la reine Boadicée réussit à brûler le camp de Londinium. Impassibles, les Romains érigent un autre camp beaucoup plus vaste. Ils développent substantiellement la ville, laquelle n'a cependant pas encore le statut de capitale. Au IIᵉ siècle, les Romains construisent autour de Londres une énorme muraille ; on en aperçoit encore des vestiges.

Puis les Romains avancent vers le nord jusqu'à l'emplacement du mur d'Hadrien. Mais le peuple mécontent ne cesse de s'insurger et leur mène la vie dure. En 410, Rome est assiégée, et l'empereur Honorius ordonne à ses troupes de regagner leur pays, isolant l'Angleterre du reste de l'Europe pendant plusieurs siècles.

Entre-temps, le christianisme s'est imposé en Angleterre. Au VIIᵉ siècle, le premier évêque de Londres, Mellitus, construit une église en l'honneur de saint Paul. On érige des bâtiments dans l'anarchie la plus complète ; certains d'entre eux sont même construits en plein milieu des routes ! Les constructeurs ultérieurs étant souvent contraints de bâtir sur les mêmes emplacements que leurs ancêtres du Moyen Âge, la ville se retrouve divisée en quartiers, voire en enclaves privées.

Les Saxons, les Danois et les Vikings À partir de 449 environ, les Saxons et les Danois colonisent l'Angleterre. Le christianisme est renforcé ou interdit, selon les différents gouvernements. À une époque, à la suite du bannissement de l'évêque régnant, Mellitus, Londres devient même résolument païenne.

Sous le règne du premier roi saxon, Alfred le Grand, les Anglo-Saxons sont enfin à même de résister aux menaces constantes d'incursions de la part des Vikings. En 886, le roi Alfred renforce les fortifications londoniennes. Ayant nommé son gendre gouverneur de Londres, il continue de régner sur son royaume grandissant depuis la capitale de l'époque, Winchester. Pendant un siècle après la mort d'Alfred (autour de 900), ses héritiers passent le plus clair de leur temps à protéger leurs terres des invasions vikings.

Celtes en déroute et établissent un camp fortifié appelé Londinium.

■ **61** Les Celtes de l'East Anglia brûlent et saccagent Londinium, mais le camp est repris par les Romains.

■ **410** Les Romains battent en retraite et retournent sur le continent.

■ **886** Le roi Alfred, un Saxon, conquiert Londres, mais régit depuis son siège à Winchester.

■ **1066** Invasion de l'Angleterre par les Normands : Guillaume le Conquérant bat Harold lors de la bataille de Hastings ; il est couronné en l'abbaye de Westminster.

■ **Années 1100** Londres fait valoir ses droits pour obtenir une certaine forme d'autonomie. La fonction de lord mayor apparaît.

■ **Années 1400** Le commerce londonien est florissant.

■ **1509-1547** Règne d'Henri VIII : sa querelle avec Rome à propos de l'annulation de son mariage conduit à la Réformation ; les biens de l'Église sont confisqués et le monarque se déclare chef de l'Église anglicane.

■ **1558** Élisabeth Iʳᵉ accède au trône et renforce la position de l'Angleterre en tant que nation protestante.

Repères culturels

- **1586** William Shakespeare arrive à Londres et achète une partie du Globe Theatre.
- **Années 1640** Guerre civile : nombreux combats entre les partisans de Cromwell et les royalistes ; le roi Charles Ier est décapité à Whitehall en 1649.
- **1660** Charles II reprend le trône.
- **1665** Une épidémie de peste décime la population.
- **1666** Le Grand Incendie, qui se déclare dans une boulangerie de Pudding Lane, détruit une grande partie de la ville.
- **1710** La cathédrale St. Paul, reconstruite par Wren, est achevée.
- **1710-1820** Les arts se développent et la population de Londres augmente. La révolution industrielle commence.
- **1837-1901** Règne de Victoria, le plus long de l'histoire de l'Angleterre.
- **1851** L'Exposition universelle, lancée par le prince consort de la reine Victoria, Albert, a lieu au Crystal Palace de Hyde Park pour célébrer la prédominance de la Grande-Bretagne dans les domaines commercial, scientifique et industriel.
- **1863** Ouverture du métro.
- **1888** Jack l'Éventreur, à l'origine du meurtre de six « femmes de mauvaise vie », terrorise l'East End de Londres.
- **1897** Jubilé de diamant de la reine Victoria. Londres est décrite comme le « centre d'un empire sur lequel le soleil ne se couche jamais ».
- **1900-1905** Quatre nouvelles lignes de métro étendent la ville à ses faubourgs.

Édouard le Confesseur (1003-1066) décrète Westminster capitale de l'Angleterre. À cette occasion, il fait reconstruire l'abbaye de Westminster (c'est là que le dernier roi saxon, Harold, a été couronné).

La conquête normande Le règne d'Harold est interrompu au bout de neuf mois par la fatale bataille de Hastings, en 1066. À la suite de la victoire des armées normandes, dirigées par Guillaume le Conquérant, la politique, la descendance, la langue, voire le destin de Londres et du royaume tout entier, sont irrémédiablement modifiés.

Guillaume est le premier roi à reconnaître l'importance de Londres sur le plan politique. Il déclare la ville capitale de l'Angleterre et permet à la City de continuer à élire ses propres dirigeants. À la recherche du soutien des citoyens les plus riches, les monarques anglais commencent alors à considérer Londres comme un lieu stratégique.

Au XVe siècle, les rives de la Tamise sont bordées d'entrepôts et d'hôtels particuliers appartenant à de riches négociants. La population de Londres s'élève alors à 30 000 personnes. Des ferrys descendent et remontent la Tamise, dont les deux rives se développent à vive allure. Les édifices ecclésiastiques se multiplient eux aussi. À l'aube du XXIe siècle, leurs noms – Blackfriars, Greyfriars ou Whitefriars – font encore partie du paysage londonien quotidien. Les banlieues s'étendent déjà au-delà des murs de la ville. En l'absence de véritable politique d'urbanisme, les routes se développent de façon irrationnelle, formant le dédale routier que l'on connaît aujourd'hui.

La Réformation et l'époque élisabéthaine L'histoire moderne de Londres débute avec la famille Tudor. Henri VIII construit St. James' Palace et s'attribue les espaces verts qui correspondent aujourd'hui à Hyde Park et à Green Park. La Réformation (dans les années 1530), déclenchée par le refus du pape d'accorder au roi le divorce, donne à l'Église anglaise son indépendance par rapport à Rome.

Malheureusement, cette Réformation et la dissolution des monastères qui en résulte entraînent la destruction d'un grand nombre de bâtiments médiévaux. Les biens de l'Église sont confisqués pour être redistribués aux aristocrates prêts à se conformer aux désirs du roi Henri. Toute personne qui refuse de reconnaître la suprématie d'Henri VIII, représentant de l'Église anglaise, risque l'exécution. Tel est le sort de l'humaniste sir Thomas More et de l'évêque catholique John Fisher. Plus tard, les citoyens de Londres assistent également à la décapitation de deux épouses d'Henri – Anne Boleyn et Catherine Howard.

Les couvents, les jardins et les prieurés appartenant à l'Église catholique sont confisqués. Les estropiés et les mendiants, qui jusqu'alors dépendaient de l'Église pour vivre, sont abandonnés sans ressources dans la ville. Refusant d'accepter le monarque anglais comme chef ecclésiastique, de nombreux moines et religieuses sont pendus et éventrés en public.

Après les dissensions et le carnage de la Réformation, le règne d'Élisabeth Iʳᵉ (de 1558 en 1603) marque le début d'une époque plus propice au développement. L'ère élisabéthaine est ainsi synonyme de paix, de prospérité et de tolérance. Grâce à cette reine, la poésie, le théâtre et les arts du spectacle en général s'épanouissent. Le Globe Theatre accueille des pièces de Shakespeare, de Ben Jonson et de Christopher Marlowe (seule la City interdit la présence de théâtres, sous prétexte qu'ils attirent de « mauvais éléments » !). L'Angleterre entre dans une phase d'expansion économique et coloniale, dont Londres est la première à bénéficier.

La peste, l'incendie et la révolution Au milieu des années 1600, les maisons à colombages et à pignons sont légion à Londres. Empruntées par les riverains et par les négociants, les ruelles étroites près du fleuve sont souvent bondées.

Dans les années 1640, le conflit entre Charles Iᵉʳ et les puritains bat son plein. Plus qu'un simple désaccord religieux, ce bras de fer entre le roi et le Parlement oppose le concept de la royauté de droit divin à celui d'une légitimité constitutionnelle. Les puritains l'emportent finalement, en 1649, et obtiennent la tête de Charles Iᵉʳ, exécuté à Whitehall.

Sous le protectorat d'Oliver Cromwell, une répression rigoureuse est exercée sur les arts, et de nombreuses cathédrales importantes sont endommagées – vitraux brisés et autels détruits. C'est donc avec enthousiasme que le peuple anglais accueille la restauration de la monarchie, en 1660, et l'arrivée de Charles II.

En 1665, la Grande Peste ravage les taudis surpeuplés de la ville, tuant quelque 75 000 personnes. Un an plus tard, le Grand Incendie de Londres, qui démarre dans une boulangerie de Pudding Lane, près du London Bridge, détruit une grande partie de la ville, dont 89 églises et 13 200 foyers.

- **1901** Édouard VII accède au trône : fin de l'ère victorienne.
- **1914-1918** La Grande Guerre dévaste le pays.
- **1920-1930** De nouveaux lotissements, financés en partie par le programme « *Homes for Heroes* » (des foyers pour les héros), quadruplent la superficie de Londres.
- **1940** Blitz hitlérien : Londres, notamment la City et l'East End, est bombardée ; seule la cathédrale St. Paul se dresse intacte parmi les décombres. La résistance loyale de la ville face à la destruction est restée gravée dans les mémoires sous le nom de « *finest hour* » (l'heure la plus digne).
- **1945-1955** La reconstruction entreprise par les autorités locales et les sociétés privées aboutit à une modernisation rapide.
- **1951** Le Festival de Grande-Bretagne célèbre le centenaire de l'Exposition universelle et donne naissance au South Bank Arts Centre.
- **1953** Élisabeth II accède au trône : c'est le début d'un long règne au sein de la maison de Windsor, cible favorite de la presse à scandale.
- **1955-1965** Essor du marché immobilier : les promoteurs construisent des gratte-ciel, tandis que l'État se concentre sur les logements suburbains. Début d'une immigration massive, en provenance des Caraïbes, d'Inde, du Pakistan et de Hongkong, qui se poursuit pendant quinze ans.
- **1960-1970** « *Swinging London* » : en raison boom économique

Repères culturels

culturel, de l'immigration et de l'évolution des valeurs et de la distribution des richesses, Londres devient plus cosmopolite.

- **1987** Les conservateurs, représentés par Margaret Thatcher, obtiennent un troisième mandat.
- **1990** John Major devient Premier ministre.
- **1992** La famille royale est perturbée par l'incendie du château de Windsor et par les problèmes conjugaux des deux fils de la reine. Une grave récession marque la fin de la vague de prospérité des années quatre-vingt et le début d'une décennie plus modérée.
- **1994** Pour la première fois depuis la période glaciaire, l'Angleterre est reliée au continent grâce au tunnel sous la Manche.
- **1996** L'IRA rompt un cessez-le-feu de dix-sept mois avec un attentat dans les Docklands qui fait deux victimes. Sa Majesté précipite le divorce de Charles et de Diana à la suite de la parution de la biographie tapageuse de la princesse de Galles ; le divorce du prince Andrew et de Sarah Ferguson est prononcé. Le gouvernement reconnaît la possibilité d'un lien entre la « maladie de la vache folle » et une affection cérébrale mortelle chez les êtres humains.
- **1997** La presse mondiale salue la renaissance britannique face à la reprise. Tony Blair, leader travailliste modéré, devient Premier ministre avec une majorité écrasante ; la Grande-

Le XVIIIᵉ siècle Les responsables de l'urbanisme, sir Christopher Wren en tête, tirent parti des dégâts provoqués par l'incendie pour repenser et reconstruire la ville de Londres. Les églises de Wren restent d'une beauté inégalée : parmi elles figurent la très célèbre St. Mary-le-Bow et, l'une des plus célèbres, St. Paul's Cathedral, toutes deux achevées en 1710.

À cette époque, les membres de l'aristocratie ont déjà commencé à s'installer à l'ouest de Londres, vers Covent Garden et Whitehall. Le moyen de transport le plus pratique demeure le fleuve, tandis que la chaise à porteurs permet aux aristocrates de parcourir les ruelles crasseuses, jonchées de fumier, d'eaux d'égouts et de déchets.

En dépit des difficultés rencontrées dans la vie quotidienne, les arts et les sciences s'épanouissent à Londres. La seconde moitié du siècle voit Joshua Reynolds réaliser ses portraits et James Boswell écrire ses mémoires concernant les œuvres du lexicographe, critique et poète Samuel Johnson. À la même époque, l'acteur David Garrick interprète ses célèbres rôles shakespeariens, et quelques-uns des meilleurs tableaux paysagistes de l'histoire de l'Europe sont en chantier.

Les architectes de style géorgien et (plus tard) Regency modifient largement le décor urbain. Pour une minorité de citoyens, la vie est belle. Londres est synonyme de puissance, de beauté, d'intelligence et d'esprit.

L'époque victorienne L'accélération du progrès industriel, ainsi que la plus grande expansion de Londres, ont lieu pendant le règne de la reine Victoria, lorsque les chemins de fer et les trains à vapeur, les systèmes d'égouts, les fiacres, les rames de métro et les nouvelles techniques de construction transforment la ville en métropole moderne, qui s'étend largement au-delà de ses limites d'origine.

Le Londres victorien est le centre du plus grand empire que le monde ait jamais connu. Les Londoniens quittent leurs maisons pour s'engager dans l'armée ou briguer des postes administratifs dans les lointaines dépendances de Calcutta, du Kenya, de Singapour ou de Hongkong. Les chefs-d'œuvre du monde entier ornent les murs des musées et des résidences privées. Dans l'est de la ville, se développent un patois et une attitude qui caractérisent les Londoniens des quartiers populaires, les « Cockneys ». Leur accent et leur humour investissent les théâtres de variétés et influencent la scène dramatique de Sydney à San Francisco. Londres traverse une période de prospérité sans précédent, rayonnant sur toute l'Europe. À la suite de l'explosion démographique du XIXe siècle, la ville compte déjà quelque 4,5 millions d'habitants en 1902.

À l'aube du XXe siècle Au début des années 1900, le successeur de Victoria, Édouard VII, réintroduit la pompe et l'apparat dans les affaires de l'État ; il se montre également plus tolérant sur le plan des mœurs. Buckingham Palace est agrandi et revêtu d'une couche de pierre couleur miel. Une statue de Victoria de taille considérable est érigée en face de l'avenue menant à Admiralty Arch (monument dédié à la marine britannique). La controverse suscitée par le magnifique Albert Memorial, de style néo-gothique, contribue à la création du style architectural de l'époque. style unique, caractérisé par l'éclectisme et l'abondance des motifs ornem taux, envahit de nombreux quartiers londoniens.

Bretagne est dirigée par un gouvernement travailliste pour la première fois depuis 18 ans. La mort de la princesse Diana dans un accident de voiture à Paris plonge la Grande-Bretagne dans un deuil national.

■ **1999** Londres fait construire le plus grand dôme du monde pour accueillir le nouveau millénaire à Greenwich.

Les deux guerres mondiales La Première Guerre mondiale éprouve fortement la Grande-Bretagne, bien que George V – qui a accédé au trône en 1910 – reste inébranlable. Même si les dommages sont relativement mineurs comparés aux futures destructions occasionnées par la Seconde Guerre mondiale, près de 1 000 bombes tombent sur le quartier financier de Londres (la City), causant beaucoup de dégâts et blessant 2 500 personnes. La plupart des citoyens britanniques perdent au moins un de leurs proches sur le front. Furieux, les Londoniens s'insurgent en masse contre un conflit qu'ils définissent comme la « dernière des guerres ».

Au cours de la Seconde Guerre mondiale, néanmoins, au moins 30 000 personnes trouvent la mort, et une large partie de la capitale est détruite par les bombardements aériens. Au mois de mai 1941, l'abbaye de Westminster (dont certaines parties sont restées intactes depuis le XIe siècle) et les magnifiques Houses of Parliament sont sérieusement endommagées. Pendant cette période, des milliers de Londoniens prennent l'habitude de descendre chaque nuit dormir dans le métro afin d'échapper aux bombes nazies. Comme par miracle, la cathédrale St. Paul n'est que très peu touchée ; elle s'élève majestueusement au milieu des ruines des maisons alentour. Pour les citoyens londoniens, durement éprouvés par le Blitz, l'édifice devient un symbole d'espoir.

À la suite de la Seconde Guerre mondiale, d'importants projets de reconstruction remettent peu à peu Londres sur pied. Le réseau des transports en commun est amélioré. En 1953, à l'occasion du couronnement d'Élisabeth II, la ville se pare de ses plus beaux attraits.

Les années soixante Selon un journaliste du magazine *Time*, chaque décennie est associée à une ville – New York pour les années quarante, Rome pour les années cinquante. Dans les années soixante, c'est à Londres que « ça se passe ». La révolution musicale pop-rock, qui se répand sur la terre entière, commence véritablement ici (et à San Francisco). Les Beatles supplantent Elvis Presley sur la scène rock internationale. Mary Quant révolutionne la mode avec ses boutiques *Granny Takes a Trip* le long de King's Road. Des jeunes hommes – portant souvent du rouge à lèvres – affluent vers Carnaby Street afin d'acheter des chemises amples aux tons criards, des pantalons orange et des chaussures à talons. Dans les boîtes de nuit, on fume de la marijuana en écoutant les chansons de l'icône pop la plus sexy du moment, Mick Jagg

« Psychédélique » est le mot d'ordre des années soixante, et les jeunes Londoniens poussent le concept jusqu'au bout, s'adonnant à une sexualité effrénée, à la toxicomanie et au rock'n roll – mais tout changera bientôt.

Les années soixante-dix et au-delà Lors des années soixante-dix et quatrevingt, quelques-uns des quartiers les plus délabrés de la ville (Notting Hill, certaines parties de Chelsea, les Docklands) deviennent des endroits chics et convoités. Des travaux de ravalement et de modernisation sont entrepris à travers toute la ville afin d'amener le confort.

Les réformes des années quatre-vingt du Premier ministre Margaret Thatcher modernisent les institutions financières britanniques, dont la Bourse, qui devient une place forte sur les marchés internationaux. En 1990, Thatcher est remplacée par un autre conservateur, moins charismatique mais tout aussi controversé, John Major. Toutefois, en 1992, ce n'est pas le chef du gouvernement mais la monarchie qui fait les gros titres des journaux à sensation. En l'espace d'une année, qualifiée d'*annus horribilis* par le reine Élisabeth, la vie de la famille royale bascule : un incendie provoque des dégâts considérables à Windsor Castle (l'une des demeures de la famille royale) ; fait inédit, la reine se voit contrainte de payer des impôts sur le revenu ; et ses deux fils aînés, Charles et Andrew, se séparent de leurs épouses respectives.

En 1993, le chômage et les attentats terroristes sont largement commentés dans la presse, mais ce sont les déboires de la famille royale qui focalisent l'attention de la plupart des médias. Au début de l'année, la liaison du prince Charles avec une femme mariée – sa compagne de toujours, Camilla Parker-Bowles – éclate au grand jour. Le scandale du « Camillagate », comme on l'appelle par dérision, font les gorges chaudes des tabloïds. Comme l'écrit l'auteur britannique Anthony Holden, la monarchie « n'avait pas connu de tels ennuis depuis le règne d'Henri VII, cinq cents ans auparavant ».

L'année 1994 est marquée par l'inauguration officielle, par la reine Élisabeth II et François Mitterrand, du tunnel sous la Manche – le premier lien entre le Royaume-Uni et la France depuis l'ère glaciaire ! Les plus pessimistes prédisent « la fin de l'Angleterre telle que nous la connaissions avant l'invasion des hordes d'étrangers ».

Commenté en 1981 à la manière d'un conte de fées moderne, le mariage de Charles et Diana s'achève par un divorce en 1996. Le prince Charles est contraint de verser à son ex-femme une « pension alimentaire » dont le montant s'élève à la bagatelle de 40 millions de francs.

L'histoire prend un tour dramatique le 31 août 1997, lorsque la princesse Diana se tue dans un accident de voiture à Paris. La famille royale est abondamment critiquée après le décès de Lady Di, mais les trois quarts des Britanniques se prononcent néanmoins toujours en faveur de la monarchie.

Outre la disparition de Diana, ce sont les élections législatives qui focalisent l'attention des Britanniques au cours de cette année 1997. La popularité de John Major a sensiblement diminué depuis le début de la décennie. Avec la crise de la vache folle, le Premier ministre perd définitivement la confiance de la population.

Les projecteurs sont alors dirigés vers le jeune chef du Parti travailliste, Tony Blair. Avec ses fréquentations dans le monde du rock et son discours moderniste, Blair est l'« anti-Major » par excellence. Sa personnalité conviviale et médiatique séduit immédiatement l'électorat. Le 1er mai 1997, après dix-huit années d'attente, le Parti travailliste accède au gouvernement. Blair devient le plus jeune Premier ministre britannique depuis cent quatre-vingt-cinq ans. Cette victoire fulgurante rappelle celle qui avait mis fin aux fonctions de Winston Churchill après la Seconde Guerre mondiale.

Aujourd'hui, Tony Blair mène une réforme constitutionnelle d'une ampleur inégalée. Certains critiques craignent que sa politique, en favorisant notamment l'autonomie de l'Irlande du Nord, le conduise à diriger un jour un « royaume désuni ». Serait-ce alors la fin de la Grande-Bretagne ? *Wait and see...*

3 Les tourtes, les puddings et la bière : tout ce qu'il faut savoir sur la cuisine britannique

Vous trouverez à Londres tous les plats régionaux du Royaume-Uni.

LE MENU Sur la plupart des menus des pubs figurent des plats tels que le **Cornish pasty** ou la **Shepherd's pie**. Le premier, préparé traditionnellement à partir des restes du repas du dimanche et consommé le lundi midi par les pêcheurs des Cornouailles, consiste en des morceaux de pommes de terre, de carottes et d'oignons, assaisonnés et placés dans une croûte. Le second est l'équivalent du hachis Parmentier. Quant à la **cottage pie**, il s'agit d'un steak haché couvert d'une couche de pommes de terre.

Le repas de pub le plus populaire est le **ploughman's lunch**, mets traditionnellement servi aux ouvriers agricoles. Il comprend un bon morceau de fromage, une tranche de pain maison, du beurre, un ou deux oignons au vinaigre et un verre de bière. Parfois, on remplace les oignons et le fromage par du pâté et du *chutney.* Souvent, on propose également du *Lancashire hot pot,* ragoût de mouton, de pommes de terre, de rognons et d'oignons (auxquels, à l'occasion, on ajoute des carottes). Autrefois, on plaçait les ingrédients dans un plat profond et on faisait mijoter pendant que les ouvriers travaillaient au moulin.

L'un des plats traditionnels les plus connus est le **roast beef** (rosbif) **and Yorkshire pudding**, crêpe salée épaisse que l'on fait cuire sous le rosbif afin qu'elle s'imprègne de la graisse du rôti. Un autre plat à base de crêpe salée est le *toad-in-the-hole :* cette fois-ci, on fait cuire des saucisses à l'intérieur d'une mixture à base de farine. Les tables anglaises accueillent également beaucoup de gibier, notamment du faisan ou de la grouse.

Tout menu propose des **produits de la mer** – cabillaud, aiglefin, hareng, carrelet ou sole. Le plat traditionnel, constitué de poisson frit et de frites, se prépare habituellement à base de cabillaud ou de haddock ; on l'assaisonne avec du sel et du vinaigre.

Les quartiers est de Londres sont à l'origine de quelques plats intéressants, dont les tripes aux oignons. La taverne *Ye Olde Cheshire Cheese,* sur Fleet Street, sert encore la plupart du temps un pudding à base de bifteck, de rognons, de gibier et de champignons (en hiver, ce mets est entouré d'une couche de graisse de rognons ; en été, il est servi en croûte). Le dimanche, au stand *Jellied Eel,* à côté du marché de Petticoat Lane, on aperçoit encore des habitants des quartiers est en train de déguster de l'anguille ou des coques, des moules et des bulots, avec une goutte de vinaigre.

Le mot anglais pour dessert est « **sweet** » (ou « pudding »). Le dessert le plus célèbre est le trifle, gâteau moelleux trempé dans du cognac ou du sherry, avec une couche de fruits ou de confiture, et recouvert de crème anglaise. Le fool est un dessert léger à base de crème et de fruits.

En Angleterre, on sert habituellement le **fromage** *après* le dessert. Il y a un grand choix de produits régionaux, dont le plus célèbre est le cheddar. Le fromage du Cheshire est ferme et mûr comme le cheddar. Le pays de Galles comme spécialité le *caerphilly*, fromage onctueux et friable. Légèrement bleu, le *stilton* est souvent servi accompagné d'un verre de porto.

LA CUISINE BRITANNIQUE ACTUELLE Il semblerait que les Anglais accordent aujourd'hui davantage d'importance aux plaisirs de la table qu'aux plaisirs de la chair ! En effet, les journaux du dimanche consacrent parfois jusqu'à vingt pages aux recettes, aux vins et aux nouveaux restaurants.

Profitant de la vague de la « nouvelle cuisine britannique », toute une génération de jeunes cuisiniers est en train de réinventer les plats les plus traditionnels. Ainsi, la soupe au panais est désormais servie avec une *salsa verde* aux noix. La méthode consiste à s'inspirer des cuisines du monde, puis à les importer en Grande-Bretagne tout en les personnalisant. Pour avoir un aperçu des mets les plus en vogue en Angleterre, il suffit de faire un tour au cinquième étage de *Harvey Nichols*, dans le quartier de Knightsbridge.

De nos jours, même le hachis Parmentier traditionnel est souvent remplacé par des plats indiens, chinois, thaïlandais ou italiens. Depuis peu de temps, la plupart des garde-manger d'outre-Manche contiennent même des piments mexicains.

Aujourd'hui, à Londres, les chefs cuisiniers font partie du showbiz ! Ils sont traités comme les stars du rock des années soixante-dix ou les grands couturiers des années quatre-vingt. Quelques-uns des chefs les plus célèbres passent tant d'heures sur les plateaux de télévision ou à écrire des livres qu'ils n'ont plus le temps de s'occuper de leurs recettes ! Certains établissements sont tellement à la mode qu'il faut réserver au moins deux semaines à l'avance.

QUELLE BOISSON CHOISIR ? Si le pub londonien propose une large panoplie de cocktails, il est surtout réputé pour ses différentes sortes de bières – bière brune (*bitter*), bière blonde ou bière brune forte (*stout*). En général, les bières pression anglaises sont plus fortes qu'en France et sont servies tièdes. La bière blonde (*lager*) est toujours bue fraîche, alors que la brune se boit indifféremment fraîche ou tiède. La bière en fût est servie par demi-pinte (0,25 litre environ) et par pinte (0,5 litre environ).

Aujourd'hui, l'Angleterre compte de plus en plus de bars à vin. Certains d'entre eux se transforment en boîtes de nuit passé une certaine heure. La Grande-Bretagne n'est pas un grand producteur de vin ; elle possède néanmoins quelques cépages blancs et fruités. Ses cidres, en revanche, sont très célèbres.

Parmi les différents whiskys disponibles, on trouve des variétés canadiennes et irlandaises, les meilleurs bars proposant du bourbon ou du whisky de seigle. Pendant votre séjour, vous pourrez essayer une boisson très anglaise : le Pimm's. Cette recette a été concoctée par James Pimm, propriétaire d'un restaurant à huîtres à Londres, dans les années 1840. Parfois servie avec des glaçons, cette boisson est souvent transformée en *Pimm's cup* – avec divers ingrédients possibles. Voici une recette typique, que vous pouvez essayer chez vous : remplissez un grand verre de glaçons, ajoutez une fine tranche de citron ou d'orange, un morceau d'écorce de concombre ainsi que 6 centilitres de Pimm's, puis un peu de limonade ou de Seven Up. À votre santé !

Le guide Frommer's des bonnes adresses du Web

*par Michael Shapiro
et Caroline Boissy*

Conçu pour vous aider à tirer le meilleur parti d'Internet, ce chapitre vous propose dans une première partie une liste d'adresses utiles pour l'organisation de votre voyage ; elle n'est évidemment pas exhaustive, mais les sites présentés constituent un bon point de départ. La deuxième partie présente les meilleurs guides en ligne sur Londres. Hébergement, journaux et magazines, principales organisations et attractions touristiques, déplacements dans la ville, le Web met à votre disposition un très large catalogue d'informations.

1 Les meilleurs sites Web pour préparer son voyage

Les agences de voyages en ligne sont très visitées. Les plus importantes offrent tout un éventail précieux d'outils, même si vous n'y faites pas vos réservations. On peut y vérifier les horaires d'avions, la disponibilité des chambres d'hôtel ou les tarifs de location de véhicules.

Si les agences en ligne ont fait bien des progrès, elles ne proposent pas forcément les prix les plus bas. Contrairement à une agence de voyages classique, elles ne vous signaleront pas les économies possibles en voyageant la veille ou le lendemain du jour souhaité. En revanche, si vous visez des vols à prix cassés, vous trouverez peut-être en ligne des prix qu'une agence de voyages ne prendrait pas le temps de chercher car les commissions versées par les compagnies aériennes ont baissé. Sur le Web, c'est *vous* l'agent de voyages qui décidez d'y passer le temps nécessaire.

Les sites de réservation de billets ne sont pas les seuls endroits possibles pour acheter des billets d'avion en ligne. Les grandes compagnies aériennes ont leur propre site ; elles incitent souvent à l'achat en ligne par des cadeaux, miles supplémentaires ou réductions valables uniquement sur le Web. Elles se sont ainsi approprié une grande partie du marché de la vente de billets en ligne.

Voici les sites des grandes compagnies aériennes qui desservent Londres. On y trouve les horaires des vols et on peut y réserver ses billets. La plupart de ces sites offrent un service qui vous informe par e-mail des offres spéciales week-end.

Air Canada	www.aircanada.ca
Air France	www.airfrance.fr
Air Transat	www.airtransat.ca
British Airways	www.britishairways.com
British Midland	www.britishmidland.com
Crossair	www.crossair.com
KLM-Northwest Airlines	www.klm.com
Lufthansa	www.lufthansa.fr
Sabena	www.sabena.com
Swissai	www.swissair.fr

POURQUOI RÉSERVER EN LIGNE ?

Si vous préférez laisser à d'autres le soin d'organiser votre voyage, il vous suffit de contacter une bonne agence de voyages. Mais si vous souhaitez tout savoir sur les options disponibles, le Web est un bon point de départ, surtout pour ceux qui cherchent des vols très bon marché.

L'achat de billets en ligne se justifie surtout pour les offres de dernière minute comme les réductions spéciales week-end ou autres tarifs spéciaux valables uniquement sur ce type d'achats. Vous bénéficiez également des incitations offertes pour l'achat en ligne, c'est-à-dire de remises ou de miles supplémentaires.

Réserver son billet d'avion en ligne ne convient pas à ceux dont l'itinéraire est compliqué. Si vous avez besoin d'un suivi – d'un changement d'itinéraire par exemple – passez par une agence de voyages. Si certaines agences en ligne ont un service téléphonique, ces sites sont quand même et surtout des « self-services ».

PRINCIPAUX SITES POUR ACHETER DES BILLETS

✪ Any Way voyages. www.anyway.fr (en français)

En bref : vols internationaux et intérieurs, hôtels, location de voitures et bonnes affaires de dernière minute.

Le site de cette célèbre agence qui fête ses 10 ans en l'an 2000 est facile d'utilisation et donne la possibilité de comparer les prix de différentes compagnies aériennes pour des destinations dans le monde entier. D'après eux, un million de tarifs négociés sur vols réguliers et vols charters y sont proposés. Une possibilité d'*open jaw* (retour depuis une ville différente de celle d'arrivée) vous est proposée sur la majorité des destinations.

Aucune inscription n'est nécessaire pour accéder aux services du site. Inscrivez la destination de votre choix, la date et l'heure auxquelles vous désirez partir pour qu'une liste conséquente d'avions, d'horaires et de prix s'affiche à l'écran. Lorsque votre choix est fait, Any Way propose plusieurs services (assistance rapatriement, assurance en cas de perte ou de vol des bagages, modalités de remise des billets) ; enfin, le détail de votre réservation vous est précisé en intégralité. Pour régler par carte de crédit, deux choix vous sont proposés : le mode sécurisé (https – que nous vous recommandons fortement) et le mode normal. Vous recevrez un e-mail de confirmation 24 h après votre achat, et vos billets une semaine avant votre départ.

●bookers. www.ebookers.com/fr (en français)

site propose des vols intérieurs en Grande-Bretagne ainsi que des vols internatio-
et des réservations de voyages sur mesure. Il dresse également des listes de vols
et des offres sur les croisières et les forfaits vacances. L'inscription est obligatoi-

Vous ne parlez pas anglais ?

Nombre de sites intéressants pour les voyageurs sont en langue anglaise. Une partie des sites proposés ici est donc en anglais. Pour ceux qui ne pratiquent pas cette langue, nous vous conseillons de profiter du site Free Translation (**www. freetranslation.com**), service gratuit de traduction de textes ou de pages Web. Entrez sur le site, cochez la traduction que vous désirez (de l'anglais au français) et inscrivez l'adresse du site auquel vous désirez accéder. La traduction est immédiate.

re mais gratuite. Pour connaître le tarif le plus avantageux, tapez les dates et les heures de votre itinéraire et voyez ce qui vous est proposé. Les informations sont en général très complètes. Ici aussi, vous pouvez acheter des billets aux enchères.

✪ Expedia. www.expedia.com (en anglais)

En bref : vols internationaux, location de véhicules, réservation de chambres d'hôtel, informations de dernière minute, articles sur des destinations touristiques, commentaires de spécialistes du voyage, bonnes affaires sur les croisières et les voyages organisés ou à forfait. Inscription obligatoire (et gratuite) pour effectuer des réservations.

Une fois inscrit, vous pouvez commencer vos recherches de billets en utilisant la case *« Roundtrip Fare Finder »* (recherche de tarif aller-retour) sur la page d'accueil, ce qui accélère la démarche. Quand vous avez choisi un vol, achetez immédiatement votre billet en ligne ou conservez la réservation jusqu'au lendemain minuit. Si vous pensez obtenir de meilleurs résultats en passant par une agence de voyages, cela vous donne le temps de chercher un tarif plus intéressant : il est possible qu'une agence vous en propose de plus avantageux car le système informatique d'Expedia n'inclut pas toutes les compagnies aériennes.

Pour accéder aux informations sur les destinations touristiques du World Guide (guide mondial) d'Expedia, il faut « traverser » de nombreuses pages pour arriver finalement à des informations assez succinctes. Mais ce défaut est quelque peu compensé par des liens utiles vers d'autres services de Microsoft Network, comme les guides Sidewalk, véritables mines d'informations sur les loisirs et les restaurants.

Nouvelles Frontières. www.nouvelles-frontieres.fr (en français)

Le grand voyagiste français a particulièrement soigné son site. La présentation est très réussie et surtout, vous trouverez des billets d'avion à des prix intéressants. Vous pouvez également, après une première inscription gratuite, participer aux enchères qui ont lieu tous les mardis. Vous pouvez surenchérir par tranche minimale de 20 F. Au final, la réduction des billets est de 75 % maximum par rapport au prix de la brochure. Les personnes ayant fait les meilleures offres sont contactées par e-mail ou par téléphone.

✪ Travelprice. www.travelprice.com (en français)

En bref : vols internationaux et intérieurs, hôtels, location de voitures, bonnes affaires de dernière minute, enchères, quantité d'informations destinées aux voyageurs.

C'est l'un des meilleurs sites français. Dès la première page, vous trouverez la liste de promotions de dernière minute. Choisissez les villes de départ et d'arrivée, les dates, les horaires, le nombre de voyageurs, puis commencez votre recherche. Le temp. traiter votre demande, la sélection des vols avec places disponibles s'affiche, vou posant les billets les plus proches de vos conditions. Pour chaque proposition, seignements sur la nature du vol ou les horaires, les conditions d'utilisation pour un adulte sont indiqués. Vous pouvez alors faire votre choix (billets et mode de livraison) et réserver. Vous pouvez payer en ligne ou envoyer un chèque. À noter également, la possibilité à tout moment d'acheter des voyages aux enchères.

TROUVER UN HÉBERGEMENT

All Hotels on the Web. www.all-hotels.com (en anglais)

Ce site contient des dizaines de milliers d'adresses à travers le monde. Mais n'oubliez pas qu'il s'agit d'une sorte de catalogue (chaque hôtel ayant versé une petite somme pour y figurer). Pour Londres, choisissez avant tout le quartier qui vous intéresse ; une liste d'hôtels par ordre de prix vous sera alors proposée.

Any Way voyages. www.anyway.fr (en français)

Ce site propose des réservations de chambres d'hôtels en ligne. Vous avez, par exemple, le choix entre une cinquantaine d'hôtels londoniens et vous bénéficiez des prix prénégociés par Any Way. Après avoir payé en ligne, il vous sera remis une facture à présenter à votre arrivée à l'hôtel. Malheureusement, le site ne montre pas de photos des hôtels qu'il propose.

InnSite. www.innsite.com (en anglais)

Vous pouvez identifier une pension, voir les photos des chambres, tout savoir sur leurs tarifs et leur disponibilité, puis, éventuellement, envoyer un courrier électronique au directeur afin d'obtenir davantage de renseignements. S'il est important, ce répertoire ne démarche pas pour autant. Par conséquent, seuls les établissements s'étant adressés eux-mêmes à InnSite y figurent. Les descriptions sont rédigées directement par les directeurs ou gérants et certaines entrées incluent un lien vers le site Web de l'établissement en question.

✪ Travelprice. www.travelprice.com (en français)

Ce site est idéal pour vos réservations d'hôtels et de voitures à Londres et dans les environs. Il propose des adresses par quartier et l'on peut réserver en ligne. C'est aussi une bonne manière de comparer les prix et de voir la disponibilité des chambres dans toute la ville. Le site donne des renseignements sur chaque hôtel proposé (description, activités, photos, cartes de crédit acceptées ou non, avis et commentaires). Pour ce service, Travelprice est en fait partenaire de **Worldres**, une centrale de réservation mondiale qui négocie le prix des chambres à grande échelle.

✪ TravelWeb. www.travelweb.com (en anglais)

Avec une liste de plus de 16 000 hôtels à travers le monde, TravelWeb se concentre sur les grandes chaînes. Dans la grande majorité des cas, il est possible de réserver en ligne. Mis à jour chaque lundi, le service « *Click-It Weekends* » de TravelWeb offre chaque week-end des prix spéciaux dans de nombreux hôtels. La possibilité de voir des photos de l'établissement qui vous intéresse, de ses chambres et de son cadre est un petit « plus » à ne pas négliger.

BONNES AFFAIRES DE DERNIÈRE MINUTE
AUTRES RÉDUCTIONS

détestent les compagnies aériennes plus que tout ? Des places vides. Grâce à Internet sont désormais en mesure de proposer des affaires de dernière minute afin de au maximum leurs appareils. La plupart de ces offres sont annoncées le mardi redi et s'appliquent au week-end suivant ; certaines d'entre elles peuvent être

---

Sécurité

Sur le Web, nombre de gens s'informent mais peu réservent, en partie par peur de communiquer le numéro de leur carte bancaire. Si la sécurisation des sites par des logiciels de cryptage justifie de moins en moins cette inquiétude, il est parfaitement possible de trouver un vol en ligne puis d'effectuer sa réservation par téléphone ou de contacter son agence de voyages. Pour vous assurer que le site est sécurisé, vérifiez la présence de l'icône d'une clé (Netscape) ou d'un cadenas (Internet Explorer) dans la partie inférieure de la fenêtre de votre navigateur.

---

réservées des semaines, voire des mois à l'avance. Vous pouvez vous adresser aux sites des compagnies aériennes afin de recevoir chaque semaine des informations concernant les offres spéciales (voir ci-dessus les sites Web des compagnies aériennes) ou à des sites comme Promovac (ci-dessous), qui fournissent des listes de bonnes affaires en matière de vols. Vous pouvez vous faciliter la tâche encore davantage en visitant un site capable de regrouper toutes les bonnes affaires et de vous les envoyer hebdomadairement, par courrier électronique (voir ci-dessous). Les affaires de dernière minute ne constituent pas les seuls atouts de l'achat en ligne : d'autres sites vous aident à trouver des tarifs intéressants, plus longtemps à l'avance.

Dégriftour. www.degriftour.fr (en français)

Ce site est idéal pour un voyage improvisé car il propose notamment des remises sur les billets invendus, de 1 à 15 jours avant le départ.

INTER-Rés@. www.inter-resa.com/fr (en français)

Centrale de réservation de véhicules, avion, hébergement, Inter-Rés@ a une politique assez particulière en ce qui concerne l'achat en ligne des billets d'avion. Il vous propose de rechercher de votre coté le billet d'avion le moins cher et de le leur soumettre en remplissant un formulaire très précis. S'ils trouvent un billet d'avion d'un coût inférieur de 5 % à celui que vous aviez proposé, la vente est réputée ferme et définitive : vous recevez une réponse par e-mail. De nombreuses promotions. L'achat se fait en ligne.

Promovac. www.promovac.com (en français)

Le site Promovac offre des milliers de voyages à prix dégriffés. La recherche se fait par pays et par budget. Pour recevoir les promotions par e-mail, inscrivez-vous à la *newsletter*. Avec le système Air Promo 1, vous êtes connecté en direct sur le système de réservations de 70 compagnies aériennes. Le système Air Promo 2 propose plus de 1 000 destinations à prix imbattables. Vols charters ou lignes régulières, ce site sélectionne les tarifs parmi les plus bas du marché. Vous choisissez votre destination et vos dates : la réponse est donnée un ou deux jours plus tard. Le paiement, sécurisé, se fait en ligne. Ce site propose également un service de réservation de logements (villa ou appartement), en France comme à l'étranger.

USIT Connections. www.connections.be (en français)

Pour connaître les promotions de dernière minute, les vols secs, les différentes assurances, ou trouver un job à l'étranger, ce site peut représenter une première approche. Visitez-le pour préparer votre voyage et pour vous renseigner sur les possibilités séjour à Londres. Pour obtenir le site en français, il vous suffit de cliquer sur la to' « Version française ». Si vous souhaitez vous tenir au courant de toutes les promo' inscrivez-vous sur la *Maillist* pour recevoir les informations par e-mail. Attention, Londres ne fait pas toujours l'objet d'une promotion.

BOÎTE À OUTILS DU VOYAGEUR
MÉTÉO
Intellicast. www.intellicast.com (en anglais)
Prévisions météo pour des villes du monde entier, dont, bien sûr, Londres.

Météo Média. www.meteomedia.com (en français)
Ville par ville, la météo dans le monde entier.

SE REPÉRER
Ismap. www.ismap.com/geo/(en français)
Moteur de recherche cartographique, ce site vous permet de retrouver une rue dans Londres (cliquez dans « Ismap Angleterre »), de localiser un restaurant, un hôtel ou un endroit précis de la ville. La recherche est très facile : inscrivez l'adresse recherchée et la carte détaillée s'affichera à l'écran. Pour plus de précision, cliquez sur la partie de la carte qui vous intéresse et elle s'agrandira. Si vous précisez votre point de départ et votre point d'arrivée, le site vous proposera même un itinéraire. L'Ismap permet également de réserver vos billets de train et vous donne les actualités de la semaine.

INFORMATIONS PRATIQUES
Frogsonline. www.frogsonline.com (en français)
Informations générales sur toutes les grandes villes du monde : immobilier, jobs à l'étranger, adresses de restaurants et de discothèques... Le site d'informations pratiques des expatriés.

Iagora. www.iagora.com (en français)
Des tonnes d'informations pratiques pour tous ceux qui partent ou sont déjà loin de chez eux. Et un convertisseur qui donne le change de 164 monnaies.

MasterCard. www.mastercard.com/atm (en anglais) et Visa : www.visa.com/pd/atm/(en anglais)
Localisez les distributeurs des réseaux Cirrus et Plus dans des centaines de villes du monde. Ce site procure les plans de certains lieux et indique les distributeurs situés dans les aéroports. MasterCard fournit une liste de distributeurs sur les cinq continents (il y en a un à la station McMurdo dans l'Antarctique !). *Une astuce* : vous obtiendrez souvent un meilleur taux de change en utilisant un distributeur qu'en changeant des chèques de voyage dans une banque.

✪ **Net Café Guide. www.netcafeguide.com (en anglais)**
Grâce à ce site, vous pouvez localiser des cybercafés dans plusieurs villes. Pendant votre séjour à Londres, vous pourrez ainsi, pour un prix modique, recevoir et envoyer des courriers électroniques et vous connecter au World Wide Web.

Travelprice. www.travelprice.com
...velprice, encore lui, fournit tout un tas de services pratiques pour le voyageur : ...ge et devise, informations sur le pays, questions de santé, météo, agendas brèves, webcams...

2 Les meilleurs sites Web sur Londres

GUIDES DE LA VILLE

ADFE. www.adfe.freeserve.co.uk (en français)

L'ADFE est une association de Français à l'étranger. Représentée dans 114 pays, elle rassemble des Français qui partagent des idées de solidarité et de justice sociale. Intéressant pour des recherches d'emploi, des connaissances sur l'actualité et des informations pratiques concernant votre situation à l'étranger.

Ici Londres. www.ici-londres.com (en français)

Ici Londres est un mensuel de petites annonces, publié à Londres et rédigé en français. Plusieurs espaces sont proposés sur le site : l'espace Annonces pour consulter et saisir des messages (contacts, formations, logements, bonnes affaires, demandes d'emploi, musique, sports, loisirs…), l'espace « Professionnel », l'espace « Carnet d'adresses », ainsi que des informations pratiques. Il a le mérite d'être très clair.

Official London Theater Guide. www.officiallondontheatre.co.uk (en anglais)

Ce guide du théâtre contient des informations concernant les réductions. La recherche des pièces peut se faire selon différents critères : type de spectacle, titre de la pièce, nom du théâtre, date… Vous pouvez également obtenir une vue d'ensemble de toutes les pièces qui passent à Londres à un moment donné – ces listes comprennent un court résumé, une liste des acteurs, les horaires, les tarifs et les dates.

This is London. www.thisislondon.com (en anglais)

Ce site complet, proposé par le quotidien *Evening Standard*, contient un guide critique des restaurants londoniens, un guide des attractions, ainsi que des sections « Hot Tickets », pour bénéficier de « bons plans » sur les pièces, les spectacles musicaux et les comédies les plus populaires.

✪ Time Out London. www.timeout.com/london (en anglais)

Le guide en ligne proposé par le magazine *Time Out* est bien conçu et regorge d'informations sur les sorties londoniennes. Il y en a pour tous les goûts. Certaines sections sont dédiées aux gays et aux lesbiennes ; d'autres s'adressent aux enfants. On y trouve également des liens vers d'autres sites Web intéressants.

Planet London. www.planet-london.net (en français)

Les rubriques sont nombreuses : annonces, banque et finance, vie quotidienne, découvrir Londres, l'essentiel, « Gay London », santé, hôtels et restaurants, emploi, langage, immobilier, magasins, communication, tourisme, éducation, offres spéciales. Le site est riche et diversifié.

What's On Stage. www.whatsonstage.com (en anglais)

Ce site couvre le Royaume-Uni tout entier, donc bien évidemment Londres. Organisé sur une base quotidienne, hebdomadaire et mensuelle, il répertorie les pièces qui se jouent et fournit des informations sur la vente des billets. Très complet, What's On Stage contient également des interviews récentes, des nouvelles du monde du thé' et des articles concernant des comédiens célèbres. Une autre section traite musique classique. Si vous le désirez, vous pouvez communiquer votre adresse afin de recevoir gratuitement une mise à jour du circuit théâtral.

SE LOGER (SITES BRITANNIQUES)

Les adresses qui suivent concernent uniquement Londres et la Grande-Bretagne. Pour consulter des sites internationaux – qui comprennent également Londres –, reportez-vous à « Trouver un hébergement en ligne », au début de ce chapitre.

✪ Automobile Association-UK. www.theaa.co.uk (en anglais)

Ce guide très riche contient une liste d'une centaine d'hôtels, dont plusieurs acceptent des réservations en ligne Ils sont tous classés en fonction de leur prix et de leur qualité. Vous y trouverez également des informations sur les restaurants ainsi que des classements fondés sur le menu, le service, l'ambiance et le prix. En règle générale, pour chaque restaurant, sont cités les prix habituellement pratiqués ainsi que les cartes de crédit qui y sont admises.

London Holiday Accommodation Bureau. business.virgin.net/g.macnaughton (en anglais)

LHAB est spécialisé dans la location d'appartements (dans certains cas, vous aurez à partager le logement avec l'habitant, dans d'autres, vous aurez l'appartement pour vous tout seul). Exemple : un logement partagé près de Church Street, avec cuisine et salle de bains séparées et une chambre double : 120 £ par couple, par semaine.

The National Trust. Travel. www.nationaltrust.org.uk/travel (en anglais)

The National Trust a pour but de conserver plus de 200 *cottages* et autres bâtiments historiques à travers tout le Royaume-Uni. La location de logements contribue financièrement aux travaux effectués par ce précieux organisme. Bien évidemment, pour les adresses les plus courues, il est nécessaire de réserver à l'avance.

JOURNAUX ET MAGAZINES

L'Écho. www.lecho.org.uk (en français)

Le magazine francophone et londonien *L'Écho* (5 numéros par an) est publié par le lycée français Charles de Gaulle. Il délivre des informations utiles aux Français et aux francophones de Londres : histoire, livres, arts et loisirs, vie anglaise, portraits, santé, essais sur différents sujets de société. Sympathique.

Electronic Telegraph. www.telegraph.co.uk (en anglais)

Le site Web du *London Telegraph* est élégant et intuitif, avec des actualités, des infos sportives, des critiques culturelles et divers articles.

Guardian Unlimited. www.guardian.co.uk (en anglais)

Le site du *Guardian* propose des actualités, des informations sur les sports, des critiques culturelles et toutes sortes d'articles.

Independent Online. www.independent.co.uk (en anglais)

Encore une riche source d'informations pour les visiteurs : *Independent* fournit des ctualités locales, des informations sportives et des chroniques.

Times of London. the-times.co.uk (en anglais)

oins bonne qualité qu'autrefois, ce journal vénérable demeure malgré tout une efficace d'actualités, d'informations sportives et d'événements londoniens. nadaire *Sunday Times* a son propre site Web (**www.sunday-times.co.uk**).

LES PRINCIPALES ATTRACTIONS

British Museum. www.thebritishmuseum.ac.uk (en anglais)

Ce site Web vous informe des expositions temporaires au moment de votre visite.

Buckingham Palace. www.royal.gov.uk/palaces/bp.htm (en anglais)

Le site officiel de la monarchie britannique fournit des informations historiques, des images et des descriptions des différents corps de bâtiment du palais.

Harrods. www.harrods.co.uk (en anglais)

Vous trouverez ici un guide des innombrables rayons de la célèbre grande surface ainsi que des plans, que vous pouvez imprimer. Vous pouvez également vous renseigner sur des soldes et contempler, entre autres, l'escalator égyptien, le rayon des antiquités ou le rayon d'alimentation.

Houses of Parliament. www.parliament.uk (en anglais)

Ce guide pratique du Parlement britannique (Chambre des communes et Chambre des lords) comprend les horaires des visites guidées et le programme du Parlement. Pour obtenir davantage d'informations touristiques, consultez le www.parliament. uk/parliament/TOURS.HTM.

✪ London Transport Museum. www.ltmuseum.co.uk (en anglais)

Un site bien conçu pour un musée fascinant, qui relate l'évolution du réseau des transports publics londoniens depuis le début du XIXe siècle.

Musée londonien des canaux. www.canalmuseum.org.uk/francais.htm (en français et en anglais)

Ce musée relate l'histoire des canaux, des ouvriers et de leurs familles qui habitaient les bateaux. La première page d'information est en français mais les légendes des photos et autres explications sont en anglais.

Museumnet. www.museumnet.co.uk (en anglais)

Si vous êtes un véritable amateur d'expositions, ce site va vous permettre de faire le tour des musées anglais. Il en donne la liste complète, ainsi que leurs adresses Internet et des renseignements pratiques. Vous aurez alors la possibilité de planifier vos journées culturelles au rythme de vos envies.

National Gallery. www.nationalgallery.org.uk (en anglais)

Vous pouvez visiter virtuellement la collection permanente, vous renseigner sur les nouveautés et obtenir toutes les informations nécessaires pour organiser votre visite.

✪ Natural History Museum. www.nhm.ac.uk/museum (en anglais)

Particulièrement animé et complet, ce site offre un avant-goût des expositions et des programmes spéciaux. En cliquant sur le guide des galeries, vous découvrirez les sections concernant les dinosaures, les petites bestioles *(Creepy Crawlies)*, les merveilles *(Wonders)*, et ainsi de suite.

St. Paul's Cathedral. stpauls.co.uk (en anglais)

Des informations touristiques et historiques, ainsi qu'un programme des services religieux et des événements prenant place dans ce monument spectaculaire.

Tate Gallery. www.tate.org.uk/home/french.htm (en français)

Ce beau site Web met parfaitement en valeur les grandioses collections de la Tate tain et de la Tate Modern. Vous pouvez consulter le programme ou admirer le fonds des deux musées.

✪ **Tower of London Tour. www.toweroflondontour.com (en anglais)**

Une visite guidée complète et éclairante. Cliquez sur « *Tower of London Tales* » pour accéder à des histoires de fantômes ou sur « *Site Map and Search* » pour obtenir un index et des plans de toutes les époques depuis le règne de la reine Anne. Il y a également un tour spécial destiné aux enfants.

✪ **Westminster Abbey. www.westminster-abbey.org (en anglais)**

Un joli tour historique en images de l'un des monuments gothiques les plus célèbres au monde. Le site donne bien entendu les informations nécessaires aux visiteurs.

LES ORGANISATIONS TOURISTIQUES

The Big Bus Company. www.bigbus.co.uk (en anglais)

Il est agréable de découvrir Londres à bord d'un autobus à impériale (c'est-à-dire à ciel ouvert). Ce site Web contient des informations sur les itinéraires, les tarifs et les divers tours proposés. En ce qui concerne Big Bus, le musée de cire Madame Tussaud's, London Dungeon et quelques autres attractions, vous pouvez acheter des billets en ligne et les faire envoyer à votre hôtel londonien.

Festivals Live. www.festivals.com (en français)

Ce site recense 600 festivals dans le monde, classés par rubriques : cinéma, beaux-arts, musique classique, musique pop, jazz, rock, rap, théâtre, danse, fêtes et festivités. La recherche se fait par thème et par pays.

✪ **Original London Walks. www.walks.com (en anglais)**

La plus grande compagnie de randonnées à Londres présente son programme de promenades pour la semaine. En cliquant sur un jour, vous obtiendrez une liste des différents tours disponibles, comme « *In the Footsteps of Sherlock Holmes* » (sur les traces de Sherlock Holmes) ou « *Jack the Ripper Haunts* » (les lieux fréquentés par Jack l'Éventreur)…

SE DÉPLACER

BAA : London Airports. www.heathrow.co.uk (en anglais)

Ce guide couvre Heathrow, Gatwick, Stansted et d'autres aéroports moins importants : plans des terminaux, horaires d'arrivée des vols, boutiques hors taxe, restaurants aéroportuaires et informations sur les trajets entre les différents aéroports et le centre de Londres.

Eurostar. www.eurostar.com (en français)

Tarifs, horaires et réservations de billets pour le train qui relie Bruxelles, Paris et Londres par le tunnel sous la Manche

Heathrow Express. www.heathrowexpress.co.uk (en anglais)

Informations et tarifs sur le train Heathrow Express, qui relie la gare de Paddington au centre de Londres en 15 minutes depuis Heathrow.

London Transport. www.londontransport.co.uk (anglais)

London Transport est l'organisme responsable de l'exploitation du métro et des réseaux d'autobus londoniens. Ce site clair et bien conçu comprend des plans, des informations sur les tarifs ainsi que des conseils pour faciliter vos déplacements dans la capitale tout en faisant des économies. Vous y trouverez également les horaires des derniers trains (qui s'arrêtent généralement vers minuit) et ceux des bus de nuit, qui fonctionnent jusqu'à l'aube.

✪ **Subwaynavigator.** **www.subwaynavigator.com/bin/cities/french** **(en français)**

Ce site pratique présente les plans de métro détaillés de plus de 60 villes dans le monde. Choisissez celle qui vous intéresse, saisissez votre point de départ et votre destination : votre itinéraire et une estimation de la durée du trajet vous seront donnés.

Index

Index des Hôtels

Index des Restaurants

INDEX DES RESTAURANTS

Index des Restaurants

Notes

Notes

Notes

Notes

Notes

Notes

Notes

Notes

Notes

Notes

Notes

Notes

Notes

Notes

Notes

Achevé d'imprimer en juin 2000
par Normandie Roto SA – 61250 Lonrai
N° d'imprimeur 00-1271 – Dépôt légal : juin 2000

Voyagez

432 pages
129 F

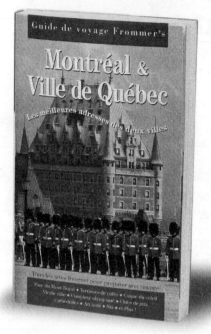

350 pages
129 F

Retrouvez les Éditions First sur Internet

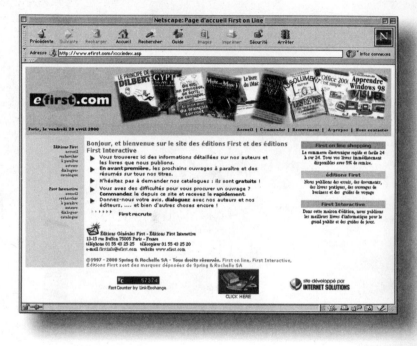

www.efirst.com